10

Maria Valtorta

El Hombre-Dios

Vol. 10°

CENTRO EDITORIALE VALTORTIANO

Título original de la edición en italiano:
Il poema dell'Uomo-Dio

Traducción española de Juan Escobar

Primera edición en 5 volúmenes
©1976, 1979, 1983, 1984, 1986: Emilio Pisani, Italia
©1987: Centro Editoriale Valtortiano s.r.l., Italia

Segunda edición en 11 volúmenes
©1989: Centro Editoriale Valtortiano s.r.l.
03036 Isola del Liri (FR) Italia

Preparación a la Pasión

La Pasión
(primera parte)

PREPARACIÓN A LA PASIÓN

1. Los judíos en casa de Lázaro
(Escrito el 18 de diciembre de 1946)

Un grupo tupido y pomposo de judíos en sendas cabalgaduras enjaezadas entra en Betania. La mayoría son escribas y fariseos, y uno que otro saduceo y herodiano [1], que he visto otra vez, sino me equivoco en el banquete celebrado en casa de Cusa con intenciones de hacer que Jesús se proclamase rey. Los servidores siguen a pie al grupo.

La cabalgadura atraviesa lentamente la población. La pisada de los animales, el retintín de los arneses, los gritos de los visitantes, llaman la atención de los habitantes que miran y con muestras claras de miedo se inclinan profundamente como para saludar, pero al erguirse cuchichean entre sí.

«¿Habéis visto?»

«Todos los sanedristas de Jerusalén.»

«No todos. José el Anciano, Nicodemo y otros no vienen.»

«Los fariseos más notables.»

«Y los escribas.»

«El que venía a caballo, ¿quién es?»

«No cabe duda que van a casa de Lázaro.»

«Ha de estar ya muriendo.»

«No puedo comprender por qué el Rabí no esté aquí.»

«¿Y cómo quieres, si los de Jerusalén lo buscan para matarlo?»

«Tienes razón. Y me imagino,que esas víboras han venido para ver si estaba aquí.»

«Alabado sea Dios que no está.»

«¿Sabes lo que dijeron a mi esposo, en los mercados de Jerusalén? Que todos estén prontos. Que pronto se proclamará rey, que todos tenemos que ayudarlo... ¿Cómo dijeron? Algo así como si yo, siendo la dueña de mi casa, echase a todos a fuera.»

«¿Complot?... ¿Conjuración?... ¿Revolución?...» preguntan e insinúan.

Alguien responde: «Es verdad. También a mí me lo dijeron. Pero no lo creo.»

«Los que lo afirman son discípulos del Rabí...»

«¡Vete a saber! No creo que el Rabí emplee la violencia para destituir a los Tetrarcas y que usurpe un trono que, con justicia o no, es de los Herodes. No estaría mal que aconsejases a Joaquín a que no de oídos a todos los rumores...»

---

[1] Cfr. vol. 4°, pág. 668, not. 4.

«¿Pero no sabes que quien le ayudare será premiado en la tierra y en el cielo? Estaría muy contenta que mi marido tomase parte en ello. Estoy cargada de hijos y la vida es difícil. ¡Si se pudiese tener un lugar entre los criados del Rey de Israel!»

«Oye, Raquel, para mí tengo que es mejor ocuparme de mi huerto y de mis dátiles. Si El me lo dijese, entonces sí que dejaría todo por seguirlo. Pero si lo dicen otros...»

«Son discípulos suyos.»

«Nunca los he visto con El y luego... No. Simulan ser corderos, pero tienen ciertos instintos de lobos que no me persuaden.»

«Es verdad. Hace tiempo que suceden cosas raras y siempre se les achaca a los discípulos del Rabí. Hace unos cuantos días, unos de ellos maltrataron a una mujer que llevaba huevos al mercado, diciendo: "Los queremos en nombre del Rabí galileo".»

«¿Te parece que pudiera ser El quien mande tales cosas? El da, pero no quita. El, que podría vivir con los ricos, prefiere estar con los pobres, privarse del manto, como decía a todos aquella mujer leprosa curada que encontró Jacob.»

Otro hombre que se ha acercado al grupo dice: «Tienes razón. ¡Y lo que se anda diciendo por ahí! Que el Rabí será causa de que padezcamos mucho, porque los romanos castigarán a todos nosotros porque El anda incitando a la gente. ¿Lo podéis creer vosotros? Yo afirmo — y no me equivoco porque además de viejo soy sabio — afirmo que todos esos que andan diciéndonos a nosotros, gente despreciable, que el Rabí quiere apoderarse con la violencia del trono y arrojar también a los romanos — ¡ojalá y así fuese!, ¡si fuese posible hacerlo! — que los que cometen acciones injustas en su nombre, los que nos incitan a la rebelión con promesas de alcanzar algo en lo porvenir, los que quieren que odiemos al Rabí como a un individuo peligroso que nos acarreará desgracias, son sus enemigos, que tratan de arruinarlo para que triunfen ellos. ¡No los creáis! ¡No creáis a los enemigos falsos de nosotros los humildes! ¿Visteis con qué pompa pasaron? Por poco me dan de golpes, porque como quería meter las ovejas, hice que esperaran... ¿Que esos sean amigos? ¡Jamás! Son nuestros vampiros, y no lo quiera el Señor, vampiros que le atacarán también a El.»

«Tú que eres vecino de los campos de Lázaro, ¿no sabes si ya se murió?»

«No se ha muerto todavía. Está entre la vida y la muerte... Se lo pregunté a Sara que cortaba flores aromáticas para los baños.»

«¿Entonces a qué habrán venido esos?»

«¡Quién lo sabe! Dieron vuelta alrededor de la otra casa del leproso y luego se fueron a Belén.»

«Lo que había ya dicho. Que habían venido a ver si estaba el Rabí. Y eso para hacerle algún mal. Y comprende lo que significaría para ellos hacérselo, sobre todo en casa de Lázaro. Natán, dime. Ese herodiano que pasó, ¿no era el que un tiempo fue amante de María de Teófilo?»

«El es. Tal vez quiere vengarse de este modo de María...»

Llega un muchachillo a la carrera. Grita: «¡Hay mucha gente en casa de Lázaro! Venía yo del arroyuelo con Leví, Marcos e Isaías y los vimos. Los criados abrieron los canceles y tomaron las cabalgaduras. Maximino corrió a recibir a los judíos y los demás corrieron haciendo muchas inclinaciones. Marta y María, con sus criadas, salieron a recibirlos. Queríamos ver más, pero cerraron el cancel y entraron todos.» El niño está muy emocionado por las noticias que ha traído y por lo que vio.

Los adultos hacen comentarios entre sí.

2. Los judíos hablan con Marta y María
(Escrito el 19 de diciembre de 1946)

Aunque Marta está muerta de cansancio, no pierde su señorío al recibir visitas, al darles la bienvenida. Tan pronto como los ha llevado a una de las salas, da órdenes de que se les lleve refrescos que suelen beberse en tales ocasiones y que no les falte nada para que se sientan cómodos.

Los criados van aquí y allí sirviendo bebidas calientes o vinos exquisitos. Ofrecen frutas muy sabrosas, dátiles de color topacio, uvas secas, algo así como nuestras uvas, en su ramo, miel. Y todo en jarras, copas, bandejas de mucho valor. Marta cuida atenta que a nadie se le descuide y que según su edad, o bien, según los gustos del individuo, a quien conoce, le ofrezcan los siervos lo que apeteciere. Cuando ve que un siervo se dirige a Elquías con una jarra llena de vino y una copa, le dice: «Tobías, no le ofrezcas vino, sino agua con miel y jugo de dátiles.» A otro: «A Juan sí le gusta el vino. Ofrécele del blanco de uva pasa.» Y personalmente ofrece al escriba Cananías leche caliente en que pone bastante miel: «Esto te servirá para la tos. Te has molestado en venir, enfermo como estás, y en un día tan frío. Estoy emocionada de veros tan bondadosos.»

«Es nuestro deber, Marta. Euqueria fue de nuestra estirpe. Una verdadera mujer judía que nos honró a todos.»

«Me llega al corazón la honra en que tenéis el recuerdo de mi madre. Referiré estas palabras a Lázaro.»

«Queremos saludarlo. ¡Un amigo tan bueno!» dice Elquías, el hombre que es falso en todo.

«¿Saludarlo? ¡No es posible! Está demasido agotado.»

«¡Oh, no lo molestaremos! ¿O no es así, amigos? Nos basta con que le demos el adiós desde los umbrales de su habitación» replica Felipe.

«No puedo permitirlo. De veras que no puedo. Nicomedes no quiere que se le moleste en lo mínimo.»

«Una mirada al amigo que está por morir, no lo puede matar, Marta» protesta Colascebona. «¡Sería muy triste que no se le pudiese saludar!»

Marta no sabe qué hacer. Mira a la puerta, para ver si viene en su ayuda María, pero no.

Los judíos miran su titubeo y Sadoc, el escriba, insinúa: «Parece como que nuestra venida te haya desagradado.»

«No. No, ¡en verdad! Tened en cuenta mi dolor. Hace meses que estoy junto a alguien que está muriendo... y no sé... me he olvidado de comportarme como en otros tiempos en las fiestas...»

«¡Oh, no es una fiesta! ¡No pretendíamos que ni siquiera nos hubieses tratado como lo has hecho. ¿No será tal vez que nos quieras ocultar algo, y que por esto no quieres que veamos a Lázaro y no nos dejas entrar en su recámara? ¡Eh, eh! Todos lo saben. ¡Pero no tengas miedo! La recámara de un enfermo es un asilo sagrado para cualquiera, créemelo...» dice Elquías.

«No hay ninguna cosa que ocultar en la recámara de nuestro hermano. No hay nada escondido. En ella está sólo uno que agoniza. Al que no hay que dar ningún recuerdo que pueda molestarlo. Tú, Elquías, y todos vosotros, sois un recuerdo que a Lázaro no agrada» dice María con su clara voz, apareciendo en el umbral y apartando con su mano la cortina.

«¡María!» grita Marta suplicante, para contenerla.

«No, hermana. Déjame hablar...» Se dirige a los demás: «Para quitaros cualquier duda, que venga conmigo uno de vosotros — será un solo recuerdo de tiempos pasados que vuelve a dar dolor — que venga, si es que la vista de uno que agoniza no le desagrada y el hedor de su cuerpo no le provoca náuseas.»

«¿Acaso no eres tú un recuerdo que causa dolor?» pregunta irónicamente el herodiano, que no recuerdo dónde vi, saliendo de su rincón y poniéndose frente a María.

Marta solloza. María mira como áquila inquieta. Sus ojos brillan. Se yergue altanera. Olvida su cansancio y dolor que la encurvaban y con gesto majestuoso responde: «Sí. También yo soy un recuerdo, pero que no provoca ningún dolor, como dices. Soy el recuerdo de la misericordia de Dios. Y al verme, Lázaro siente que muere en paz, porque sabe que entrega su alma en las manos de la misericordia infinita.»

«¡Ah, ah, ah! ¡Esas palabras no las pronunciaste antes! ¡Tu virtud! Sólo al que no te conoce, puedes mostrarla...»

«No vas a ser tú a quien la muestra. Y sin embargo te la pongo ante tus ojos, para asegurarte que uno se convierte en lo que practica. *En aquellos días*, desgraciadamente, iba contigo, y era como tú. Ahora voy con el Santo y me he hecho honesta.»

«Cosa destruida, no se reconstruye, ¡María!»

«Tienes razón. Tú, todos vosotros no podéis reconstruir el pasado. No podéis rehacer lo destruido. Tú que me causas asco. Vosotros que cuando sufría mi hermano, lo habéis ofendido y ahora, por un fin avieso, queréis hacer gala de que sois sus amigos.»

«¡Que si eres audaz, mujer! Puede ser que el Rabí te haya arrojado muchos demonios [1], pero no te hizo mansa» interpela un cuarentón.

[1] Cfr. vol. 1°, pág. 804, not. 3.

«Así es, Jonatás ben Ana. No me hizo débil, sino más fuerte de lo que puede ser un honesto, de lo que quiere ser el que ha vuelto al buen camino, del que ha roto sus antiguas ligaduras para rehacer una nueva vida. ¡Ea! ¿Quién viene a ver a Lázaro?» Su tono es una orden. A todos los domina con su valor intrépido. Marta al revés está angustiada, con lágrimas en los ojos que suplican a María que se calle.

«Iré yo» dice con un suspiro de víctima Elquías, hombre falso cual serpiente.

Van. Los demás se dirigen a Marta: «¡Tu hermana!... Siempre de ese carácter. No debería. Tiene necesidad de que mucho se le perdone» dice Uriel, el rabí que vi en Giscala, el que arrojó piedras contra Jesús.

Al latigazo de estas palabras las fuerzas vuelven a Marta y responde: «Dios le ha perdonado. Y basta. No necesita de que la perdone cualquier otro. La vida que lleva ahora, es ejemplo para todos.» Sin embargo pronto sus fuerzas se le acaban y se convierten en lágrimas. En medio de ellas gime: «¡Sois unos crueles! Con ella... conmigo... No tenéis miedo ni del dolor pasado, ni del actual. ¿Para qué vinisteis? ¿Para ofender y causar dolores?»

«No, Marta, no. Vinimos a saludar al gran judío que muere. No por otro motivo. No debes interpretar mal nuestras buenas intenciones. José y Nicodemo nos dijeron que estaba muy grave y por eso vinimos... como ellos, los dos *grandes amigos* del Rabí y de Lázaro. ¿Por qué queréis discriminarnos a nosotros que también amamos al Rabí y a Lázaro? No sois buenas. No vas a negar que vinieron con Juan, Eleazar, Felipe, Josué y Joaquín. Ni tampoco que Mannaén haya venido...»

«No niego nada, pero me sorprendo que sepáis todo esto tan bien. No me imaginé que aun el interior de los hogares estuviese bajo vuestra inspección. No sabía que existiese un precepto más de los 613, el de indagar, de espiar las intimidades de las familias... ¡Oh, perdonad! ¡Os ofendo! El dolor me saca de control y vosotros me lo aumentáis.»

«Te comprendemos, mujer. Exactamente porque pensamos que estáis taladradas del dolor, hemos venido a daros un buen consejo. Mandad a llamar al Maestro. Ayer también vinieron siete leprosos a alabar al Señor, diciendo que los había curado. Llamadlo también para Lázaro.»

«Mi hermano no está leproso» grita Marta fuera de sí. «¿Por esto habéis querido verlo? ¿Para esto vinisteis? No. No está leproso. Mirad mis manos. Hace años que lo curo y no tengo nada. Tengo la piel enrojecida por los aromas, pero no tengo lepra. No tengo...»

«¡Calma, calma, mujer! ¿Quién te ha dicho que Lázaro está leproso? ¿Quién puede sospechar que hayáis cometido un pecado *tan horrendo* como es el de ocultar a un leproso? ¿Y crees que pese a vuestro poder, no os castigaríamos, si hubierais pecado? Somos capaces de pasar sobre el cuerpo de nuestro padre, de nuestra madre, de nuestra esposa e hijos con tal de hacer obedecer los mandamientos. Yo te lo digo. Yo, Jonatás de Uziel.»

«Es la puritita verdad. Ni más ni menos. Ahora te aconsejamos por lo mucho que te queremos, por el amor que tuvimos a tu madre, por el que tenemos a Lázaro, que mandéis llamar al Maestro. ¿Sacudes la cabeza? ¿Quieres decir que ya es demasiado tarde? ¿Cómo? ¿No tienes fe en El, tu, Marta, discípula ferviente? ¡Eso está mal! ¿Comienzas también tú a dudar?» pregunta Arquelao.

«Blasfemas, escriba. Creo en el Maestro como en el Dios verdadero.»

«¿Entonces por qué no quieres hacer la prueba? Ha resucitado a muertos... por lo menos así dicen los rumores... ¿No sabes dónde está? Si quieres te lo buscamos, te ayudaremos» sugiere Félix.

«¡Eso no! En casa de Lázaro se sabe dónde está el Rabí. Dínoslo claro, Marta, e iremos a buscártelo, te lo traeremos y estaremos presentes al milagro para regocijarnos contigo, con todos vosotros» interviene Sadoc con muy mala intención.

Marta titubea, como si fuera a ceder. Los otros insisten. Ella replica: «No sé dónde esté... De veras que no lo sé... Hace días que partió y se despidió de nosotros como si fuera a estar lejos por mucho tiempo... Me sentiría consolada si supiese dónde está... A lo menos saberlo... Pero no miento, si digo que no sé...»

«¡Pobre mujer! Nosotros te ayudaremos... Te lo traeremos» promete Cornelio.

«¡No! No es necesario. El Maestro... A El os estáis refiriendo ¿o no? El Maestro dijo que debemos esperar contra lo imposible, y sólo en Dios. ¡Así lo haremos!» grita Magdalena que regresa con Elquías, el cual se separa de ella y empieza a cuchichear con tres fariseos.

«Si está agonizando, porque lo que oigo» dice uno de ellos que es Doras.

«¡Y qué! ¡Que se muera! No voy a oponerme al decreto de Dios y no desobedeceré al Rabí.»

«¿Y qué quieres esperar después de muerto, pedazo de tonta?» le pregunta con sorna el herodiano.

«¿Qué cosa? ¡La Vida!» Su voz es un grito de fe absoluta.

«¿La Vida? ¡Ja, ja! Sé sincera. Sabes muy bien que ante una verdadera muerte su poder es nulo, y como eres una necia amándolo, por eso no quieres que se eche de ver.»

«¡Largaos de aquí todos! Marta tendría que hacerlo, pero os teme. Yo sólo tengo miedo de ofender a Dios que me ha perdonado. Y por esto lo hago en lugar de Marta. ¡Afuera todos! En esta casa no hay lugar para los que odian a Jesús, el Mesías. ¡Afuera! ¡A vuestras cuevas tenebrosas! ¡Afuera todos! O haré que os arrojen mis siervos como a una banda de haraposos inmundos.»

Está que arde de ira. Los judíos ponen pies en polvorosa, siempre cobardes. Magdalena parece un ángel airado...

La sala se limpia y los ojos de María, según van pasando cada uno ante ella, forman como la sombra de un yugo romano, bajo el que se doblega la altivez de los vencidos judíos. Se queda sola.

Marta se echa sobre la alfombra presa del llanto.

«¿Por qué lloras, hermana? No veo la razón...»

«¡Oh! Los has ofendido... Te ofendieron... nos ofendieron y ahora... se vengarán... y...»

«Cállate, ¡tonta! ¿En quién quieres que se venguen? ¿En Lázaro? Primero tienen que deliberar y antes de que decidan... ¡Oh! Nadie se venga en un gulal [2]. ¿En nosotras? ¿Tenemos necesidad que nos den de su pan para vivir? No nos tocarán nuestros bienes. Saben que Roma nos protege. ¿Sobre quién se van a vengar? Y aunque se vengasen, ¿no somos jóvenes y fuertes todavía? ¿No podremos trabajar? ¿No acaso Jesús es pobre? ¿No ha sido carpintero nuestro Jesús? ¿Si somos pobres y trabajamos, no nos pareceremos a El? ¡Gloríate de llegarlo a ser! ¡Espéralo! ¡Pídeselo a Dios!»

«Pero lo que te dijeron...»

«¡Ah, ah! Lo que me dijeron. *Fue la verdad.* Yo misma me la digo. Fui una inmunda. Ahora soy una oveja del Pastor. Lo pasado ya murió. ¡Ea!, vamos donde Lázaro.»

[2] Palabra hebrea que, en sentido metafórico, significa: desperdicio, suciedad, oprobio. Cfr. igual término en 3 Rey. 14, 10.

3. Marta manda a avisar al Maestro [1]
(Escrito el 20 de diciembre de 1946)

Me encuentro todavía en casa de Lázaro y veo que Marta y María salen al jardín acompañando a un hombre más bien anciano, majestuoso de presencia, y creo que no es hebreo porque tiene la cara rasurada como los romanos.

Una vez que están un poco lejos de la casa, María pregunta: «¿Y qué cosa, Nicomedes? ¿Qué nos dices de nuestro hermano? Lo vemos muy... enfermo... Habla.»

El interpelado abre sus brazos con un gesto de compasión, pues sabe que no hay remedio alguno. Se detiene, contesta: «Está muy enfermo... Desde que tomé cuidado de él, jamás os engañé. He hecho todo lo posible y vosotras lo sabéis. Pero todo ha sido inútil. Creí que con darle algo con que pudiese reaccionar y vencer el agotamiento que le produce su enfermedad, se lograría algo. Le he preparado cosas nutritivas y bebidas reconfortantes. He empleado una cierta clase de venenos propios para que la sangre no se corrompa y para sostener las fuerzas, según lo que enseñaron los grandes maestros de la medicina. Pero la enfermedad es más fuerte que los remedios. Esta clase de males es como una enfermedad corrosiva. Destruye. Y cuando se deja ver en la superficie, los huesos están ya invadidos, y como la savia en un árbol sube de las raíces

[1] Cfr. Ju. 11.

13

a la copa, así también esta enfermedad se ha extendido por todo el cuerpo...»

«Pero sólo tiene piernas enfermas [2]...» dice Marta.

«Es cierto, pero la fiebre destruye donde creéis que no haya mal. Mirad esta ramita caída. Parece carcomida, aquí cerca de donde se rompió. Pero ved... (la tritura entre sus dedos). ¿Habéis visto? Bajo la corteza que parecía buena estaba ya la polilla hasta la punta, donde parece que todavía hay vida, porque se ven hojitas. Lázaro está ya agonizando. El Dios de vuestros padres, y los dioses y semidioses de nuestra medicina no han podido hacer nada... o no han querido. Hablo de vuestro Dios... Y por esto... y por esto, preveo que la muerte se acerca a Lázaro, parte porque la fiebre sigue aumentando, síntoma de la corrupción que ha entrado en la sangre, parte por los movimientos irregulares del corazón, y parte también por la falta de estímulos y reacciones en todos los órganos del enfermo. Lo estáis viendo: no se alimenta ya, no retiene lo que poco que puede comer y no asimila lo que retiene. Es el fin... — creedme como a un médico que es deudor a vosotras, por recuerdo a Teófilo — que más deseable sería la muerte... Son enfermedades duras. Por millares de años destruyen al hombre y el hombre no logra prevenirse contra ellas. Sólo los dioses podrían si...» Se detiene, las mira frotándose con los dedos su mentón rasurado. Piensa. Luego dice: «¿Por qué no llamáis al Galileo? Es vuestro amigo. El puede porque todo lo puede. He examinado a personas que estuvieron condenadas a muerte y que fueron curadas. Una fuerza extraña sale de El. Un fluído misterioso que reanima, que junta las reacciones dispersas y hace que se curen... No sé. También lo he seguido, mezclado entre la multitud, y he visto cosas maravillosas... Llamadlo. Soy un pagano, pero honro al Taumaturgo misterioso de vuestro pueblo. Sería yo feliz que El pudiese lo que yo no.»

«El es Dios, Nicomedes. Por esto puede todo. La fuerza que dices que fluye de El, es su voluntad de Dios [3]» replica María.

«No me burlo de vuestra fe. Más bien la espoleo para que llegue hasta lo imposible. Por otra parte... Se sabe que los dioses algunas veces han bajado a la tierra. Yo... nunca hubiera creído... Pero como hombre y médico honrado que lo soy, debo afirmar que es verdad, porque el Galileo hace curaciones que sólo un dios puede hacer.»

«No un dios, Nicomedes. El verdadero Dios» insiste María.

«Está bien. Como quieras. Yo creeré en El y me haré su seguidor si viere que Lázaro... resucita. Porque en su caso no se trata ya de curación, sino de resurrección. Llamadlo pues y con urgencia... porque, si no me he hecho un tonto, al máximo dentro de tres ocasos a partir de este, habrá muerto. Dije ''al máximo''. Puede suceder que sea hasta antes...»

«Oh, podríamos, pero no sabemos dónde esté...» responde Marta.

«Yo lo sé. Me lo dijo un discípulo suyo que iba a alcanzarlo, al que

---

[2] Cfr. vol. 4°, pág. 566, not. 2.
[3] Sobre esta fuerza que fluía de Jesús y sanaba a todos, cfr. Lc. 6, 17-19.

acompañaban unos enfermos, dos de los cuales eran míos. Está al otro lado del Jordán, cerca del vado. Así me dijo. Vosotras conoceréis tal vez mejor el lugar.»

«¡Ah, claro, la casa de Salomón!» dice María.

«¿Está muy lejos?»

«No, Nicomedes.»

«Entonces mandad inmediatamente a un siervo a decirle que venga. Más tarde regreso y me quedaré para ver su poder en Lázaro. Salvete, dominae. Y... mutuamente animaos.» Hace la inclinación, se dirige a la salida, donde un siervo lo espera para tenerle el caballo y abrirle el cancel.

«¿Qué hacemos, María?» pregunta Marta después de haber visto partir al médico.

«Obedezcamos al Maestro. El nos dijo que lo mandásemos llamar después de muerto. Y así lo haremos.»

«Pero una vez que haya muerto... ¿de qué sirve tener aquí al Maestro? Para nuestro corazón será un consuelo. ¡Pero para Lázaro!... Voy a enviar a un siervo que le diga que venga.»

«No. Echarías a perder el milagro. El ordenó que supiésemos esperar y creer contra todo lo imposible. Y si así lo hacemos, veremos el milagro. Estoy segura. Si no lo hacemos, Dios nos dejará con nuestra presunción porque queremos hacer mejor que El, y no nos concederá nada.»

«¿Pero no estás viendo cuánto sufre Lázaro? ¿No oyes cómo desea ver al Maestro, en sus momentos lúcidos? No tienes corazón. ¡Quieres negar a nuestro pobre hermano su última alegría!... ¡Pobre hermano nuestro! ¡Pobre hermano nuestro! Dentro de poco no tendremos ya hermano. ¡Ni padre, ni madre, ni hermano! La casa destruida y nosotras solas como dos palmeras en el desierto.» Es presa de una crisis de dolor, y yo diría de una crisis típicamente oriental. Se agita, se golpea la cara despeinándose la cabellera.

María la sujeta. Le grita: «¡Cállate! ¡Cállate, te lo mando! Puede oirnos. Lo amo más y sé dominarme mejor que tú. Pareces una mujer enferma. ¡Cállate, te lo mando! Con estas tonterías no se cambia la suerte de nadie, ni tampoco se hace uno digno de que se le compadezca. Si lo haces para conmoverme estás equivocada. Piénsalo bien. Mi corazón se despedaza, pero obedece.»

Marta, dominada por la fuerza y palabras de su hermana, se calma un tantín, pero en medio de su dolor que es más tranquilo, llora, ruega, invocando a su madre: «¡Madre, oh madre mía, consuélame! Dame más paz de la que me has dado después de tu muerte. ¡Si estuvieses aquí, madre! ¡Si los dolores no te hubieran matado! Si estuvieses nos guirías y te obedeceríamos para bien de todos... ¡Oh!...»

María cambia de color. Su cara se cubre de lágrimas sin sollozo alguno y sin decir una palabra se retuerce las manos.

Marta la mira y dice: «Nuestra madre, cuando estaba para morir, me hizo prometerle que sería yo para Lázaro una madre. Si estuviese aquí...»

«Obedecería al Maestro porque fue una mujer buena. Es inútil que trates de conmoverme. Dime si quieres que fui yo quien mató a mi madre por las aflicciones que le causé. Y te responderé: "Tienes razón". Pero si quieres que diga que está bien que mandes llamar al Maestro, te respondo: "No". Y siempre te diré: "No". Estoy cierta que desde el seno de Abraham [4] aprueba lo que digo y me bendice. Vamos adentro.»

«¡No hay más! ¡No hay más!»

«¡Hay todo! Todo, debes decir. Tú escuchas al Maestro y pareces muy atenta mientras habla, y luego te olvidas de lo que dijo. ¿No ha afirmado siempre que amar y obedecer nos hace hijos de Dios y herederos de su Reino? Si es así, ¿cómo puedes asegurar que nos quedaremos sin nada, si tenemos a Dios y poseemos su Reino por nuestra fidelidad? Oh, en realidad es necesario ser absolutas como lo fui yo, también en el mal, para poder ser, para poder saber y querer ser absolutas en el bien, en la obediencia, en la esperanza, en la fe, en el amor...»

«Pero permites que los judíos se burlen y hagan insinuaciones sobre el Maestro. El otro día los oiste...»

«¿Todavía estás acordándote de los graznidos de esos grajos, del revoloteo de esos buitres? Déjalos que escupan lo que traen dentro. ¿Qué te importa el mundo? ¿Qué es este en comparación de Dios? Mira, menos que este sucio y aterido o envenenado moscón por haber chupado en la porquería y al que aplasto así» y con fuerte golpe de su pie aplasta al moscardón que despacio camina por entre la grava del sendero. Luego toma a Marta por un brazo y le dice: «¡Animos! Vamos adentro y...»

«Por lo menos hagámoslo saber al Maestro. Mandémosle a decir que está agonizando, sin agregar más...»

«Como si tuviese necesidad de que se lo dijésemos. El dijo: "Cuando haya muerto, hacédmelo saber". Y lo haremos. No antes.»

«Nadie, nadie se compadece de mi dolor. Tú, menos de todos...»

«Déjate de lagrimear así. No lo puedo soportar...» En su angustia se muerde los labios para dar fuerza a su hermana, pero ni siquiera llora.

Marcela sale corriendo fuera de la casa. La sigue Maximino: «¡Marta, María, corred, Lázaro está mal! No responde más...»

Las dos hermanas ligerísimas entran en casa... luego se oye la voz enérgica de María que da órdenes para el caso, se ve que corren criados con bebidas estimulantes y jofainas de agua hirviendo, se oyen los cuchicheos, se ven gestos de dolor...

Poco a poco la calma vuelve. Los criados hablan entre sí, más calmados, pero no abrigan esperanzas. Unos sacuden su cabeza, otros la levantan al cielo alargando los brazos como si quisieran decir: «Así es», algunos lloran, otros esperan el milagro.

Ahí está nuevamente Marta, pálida como un cadáver. Vuelve la cara para cerciorarse de que nadie la sigue. Mira a los criados que vienen an-

---

[4] Cfr. vol. 4°, pág. 613, not. 32.

siosos a su alrededor. Vuelve a la casa la mirada para asegurarse de que nadie viene. Ordena a un criado: «Ven conmigo.»

El siervo se separa del grupo, la sigue hacia dentro del emparrado de los jazmines. Marta habla, pero sin perder de vista la casa que a través del tupido follaje puede verse: «Escúchame. Cuando todos los criados hayan vuelto a entrar, les daré órdenes para que todos estén ocupados, entonces tú irás a la caballeriza, tomarás uno de los caballos más veloces, lo ensillas... Si por casualidad alguien te viese, dile que vas a casa del médico... No mientes y tampoco te enseño a hacerlo, porque en realidad te mando a donde está el Médico digno de toda bendición... Toma contigo cebada para el caballo, y alimentos para ti y esta bolsa para lo que se te pudiere ofrecer. Sal por el pequeño cancel pasando por los campos arados, donde no se oye el rumor de los cascos del caballo. Toma el camino que lleva a Jericó y galopa sin detenerte ningún momento, ni siquiera de noche. ¿Entendido? *Sin detenerte un solo momento*. La luna nueva te alumbrará, si está oscuro cuando todavía vas de camino. Piensa que la vida de tu patrón está en tus manos y en tu rapidez. Deposito mi confianza en ti.»

«Patrona, te serviré cual fiel esclavo.»

«Vas al vado de Betabara. Lo pasas y te diriges a la otra Betania de la Transjordania. ¿La conoces? Donde al principio bautizaba Juan.»

«La conozco. También fui allá a purificarme.»

«Allí está el Maestro. Todos te señalarán la casa donde esté hospedado. Pero si en lugar del camino principal, sigues por la ribera del río, es mejor. Nadie te verá y tú mismo darás con la casa. Es la primera del único camino del poblado que lleva de la campiña al río. No puedes equivocarte. Una casa baja, sin terraza ni habitaciones superiores, con un jardincillo, que está situada de esta parte del río. Antes de la casa, un huertecillo con un cancel de madera y una cerca como de blanco-espinos, me parece. De todas maneras es una cerca. ¿Has entendido? Repítelo.»

El siervo repite.

«Está bien. Trata de hablar con El, *con El sólo*, y le dirás que *tus patronas* te mandan a decirle que Lázaro está muy enfermo, que está para morir, que no resistimos más, que él lo quiere ver y que venga inmediatamente, *inmediatamente*, por piedad. ¿Has entendido bien?»

«Sí, patrona.»

«Después regresa al punto de modo que nadie note mucho tu ausencia. Lleva una lámpara contigo para la oscuridad. Ve, corre, galopa, mata el caballo, pero regresa presto con la respuesta del Maestro.»

«Así lo haré, patrona.»

«¡Vete, vete! ¿Ya ves? Todos han vuelto a entrar. Vete al instante. Nadie te verá hacer los preparativos. Yo misma te llevaré la comida. Vete. Te la pondré en el umbral del cancel pequeño. Vete y que Dios sea contigo. ¡Vete!...»

Ansiosa lo empuja. Luego rápida va dentro, espía, y poco después sale ocultándose por una puerta secundaria, por el lado sur, con una pequeña bolsa en las manos, pasa cerca, muy cerca de la valla hasta la primera brecha, da vuelta, desaparece...

4. La muerte de Lázaro
(Escrito el 21 de diciembre de 1946)

Para lograr que Lázaro respire con menos dificultad han abierto las puertas y ventanas de su habitación. Lázaro está en coma, y cercano a la muerte. De esta sólo se diferencia por el respiro. A su alrededor están además de las dos hermanas, Maximino, Marcela y Noemí, atentos a cualquier movimiento del moribundo.

Cada vez que por una contracción de espasmo se mueve su boca, y parece como si quisiera decir algo, o que sus ojos se abren por un instante, para volver a ocultarse bajo los párpados, las dos hermanas se inclinan para captar una palabra, una mirada... Pero es inútil. No son sino reflejos sin coordinación, independientes de la voluntad y de la inteligencia, facultades ambas que por lo demás ya no sirven, están perdidas. Reflejos que provienen del sufrimiento del cuerpo, del que mana sudor que da brillo a la cara del moribundo y el temblor que en intervalos sacude los dedos esqueléticos y hace que se contraigan [1]. Sus hermanas con todo el amor le dirigen palabras, pero ni su nombre, ni su amor logran romper la barrera de la incapacidad de Lázaro para poder darse a entender, y sólo obtienen como respuesta el silencio de una tumba.

Noemí, con las lágrimas en los ojos, no deja de poner lienzos calientes en los helados pies del moribundo. Marcela tiene en las manos una copa de la que saca un delicado lienzo que Marta emplea para enjugar los labios secos de su hermano. María con otro seca el abundante sudor que baja por la cara macilenta y que llega hasta las manos del moribundo. Maximino, apoyado contra un estante alto y negruzco, que está cerca del lecho del agonizante, mira sobre las espaldas de María, inclinada sobre su hermano.

No hay nadie más. Un gran silencio, como si estuviesen en una casa vacía, en el desierto. Las criadas, descalzas, traen ladrillos calientes. Parecen fantasmas.

En un cierto momento María dice: «Me parece que el calor vuelve a las manos. Mira, Marta, está menos pálido en los labios.»

«De veras. También respira mejor. Hace tiempo que lo estoy mirando» observa Maximino.

Se inclina Marta y con voz lenta, pero preñada de emoción, dice: «¡Lázaro, Lázaro! ¡Mira, María! Parece como si sonriera y quisiera hablar. Se está mejorando. Se está mejorando. ¿Qué hora es?»

---

[1] Cfr. vol. 4°, pág. 663, not. 34.

«Ya llega la noche.»

«¡Ah!» y Marta se lleva las manos sobre el pecho, levanta sus ojos con un gesto mudo, llenos de súplica, de confianza. Una sonrisa alumbra su cara.

Los otros la miran sorprendidos. María le dice: «No veo porqué ahora que ya casi ha anochecido debas de estar contenta...» y la mira despacio, con sospecha.

Marta no responde, sigue en su actitud anterior.

Entra una criada con ladrillos que pasa a Noemí. María ordena: «Trae dos lámparas. Falta ya la luz y quiero verlo.» La criada sale sin hacer ruido. Regresa con dos lámparas encendidas que pone, una sobre el estante, junto al que está apoyado Maximino, y la otra sobre una mesa en que hay bendas y jarras, y que está al otro lado de la cama.

«¡Oh, María, María, mira! Está menos pálido.»

«Y menos exhausto. ¡Como que vuelve a la vida!» dice Marcela.

«Dadle alguna gotica de ese vino aromatico que preparó Sara. Le hace bien» sugiere Maximino.

María toma del suelo una jarrita de cuello delgadísimo, como pico de pájaro, y con mucho cuidado pone una gota de vino en los labios semicerrados.

«Despacio, María. No vaya a ahogarse» aconseja Noemí.

«¡Oh, se la ha pasado! ¡Quiere más! ¡Mira, Marta, mira! Saca la lengua como si quisiera más...»

Todos se inclinan a mirar, y Noemí le grita: «¡Tesoro, mira a tu nutriz!» y se acerca a besarlo.

«¡Mira! ¡Mira, Noemí, bebe tu lágrima! Le cayó cerca de los labios, la sintió y ha querido bebérsela.»

«¡Oh, amado mío! Si tuviera todavía leche como en otros tiempos, te la daría gota por gota en la boca, corderito mío, aun cuando tuviera que morir exprimiéndo mi corazón.» Comprendo por lo dicho que Noemí fue no solo nutriz de María, sino también de Lázaro.

«Patronas, Nicomedes está aquí» anuncia un criado desde el umbral.

«Que pase, que pase. Nos ayudará para que mejore.»

«¡Mirad, mirad! Abre los ojos, mueve los labios» dice Maximino.

«Me está apretando los dedos con los suyos» exclama María, y se inclina: «Lázaro, ¿me oyes? ¿Quien soy?»

Lázaro abre sus ojos, la mira. Es una mirada vaga, nublada, pero es una mirada. Fatigosamente mueve sus labios y dice: «¡Mamá!»

«Soy María. María. Tu hermana.»

«¡Mamá!»

«No te reconoce. Llama a su madre. Los agonizantes siempre son así» dice Noemí con la cara bañada en lágrimas.

«Pero habla. Después de tanto tiempo vuelve a hablar... Es mucho... ¡Oh, Señor mío, premia a tu sierva!» dice Marta con un gesto lleno todavía de ferviente y confiada oración.

«¿Pero qué te ha pasado? ¿Acaso viste al Maestro? ¿Se te ha aparecido? Dímelo, Marta. ¡Quítame esta ansia!» suplica María.

Nicomedes entra. Marta no responde. Todos se vuelven a él y le cuentan que después de que se había ido, Lázaro había empeorado tanto que llegaron a creerlo muerto, pero que después con nuevos auxilios lograron que volviese a recobrar un poco el aliento. Y que después una de las mujeres había preparado un vino aromático, que bebió unas goticas, que recobró el calor, como que trataba de querer beber más, y hasta que había abierto los ojos y hablado...

Todos hablan simultáneamente, con sus esperanzas vueltas a la vida, que chocan contra la actitud un tanto escéptica del médico que los deja hablar.

Una vez que terminan, dice: «Está bien. Dejadme ver.» Se acerca al lecho y ordena que le acerquen las lámparas y cierren la ventana, pues quiere descubrir el enfermo. Se inclina, lo llama, le pregunta, hace pasar la luz por la cara del enfermo que tiene los ojos abiertos y parece como si estuviera sorprendido de todo; luego lo descubre, estudia su respiración, las palpitaciones del corazón, el calor y la rigidez de sus miembros... Todos están ansiosos de que diga algo. Nicomedes vuelve a cubrir al enfermo, lo mira una vez más, piensa. Luego se vuelve a mirar a los circunstantes y anuncia: «No puede negarse que no haya recobrado vigor. Está mejor que la última vez que lo vi. Pero no os hagáis ilusiones. No es más que mejoramiento ficticio de la muerte. Estoy seguro de ello, como lo estaba antes. Libre de otras ocupaciones he regresado para hacerle lo menos penosa la muerte, en lo que está en mis manos... o para ver el milagro si... ¿Habéis hecho lo que dije?»

«Sí, sí, Nicomedes» lo interrumpe Marta. Y para impedirle que hiciese otra pregunta, agrega: «¿Pero no habías dicho que... dentro de tres días...? Yo...» Llora.

«Lo dije. Soy un médico. Vivo entre las agonías y los llantos, pero este espectáculo de dolor no ha hecho que mi corazón se haga duro como la piedra. Hoy... os he preparado... con un lapso de tiempo bastante largo... y vago... Pero mi saber me decía que el término estaba ya pronto. Mi corazón mentía piadosamente... ¡Ea! Tened valor... Salid... No se sabe hasta qué punto los agonizantes comprendan...» Las empuja así como están llorando, repitiendo: «¡Tened valor! ¡Tened valor!»

Maximino se queda cerca del moribundo... El médico se retira para preparar unas medicinas que ayuden a que la agonía de Lázaro sea menos angustiosa, la cual, como dice «prevee que será muy dolorosa.»

«Hazlo vivir. Hazlo vivir hasta mañana. Ya es noche. Lo ves, ¡oh Nicomedes! ¿No puede acaso tu ciencia tener despierta una vida por lo menos por el espacio de un día? ¡Hazlo vivir!»

«Domina, yo hago lo que puedo. Cuando la mecha se ha apegado, no hay nada que sostenga la flama» responde el médico y se va.

Las dos hermanas se abrazan, llorando desoladas. La que más llora es María. Marta tiene su esperanza en el corazón...

Se oye que Lázaro habla con voz fuerte, imperiosa. Las toma de sobresalto. Las llama: «¡Marta! ¡María! ¿Dónde estáis? Quiero levantarme. Vestirme. Decir al Maestro que estoy curado. Debo ir a donde está el Maestro. Un carro. ¡Pronto! Y un veloz caballo. Ciertamente El me ha curado...» Habla aprisa, dando entonación a sus palabras, sentado en el lecho, encendido de fiebre, tratando de bajarse de la cama, lo que le impide Maximino que dice a las mujeres que entran corriendo: «¡Está delirando!»

«No. Déjalo que baje. ¡El milagro! ¡El milagro! ¡Oh, me siento feliz de haber sido su causa! ¡Apenas Jesús lo supo! ¡Oh, Dios de nuestros padres, sé bendito y alabado por tu poder y por tu Mesías!...» Marta, cae de rodillas transportada de alegría.

Lázaro, víctima de la fiebre lo que no logra comprender Marta, continúa diciendo: «Tantas veces que ha venido a verme en mi enfermedad. Justo es que vaya a decirle: "Estoy curado". ¡Estoy curado! ¡No me duele nada! Me siento fuerte. Quiero levantarme. Ir. Dios quiso probar mi resignación. Se me dará el nombre del nuevo Job...» Y con un tono ierático y grandes gestos: «"El Señor restableció a Job... le dio el doble de lo que antes había tenido. Le bendijo los últimos días de su vida mucho más que antes... y vivió hasta a ..." [2]. No, no soy Job. Estuve entre las llamas y de ahí me sacó; estuve en el vientre del monstruo y vuelvo a la luz. Soy pues, Jonás [3] y los tres jóvenes de Daniel soy yo [4]...»

Llega el médico a quien alguien había ido a llamar. Lo observa: «Es el delirio. Me lo esperaba. La sangre viciada envenena con fuego su cerebro.» Trata de acostarlo y recomenda que así lo tengan. Regresa a seguir preparando nuevos medicamentos.

Lázaro bien se pone inquieto porque lo tienen acostado, bien se pone a llorar como un niño.

«Realmente está delirando» gime María.

«No. Nadie entiende nada. No sabéis creer. ¡Pero ahora! No lo sabéis... A esta hora el Maestro sabe que Lázaro está agonizando. Sí, se lo mandé a decir, ¡María! Lo hice sin decirte nada...»

«¡Ah, has sido una tonta! Has destruido el milagro» grita María.

«¡No es verdad! Estás viendo que ha empezado a mejorar desde el momento en que Jonás llegó a donde estaba el Maestro. Delira... Ciertamente... Está débil y su cerebro está envuelto todavía en la neblina que lo tenía la muerte. Pero no delira como el médico cree. ¡Oyelo! ¿Son acaso palabras que un delirante diga?»

En realidad Lázaro, dice: «Incliné mi cabeza al oir al decreto de muerte, he gustado su amargura y por esto Dios recompensa mi resignación, me devuelve a la vida y a mis hermanas. Todavía podré servir al Señor y santificarme junto con Marta y María... ¡María! ¿Qué cosa es María? Es el regalo de Jesús al pobre Lázaro. Me lo había dicho... ¡Cuánto tiempo ha pasado desde aquella vez! "Vuestro perdón hará más que todo. Me

[2] Cfr. Job, 42, 10-17.
[3] Cfr. Jon. 2.
[4] Cfr. Dan. 3, 1-97 según la Vulgata.

ayudará". Me lo había prometido: "Ella será tu alegría". Y aquel día en que estaba yo irritado porque había traído hasta aquí su desfachatez, ¡cerca del Santo! ¡qué palabras dijo para invitarla al regreso! La Sabiduría y la Caridad se unieron para mover su corazón... Además, vio que me ofrecía por ella, por su redención... ¡Quiero vivir para gozar junto con ella de su arrepentimiento! ¡Quiero con ella alabar al Señor! Ríos de lágrimas, verguenzas, afrentas, amarguras... todo entró en mí y me arrancó la vida por su causa... He ahí el fuego, el fuego del horno. Regresa, con el recuerdo... María de Teófilo y de Euqueria, mi hermana: la prostituta. Podía ser reina y se convirtió en fango que aun el cerdo pisotea. Y mi madre que muere. No poder ir más entre la gente sin tener que soportar sus burlas. ¡Por causa suya! ¿Dónde estás, perversa? ¿Te faltaba el pan acaso para venderte como lo hiciste? ¿Qué leche bebiste de la nodriza? ¿Lujuria? ¿Qué te enseñó la madre? ¿El pecado? ¡Largo, largo! ¡Deshonra de nuestra casa!»

Su voz es un aullido. Parece loco. Marcela y Noemí prontamente cierran bien las puertas, corren las pesadas cortinas para que no se oiga nada afuera. El médico regresa, se esfuerza inútilmente en calmar el delirio que cada vez es más intenso.

María, echada en tierra cual harapo, llora ante la inexorable acusación del agonizante que prosigue: «Uno, dos, diez amantes. El oprobio de Israel pasaba de unos brazos a otros... Su madre moría: ella se debatía gozosa en sus sucios amores. ¡Cual bestia! ¡Cual vampir acabaste con la vida de tu madre! ¡Destruiste nuestra alegría! ¡Marta se ha sacrificado por ti! No se casa la hermana de una daifa. Yo... ¡ah, yo! Lázaro, caballero, hijo de Teófilo... ¡Los pilluelos de Ofel me arrojaban sus salivazos! "He ahí al cómplice de una adúltera y de una inmunda" me acusaban escribas y fariseos, sacudiéndose sus vestidos para dar a entender que apartaban de sí el pecado con el que estaba yo manchado a su contacto. "¡He ahí al pecador! El que no castiga al culpable, se hace reo de su pecado" gritaban los rabinos cuando subía al templo y sudaba bajo el fuego de las miradas de los sacerdotes... El fuego. ¡Tú! Tú arrojabas el fuego que dentro te consumía. Porque eres un demonio, María. Porque eres una sucia. Eres anatema. Tu fuego prendía en todos porque era de muchos, y había para los lujuriosos que parecían pescados atrapados en la red cuando pasabas... ¿Por qué no te maté? En la Gehena arderé [5] por haber dejado que destruyeses tantas familias, y dieses tantos escándalos... ¿Quién es el que enseñó: "Ay de aquel por quien viene el escándalo"? ¿Quién fue? ¡Ah, el Maestro! Quiero al Maestro. Lo quiero.

[5] La Gehena, en hebreo Gé-Hinnón o Ben-Hinnón, era un valle cerca de Jerusalén donde siempre había fuego. Al principio porque allí se quemaba a los niños en honor de los ídolos; después, porque se quemaban los desperdicios y basura de la Ciudad santa; y finalmente con él se designó el lugar del castigo de los perversos. Cfr. Lev. 18, 21; 20, 1-5; Deut. 12, 29-31; 4Rey. 16, 1-4; 21, 1-6; 23, 8-10; Sal. 20, 9-11; Eci. 7, 17-19; Is. 66, 22-24; Jer. 7, 29-33; 19; 32, 28-35; Ez. 16, 15-22; Sof. 1, 14-18; Mt. 3, 4-12; 13, 36-43; 47-50; 18, 5-10; 25, 31-46; Mc. 9, 42-50; Ap. 21, 1-8. Algunos de los textos citados se refieren al fuego y castigo de los malos a través de él, si se les ha puesto aquí es para que ilustren la idea de la Gehena.

Para que me perdone. Quiero decirle que no podía matarla, porque la amaba... María era el sol de nuestro hogar... Quiero al Maestro. ¿Por qué no está aquí? ¡No quiero vivir! Sino que me perdone el escándalo que di al dejar vivir a la escandalosa. Estoy ya en las llamas. Es el fuego de María. Me quema. En todos prendía. A unos para encender en ellos la lujuria, en otros el odio contra nuestra casa, y en mí para que mi cuerpo arda. ¡No quiero estas mantas, quitadmelas! Estoy en el fuego. Arden mi alma y mi cuerpo. Estoy perdido por su causa. ¡Maestro, Maestro! ¡Tu perdón! No viene. No puede venir a la casa de Lázaro. Es un estercolero por su causa. Entonces... quiero olvidar. Todo. No soy más Lázaro. Dadme vino. Salomón dice: "Dad vino a los que traen el corazón herido, para que olviden su miseria, y no se acuerden de su dolor" [6]. No quiero más recordar. Dicen todos: "Lázaro es rico, es el hombre más rico de Judea". No es verdad. *Todo es paja.* No es oro. ¿Y las casas? Nubes. ¿Los viñedos, los oasis, los huertos, los olivares? Nada. Engaño. Soy Job [7]. No tengo nada. Tenía una perla. ¡Bella! De infinito valor. Era mi orgullo. Se llamaba María. No la tengo más. Soy un pobre. El más pobre de todos. El más befado de todos... También Jesús me ha engañado. Porque me había dicho que me la habría restituida y sin embargo... ¿Dónde está ella? ¡Ah, ahí está! La mujer de Israel, la hija de una santa, parece ¡una etera pagana! Semidesnuda, ebria, necia... Y a su alrededor... sobre el cuerpo desnudo de mi hermana las miradas de sus amantes que en él se clavan... Y ella ríe porque es admirada y deseada en tal forma. Quiero reparar mi delito. Quiero ir por Israel diciendo: "No vayáis a la casa de mi hermana. Su casa es el camino del infierno y desciende a los abismos de la muerte" [8]. Quiero ir a su casa, aplastarla, porque dicho está: "Cualquier mujer inmunda debe ser aplastada como se pisotea el fango de la calle" [9]. Oh, ¿tienes el valor de presentarte ante mí que muero deshonrado, porque me has destruido? ¿Ante mí, quien ha ofrecido su vida como rescate de tu alma, e inútilmente? Preguntas que ¿cómo te quería para no morir así? Oye, quería que fueras como la casta Susana. Respondes que te tentaban al mal. ¿Y no tenías un hermano que te podía defender? Susana respondió [10]: "Prefiero caer en vuestras manos, que pecar en la presencia del Señor", y Dios hizo brillar su hermosura. Yo habría dicho estas palabras contra tus seductores y te habría defendido. ¡Pero te largaste! Judit enviudó y vivía en una casa solitaria, castigando su cuerpo con el cilicio y el ayuno. Todos la honraban grandemente porque temía al Señor. De ella está escrito: "Tú eres la gloria de Jerusalén, la alegría de Israel, la honra de nuestro pueblo porque te has comportado valerosamente y tu corazón no ha conocido el miedo, pues amaste la castidad y no has vuelto a casarte con otro. Por esto la mano del Señor te ha hecho

---

[6] Cfr. Prov. 31, 6-7.
[7] Cfr. Job. 1-2.
[8] Probable alusión a: Prov. 5, 1-6; 6, 20 - 7, 27; y sobre todo: 5, 5-6; 7, 27.
[9] Eccli. 9, 10, según la Vulgata.
[10] Dan. 13, 23.

fuerte y para siempre serás bendita" [11]. Si María hubiera sido fuerte como Judit, el Señor me habría curado. Pero no ha querido por causa de ella. Por esto no le he pedido que me curase. No puede haber milagro donde está ella. Morir, sufrir, no es nada. Con tal de que se salve quiero morir diez, cien veces. ¡Oh, Altísimo Señor, morir todas las veces que quieras! ¡Soportar todos los dolores! ¡Pero que se salve María! Alegrarme con ella una hora, siquiera una hora. Con ella, que vuelve a ser pura, limpia como en su niñez. Una hora de esta alegría. Gloriarme de ella, de ella la flor de oro de mi casa, la airosa gacela de ojos suaves, el ruiseñor del anochecer, la amorosa paloma... Quiero al Maestro para decirle que amo a María. ¡Ven, María! ¡Tu hermano sufre mucho por ti! Si vienes, si te redimes, mi dolor se suaviza. ¡Buscad a María! ¡Estoy por acabar! ¡Me muero! ¡María! ¡Alumbrad! Aire... Me sofoco...¡Oh, qué siento!...»

El médico hace un gesto y dice: «Es el fin. Después del delirio, viene el sopor y luego la muerte. Puede ser que vuelva otra vez en sí. Quedaos cerca de él. Sobre todo, tú. Se alegrará» y acomodado Lázaro, que está agotado después de tanta conmoción, se dirige a María, llorosa y que ha repetido: «¡Haced que se calle!» La levanta y la lleva a la cama.

Lázaro tiene los ojos cerrados. Debe sufrir muchísimo. Se contrae. Respira penosamente. El médico trata de darle algo de beber... El tiempo pasa.

Lázaro abre los ojos. Parece como si nada recordase de lo que hace poco sucedió. Sonríe a sus hermanas y busca sus manos, quiere besarlas como ellas lo han besado. Palidece mortalmente. Gime: «Tengo frío...» y castañetea los dientes. Trata de cubrirse hasta la boca. Gime: «Nicomedes, no resisto más los dolores. Los lobos despedazan mis piernas, me devoran el corazón. ¡Cómo sufro! Si así es la agonía, ¿qué será la muerte? ¿Cómo podré resistir? ¡Oh, si tuviese yo aquí al Maestro! ¿Por qué no me lo habéis traído? Hubiera muerto dichoso entre sus brazos...» llora.

Marta mira a María con dureza. Esta comprende, y recordando las palabras que su hermano había dicho en su delirio, presa del remordimiento se inclina a besarle la mano, sin dejar de seguir arrodillada junto al lecho. Dice: «Soy yo la culpable. Marta quiso hacerlo hace dos días. Pero yo me opuse. El nos había dicho que le avisásemos sólo después de tu muerte. Perdóname. Soy la que te he atormentado por toda la vida... Y con todo te amé y te amo, hermano. Después del Maestro eres el ser más querido, y Dios ve si miento. Dime que me perdonas de mi pasado. Dame paz...»

«¡Domina!» advierte el médico. «No causar emociones al enfermo.»

«Tienes razón... Dime que me perdonas que no haya querido traerte a Jesús...»

«¡María! Jesús vino aquí por ti... y así lo sigue haciendo... porque sabes amar... más que todos... Me amas más que a todos... Una vida... de delicias no me habría... no me habría dado la... alegría que he tenido por

---

[11] Jud. 15, 10-11.

ti... Te bendigo... Te digo... que hiciste bien... en obedecer a Jesús... No sabía... Sé... Digo... está bien... Ayúdame a morir... Noemí... fuiste capaz de... hacerme dormir... en otros tiempos... Marta... bendita... tranquilidad mía... Maximino... con Jesús. También... por mí... Mi parte... a los pobres, a Jesús... a los pobres... Y perdonad... a todos... ¡Oh, qué sufrimientos!... ¡Aire!... ¡Luz!... Está temblando la tierra... Veo una luz a vuestro alrededor y me deslumbra si... os miro... Hablad... más fuerte...» Su mano izquierda la tiene sobre la cabeza de María y la derecha la he dejado caer en las manos de Marta. Respira fatigosamente...

Lo levantan con cuidado, poniendo debajo almohadones. Nicomedes le hace beber unas gotas de su medicamento. Su cabeza se inclina, se balancea, no tiene fuerzas. Lo único que le queda de vida es el respirar. Vuelve a abrir sus ojos y mira a María que le levanta la cabeza y le sonríe diciendo: «¡Mamá! Ha regresado... ¡Mamá! ¡Habla! Tu voz... Tú sabes... el secreto de... de Dios... ¿He servido... al Señor?...»

María con una voz que parece como el hilo pronto a romperse, dice: «El Señor te ordena: "Ven a Mí, siervo bueno y fiel, porque escuchaste mis palabras y amaste al Verbo que te envié".»

«No oigo. ¡Más fuerte!»

María repite más fuerte...

«¡Está mamá!...» dice satisfecho Lázaro y deja caer la cabeza sobre el hombre de su hermana...

No habla más. Se escuchan sólo el gemir fatigoso, el estertor, y se ve el sudor que le corre. Insensible a la tierra, a los afectos, se sumerge cada vez más en las oscuridades absolutas de la muerte. Sus párpados caen sobre sus ojos vidriados en que brilla la última lágrima.

«Nicomedes, ¡se hace pesado! ¡Se pone frío!...» grita María.

«Domina, la muerte para él es un alivio.»

«Mantenlo en la vida. Ciertamente mañana estará aquí Jesús. Ligero habrá partido. Tal vez cabalga en el caballo del criado o en otro» dice Marta. Y volviéndose a su hermana: «¡Oh, si me hubieses permitido que lo hubiera hecho yo antes!» Luego al médico: «¡Haz que viva!» con voz convulsiva e imperiosa.

El médico extiende sus brazos. Prueba con bebidas, pero Lázaro no bebe ya. El estertor aumenta... aumenta...

«¡Oh, que si duele oírlo!» gime Noemí.

«Es una larga agonía...» asiente el médico.

Todavía no ha acabado de decirlo, cuando Lázaro se contorsiona todo, se dobla, y luego se suelta. Lanza el último respiro.

Sus hermanas gritan... al ver su estremecimiento. Gritan al ver que se suelta. María llama a su hermano, dándole de besos. Marta se aferra al médico que inclinado sobre el cadáver dice: «¡Ha muerto! No hay razón ya de esperar un milagro. No hay más esperanza. ¡Demasiado tarde!... Me retiro, dominae. No tengo por qué seguir aquí. Cuanto antes preparad el entierro, porque está ya descompuesto.» Cierra los párpados del difunto y al verlo por última vez dice: «¡Una desgracia! Era bueno, virtuoso e inteligente. ¡Lástima que haya muerto!» Se vuelva a las hermanas, se inclina, y se despide: «¡Dominae, salvete!» y se va.

Los gritos de dolor llenan la habitación. María, sin fuerzas, se arroja sobre el cadáver de su hermano, dando rienda suelta a sus remordimientos, gritándole que la perdone. Marta llora entre los brazos de Noemí.

Después María grita: «¡No has sabido creer! ¡Ni obedecer! Fui yo la primera en ser causa de su muerte, pero tú lo has sido ahora. Yo con mis pecados. Tú con tu desobediencia.» Está como loca. Marta la levanta, la abraza, le pide excusas. Maximino, Noemí, Marcela se esfuerzan en que las dos hermanas entren en razón y se resignen. Y llegan hasta decirles que se acuerden de Jesús... Se calman poco a poco. La habitación se llena de la servidumbre llorosa. Entran los que tienen a su cargo la preparación del cadáver. Llevan a las dos hermanas a otra habitación para que allí calmen su dolor.

Maximino que es el que las conduce dice: «Ha muerto cuando terminaba el segundo tiempo de la noche [12].»

Y Noemí: «Habrá que enterrarlo mañana y pronto, antes del atardecer, porque sigue el sábado [13]. ¿Dijisteis que el Maestro había dicho que se le tributasen grandes honores?...»

«Así es, Maximino. Te dejamos todo a tu responsabilidad. Me siento una tonta» dice Marta.

«Voy a enviar criados a los que viven cerca o lejos, y voy a dar órdenes a cada uno» dice Maximino y se retira.

Las dos hermanas, abrazadas, lloran. No se lanzan más ningún reproche. Lloran. Tratan de consolarse...

Pasan las horas. El cadáver ha sido preparado en la habitación. Un bulto alargado envuelto en bendas bajo el sudario.

«¡Por qué se le ha cubierto así!» grita Marta en son de reproche.

«Patrona... Olía horrible de las narices, y al moverlo echó sangre podrida» contesta un viejo criado, a modo de excusa.

El llanto de las hermanas es más fuerte. Lázaro está oculto bajo las bendas... Más cerca de la destrucción, más lejos de ellas. Con lágrimas en los ojos lo velan hasta el amanecer, cuando viene regresando el criado que fue enviado a la Transjordania, que queda estupefacto ante lo que ve, pero anuncia que Jesús vendrá pronto.

«¿Dijo que vendría? ¿No ha dicho nada en contra?» pregunta Marta.

«No, patrona. Dijo: "Iré. Diles que iré y que tengan fe". Antes había dicho: "Diles que estén tranquilas. No es una enfermedad mortal, sino que es la gloria de Dios, para que se manifieste su poder y sea glorificado en su Hijo".»

«¿Así dijo, de veras? ¿Estás seguro?» pregunta María.

«Patrona, me he venido repitiendo por el camino estas palabras.»

«Bien. Estás cansado. Te has portado bien. Pero es ya tarde, como

[12] Cfr. vol. 4°, pág. 322, not. 4.
[13] Cfr. vol. 1°, pág. 513, not. 1.

ves...» suspira Marta. Y no apenas se queda con su hermana estalla en fuerte llanto.

«¿Por qué, Marta?...»

«¡Oh, además de la muerte, la desilusión! María, María, ¿No ves que esta vez el Maestro se ha equivocado? Mira a Lázaro. ¡Muerto lo está! Hemos esperado hasta lo indecible y de nada nos sirvió. Cuando envié a llamarlo, tal vez pude haberme equivocado, Lázaro estaba más muerto que vivo. Nuestra fe no ha tenido ningún fruto, ningún premio. Y el Maestro manda a decir que no es una enfermedad mortal. ¡No es ya más la Verdad! No lo es... ¡Oh, todo, todo! ¡Todo se ha acabado!»

María se retuerce las manos en señal de dolor. No sabe qué decir. La realidad es realidad... pero no habla. No dice ninguna palabra contra su Jesús. Llora. Verdaderamente abatida.

Marta tiene en el corazón algo así como un clavo: el de haber tardado mucho tiempo: «Tú tienes la culpa» reprocha. «El quiso probar nuestra fe de este modo. Obedecer, sí. Pero también desobedecer por fe, y demostrarle que creíamos que El era el único que podía y *debía* hacer el milagro. ¡Pobre hermano mío! ¡Tanto que lo deseó! Por lo menos el verlo. ¡Pobre Lázaro, hermano nuestro! ¡Pobre, pobre!» El llanto se cambia en una especie de alarido, al que hacen eco los de la servidumbre, según la costumbre oriental...

5. El anuncio a Jesús [1]
(Escrito el 22 de diciembre de 1946)

Casi ha ya oscurecido, cuando el criado, subiendo por la espesura del río, espolea su caballo, lleno de espuma en el hocico, bañado de sudor, en los ijares para que suba la última parte que le queda entre el río y el camino que lleva al poblado. Se ve que el pobre animal palpita en sus flancos por la carrera y largo viaje. El negro manto está salpicado de sudor, y la espuma que le salía del hocico al traerlo mordido le ha dejado huellas blancas sobre el petral. Resopla arqueando su pescuezo y sacudiendo la cabeza.

Están ya en la vereda. La casa está a unos cuantos pasos. El criado desmonta, amarra el caballo al cercado, llama.

Pedro asoma su cabeza y con voz un poco áspera pregunta: «¿Quién eres? El Maestro está cansado. Hace mucho tiempo que no sabe lo que es el descanso. Ya casi es noche. Volved mañana.»

«No vengo a pedir algo. Estoy sano. Quiero entregarle tan sólo un recado.»

Pedro se acerca: «¿De parte de quién, si se puede saber? Sin un reco-

---

[1] Cfr. Ju. 11, 3-4.

nocimiento seguro no puedo permitir que pase alguien, y sobre todo si apesta a lo de Jerusalén, como tú.» Lentamente se ha venido acercando, atraído más por el hermoso jaez del caballo que por el jinete. Cuando lo ve claramente, el estupor se apodera de él: «¿Tú? ¿No eres acaso uno de los criados de Lázaro?»

El criado no sabe qué responder. Su patrona le había ordenado que hablase sólo con Jesús. Pero el apóstol parece estar decidido a no dejarlo pasar. El sabe que el nombre de Lázaro tiene una gran influencia entre los apóstoles. Dice: «Es verdad. Soy Jonás, siervo de Lázaro. Tengo que hablar con el Maestro.»

«¿Está grave Lázaro? ¿Fue el que te envió?»

«Está grave. Pero no me hagas perder tiempo. Debo regresar lo más pronto posible.» Y para que Pedro se apresure a dejarlo pasar, añade: «Estuvieron los sanedristas en Betania...»

«¡Los sanedristas! ¡Pasa, pasa!» Abre el cancel. «Deja el caballo. Le vamos a dar de beber y comer, si quieres.»

«Traigo pastura, pero un poco de hierba no le hará mal. Dale agua después. Ahora le haría mal.»

Entran al galerón donde están los lechos. Amarran el animal en un rincón para que no le de el aire. El criado lo cubre con la manta que traía amarrada a la silla, le da cebada y la hierba que Pedro le alcanza que no sé de dónde sacó. Salen nuevamente. Pedro lleva al criado a la cocina, le da una taza de leche caliente, en vez del agua que le había pedido, de un caldero que está al fuego. El criado bebe, se calienta al fuego. Pedro que se comporta heroicamente en no hacerle preguntas dice: «La leche es mejor que el agua que querías. Y como tenemos. ¿Hiciste el viaje en una sola etapa?»

«En una sola. Y así lo haré al regreso.»

«¿Estás cansado? ¿Resiste el caballo?»

«Así espero. Al regreso no galoparé como al venir.»

«La noche se nos echa encima. Va a salir la luna... ¿Cómo harás para pasar el río?»

«Espero llegar antes de que la luna se haya ocultado... Si no es así me quedaré en el bosque hasta que amanezca. Pero llegaré antes.»

«¿Y luego? El camino desde el río hasta Betania es largo. La luna se mete pronto. Está en sus primeros días decreciente.»

«Tengo una buena lámpara. La encenderé y caminaré despacio. Por despacio que camine, siempre será un paso cercano a la casa.»

«¿Quieres pan y queso? Tenemos. También tenemos pescado. Yo mismo lo pesqué, porque hoy me he quedado aquí con Tomás. El fue a traer pan de la casa de una mujer que nos ayuda.»

«No. No te prives de nada. Comí en el camino. Tenía sed y también quería algo caliente. Me siento ahora mejor. ¿Quieres ir a avisar al Maestro? ¿Está en casa?»

«Sí. Si no estuviera, te lo habría dicho claro. Está descansando en la otra parte, porque mucha gente viene a verlo... Tengo miedo que se propague la noticia y vengan a turbarlo los fariseos. Toma un poco más de leche. Tienes que dejar que coma el caballo... y que descanse. Sus flancos batían como una vela mal cosida...»

«La leche la necesitáis. Sois muchos.»

«Fuera del Maestro que habla tanto que siente entorpecido hasta su pecho y los más viejos, todos los demás comemos algo con que damos trabajo a los dientes. Toma. Es de las ovejitas que nos dejó el viejo. Cuando estamos aquí la mujer nos la trae. Si quisiéramos más, los demás nos traerían. Nos quieren bien aquí y nos ayudan. Bueno... dime, ¿fueron muchos los sanedristas?»

«Casi todos y con ellos había saduceos, escribas, fariseos, judíos de la alta clase social, y uno que otro herodiano...»

«¿Qué fue a hacer esa gentuza a Betania? ¿Estaba José con ellos? ¿También Nicodemo?»

«No. Ellos había ido antes. Lo mismo que Mannaén. Los que fueron, no eran de los que aman al Señor.»

«¡Que si lo creo! Pocos son los del Sanedrín que lo amen. ¿Pero qué querían en una palabra?»

«Saludar a Lázaro. Lo dijeron al entrar...»

«¡Uhm... qué amor tan extraño! ¡Siempre lo han evitado por *muchas* razones!... ¡Bien!... Creámosles... ¿Se han quedado mucho tiempo?»

«Así lo creo. Se fueron un poco irritados. Yo no soy criado de la casa y no sirvo a la mesa, pero los demás que estaban dentro para servir dicen que hablaron con las patronas y quisieron ver a Lázaro. Elquías fue a verlo y...»

«¡Un sinvergüenza!...» mascula Pedro entre dientes.

«¿Que dijiste?»

«¡Nada, nada! Continúa. ¿Y habló con Lázaro?»

«Así me parece. María lo acompañó. Pero luego, no sé por qué... María se enojó y dicen los criados, que estaban esperando en las otras habitaciones cercanas, que los arrojó como a perros...»

«¡Brava! ¡Era lo que se debía hacer! ¿Y te enviaron a que vinieses referir esto?»

«No me hagas perder más tiempo, Simón de Jonás.»

«Tienes razón. Ven.»

Lo lleva a una puerta. Toca: «Maestro, un criado de Lázaro está aquí. Quiere hablarte.»

«Que entre» responde Jesús.

Pedro abre, hace pasar al criado, cierra y se va con sacrificio, junto al fuego para mortificar su curiosidad.

Jesús, sentado al borde de su camastrón en el pequeño cuarto donde apenas hay lugar para el lecho y para quien vive allí, que no cabe duda que antes era una bodega como puede verse por los ganchos y estacas que hay en las paredes, mira sonriente al criado que de rodillas le saluda: «La paz sea contigo.» Luego agrega: «¿Qué nuevas me traes? Levántate y habla.»

«Mis patronas me mandan decirte que vayas *inmediatamente* porque Lázaro está muy enfermo y el médico dice que va a morir. Marta y María te lo suplican y me mandaron que te dijera: "Ven porque eres el único que puedes curarlo".»

«Diles que estén tranquilas. No se trata de una enfermedad mortal, sino de la gloria de Dios para que su poder se manifieste en su Hijo.»

«Maestro, está muy grave. La gangrena le va haciendo caer la carne a pedazos y no come ya. Casi he matado el caballo para llegar lo más pronto posible...»

«No importa. Las cosas son como digo.»

«¿Pero vas a ir?»

«Iré. Diles que iré y que tengan fe. Que tengan fe. Una fe completa. ¿Entendiste? Vete. La paz sea contigo y con quien te envió. Te repito: "Que tengan fe. Absoluta". Vete.»

El criado saluda y sale. Pedro le viene al encuentro: «Fuiste rápido en dar el recado. Me imaginaba que ibas a hablar mucho...» Lo mira, lo mira... Las ganas de saber le saltan por todos los poros. Pero se refrena...

«Me voy. ¿Quieres darme un poco de agua para mi caballo? Tengo que partir.»

«Ven. ¡Agua!... Tenemos un río, además del pozo.» Pedro toma una lámpara. Va delante de él y le da el agua.

Dan de beber al caballo. El siervo levanta la manta, mira las herraduras, la cincha, los frenos, los estribos. Dice: «Corrí mucho. Todo está bien. Hasta pronto, Simón Pedro, y ruega por nosotros.»

Saca el caballo, llevándolo de las riendas. Se apoya en el estribo para subir a la silla, Pedro lo detiene, poniéndole una mano en el brazo, y le dice: «Quisiera saber una sola cosa: ¿corre peligro de estar aquí? ¿Lo amenazan? ¿Quisieron que las hermanas les dijesen dónde estaba? Dilo en nombre de Dios.»

«Nada de eso, Simón. Nada de eso. Fueron por Lázaro... Entre nosotros se corre el rumor de que se trataba de saber si estaba el Maestro, y que si Lázaro estaba leproso, porque Marta gritaba con todos sus fuerzas de que no lo era, y lloraba... Hasta pronto, Simón. La paz sea contigo.»

«Y contigo y con tus patronas. Que Dios te acompañe en tu regreso...» Lo mira partir... desaparecer rápido por el camino principal, porque el criado ha escogido este que está iluminado por la luna, y no escoge el sendero oscuro que va a lo largo del río. Pedro se queda pensativo. Luego cierra el cancel y entra a casa.

Va donde está Jesús que sigue sentado sobre el camastrón, las manos apoyadas sobre el borde y ensimismado. Al sentir que Pedro se acerca, y que lo mira interrogativamente, vuelve a sus cinco. Le sonríe.

«¿Sonríes, Maestro?»

«Me sonrío contigo, Simón de Jonás. Siéntate junto a Mí. ¿Han regresado los demás?»

«No, Maestro. Ni siquiera Tomás. Habrá encontrado con quién hablar.»

«Está bien.»

«¿Que hable con alguien? ¿Que los demás se tarden? El habla hasta por los codos. Siempre está alegre. ¿Y los demás? Yo siempre estoy nervioso hasta que no regresan. Siempre tengo miedo.»

«¿De qué cosa, Simón mío? Nada nos amenaza por ahora, créemelo. Cálmate e imita a Tomás que está siempre alegre. Tú, sin embargo, desde hace algún tiempo estás más triste.»

«Cualquiera que te ame no podrá menos de estarlo. Soy un viejo y reflexiono mejor que los jóvenes. Si es verdad que te aman, pero la juventud está con ellos y piensan menos... Pero si quieres que esté más alegre, me esforzaré en estarlo. Y para ello dame algo para que lo esté. Dime la verdad, Señor mío. Te lo pido de rodillas (y se arrodilla en verdad). ¿Qué te dijo el criado de Lázaro? ¿Que te buscan? ¿Que te quieren hacer mal? ¿Que...»

Jesús pone su mano sobre la cabeza de Pedro: «Nada de esto, Simón. Nada de esto. Vino a decirme que Lázaro está muy grave y no me habló más que de él.»

«¿De veras? ¿De veras?»

«De veras, Simón. Le respondí que tuviesen fe.»

«Los del Sanedrín estuvieron en Betania, ¿lo sabías?»

«Es cosa natural. La casa de Lázaro es famosa. Según nuestras costumbres hay que honran a un poderoso que está por morir. No pierdas la calma, Simón.»

«Pero crees de veras que no hayan tomado esto como excusa de...»

«De ver si estaba Yo allá. No me encontraron. Vamos, no estés tan asustando como si ya me hubieran aprehendido. Siéntate junto a Mí, pobre Simón, que no quieres persuadirte que no pasará nada sino hasta el momento destinado por Dios [2], y que entonces... ninguna cosa podrá defenderme del Malo...»

Pedro se le echa al cuello, le tape la boca, lo besa diciendo: «¡Cállate! ¡Cállate! ¡No me digas estas cosas! ¡No quiero oírlas!»

Jesús logra zafarse de él para murmurarle: «¡No las *quieres* oir! ¡En esto está el error! Pero te compadezco... Oye, Simón, ya que tú eres el único que estás aquí, *sólo Yo y tú debemos saber lo que ha pasado. ¿Me comprendes?*»

«Sí, Maestro. No diré nada a mis compañeros.»

«Muchos sacrificios ¿verdad, Simón?»

«¿Sacrificios? ¿Cuáles? Aquí está uno bien. Tenemos lo necesario.»

«Sacrificios de no preguntar, de no hablar, de soportar a Judas... de estar lejos de tu lago... Pero Dios te recompensará de todo.»

«¡Oh, si a esto te refieres!... Por lo que toca al lago... tengo el río y hago que me baste. Por lo que toca a Judas... te tengo a Ti que me recompensas sin medida alguna... Por las otras cosas... ¡Inepcias! Me sirven para ser menos brusco y más semejante a Ti. ¡Qué feliz me siento de estar

[2] Cfr. vol. 2°, pág. 644, not. 3; vol. 4°, pág. 213, not. 7.

31

contigo! ¡Cerquita de Ti! Creo que el palacio de César no sería más hermoso que esta casa, si no pudiese estar así, tan cerca de Ti.»

«¿Qué sabes tú del palacio de César? ¿Lo has visto alguna vez?»

«No. Nunca lo veré. Ni me importa. Pero me lo imagino grande, hermoso, con muchas bellas cosas... y porquerías. Como toda Roma, según pienso. No estaría allí, ni aunque me revistiesen de oro.»

«¿Dónde? ¿En el palacio de César, o en Roma?»

«En todos esos lugares. ¡Anatema!»

«Y porque lo son hay que evangelizarlos.»

«¿Y qué te propones hacer en Roma? ¡Es un lupanar [3]! Nada hay que hacer allí, a no ser que vengas Tú. Entonces...»

«Iré. Roma es la cabeza del mundo. Conquistada Roma, el mundo lo está [4].»

«¿Vamos a ir a Roma? ¿Te proclamarás allí rey? ¡Misericordia y poder de Dios! ¡Sería un milagro!»

Pedro se ha puesto de pie con los brazos en alto ante Jesús que sonriente le responde: «Iré en mis apóstoles. Vosotros me la conquistaréis. Yo estaré con vosotros [5]. Hay alguien allá afuera. Vamos a ver, Pedro.»

---

[3] Respecto de la Roma pagana, entregada a toda clase de disolución y como perseguidora de los cristianos, cfr. según la interpretación de algunos exégetas: Ap. 17-18.

[4] Cfr. por ej. S. León Magno, *Sermón 82, In natali Apostolorum Petri et Pauli*, Migne, *Patr. Lat.* 54, 422-428.

[5] Hermosísimas palabras que cobran mayor luz al contacto de Ju. 17, 18-26, Mt. 28, 18-20.

6. Los funerales de Lázaro
(Escrito el 23 de diciembre de 1946)

La noticia de la muerte de Lázaro debe haber surtido el mismo efecto que produce una vara metida dentro de una colmena. Toda Jerusalén habla de ella. Nobles, mercaderes, gente humilde, pobres, gente de la ciudad, de los lugares circunvecinos, peregrinos pero que conocen el lugar, extranjeros que por vez primera están allí y que preguntan que quién murió, la clase de muerte, romanos, legionarios, oficinistas, levitas, sacerdotes que se reunen, que se separan para venir a acá, para ir a allá. Corrillos que con palabras o expresiones diversas hablan de lo acaecido. Algunos alaban, otros lloran, algunos sienten su miseria ahora más que nunca, porque ha muerto su bienhechor; algunos se lamentan: «No tendré nunca más un amo semejante a él»; otros enumeran sus méritos; otros su hacienda, su linaje, servicio y cargos de su padre, la belleza y riquezas de su madre, su nacimiento «como si hubiese sido una reina», y no falta quien traiga a la memoria ciertas páginas sobre las que sería mejor correr un velo, sobre todo cuando está de por medio un muerto...

Las noticias más diversas sobre la muerte, el lugar de la sepultura, la ausencia de Jesús que era su gran amigo y protector, son pastelillo de los grupos. Las opiniones que prevalecen son dos: una que atribuye todo lo sucedido a la actitud malévola de los judíos, sanedristas, fariseos y compinches para con el Maestro; la otra, que Este, al verse en frente a una *verdadera* enfermedad mortal, se escabulló porque en este caso no habrían surtido efecto sus engaños. Sin necesidad de ser uno astuto, fácilmente se comprende de dónde proceda este segundo modo de pensar que envenena a muchos que replican: «¿Eres, pues, fariseo? Si es así, ten cuidado, porque ante nosotros no se habla mal del Santo. Malditas víboras, hijas de hienas y de Leviatán [1]. ¿Quién os paga por que habléis mal del Mesías?» Réplicas, insultos, uno que otro puñetazo; palabras picantes lanzadas contra los fariseos y escribas que pasan dándose aire de dioses, sin dignarse echar una mirada a la gente que vocifera pro y contra acerca del Maestro. ¡Acusaciones, y cuántas!

«Este está diciendo que el Maestro es un falso. Ha de ser uno de los que recibieron sus denarios.»

«¿Sus denarios? Los nuestros, deberás decir. Por estos motivos indignos nos despellejan. Pero dónde está ese que quiero ver si es uno de los que ayer fueron a decirme...»

«Ya se escapó. Pero, ¡vive Dios! Lo que hay que hacer es unirse y obrar. Son demasiado desvergonzados.»

Otra conversación en diverso lugar: «Te oí y te conozco. Daré relación del modo como te expresas del supremo Tribunal [2].»

«Yo pertenezco al Mesías, y la baba del demonio no me hace nada. Díselo también a Anás y Caifás, si te parece, y que sirva para hacerlos más justos.»

Y en otra: «¿Yo? ¿Que yo sea perjuro y blasfemo porque sigo al Dios viviente? Tú lo serás que lo ofendes y lo persigues. Te conozco, no lo olvides. Te he visto y escuchado. ¡Espía! ¡Vendido! Venid a aprender a ese...» y empieza a propinarle buenos bofetones que ponen colorada la cara huesuda y verdosa del judío.

«Cornelio, Simeón, ved que me están pagando» grita otro más allá, volviéndose a un grupo de sanedristas.

«Ten paciencia en nombre de la fe y no te ensucies los labios y manos en la vigilia del sábado» le responde uno de ellos sin volverse siquiera al que lleva las de perder en medio de un grupo de gente de pueblo que se hace rápida justicia por sí mismo...

Las mujeres gritan, suplican a sus maridos para que no se comprometan.

Los legionarios patrullan, reparten buenos golpes y amenazan con el arresto y castigo.

La muerte de Lázaro, el hecho principal, sirve de puente para pasar a

---

[1] Cfr. vol. 1°, pág. 348, not. 1.
[2] Esto es el Sanedrín. Cfr. vol. 4°, pág. 620, not. 48.

hechos secundarios, al desahogo de la larga tensión que hay en los corazones...

Los sanedristas, ancianos, escribas, saduceos, judíos poderosos, pasan indiferentes, socarrones, como si no fuesen la causa de la explosión de rencor, de venganzas personales, de nerviosismo. Y cuanto más pasan las horas, tanto más los corazones se revuelven y se enciencen.

«Esos dicen, oídlo bien, que el Mesías no puede curar a los enfermos. Yo era leproso y ahora estoy sano. ¿Los conocéis? No soy de Jerusalén. Nunca los he visto entre sus discípulos desde hace dos años a esta parte.»

«¿A esos? Déjame ver a ese que está en medio. ¡Ah, bellaco! Es el mismo que el mes pasado me fue a ofrecer dinero en nombre del Mesías, diciendo que anda reclutando hombres para apoderarse de Palestina. Y ahora dice... Pero, ¿por qué lo dejasteis escapar?»

«Lo he comprendido. ¡Que si son unos malandrines! Casi por poco les hago caso. Tenía razón mi suegro. Pero, ved ahí a José el Anciano con Juan y Josué. Vamos a preguntarles si es verdad que el Maestro quiere reclutar soldados. Son buenos y lo saben.» Corren en grupo al encuentro de los tres sanedristas y les exponen sus dificultades.

«Id a vuestras casas. Por las calles se peca y se hace mal a otros. No disputéis. No os alarméis. Pensad en vuestros negocios y en vuestras familias. No escuchéis a los agitadores de los engañados, y no os dejéis engañar. El Maestro es un maestro, y no un guerrero. Lo conocéis. Dice lo que piensa. No hubiera mandado a otros a deciros que lo siguieseis como soldados, si quisiese que lo fueseis. No le hagáis daño, como tampoco a vosotros mismos y a nuestra patria. Regresad a vuestros hogares. No forméis una cadena de desgracias, lo que ya lo es la muerte de un buen hombre. Regresad a vuestras casas y rogad por Lázaro, que fue vuestro bienhechor» responde José de Arimatea, al que la gente debe querer mucho y obedecer, por ser un hombre recto.

También Juan (el que era un celoso): «El Mesías es un hombre de paz, y no de guerra. No escuchéis a falsos discípulos. Recordad cuán diversos fueron los que se proclamaron Mesías [3]. Recordad, comparad y vuestra conciencia os dirá que tales insinuaciones a la violencia no pueden proceder de El. ¡A casa! ¡A casa! Os esperan vuestras mujeres llorando y vuestros hijos que tiemblan de miedo. Dicho está: "¡Ay de los violentos y de los que encienden riñas" [4].»

Un grupo lloroso de mujeres se acerca a los tres sanedristas y una de ellas: «Los escribas amenazaron a mi marido. ¡Tengo miedo, José, háblales!»

«Lo haré con la condición de que tu marido sepa guardar silencio. ¿Creéis ayudar al Maestro con estas agitaciones y honrar así al difunto? Os equivocáis. A El y al muerto causáis mal» dice José y las deja para ir

[3] Tal vez alude a Judas Galileo y a Teoda. Cfr. Hech. 5, 34-39.
[4] A la letra, esta máxima no es bíblica.

al encuentro de Nicodemo que, seguido por sus siervos, se asoma por uno de los caminos: «No esperaba verte, Nicodemo. Ni yo mismo comprendo cómo he podido. El siervo de Lázaro llegó, después del canto del gallo a anunciarme la desgracia.»

«A mi casa llegó más tarde. Al punto me vine. ¿Sabes si el Maestro está en Betania?»

«No está. Mi mayordomo di Bezeta fue a la hora de tercia [5] y me dijo que no estaba.»

«No comprendo cómo... A todos ha concedido un milagro, pero a él, no» exclama Juan.

«Tal vez porque a la casa de Lázaro dio un milagro mayor que una curación: hizo que María se redimiese, y devolvió la paz y la honra...» dice José.

«¡Paz y honra! De los buenos a los buenos. Porque muchos... ni siquiera respetan a María ahora que... Vosotros no sabéis... Hace tres días que estuvieron allá Elquías y muchos otros... y no fueron respetuosos. María los arrojó. Me lo dijeron furiosos. Yo los dejé que hablasen para no descubrir mi corazón...» exclama Josué.

«¿Y ahora van a los funerales?» pregunta Nicodemo.

«Recibieron el aviso, se reunieron a discutirlo en el Templo. ¡Oh, los siervos tuvieron mucho que correr desde muy temprano!»

«¿Por qué tanta prisa por enterrarlo después de siesta?...»

«Porque Lázaro estaba ya corrompido antes de morir. Me dijo mi mayordomo que, pese a los aromas y resinas que ardían por las habitaciones, el olor del cadáver se percibe hasta el portal de la casa. Y luego al atardecer empieza el sábado. No se podía obrar de otro modo.»

«¿Y dices que se reunieron en el Templo? ¿Para qué?»

«A decir verdad, se había ya determinado que se reuniesen todos para hablar sobre Lázaro. Querían declararlo leproso...» dice Josué.

«Eso no. Hubiera sido el primero en haberse separado según la Ley [6]» protesta José. Y agrega: «He hablado con su médico. Absolutamente excluyó la enfermedad de la lepra. Estaba enfermo de una corrupción que lo iba pudriendo.»

«Entonces, ¿de qué discutieron, si Lázaro estaba ya muerto?» pregunta Nicodemo.

«Sobre si vendrían o no al entierro, después que María los echó afuera. Algunos querían venir, otros, no. Los que quisieron venir fueron los más y por tres motivos. Para ver si está el Maestro, primera y única causa común a todos. Para ver si obra el milagro, segunda razón. Y tercera porque se acordaron de unas palabras recientes que el Maestro dijo a los escribas cerca del Jordán, allá por Jericó» dice Josué por vía de explicación.

«¡El milagro! ¿Cuál, si ya está muerto?» pregunta Juan, encogiando

---

[5] Cfr. vol. 4°, pág. 463, not. 3.
[6] Cfr. vol. 1°, pág. 326, not. 1.

los hombros y concluye: «Los mismos de siempre... Siempre en busca de lo imposible.»

«El Maestro ha resucitado a otros muertos» hace notar José.

«Sará verdad, pero si lo hubiese querido conversar vivo, no lo hubiera dejado morir. Lo que dijiste antes de que no estaba leproso, es verdad. Ellos se convencieron.»

«Pero Uziel se acordó, lo mismo que Sadoc de un desafío que sucedió hace ya varios meses. Se trata de que se dice que el Mesías dará la prueba de poder rehacer un cuerpo deshecho. Y Lázaro lo está. Sadoc el escriba añadió que cerca del Jordán el Rabí, porque quiso, le dijo que en el mes siguiente vería realizarse el desafío, que consiste en que uno que está ya descompuesto vuelva a vivir. Y ellos han vencido. Si se realiza es porque El es el Maestro. Y también, si lleva a cabo, no hay duda más acerca de El.»

«Con tal de que no sea un mal...» dice en voz baja José.

«¿Mal? ¿Por qué? Los escribas y fariseos se persuadirán...»

«¡Oh, Juan! ¿Eres un extraño para poder afirmar esto? ¿No conoces a tus conciudadanos? ¿Cuándo la verdad ha podido hacer que sanasen? ¿No piensas que algo hay pues no me invitaron a la reunión?»

«Tampoco a mí me invitaron. Dudan de nosotros y con frecuencia nos dejan afuera» dice Nicodemo. Luego pregunta: «¿Y estuvo Gamaliel?»

«Estuvo su hijo. Vendrá en nombre de su padre, que está enfermo en Gamala de Judea.»

«¿Y qué dijo Simeón?»

«Nada de particular. Se limitó a escuchar. Luego se fue. Hace poco pasó con unos discípulos de su padre, en dirección a Betania.»

Están casi cerca de la puerta que lleva al camino de Betania. Juan exclama: «¡Mira! Está custodiada. ¿Cómo es posible? Detienen al que sale.»

«Hay agitación en la ciudad...»

«¡Oh! La puerta no es de las más importantes...»

Llegan, y se les ordena a ellos y a los demás que se detengan.

«¿Qué razón hay para ello, soldado? Todos me conocen en la Antonia y no tenéis nada en mi contra. Os respeto y respeto vuestras leyes» protesta José de Arimatea.

«Ordenes del centurión. El Procurador está por llegar a la ciudad y queremos saber quién sale por las puertas, y sobre todo por ésta que comunica con el camino de Jericó. Te conocemos, pero también conocemos lo mucho que nos apreciáis. Tú y los tuyos podéis pasar. Si gozáis de alguna autoridad entre el pueblo, decidle que es mejor que esté quieto. A Poncio no le gusta cambiar de costumbres por súbditos que le hagan sombra... y podría ser muy severo. Te lo digo a ti, porque eres leal.» Pasan...

«¿Habéis oído? Preveo días duros... Será necesario aconsejar a los otros más bien que el pueblo...» propone José.

El camino de Betania está lleno de gente. Todos van al entierro. Se ven sanedristas y fariseos mezclados con saduceos y escribas, y estos con campesinos, siervos, mayordomos de las diversas casas y terrenos que tiene Lázaro en la ciudad y en la campaña. Cuanto más se acerca uno a Betania, tanto más de todos los senderos y atajos desemboca gente en el camino principal.

Ahí está Betania vestida de luto por su ciudadano más famoso. Todos sus habitantes con lo mejor que tienen se vuelcan a la calle. Van a la casa del difunto, pero no entran en ella. Se detienen cerca del cancel, en el camino. Miran a los invitados y se intercambian nombres e impresiones.

«Ved a Natanael Ben Faba. ¡Oh, el viejo Matatías, pariente de Jacob! El hijo de Anás. Míralo allí con Doras, Calascebona y Arquelao. Uff, ¿cómo habrán hecho para venir aquellos de Galilea? Están todos. Mira: Elí, Yocana, Ismael, Urías, Joaquín, Elías, José... El viejo Cananías con los sanedristas Sadoc, Zacarías y Yocana. También está Simeón de Gamaliel. Solo. El rabí no ha venido. Ved a Elquías con Naum, Felix, el escriba Anás, Zacarías, Jonatás de Uriel. Saúl con Eleazar, Trifón y Yoazar. ¡Pillos! Otro de los hijos de Anás. El menor. Habla con Simón Camit. Felipe con Juan de Antipátrida. Alejandro, Isaac y Jonás de Babaón. Sadoc, Judas, descendiente de los asideos y creo que es el último. Ved allí a los mayordomos de los diversos palacios. No veo a los amigos fieles. ¡Cuánta gente!»

¡De veras! ¡Cuánta gente! Toda muy seria y con señales de dolor en sus caras. Se abre el cancel y entran todos, muchos de los cuales he visto como amigos o enemigos alrededor del Maestro. Gamaliel no está, tampoco el sanedrista Simón. Veo también a otros que nunca había visto en las discusiones en torno a Jesús, o que si los vi, no supe su nombre... Pasan rabinos con sus discípulos, y escribas en grupos compactos. Pasan judíos cuyas riquezas oigo alabar... El jardín esté lleno de gente que, después de haber presentado sus pésames a las hermanas que están sentadas, tal vez será el uso, bajo el portal, y por lo tanto fuera de las habitaciones, se esparce por el jardín en una mezcla continua de colores y de continuos inclinaciones.

Marta y María están agotadas. Se tienen de la mano como dos niñas espantadas por el vacío que hay en casa, de que no tienen ya *nada* con que pasar el día, pues Lázaro ha muerto. Escuchan las palabras de los visitantes, lloran con los verdaderos amigos, con los fieles súbditos, se inclinan ante los austeros, imponentes, rígidos sanedristas que han venido más por ostentación que por honrar al difunto; responden hasta la fatiga a quienes les preguntan los últimos momentos de Lázaro...

José, Nicodemo, los amigos de más confianza, se ponen al lado de ellas con palabras cortas, con las que muestran su amistad que vale más que todo.

Regresa Elquías con los más intransigentes con quienes había estado hablando y dice: «¿No podríamos ver al difunto?»

Marta dolorosamente se pasa la mano por la frente y pregunta: «¿Ha sido acaso costumbre en Israel? Está ya embalsamado...» y lágrimas le corren por las mejillas.

«No es costumbre. Tienes razón. Pero lo quisiéramos nosotros. Los amigos más fieles tienen derecho de ver por ultima vez al amigo.»

«También nosotras las hermanas tendríamos igual derecho, pero fue necesario embalsamarlo lo más pronto posible... Cuando regresamos a la habitación de Lázaro no vimos más que bendas...»

«Debíais de haber dado órdenes claras. ¡No podéis ahora quitar el sudario?»

«Oh, está ya corrompido... Ya es la hora del entierro.»

José interviene: «Elquías, me parece que nosotros... por exceso de amor, causamos pena. Dejemos en paz a las hermanas...»

Se adelanta Simeón, hijo de Gamaliel e impide que Elquías responda: «Mi padre vendrá tan pronto como pueda. Lo represento. Apreciaba a Lázaro, lo mismo que yo.»

Marta se inclina respondiendo: «Que Dios premie al rabí la honra que da a mi hermano.»

Como se queda ahí el hijo de Gamaliel, Elquías se retira sin insistir más y se pone a hablar con los demás que le hacen notar: «¿Pero no sientes qué feo huele? ¿Dudas de que haya muerto? Ya veremos si no tapan completamente el sepulcro. Nadie puede vivir sin aire.»

Otro grupo de fariseos se acerca a las hermanas. Son casi todos los de Galilea. Marta, recibidos sus pésames, no puede menos de admirarse de su presencia.

«El Sanedrín ha celebrado sesiones de importancia y por eso nos encontrábamos en la ciudad» explica Simón de Cafarnaúm y mira a María cuya conversión no cabe duda que recuerde. Pero se limita tan sólo a mirarla.

Se acercan Yocana, Doras hijo de Doras e Ismael con Cananías, Sadoc y otros cuyos nombres ignoro. Antes de que abran sus bocas de serpientes, se hablan con los ojos. Esperan que José se aleje con Nicodemo para hablar con tres judíos. Ahora están listos para herir. El viejo Cananías con su voz cascada de vejete de la puñalada: «¡Qué te parece, María! Vuestro Maestro es *el único ausente* de los muchos amigos de tu hermano. ¡Bonita amistad! ¡Tanto amor mientras Lázaro estuvo bien! ¡Indiferencia cuando es la hora de mostrarla! Todos han sido objeto de algún milagro. Pero éste no. ¿Qué dices a esto? ¡Qué bien te engañó! ¡Qué bien se comportó el hermoso Rabí de Galilea! ¡Je, je! ¿No decías que te había ordenado que esperaras más allá de lo posible? ¿No has, pues, esperado? ¿Sirve esperar en El? Esperabas en la Vida, dijiste. ¡Me lo imagino! El se llama "la Vida" ¡je, je! Pero allí dentro está tu hermano muerto. Y ahí está abierta ya la entrada del sepulcro. Entre tanto el Rabí está ausente. ¡Je, je!»

«El sabe dar muerte, pero no vida» dice con un guiño Doras.

Marta se oculta la cara con las manos y llora. La realidad se impone. Su esperanza ha fallido. El Rabí está ausente. No ha venido siquiera a consolarlas. Y podía haberlo hecho. Marta llora. No sabe más que llorar.

También María llora. La realidad la tiene ante los ojos. Ha creído, ha esperado más allá de lo posible... y nada ha acaecido, los siervos han ya puesto la piedra a la entrada del sepulcro porque el sol comienza a bajar, y baja más aprisa en invierno, y es viernes, y todo tiene que terminarse a tiempo, de modo que los huéspedes no vayan dejar de observar la ley del sábado, que dentro de poco empezará. Ha esperado mucho, siempre. Todo lo puso en esta esperanza. Se ha llevado un chasco.

Cananías insiste: «¿No me respondes? ¿Te persuades ahora que es un impostor, que se aprovechó de vosotras y que os escarneció? ¡Pobres mujeres!» y tanto él como los demás mueven sus cabezas, repitiendo: «¡Pobres mujeres!»

Maximino se acerca: «Es hora. Dad las órdenes. Os toca a vosotras.»

Marta cae al suelo. Se le ayuda a levantarse. Se le lleva entre brazos, en medio de los gritos de dolor de la servidumbre que comprende que ha llegado la hora del entierro. Empiezan los lamentos.

María presa de angustia se aprieta las manos. Suplica: «Un poco más. Un poco más. Mandad criados por el camino que va a Ensemes, por el que va a la fuente, por todos los senderos. Criados a caballo. Que vean si ya viene...»

«¿Pero esperas todavía, infeliz? ¿Quieres algo más para persuadirte de que os traicionó, que os engañó, de que se burló de vosotras, de que os ha escarnecido?...»

¡Es demasiado! Con la cara bañada en lágrimas, llena de dolor pero siempre fiel, en medio del semicírculo de huéspedes que están reunidos para ver salir el cadáver, María en voz alta grita: «Si a Jesús de Nazaret le ha parecido que así está bien, lo está. Su amor por todos nosotros de Betania es grande. Todo para la gloria de Dios y suya. El afirmó que de esto vendrá gloria al Señor para que resplandezca completamente el poder de su Verbo. Vamos, Maximino. El sepulcro no es un obstáculo al poder de Dios...»

Se hace a un lado, ayudada de Noemí que ha acudido, y da la señal... El cadáver, envuelto en bendas, sale de la habitación, atraviese el jardín entre dos hileras de gente, entre los lamentos. María quiere ir detrás, pero vacila. Cuando todos se dirigen al sepulcro, ella también va y llega a tiempo para ver cómo desparace el bulto inmóvil dentro su oscuridad a cuya entrada los siervos tienen en alto hachas encendidas para que vean los que bajan dentro, pues el sepulcro de Lázaro está mas bien excavado hacia abajo, tal vez para aprovechar el terreno rocoso.

María da un grito profundo de dolor. Se oye el nombre de Lázaro, se oye el de Jesús. Parece como si le arrancaran el corazón. Sólo pronuncia esos dos nombres y los repite hasta que se escucha el ruido de la roca puesta a la entrada de la tumba. Lázaro ha desparecido aun con su cuerpo. María se deja caer sobre quien la sostiene, pierde el conocimiento, no sin haber gritado: «¡Jesús, Jesús!» Se le lleva dentro.

Se queda Maximino para despedir a los huéspedes y darles las gracias en nombre de todos los familiares. Todos le dicen que regresarán diariamente para los pésames...

Lentamente se van. Los últimos son José, Nicodemo, Eleazar, Juan, Joaquín, Josué. En el cancel encuentran a Sadoc con Uriel que maliciosamente riendo, dicen: «¡Su apuesta! ¡Y tuvimos miedo de ella!»

«¡Oh, está bien muerto! ¡Cómo apestaba, pese a los perfumes! No hay duda, no la hay. No era necesario quitar el sudario. Creo que estaba lleno ya de gusanos.» Están felices.

José los mira. Y su dura mirada les troncha las sonrisas. Todos se apresuran a regresar a la ciudad antes de que termine el crepúsculo.

7. «Vamos a casa de nuestro amigo Lázaro que duerme» [1]
(Escrito el 24 de diciembre de 1946)

La luz va desapareciendo en el huertecillo de la casa de Salomón y los árboles, los perfiles de las casuchas que están al otro lado del camino, sobre todo el camino mismo, donde se adentra en el bosque del río, pierden su claridad, reuniéndose en una sola línea de sombras que van haciéndose más oscuras conforme la luz desaparece. Lo que queda sobre la tierra más que colores son sonidos. Gritos de niños, de mujeres, de hombres que gritan a sus ovejas o a su asno, el chirrido de alguna carreta que pasa por un hoyo, el ruido de hojas que el viento sacude, choques secos de palitos entre sí, o de huesos de frutas tirados por entre los árboles. En el firmamento el primer palpitar de las estrellas, que no es muy claro, porque todavía queda un recuerdo de luz, y porque la luz de la luna empieza a teñir el cielo.

«Lo demás lo diréis mañana. Por ahora basta. Es noche. Cada uno regrese a su casa. La paz sea con vosotros. Sí... Sí... Mañana. ¿Qué dices? ¿Tienes un escrúpulo? No te preocupes. Si no se te pasa, ven. ¡Faltaba más que ahora fuesen los escrúpulos que viniesen a darle fatiga! También los maniáticos de ganancias. Las suegras que quieren que sus nueras sean más cuerdas, y éstas que aquellas sean menos duras. Ambas merecerían que les cortaran la lengua. ¿Y qué más? ¿Tú, qué estás diciendo? ¡Oh, este sí, pobrecito! Juan, lleva este niño al Maestro. Tiene la madre enferma y manda decir a Jesús que ruegue por ella. ¡Pobrecito! Estaba atrás porque es pequeño. Viene de lejos. ¿Cómo hará para regresar? ¡Eh, todos vosotros! En vez de que os estéis ahí para alcanzar algo de El, ¿por qué no podéis mejor en práctica lo que ha enseñado, de ayudarse el uno al otro, y que los más fuertes ayuden a los más débiles? Ea, ¿quién acompaña a este niño? Quiera Dios que no encuentre muerta a su madre... Que por lo menos la vea. Si tenéis algún borrico... ¿Es ya noche?

[1] Cfr. Ju. 11, 6-16.

40

¿Y qué cosa más bello que la noche? Por muchos años trabajé a la luz de las estrellas y me encuentro sano y robusto. ¿Lo llevas tú a su casa? Dios te bendiga, Rubén. Aquí está el niño. ¿Te consoló el Maestro? ¿Sí? Entonces vete contento. Pero hay que darle algo de comer. Tal vez no come desde la mañana.»

«El Maestro ya le dio leche caliente, pan y fruta. Lo trae en su tuniquita» dice Juan.

«Entonces vete con este hombre. Te lleva a casa con el asno.»

Toda la gente se ha ido. Pedro puede descansar ahora con Santiago, Judas, el otro Santiago y Tomás que lo ayudaron a enviar a sus casas a los que no querían irse pronto.

«Cerremos. No sea que alguien quiera regresar, como aquellos dos. ¡Uff, que si el día siguiente al sábado es fatigoso!» añade Pedro al entrar en la cocina y cerrando la puerta: «¡Oh, ahora estaremos tranquilos!» Mira a Jesús que está sentado junto a la mesa con el codo apoyado sobre ella y la cabeza sobre la mano, pensativo, abstraído. Se le acerca, le pone la mano en la espalda y le dice: «Estás cansado. ¡Tanta gente! Vienen de todas partes, aunque haga frío.»

«Parece como si tuviesen miedo de perdernos pronto» observa Andrés que está descuartizando los pescados. También los demás se ponen a preparar el fuego para asarlos, a revolver la cicoria que hierve. Sus sombras se proyectan en las paredes ahumadas, que ilumina el fuego, más bien que la lámpara.

Pedro busca una taza para dar leche a Jesús que parece muy cansado. Pero no la encuentra y pregunta a los demás por qué no hay.

«Bebió el niño lo que quedaba. La otra parte se lo habían bebido el viejo mendigo y la mujer que tiene su marido enfermo» dice Bartolomé a modo de explicación.

«Y el Maestro se va a quedar sin nada. No debíais haber dado toda.»

«El así lo quiso.»

«¡Oh, El siempre quiere así! Pero no hay que dejarlo. Regala sus vestidos, regala su leche, se da a Sí mismo y se acaba...» Pedro está disgustado.

«¡Bueno, Pedro! Es mejor dar que recibir [2]» interviene Jesús calmadamente, saliendo de su abstracción.

«Sí, das, das y te acabas. Cuanto más eres generoso, tanto más los demás se aprovechan.» Con hojas gruesas que despiden olor a almendra amarga y a crisantemos, limpia la mesa, pone en ella pan, agua, y un vaso ante Jesús, que se sirve pronto, como si tuviese mucha sed.

Pedro pone otro vaso al otro lado de la mesa cerca de un platón de aceitunas y de hongos. Pone la cazuela de hierbas que Felipe ha preparado, y junto con sus compañeros pone bancos muy primitivos junto a las cuatro sillas que hay en la cocina, y que no bastan para trece. Andrés,

---

[2] Esta frase no se encuentra en ninguno de los cuatro evangelios. San Pablo en Hech. 20, 35, la recuerda como dicha por Jesús.

que ha tenido a su cargo asar el pescado sobre las brazas, lo pone en otro platón, con pedazos de pan y lo lleva a la mesa. Juan toma la lámpara de donde estaba y la pone en medio de la mesa.

Jesús se levanta mientras todos se acercan a la mesa para cenar, ora en voz alta, ofrece el pan y bendice luego los alimentos. Se sientan. Distribuye el pan y los peces, o sea, coloca los peces sobre las formas largas y finas del pan en parte fresco, en parte pasado. Los apóstoles se sirven de las hierbas usando tenedores de madera. El pan sirve también de plato. Sólo Jesús es el que tiene un plato de metal largo y abollado que emplea para dividir el pescado, dando ahora a este, ahora a aquél un pedazo. Parece como si fuera un padre entre sus hijos, aun cuando Natanael, Simón Zelote y Felipe parecen ser padres de El; Mateo y Pedro pueden pasar por sus hermanos mayores.

Comen hablando de lo sucedido en el día. Juan se ríe de buena gana por lo irritado que se puso Pedro con un pastor de los montes de Galaad, que insistía en que Jesús fuera a donde está su ganado, para que lo bendijera y así pudiera ganar mucho dinero que serviría para la dote de su hija.

«No hay por qué reírse. Entre tanto él dijo: "Tengo mis ovejas enfermas y si se mueren, estoy arruinado" lo compadecí. Es como si nuestra barca la acabase la polilla. No se puede pescar, ni tampoco comer. Y todos tenemos el derecho a comer. Pero cuando dijo: "Las quiero ver curadas, porque quiero hacerme rico, y llamar la atención de la gente por la dote que daré a Ester, y por la casa que me haré", entonces me enojé. Le dije: "¿Y para esto has venido de tan lejos? ¿No piensas en otra cosas que en la dote, en riquezas y en tus ovejas? ¿No tienes un alma?" Me respondió: "Para ésta hay tiempo. Ahora me urgen las ovejas y las bodas porque es un buen partido y Ester empieza a envejecer". Entonces, si no me hubiera acordado que Jesús dice que debemos ser misericordiosos con todos, me las hubiera pagado. Le dije unas cuantas palabras, como cuando empieza a bramar la tempestad...»

«Y parecía que no querías terminar, pues ni respirabas. Las venas del cuello se te pusieron hinchadas y parecían dos bastoncitos» observa Santiago de Zebedeo.

«El pastor ya se iba yendo y tú seguías predicando. Menos mal que dices que no sabes hablar a la gente» añade Tomás, y lo abraza diciendo: «¡Pobre Simón, qué furioso te pusiste!»

«¿Pero no tenía razón? ¿Qué es el Maestro? ¿El constructor de fortunas de todos los imbéciles de Israel? ¿El paraninfo [3] dc las bodas de otros?»

«No te enojes, Simón. El pescado te hace mal si lo comes con ese veneno» bonachonamente lo reprende Mateo.

«Tienes razón. Me parece gustar todo el sabor que tienen los banquetes de los fariseos cuando como pan con miedo y carne con ira.»

---

[3] Paraninfo o amigo del esposo. Cfr. Mt. 9, 15; Mc. 2, 19; Lc. 5, 34; Ju. 3, 29.

Todos se echan a reir. Jesús sonríe y calla.

Está por acabarse la cena. Llenos, satisfechos de la comida y del calor, se quedan un poco sobre mesa. Hablan menos. Algunos empiezan a cabacear. Tomás se divierte dibujando con el cuchillo un ramo de flores en la mesa.

La voz de Jesús los saca de sí, abriendo los brazos que tenía cruzados en la orilla de la mesa y extendiendo sus manos como hace el sacerdote cuando dice el «Señor esté con vosotros», dice: «Y sin embargo hay que partir.»

«¿A dónde, Maestro? ¿Al hombre de las ovejas?» prégunta Pedro.

«No, Simón. A casa de Lázaro. Regresamos a Judea.»

«Maestro, recuerda que los judíos te odian» exclama Pedro.

«Hace poco querían apedrearte» advierte Santiago de Alfeo.

«Pero, Maestro, ¡esto es una imprudencia!» protesta Mateo.

«Nada somos, ¿verdad?» pregunta Iscariote.

«¡Oh, Maestro y hermano mío! Te conjuro en nombre de tu Madre y en nombre de la divinidad que hay en Ti, que no permitas que los satanases pongan su mano sobre tu persona, para impedirte hablar. Estás solo, demasiado solo contra todo un mundo que te odia y que en la tierra es poderoso» dice Tadeo.

«¡Maestro, cuide de tu vida! ¿Qué sería de mí, de todos, si no te tuviésemos más?» exclama Juan con los agrandados de un niño que tiene miedo y que sufre.

Pedro, después de lo que dijo, se ha vuelto a hablar agitadamente con los de más edad y con Tomás y Santiago de Zebedeo. Todos son de parecer que Jesús no debe regresar cerca de Jerusalén, al menos hasta que la temporada pascual permita que pueda estar con mayor seguridad, porque entonces, dicen, habrá un gran número de sus seguidores, que habrán ido para la pascua de todas partes de la Palestina, lo cual será una defensa suya. Nadie de los que lo odian se atreverá a tocarlo cuando vean a su alrededor a un pueblo que lo ama. Se lo dicen con ansias, como queriendo imponérsele... El amor los impele a hablar.

«¡Calma, calma! ¿No tiene acaso doce horas el día? Si uno camina de día, no se tropieza, porque le alumbra la luz; pero si camina de noche, tropieza, porque no puede ver. Sé lo que hago, porque la Luz está en Mí. Dejaos guiar de quien ve. Tened en cuenta que mientras no llegue la hora de las tinieblas [4], nada me puede pasar. Cuando llegue esa hora, nadie me podrá salvar de las manos de los judíos, ni siquiera los ejércitos de César. Porque lo que está escrito [5] debe cumplirse y las fuerzas del mal trabajan ya a escondidas para cumplir su obra. Dejadme hacer lo que quiero. Hacer del bien mientras tengo las manos libres. Llegará la hora en que no podré mover un dedo, ni decir una palabra para hacer un milagro. El mundo se encontrará sin mi fuerza, que será una hora horrible

[4] Cfr. vol. 4°, pág. 449, not. 2.
[5] Cfr. vol. 2°, pág. 644, not. 3.

de castigo para el hombre. No para Mí. Para el hombre que no habrá querido amar. *Hora que se repetirá, por voluntad del hombre que habrá rechazado a la Divinidad hasta convertirse en un sin-Dios, en un seguidor de Satanás, y de su hijo maldito* [6]. *Hora que vendrá cuando esté próximo el fin del mundo. La falta de fe activa haré que no pueda hacer milagros* [7]. *No porque me falta el poder, sino porque no se puede otorgar ningún milagro donde no hay fe y voluntad de conseguirlo, donde el milagro, en caso de realizarse, sería objeto de burla e instrumento de mal, pues se emplearía el bien para mal mayor.* Ahora todavía puedo hacer milagros, y dar gloria a Dios. Vamos, pues, a casa de nuestro amigo Lázaro que duerme. Vamos a despertarlo de su sueño para que esté listo y pronto a servir a su Maestro.»

«Si está dormido, está bien. Terminará por curarse. El sueño es un buen remedio. ¿Para qué despertarlo?» le dicen varios.

«Lázaro ha muerto. Esperé a que muriese para ir allá, no por sus hermanas ni por él, sino por causa vuestra, para que creáis, para que crezcáis en la fe. Vamos a casa de Lázaro.»

«¡Está bien! ¡Vamos, pues! Moriremos todos como él, y como Tú que quieres morir» dice Tomás con tono de fatalista.

«Tomás, Tomás, y todos los que estáis murmurando y protestando dentro de vosotros, tened en cuenta que quien quiera seguirme debe tener el mismo cuidado que tiene el ave cuando pasa la nubecilla. Dejarla pasar según el viento que la arrastra. *El viento es la voluntad de Dios, que puede daros o quitaros la vida según quiera, y vosotros no podéis quejaros de ello,* como tampoco se queja el ave de la nube que pasa, sino que canta, segura que luego vendrá la calma. *Porque la nubecilla es el contratiempo, el cielo la realidad. El cielo permanece siempre azul, aun cuando las nubes se arremolinen para hacerlo gris. Siempre es azul más allá de las nubes. De igual modo es la verdadera Vida. Siempre es la misma, aun cuando la vida humana muera. Quien quiera seguirme no debe tener ansias por la vida, ni miedo de perderla.* Os voy a decir cómo se conquista el Cielo. Pero, ¿cómo podéis imitarme, si tenéis miedo de ir a Judea, vosotros a quienes no pasará nada? ¿Teméis presentaros conmigo? Sois libres de abandonarme. *Pero si queréis quedaros, debéis aprender a desafiar al mundo, sus críticas, sus asechanzas, sus burlas, sus tormentos, para conquistar mi Reino.* Vamos, pues, a sacar de la muerte a Lázaro que hace dos días que está durmiendo en el sepulcro, habiendo muerto la noche en que vino el criado de Betania. Mañana a la hora de sexta, después de haber despedido a quien espera alcanzar de Mí alivio y premio a su fe, partiremos y pasaremos el río pernoctando en casa de Nique. Luego al amanecer partiremos para Betania, tomando el camino que pasa por Ensemes. Llegaremos a Betania antes de sexta. Habrá

---

[6] En cuanto al hijo de perdición, falso cristo, falso profeta, anticristo, etc., cfr. Dan. 7, 10-11; Mt. 24; Mc. 13; Lc. 17, 20-37; Ju. 17, 11-12; 21; Hech. 1, 15-20; 2 Tes. 2, 1-12; 1 Ju. 2, 18-29; 4, 1-6; 2 Ju. 7-11; Ap. 13.

[7] Cfr. vol. 1°, pág. 578, not. 3.

mucha gente. Los corazones quedarán conturbados. Lo prometí y mantengo mi palabra...»

«¿A quién?» pregunta temeroso Santiago de Alfeo.

«A quien me odia y a quien me ama de un modo absoluto. ¿No recordáis la disputa con los escribas en Cedes? Tuvieron la arrogancia de llamarme mentiroso porque resucité una hija apenas muerta y a un difunto de un día. Dijeron: "¡Pero no ha logrado rehacer uno que está ya descompuesto!" Y es verdad que solo Dios puede sacar del fango un hombre y de la corrupción rehacer un cuerpo [8]. Lo haré, pues. En el mes de Casleu, a las orillas del Jordán, recordé a los escribas este desafío y añadí: "En la nueva luna se realizará". Esto para quien me odia. Por otra parte a las hermanas les prometí absolutamente que premiaría su fe, si continuaban a esperar aun contra lo posible. Las he probado en muchas cosas y mucho han sufrido. Soy el único en conocer sus sufrimientos en estos días y su perfecto amor. En verdad os digo que merecen un gran premio porque se angustian menos de no ver a su hermano resucitado, que de que me escanrezcan. Vosotros creíais que estaba yo absorto, cansado y triste. Estaba con ellas con mi espíritu y oía sus gemidos y contaba sus lágrimas. ¡Pobres hermanas! Ahora siento deseos de traer nuevamente a la tierra un justo, un hermano a los brazos de sus hermanas, un discípulo entre los míos. ¿Lloras, Simon? Sí. Tú y Yo somos los más grandes amigos de Lázaro. Lloras de dolor por Marta y María, por la muerte del amigo, y también por la alegría de saber que pronto volveremos a verlo. Levantémonos a preparar las alforjas y para descansar hasta el amanecer, dejar todo arreglado aquí... donde el regreso no es seguro. Habrá que distribuir entre los pobres lo que tenemos y avisar a los más activos que entretengan a los peregrinos para que me busquen hasta que no esté en otro lugar seguro. Hay que decirles que avisen a los discípulos que me busquen en casa de Lázaro. Hay mucho que hacer. Y hay que hacerlo antes de que lleguen los peregrinos. ¡Ea! Apagad el fuego y prended las lámparas. Cada uno haga lo que tiene que hacer y luego duerma. La paz sea con todos vosotros.» Se levanta. Bendice y se retira a su habitacioncilla.

«¡Ha muerto ya hace días!» dice Zelote.

«Esto es un milagro» exclama Tomás.

«¡Quiero ver qué inventarán para dudar!» dice Andrés.

«¿Cuándo vino el criado?» pregunta Iscariote.

«La noche anterior al viernes» responde Pedro.

«¿Sí? ¿Y por qué no lo habías dicho?» torna a preguntar Judas.

«Porque el Maestro me ordenó que no dijese nada» replica Pedro.

«Así pues... cuando habremos llegado. ¿Serán ya cuatro días que está en el sepulcro?»

«Así es. Viernes tarde un día, sábado tarde dos días, esta tarde tres días, mañana cuatro... Cuatro días y medio... ¡Poder eterno! ¡Estará ya

---

[8] Cfr. Gén. 1, 26-31; 2, 7-25; Ez. 37, 1-14.

hecho pedazos!» dice Mateo.

«Estará ya... Quiero ver esto también y luego...»

«¿Qué, Simón Pedro?» pregunta Santiago de Alfeo.

«Y luego si Israel no se convierte, ni siquiera Yeové con sus rayos podrá convertirlo.»

Se van hablando entre sí.

8. La resurrección de Lázaro [1]
(Escrito el 26 de diciembre de 1946)

Jesús se acerca a Betania por Ensemes. La marcha habrá debido ser fatigosa por los difíciles caminos de los montes de Adamín. Los apóstoles, exhaustos, a duras penas siguen a Jesús que camina rápido como si el amor lo prendiese en alas de fuego. Una sonrisa brillante hay en su rostro. La cabeza la trae en alto bajo los rayos tibios de un sol de mediodía.

Antes de que lleguen a las primeras casas de Betania, lo ve un rapazuelo descalzo que va a la fuente que está cerca de la población con una jarra de bronce vacía. Da un grito. Deja la jarra en tierra y corre, con toda la velocidad de sus piernecillas, al poblado.

«Va a avisar que has llegado» observa Judas Tadeo, después de que se rió, como todos los demás, de la decisión del niño que dejó su jarra a merced del primero que pasare.

La población, vista desde la fuente, que está un poco más elevada que ella, se ve quieta, como desierta. Tan sólo el humo gris que sale por las chimeneas indica que en las casas están las mujeres ocupadas en preparar la comida, y alguna que otra voz varonil entre los olivares, entre los extensos y silenciosos huertos hace caer en la cuenta que alguien está trabajando. Pese a esto Jesús prefiere tomar un atajo que pasa por detrás del poblado, para llegar a la casa de Lázaro sin atraer la atención de la gente.

Casi están a mitad del camino cuando oyen a sus espaldas al rapazuelo de antes, que los pasa corriendo, y luego se detiene pensativo a mirar a Jesús...

«La paz sea contigo, pequeño Marcos. ¿Huiste de miedo?» le pregunta Jesús acariciándolo.

«Yo no, Señor. Yo no tengo miedo. Como hace muchos días, Marta y María enviaron sus criados a los caminos para ver si venías, ahora que te ví, corrí a anunciárselo...»

«Hiciste bien. Las hermanas preparan su corazón para verme.»

«No, Señor. Las hermanas no se prepararán porque no saben nada. No

[1] Cfr. Ju. 11, 17-46.

quisieron que lo dijese. Me tomaron de los brazos cuando dije, al entrar en el jardín: "El Rabí está aquí", y me echaron afuera diciendo: "Eres un mentiroso o un tonto. El no viene ya porque no puede hacer el milagro". Y como insistí en afirmar que eras Tú, me dieron dos cachetes como nunca me habían dado... Mira aquí que traigo las mejillas coloradas. ¡Me arden! Me echaron afuera diciendo: "Esto es para purificarte por haber visto un demonio". Yo te estuve viendo para convencerme si te habías convertido en demonio, pero no lo veo... Eres siempre mi hermoso Jesús como los ángeles de los que me cuenta mamá.»

Jesús se inclina a besarlo en las mejillas donde le pegaron, diciendo: «Así se te va pasar el ardor. Me desagrada que por Mí hayas sufrido...»

«A mí no, Señor, porque esos cachetes me valieron dos besos tuyos» y se le agarra a las piernas esperando otros.

«Dime, Marcos, ¿quién te echó afuera? ¿Los criados de Lázaro?» pregunta Tadeo.

«No. Los judíos. Vienen todos los días para el pésame. ¡Hay muchos! Hay en la casa y en el jardín. Llegan temprano y se van tarde. Parece como si fueran los dueños. Maltratan a todos. Ves que no hay nadie por los caminos. Los primeros días estaba uno a ver... pero después... Ahora solo nosotros los niños podemos dar vueltas por... ¡Oh, mi jarra! Mi madre que espera el agua... Ahora también ella me pegará...»

Todos se echan a reir de la tristeza ante los futuros golpes. Jesús dice: «Vete ahora ligero...»

«Es que... quería entrar contigo y verte hacer el milagro...» y concluye: «... y ver sus caras... para vengarme de los cachetes recibidos...»

«Eso no. No debes desear vengarte. Debes ser bueno y perdonar... Tu madre está esperando el agua...»

«Voy yo, Maestro. Sé dónde vive Marcos. Le daré la razón a su madre y luego te alcanzo...» dice Santiago de Zebedeo, echando a correr.

Continuán el camino lentamente. Jesús lleva de la mano al niño que salta de gozo...

Están ya en el enrejado del jardín. Lo pasan. Se ven muchas cabalgaduras atadas de las que cuidan los criados de sus dueños. El murmullo que se levanta atrae la atención de algún judío que se vuelve al cancel abierto en el momento en que Jesús pone pie en los límites del jardín.

«¡El Maestro!» exclaman los que lo ven, y esta palabra corre como el viento de grupo en grupo. Se propaga cual onda, que venida de lejos se estrella en la ribera, contra los muros de las casas y penetra en ellas. Palabra que transmiten los judós que están ahí, o algún fariseo, rabí, escriba o saduceo.

Jesús sigue avanzando lentamente, mientras todos, aunque acuden de diversas partes, se hacen a un lado del camino. Y como nadie lo saluda, tampoco El saluda a nadie. No conoce a muchos de los allí reunidos que lo miran con ira, con odio, fuera de unos cuantos, que siendo aun discípulos ocultos si no lo aman por lo que es, tienen buen corazón y lo respetan como a un hombre justo. Son José, Nicodemo, Juan, Eleazar, Juan el escriba, que vi en la multiplicación de los panes, el otro Juan que dio comida cuando se bajaba del monte de las bienaventuranzas, Gamaliel con su hijo, Josué, Joaquín, Mannaén, el escriba Yoel de Abías, que estuvo en el Jordán cuando lo de Sabea, José Bernabé [2] discípulo de Gamaliel, Cusa que mira a Jesús de lejos, un poco atemorizado de volverlo a ver después de su equivocación, o bien presa del respeto humano que le impide mostrarse como amigo. Lo cierto es que ni amigos, ni imparciales, ni enemigos lo saludan. Y Jesús no saluda. Se ha limitado a una común y corriente inclinación al poner su pie en el sendero. Luego continúa derecho, sin preocuparle la gente que le rodea. El rapazuelo descalzo camina a su lado con sus vestidos de campesino, con la carita jubilosa, con sus negros ojitos, bien abiertos para ver todo y... para desafiar a todos...

Marta sale de la casa con un grupo de judíos que han venido a visitarla entre los que vienen Elquías y Sadoc. Se pone la mano en la frente para que el sol no le molesta los ojos hinchados de llorar, y ver por dónde viene Jesús. Lo ve. Se separa del grupo y corre a El, que está a pocos pasos distante de la fuente y reverberante a los rayos del sol. Se arroja a los pies de Jesús, después de la primera inclinación, se los besa mientras en medio de un estallido de llanto: «La paz sea contigo, Maestro» exclama.

También Jesús le ha dicho apenas la tuvo cerca: «La paz sea contigo» y levantó su mano para bendecir, soltando la del niño que la toma Bartolomé y lo hace retroceder un poco.

Marta continúa: «Para tu sierva no hay ya paz.» Arrodillada como está, levanta su cara y con un grito de dolor que rompe el silencio: «¡Lázaro ha muerto! Si hubieses estado aquí, no hubiera pasado eso. ¿Por qué no viniste antes, Maestro?» Su voz tiene un cierto tono de reproche. Después se oye el de abatimiento de quien no tiene fuerzas para nada y que el único consuelo que le queda es poder recordar los últimos actos, los últimos deseos de un pariente a quien se procuró contentar en todo, y por lo tanto no queda ningún remordimiento: «Tantas veces que te llamó nuestro hermano Lázaro... Mira. Siento el dolor en el alma y María llora sin poderse calmar. El no está más aquí. ¡Tú sabes cuánto lo amábamos! ¡Todo lo esperábamos de Ti!...»

Un murmullo de compasión por Marta, uno de reproche a Jesús, un común acuerdo a la idea sobrentendida: «y podías escucharnos porque lo merecemos, pues te amamos. Tú en cambio nos has desilusionadas» corre de grupo en grupo con sacudimientos de cabezas o con miradas burlonas. Sólo los pocos discípulos que hay entre la multitud dirigen a Jesús ojos de compasión. Está muy pálido y triste al oir a Marta. Gamaliel, con los brazos cruzados sobre el pecho en su amplia y rica vestidura de lana muy fina, adornada con flecos azules, distante un poco entre un grupo de jóvenes entre los que está su hijo y José Bernabé, lo mira sin

---

[2] José Bernabé, discípulo de Gamaliel, como Saúl, y compañero de éste en la predicación del evangelio, aparece en Hech. 4, 9; 11; 12; 13-15. Una vez en 1 Cor. 9; tres en Gál.2. Cfr. vol. 4°, pág 545, not. 11.

odio, sin amor.

Después de que Marta se secó la cara, continuá hablando: «Pero aun ahora abrigo la esperanza, porque sé que cualquier cosa que pidieres al Padre, te concederá.» Una profesión dolorosa, heroica de fe que brota con voz temblorosa, con el ansia en la mirada, con la última esperanza que se estremece en su corazón.

«Tu hermano resucitará. Levántate, Marta.»

Esta se levanta, pero sigue inclinada en señal de reverencia. Responde: «Lo sé, Maestro. Resucitará en el último día.»

«Yo soy la Resurrección y la Vida. Quien cree en Mí, aunque haya muerto, vivirá. Quien cree y vive en Mí no morirá jamás. ¿Crees esto?» Jesús, que antes había hablado en voz casi baja y sólo a Marta, ha levantado la voz y proclama su poder de Dios. Su hermoso timbre de voz es cual una campanilla de oro que sonase en el jardín. Un temblor como de espanto sacude a los presentes. Algunos se miran de soslayo, moviendo la cabeza.

Marta, a la que como si Jesús tratase de infundir esperanzas al seguir apoyando su mano sobre su hombro, se yergue, mira con ojos llenos de dolor los esplendorosos de Jesús y estrechando sus manos sobre el pecho con tono del todo diverso al anterior responde: «Sí, Señor. Yo creo en esto. Creo que Tú eres el Mesías, el Hijo de Dios vivo, que ha venido al mundo. Y que todo lo que quieres, lo puedes. Creo. Voy a llamar a María» y ligera se va desapareciendo entre las habitaciones.

Jesús se detiene, mejor dicho, de algunos pasos adelante, y se acerca al prado donde está la fuente, que brilla bajo las gotas de agua que el surtidor en alas del viento ha depositado en él, como si fuese una pluma de plata. Se queda contemplando cómo se mueven los peces, cómo juguetean, como si escribiesen comas de plata y reflejos de oro en el agua que el sol hiere.

Los judíos lo observan. Involuntariamente han formado grupos diversos. Frente a Jesús están sus enemigos, que suelen estar divididos por razón de sectas, pero a los que ahora el odio une. A su lado y detrás están los apóstoles a los que se ha unido Santiago de Zebedeo, José, Nicodemo y otros de buen corazón. Más allá, Gamaliel en su mismo lugar y en su mismo actitud. Su hijo y sus discípulos se han separado de él, dividiéndose entre los dos grupos principales para estar más cerca de Jesús.

Con su grito habitual de «¡Raboni!» María ha salido de la habitación y con los brazos extendidos corre a Jesús, se echa a sus pies que besa entre fuertes sollozos. Varios judíos que estaban con ella le han seguido y juntan a sus sollozos los suyos que difícilmente pueden tomarse en serio. También Maximino, Marcela, Sara, Noemí han seguido a María, y todos los criados. Los lamentos son fuertes y agudos. Me imagino que dentro no se haya quedado nadie. Marta al ver a María que llora tan fuerte, también se echa a llorar.

«La paz sea contigo, María. ¡Levántate! ¡Mírame! ¿Por qué lloras igual al que no tiene esperanza?» Se inclina para decir despacio estas palabras en los negros ojos de María, que de rodillas, apoyada sobre los calcañales, extiende a El sus manos en actitud de súplica, y que no puede hablar en medio de tantos sollozos: «¿No te dije que debías esperar más allá de lo posible para ver la gloria de Dios? ¿Ha cambiado acaso tu Maestro para que haya razón de que así te angusties?»

Pero María no escucha las palabras que la quieren preparar a la alegría que tanto ha esperado después de amargas angustias, y grita: «¡Oh, Señor! ¿por qué no viniste antes? ¿Por qué te alejaste tanto de nosotros? Sabías que Lázaro estaba enfermo. Si hubieras estado aquí, no hubiera muerto. ¿Por qué no viniste? Debía yo mostrarle que lo amaba. Y para eso tenía que vivir. Debía mostrarle que persevero en el bien. Tantas penas que le di. ¡Y ahora! Ahora que podía hacerlo feliz, se me quita. Podías dejármelo. Brindar a la pobre María el gozo de consolarlo después de tanto dolor que le causé. ¡Oh, Jesús, Jesús! ¡Maestro mío! ¡Salvador mío! ¡Esperanza mía!» y pone nuevamente su frente sobre los pies de Jesús que baña con lágrimas diciendo: «¿Por qué lo hiciste, Señor? ¡Los que te odian, se alegran de lo que está pasando!... ¿Por qué lo hiciste, Jesús?» En la voz de María no hay reproche, como lo hubo en la de Marta, sino angustia de quien además de su dolor de hermana une el de discípula porque le parece que muchos tienen menos estima de El.

Jesús, que ha estado un tanto inclinado para oir las palabras de María que sigue con su cara pegada al suelo, dice con voz fuerte: «¡No llores, María! También tu Maestro sufre por la muerte del amigo fiel... *por haber tenido que dejarlo morir...*»

¡Qué miradas de alegría envenenada brilla en las caras de los enemigos de Jesús! Lo creen vencido y se regocijan, entre tanto que en las caras de sus amigos la tristeza es mayor.

Con voz todavía más fuerte Jesús dice: «Yo te ordeno: no llores. Levántate. Mírame. ¿Crees que Yo que tanto te he amado, lo haya hecho sin motivo alguno? ¿Crees que te haya causado este dolor inútilmente? Ven. Vamos a donde está Lázaro. ¿Dónde lo enterrasteis?»

Como María y Marta son presas de un fuerte llanto, Jesús se dirige a todos los demás, sobre todo a los que llegaron con María y parecen los más conmovidos. Probablemente sean parientes muy retirados. Responden a Jesús, que a las claras se ve que está muy afligido: «Ven a ver» y se dirigen al lugar del sepulcro que está en los confines del huerto, donde el terreno tiene ondulaciones y donde se ven venas rocosas calcáreas.

Marta, al lado de Jesús que ha hecho que María se levantase y que la guía, porque difícilmente puede ver con las lágrimas, señala con la mano a Jesús donde está enterrado Lázaro, y cuando están cerca del lugar dice: «Es allí, Maestro, donde tu amigo esté enterrado.» Señala la piedra colocada oblicuamente en la entrada del sepulcro.

Jesús pasó ante Gamaliel. Pero ninguno de los dos se saludaron. Gamaliel se ha unido a los otros, mas se ha detenido, como todos los fariseos más estrictos, a unos cuantos metros del sepulcro, entre tanto que Jesús ha seguido adelante, hasta muy cerca, con las dos hermanas, con Maximino y con los que tal vez sean parientes. Mira la pesada piedra que sirve de puerta al sepulcro y de obstáculo entre El y su amigo difunto y llora. El llanto de las hermanas aumenta, como el de los amigos íntimos y familiares.

«Quitad la piedra» grita Jesús, después de haberse secado el llanto. Todos experimentan una reacción de estupor y un murmullo corre por entre todos, murmullo que crece con el de algunos pobladores de Betania que han venido a unirse a los huéspedes. Veo a algunos fariseos que se llevan la mano a la frente, que mueven la cabeza como diciendo: «¡Está loco!»

Nadie cumple lo que Jesús ordena. Ni siquiera sus más fieles.

Jesús repite en voz más alta su orden haciendo que se estremezca la gente de temor, en medio de dos sentimientos contrarios: el de huir, y el de acercarse más, para ver, sin importarle el hedor del sepulcro.

«No es posible, Maestro» replica Marta esforzándose por contener su llanto. «Hace cuatro días que está allá abajo. Sabes de qué muerte murió. Sólo nuestro amor podía tener cuidado de él... Ahora hiede horriblemente, pese a los ungüentos... ¿Qué quieres ver? ¿Su podredumbre?... No se puede... además de la impureza que se contrae [3] y...»

«¿No te he dicho que si creyeres, verás la gloria de Dios? Quitad la piedra. ¡Lo ordeno!»

Es la orden de un Dios. Se escucha un «¡Oh!» que sumiso escapa de todos los pechos. El color huye de todas las caras. Algunos tiemblan como si por sus cuerpos pasase el helado viento de la muerte.

Marta hace una señal a Maximino el cual manda a los siervos que vayan a traer los instrumentos necesarios para mover la pesada piedra.

Así lo hacen y rápidos corren. Regresas con picos y fuertes palancas. Ponen mano a la obra. Meten las puntas de los picos que resplandecen, entre la roca y la piedra, bajo de ellos introducen las palancas y así logran hacer rodar la piedra de un lado, procurando cautelosamente que se apoye sobre el terreno rocoso. Un hedor horrible sale de dentro, que obliga a retroceder a todos.

Marta en voz baja dice: «Maestro, ¿quieres ir allá abajo? Tienes necesidad de antorchas...» Y en su cara se ve la palidez de tener que hacerlo.

Jesús no le responde. Levanta sus ojos al cielo, abre los brazos en forma de cruz, ruega con voz muy fuerte, haciendo hincapié en cada palabra: «Padre, te doy gracias por haberme escuchado. Sé que siempre me escuchas. Pero lo dije por estos que están aquí presentes, por el pueblo que me rodea, para que crean en Ti, en Mí, y para que crean que me has enviado.»

Sigue en esta posición por unos instantes, y parece como transportado en éxtasis, parece como transfigurado, mientras dice palabras de oración o de adoración en silencio. No lo sé. Lo que sé es que no parece el mis-

[3] Cfr. vol. 3°. pág. 381, not. 2. En particular: Lev. 21, 1-13; 22, 1-9; Núm. 6, 1-12; 19, 11-22; 31, 13-24; Ez. 44, 15-31; Ag. 2, 10-14.

mo, que no se le puede mirar sin sentir palpitar fuertemente el corazón. Parece como si su cuerpo estuviera hecho de luz, como que se espiritualizara, que creciera, que se levantase de la tierra. Aunque conserva el color de sus cabellos, de sus ojos, de su piel, de los vestidos, y no como durante la transfiguración del Tabor en la que todo se convirtió en luz y en un resplandor avasallador, parece que emana luz y que de El sale. Parece como si esta le formase una especie de halo, sobre todo en su rostro que tiene levantado al cielo, transportado en la contemplación de su Padre.

Así permanece por unos instantes, luego vuelve a ser el Hombre, pero de una majestad imponente. Se adelanta al umbral del sepulcro, extiende sus brazos, que hasta ahora había tenido en forma de cruz con las palmas hacia el cielo. Las manos las tiene en dirección del sepulcro, se les ve blancas en medio de la oscuridad que llena la galería subterránea. De sus ojos sale una especie como de fuego azul, el brillar del milagro que no puede resistirse. En esa muda oscuridad con voz poderosa, con un grito más fuerte que cuando en el lago mandó al viento que se calmase, con una voz como en ningún otro milagro había yo oído, grita: «¡Lázaro, sal afuera!» La voz repercute en la concavidad sepulcral, retumba dentro, sale, se extiende por el jardín, rebota contra los desniveles de ondulaciones de Betania, y creo que hasta las faldas de las colinas que hay más allá de los campos, y que regrese, hecha eco mil veces, como una orden que no puede dejar de cumplirse. El eco repite: «¡afuera! ¡afuera! ¡afuera!»

Un fuerte estremecimiento se apodera de todos. Si la curiosidad enclava a todos en sus lugares, las caras palidecen, los ojos se agrandan, las bocas se entreabren involuntariamente al ir a emitir el grito del estupor que está ya en las gargantas.

Marta está un poco detrás y al lado, como fascinada en mirar a Jesús. María, que no se había separado del lado de Jesús, cae de rodillas al umbral del sepulcro. Tiene una mano sobre el pecho como para frenar las palpitaciones de su corazón, con la otra inconscientemente agarra la extremidad del manto de Jesús y se ve que tiembla, porque el manto se mueve.

Una cosa blanca parece brotar de lo profundo de la caverna subterránea. Primero es una breve línea convexa, luego se cambia en ovalada, a la que se agregan líneas más claras, más grandes, cada vez mayores. Y el que estuvo muerto, en medio de sus bendas, avanza lentamente, cada vez más visible, cual fantasma, cada vez más impresionante.

Jesús retrocede, retrocede, cuanto más la forma blanca avanza. La distancia entre ambos siempre es la misma.

María suelta la extremidad del manto, pero no se mueve de donde está. La alegría, la emoción, todo la enclavan donde está.

Un «¡oh!» cada vez más claro brota de las gargantas cerradas antes por la emoción de la espectativa, un «¡oh!» que se convierte de susurro en fuerte grito.

Lázaro ha llegado al umbral, y yerto se detiene, mudo, semejante a una estatua de yeso en que apenas el cincel ha trabajado. Es una figura larga, delgada arriba, delgada en las piernas, ancha en el tronco, macabra como la muerte misma, un espectro blanco de bendas que tiene por fondo la concavidad oscura del sepulcro. Y bajo la luz del sol que da sobre las bendas se ve que destila podredumbre.

Jesús grita: «Quitadle las bendas, y dejad que camine. Dadle vestidos y comida.»

«¡Maestro!...» dice Marta y quisiera decir algo más, pero Jesús la mira fijamente, subyugándola con su brillante mirada. Ordena: «¡Aquí! ¡Pronto! Traed un vestido. Vestidlo en la presencia de todos y dadle de comer.» No se vuelve a mirar a nadie. Sus ojos miran sólo a Lázaro, a María que está cerca del resucitado, sin preocuparse de la repugnancia que todos experimentan al ver las bendas, a Marta que jadea como si se le fuese a saltar el corazón y que no sabe si gritar de alegría o llorar...

Los siervos se apresuran a cumplir las órdenes. Noemí es la primera en correr y la primera en regresar con vestidos doblados sobre el brazo. Algunos sueltan las bendas, después de haberse arremangado las mangas y haberse estrechado el vestido para que no toquen la podredumbre que de las bendas cae. Marcela y Sara regresan con jarras de perfumes. Las siguen otros criados con lavamanos y jarras de agua caliente, con palanganas, con tazones llenos de leche, de vino, de fruta, de hogazas cubiertas con miel.

Las bendas estrechas y larguísimas, de lino, como me parece, hechas para el caso, se desenredan como rollos de cinta de una gran bobina y se juntan en el suelo, cargadas de aromas y de podredumbre. Los criados las retiran por medio de palos. Han empezado por la cabeza, y también allí hay podredumbre que debe caer de la nariz, de las orejas, de la boca. El sudario que fue puesto sobre la cara está empapado de lo mismo. Aparece la cara de Lázaro palidísima, flaquísima con los ojos cerrados por lo que le pusieron en las órbitas, con los cabellos pegados, lo mismo que su barba corta. La manta cae lentamente. Cae también la que envuelve el cuerpo, conforme van cayendo las bendas, conforme van cayendo, van cayendo, y dejan el tronco libre, que toma su figura humana, semejante a una gran crisálida. Lentamente se ven la espalda huesuda, los brazos flaquísimos, las costillas que apenas proteje la piel, el vientre sumido. Y conforme las bendas van cayendo, las hermanas, Maximino, los siervos se dan prisa en quitar la primera capa de porquería y de bálsamo y persisten con agua que cambian a cada paso, hasta que no se ve clara la piel.

Cuando limpian la cara de Lázaro y puede ver, dirige sus ojos a Jesús antes que a sus hermanas. Se olvida de todo lo que tiene a su alrededor, con una sonrisa amorosa en sus pálidos labios, y un brillar de llanto en sus profundos ojos mira a Jesús. También El le sonríe y una breve lágrima se asoma en el ángulo de sus ojos. Sin decir nada hace que los ojos de Lázaro se levanten a lo alto. Este lo comprende. Mueve sus labios en silenciosa plegaria.

Marta piensa que quiere decir algo, pero que todavía no puede hablar. Le pregunta: «¿Qué quieres decirme, Lázaro mío?»

«Nada, Marta. Daba gracias al Altísimo.» Su pronunciación es segura, su voz es fuerte.

La gente lanza un «¡oh!» de estupor.

Le han ido quitando hasta la cadera y lo han limpiado. Le ponen una túnica corta, algo así como un camisón, que le llega hasta los muslos.

Hacen que se siente para acabarle de quitar las bendas de las piernas y lavárselas, al verlas Marta y María gritan, señalándolas, lo mismo que las bendas. Si sobre las bendas amarradas a las piernas y sobre la manta puesta sobre ellas, la pudredumbre es mucha, las piernas se ven cicatrizadas. Donde un tiempo hubo gangrena, no se ve más que cicatrices de color rojizo.

La gente grita de estupor. Jesús sonríe y sonríe a Lázaro que por un instante se mira las piernas curadas, y luego sigue mirando fijamente a Jesús. Parece como si no se sacara de mirarlo. Los judíos, fariseos, saduceos, escribas, rabinos, se adelantan, cautelosos de no mancharse sus vestiduras. Miran de cerca a Lázaro. Miran de cerca a Jesús. Pero ni Lázaro, ni Jesús se preocupan de ellos. Se miran mutuamente. Todo lo demás no vale nada.

Ponen las sandalias a Lázaro. Se pone de pie, ágil, seguro. Toma la vestidura que María le alarga, se la pone, se ciñe la cintura, se ajusta los pliegues. Vedlo ahí, flaco y pálido, igual a todos. Se lava las manos y los brazos hasta el codo, remangándose las mangas, y luego con agua limpia se limpia la cara y la cabeza, hasta que siente que no tiene nada. Se seca los cabellos y la cara. Da la toalla al siervo y se dirige a Jesús. Se postra. Le besa los pies.

Jesús se inclina, lo levanta, lo estrecha contra el pecho diciéndole: «Bienvenido, amigo mío. La paz y la alegría sean contigo. Vive para realizar tu feliz suerte. Levanta tu cara para que te de el beso de saludo.» Lo besa en las mejillas, lo que también Lázaro hace.

Después Lázaro se dirige a sus hermanas a quienes besa, lo mismo hace con Maximino y Noemí que lloran de alegría y con algunos que me imagino son parientes o amigos muy íntimos. Luego besa a José, a Nicodemo, a Simón Zelote y a algún otro.

Jesús personalmente va a donde está un criado que tiene una palangana con alimentos, toma una hogaza con miel, una manzana, un vaso de vino, los da a Lázaro, después de haberlos ofrecido y bendecido, para que coma lo que hace con el apetito de quien está sano. Todos lanzan un final «¡oh!» de estupor.

Jesús que parece no estar viendo más que a Lázaro, en realidad ve todo y a todos, y al notar la ira en Sadoc que con Elquías, Cananías, Félix, Doras, Cornelio y otros está por irse, dice en voz alta:« Espera un momento, Sadoc. Tengo que decirte una palabra. A ti y a los tuyos.»

Se paran con aire de delincuentes.

José de Arimatea se sobresalta de miedo y hace señal a Zelote que detenga a Jesús, pero inútil, porque se dirige al grupo y los apostrofa: «¿Te basta, Sadoc, lo que has visto? Un día me dijiste que para creer teníais necesidad, tú y tus iguales, de ver rehacerse un cadáver corrompido. ¿Estás satisfecho de la podredumbre que viste? ¿Eres capaz de afirmar que Lázaro estuvo muerto, que ahora vive, que está sano, como años antes no lo había estado? Lo sé. Vinisteis a probar a estos, a causarles más dolor y a sembrar en ellos la duda. Vinisteis a buscarme, esperando encontrarme escondido en la habitación del agonizante. Vinisteis no por que os hubieran movido el amor y el deseo de honrar al difunto, sino para aseguraros de que Lázaro estaba realmente muerto, y habéis seguido viniendo para regocijaros, cuanto más el tiempo pasaba. Si las cosas hubieran salido como esperabais, lo que creíais de seguro, hubiérais tenido razón de alegraros. El Amigo que cura a todos, pero no cura al suyo. El Maestro que premia la fe de todos, pero no la de sus amigos de Betania. El Mesías impotente ante la realidad de una muerte. Esto era el incentivo de vuestra alegría. Pero ved que Dios os ha dado la respuesta. Ningún profeta jamás ha podido juntar lo que estaba deshecho, además de muerto [4]. Dios lo ha hecho. He ahí el testimonio viviente de lo que soy. Un día Dios tomó un poco de lodo, le dio forma, sopló en él y se convirtió en hombre [5]. Fui Yo quien dije: "Hágase el hombre según nuestra imagen y semejanza". Porque Yo soy el Verbo del Padre. Hoy, Yo, el Verbo, dije a lo que era menos que el lodo, a la corrupción: "Vive" y la corrupción volvió a convertirse en carne, en carne perfecta, viva, palpitante. Os está viendo. Allí está. Y a la carne junté el alma que hacía unos días estaba en el seno de Abraham. Lo volví a llamar porque quise, porque todo lo puedo, Yo, el Viviente, Yo el Rey de reyes a quien están sujetas todas las criaturas y cosas. ¿Qué respondéis?»

Cual un Juez, como Dios que es, está delante de ellos derecho, alto, majestuoso.

Insiste: «¿No os basta esto para creer, para aceptar lo que no puede desmentirse?»

«Has cumplido tan sólo una parte de la promesa. Esto no es la señal de Jonás [6]...» dice agriamente Sadoc.

«También esa se os dará. Lo he prometido y lo mantengo. Hay otro aquí presente, que espera otra señal, y la tendrá. Y como es recto, la aceptará [7]. Vosotros no. Vosotros permaneceréis en lo que sois.»

Da media vuelta y ve a Simón, el sanedrista, hijo de Eliana. Lo mira. Lo mira. Deja a los que estaba hablando y llegado a él, le dice en voz baja, pero firme: «¡Es bueno para ti que Lázaro no recuerde su estadía entre los muertos! ¿Qué hiciste de tu padre, Caín?»

---

[4] Cfr. por ejemplo 3 Rey. 17, 7-24; 4 Rey. 4, 8-37.
[5] Cfr. Gén. 2, 7.
[6] Cfr. Jon. 2.
[7] Alusión al gran rabí Gamaliel. Según esta Obra, Jesús cuando tenía 12 años, le prometió en el Templo, que las piedras se estremecerían, como señal de su Divinidad. Cfr. vol. 1°, cap. 68, particularmente pág. 241.

Simon huye con un grito de miedo, que luego se transforma en aullido de maldición: «¡Seas maldito, Nazareno!» a lo que Jesús responde: «Tu maldición ha llegado al Cielo y de allá el Altísimo te la lanza. Estás marcado con la señal, ¡desgraciado! [8]»

Vuelve al grupo que está sin saber qué decir, casi aterrorizado. Encuentra a Gamaliel que se dirige a la salida. Lo mira, y Gamaliel también. Sin detenerse, Jesús le dice: «Prepárate, ¡oh rabí! Pronto vendrá la señal [9]. Nunca miento.»

Poco a poco el jardín queda vacío. Los judíos están atolondrados, pero los más de ellos respiran ira por todos sus poros. Si las miradas pudieran reducir en ceniza a alguien, a Jesús lo hubieran ya convertido en polvo. Hablan, discuten entre sí al irse alejando, saboreando la dura derrota, de modo que no son capaces ya de ocultar bajo una apariencia hipócrita de amistad el objeto de su presencia. Se van sin despedirse ni de Lázaro, ni de sus hermanas.

Se quedan algunos que el milagro ha conquistado para el Señor. Entre ellos José Bernabé, que se echa de rodillas ante Jesús y lo adora; lo mismo hace Yoel de Abías. Otros, cuyos nombres no sé, pero que deben ser personas importantes, los imitan.

Lázaro, rodeado de sus más íntimos, se ha retirado dentro. José, Nicodemo y los otros buenos de corazón se despiden de Jesús. Con grandes inclinaciones de cuerpo se despiden los judíos que estaban con Marta y María. Los siervos cierran el cancel. La paz vuelve a la casa.

Jesús mira a su alrededor. Ve que sale humo, que salen llamas en el fondo del jardín, en dirección del sepulcro. Solo, derecho en medio de un caminillo, dice: «La podredumbre que el fuego destruye... La podredumbre de la muerte... pero la de los corazones... de *esos* corazones ningún fuego la destruirá... Ni siquiera el fuego del infierno. Será eterna... ¡Qué horror!... Más que la muerte... Más que la corrupción... Y... ¿Quién te salvará, ¡oh linaje humano! si tanto te gusta la corrupción? La amas. Y Yo... Yo he arrancado del sepulcro a un hombre con una palabra... Y con un mar de ellas... con uno de dolores no podré arrancar al hombre del pecado, a los hombres, a millones de hombres [10].» Se sienta y se cubre el rostro con las manos, abatido...

Un siervo que pasa, lo ve. Corre adentro. Poco después sale María. Corre donde Jesús, ligera como si no tocase el suelo. Se le acerca, le dice quedito: «Raboni, estás cansado... Ven, Señor mío. Tus apóstoles cansados están adentro, todos menos Simón Zelote... ¿Lloras, Maestro? ¿Porqué?»

Se arrodilla a los pies de Jesús... lo observa... Jesús la mira. No responde. Se levanta y va.

---

[8] Esta "señal" no parece ser de la que se habla en Gén. 4, 15, sino tal vez una alusión a la "señal de la Bestia" de que se habla en el Apocalipsis. Cfr. Dan. 7 y Ap. 13; 14, 6-13; 16, 19, 11-21; 20, 1-6.

[9] Cfr. arriba not. 7.

[10] Cfr. vol. 1°, pág. 539, not. 2; pág. 578, not. 3; vol. 2°, pág. 310, not. 6.

Entran en una sala. Lázaro no está, tampoco Zelote. Pero está Marta, llena de alegría. Se vuelve a Jesús: «Lázaro fue a bañarse, para limpiarse bien. ¡Oh, Maestro, Maestro, qué decir!» Lo adora con todo su ser. Nota su tristeza y le pregunta: «¿Estás triste, Señor? ¿No estás feliz de que Lázaro...?» Le llega una sospecha: «¡Oh, estás irritado contra mí! Pequé. Es verdad.»

«Pecamos, hermana» dice María.

«No. Tú no. Maestro, María no pecó. María supo obedecer, yo fui la que desobedecí. Te mandé llamar porque... porque no podía soportar más que aquéllos insinuasen que no eres el Mesías, el Señor... y no podía verlo más sufrir... Lázaro te necesitaba con ansias. Te llamaba... Perdóname, Jesús.»

«¿Y tú no hablas, María?» pregunta Jesús.

«Maestro... yo... no sufrí otra cosa que como mujer. Sufrí porque... Marta, jura, jura aquí ante el Maestro que jamás, jamás dirás a Lázaro lo que dijo en su delirio... Maestro mío... te conocí, ¡oh divina Misericordia!, en las últimas horas de Lázaro. ¡Oh, Dios mío! Cuánto me has amado, Tú que me perdonaste, Tú, Dios, Tú, Puro, Tú... mi hermano, que mucho me ama, pero es hombre, solo hombre, en el fondo de su corazón, ¡no ha perdonado! No. Digo mal. No ha olvidado mi pasado y, cuando la agonía debilitaba sus fuerzas y entorpecía su bondad, que pensaba yo era olvido del pasado, gritó su dolor, su desdén contra mí... ¡Oh!...» María llora...

«No llores, María. Dios te ha perdonado y olvidado. El alma de Lázaro también ha perdonado y olvidado, *ha querido olvidar*. El hombre no ha podido olvidar. Y cuando el cuerpo, en medio de sus estremecimientos, debilitó la voluntad ya frágil, el hombre habló.»

«No estoy enojada, Señor. Esto me sirvió para amarte más y amar mucho más a Lázaro. A partir de ese momento fue cuando yo deseé tu presencia... porque sentía angustia de que Lázaro fuera a morir sin paz por mi causa... y luego, luego, cuando vi que los judíos se burlaban de Ti... cuando vi que no venías, ni aun después de muerto, ni siquiera después que había obedecido hasta más allá de lo posible, esperando hasta cuando el sepulcro se abrió para recibirlo, entonces sí que mi corazón sufrió. Senor, si tenía que expiar, y, ciertamente, lo debía, he expiado...»

«¡Pobre María! Conozco tu corazón. Has merecido el milagro y que te confirme en saber esperar y creer.»

«Maestro mío, esperaré y creeré *siempre* de hoy en adelante. No dudaré más, jamás, Señor. Viviré de fe. Me has dado la capacidad de creer en lo increíble.»

«¿Y tú, Marta, has aprendido? No. Todavía no. Eres mi Marta, pero no me adoras completamente. ¿Por qué te entregas a la actividad y no a la contemplación? Es cosa más santa. ¿Ves? Tus fuerzas, muchas veces entregadas a cosas terrenas, cedieron ante la comprobación de hechos terrenales que parecen no tener remedio. En verdad que no lo tienen, si no interviene Dios. Por esto la criatura tiene necesidad de saber creer y contemplar, de amar hasta lo último de sus fuerzas, con su pensamiento, con su alma, con su cuerpo, con su voluntad; con *todas sus fuerzas* humanas, repito. Quiero que seas fuerte, Marta. Quiero que seas perfecta. No supiste obedecer, porque no supiste creer y esperar, porque no has sabido amar totalmente. Yo te perdono, te absuelvo, Marta. He resucitado hoy a Lázaro, ahora te doy un corazón más fuerte. A él le he devuelto la vida, en ti infundo la fuerza de amar, creer y esperar perfectamente. Sed felices y gozad de la paz. Perdonad a quienes en aquellos días os ofendieron...»

«Señor, en esto pequé. Hace poco dije al viejo Cananías, que hace unos cuantos días se había burlado de Ti: "¿Quién ha ganado? ¿Tú o Dios? ¿Tu befa o mi fe? Jesús es el Viviente y es la Verdad. Sabía yo que su gloria brillaría mucho más. Y tú, viejo, rehaces tu alma, si no quieres gustar la muerte".»

«Dijiste bien. Pero no disputes con malvados, María. Perdona. Perdona si me quieres imitar... Ya viene Lázaro. Oigo su voz.»

Lazaro entra, trae la barba rasurada, los cabellos peinados y oloroso a aromas. Con él Maximino y Zelote. «¡Maestro!» Lázaro se arrodilla una vez más adorándolo.

Jesús le pone la mano sobre la cabeza y sonriente le dice: «La prueba ha sido superada, amigo mío. La superasteis tú y tus hermanas. Sed ahora felices y fuertes para servir al Señor. ¿Te recuerdas del pasado? Esto es ¿de tus últimas horas?»

«Un gran deseo de verte y una gran paz con el amor de mis hermanas.»

«¿Qué te dolía dejar más al morir?»

«A Ti, Señor, a mis hermanas. A Ti, porque no podría servirte; a ellas porque me han brindado toda clase de alegrías...»

«¡Oh, hermano!» suspira María.

«Tú más que Marta. Tú me has dado a Jesús y la medida de lo que es El. Jesús te ha dado a mí. Tú eres el don de Dios, María.»

«Lo dijiste cuando agonizabas...» dice María y ve detenidamente el rostro de su hermano.

«Porque era y es mi constante pensamiento.»

«Pero yo te causé muchos dolores...»

«También la enfermedad. Por esta espero haber expiado las culpas del viejo Lázaro y haber resucitado, purificado para ser digno de Dios. Tú y yo: los dos resucitados para servir al Señor, y entre ambos Marta, que siempre ha sido la paz de nuestro hogar.»

«¿Lo oyes, María? Lázaro habla sabia y verazmente. Ahora me retiro y os dejo en vuestra alegría...»

«No, Señor. Quédate. Con nosotros. Aquí. Quédate en Betania y en mi casa. Será bello...»

«Me quedaré. Quiero premiarte todo lo que padeciste. Marta, no estés triste. Marta piensa que no me causaste algún dolor. No estoy triste por causa vuestra, sino por quienes no quieren redimirse. Cada vez odian más. Tienen el veneno en el corazón. Pues bien... perdonemos.»

«Perdonemos, Señor» dice Lázaro con su sonrisa delicada... y con estas palabras termina la visión.

Dice Jesús: «Se puede poner en este lugar el dictado del 23-3-'44, que fue un comentario sobre la Resurrección de Lázaro.»

Al margen del escrito sobre la resurrección de Lázaro y en relación a una frase del Evangelio de S. Juan.

Jesús dice: «En el Evangelio de Juan así como se lee desde hace tantos siglos, está escrito: "Jesús no había entrado todavía en el poblado de Betania" (Ju. 9. 30) [11]. Para salir al paso de posibles objeciones, quiero hacer notar que entre esta frase y la de la Obra que encontré a Marta a pocos pasos del estanque que había en el jardín de Lázaro, no hay contradicción de hechos, sino de traducción y descripción.

Tres cuartas partes de Betania pertenecían a Lázaro. Jerusalén era gran parte suya. Hablemos de Betania. Perteneciendo a Lázaro tres cuartas partes podía decirse: Betania de Lázaro. Por lo tanto no comete ninguna equivocación el texto que afirma, según algunos quieren, que hubiese encontrado a Marta en el poblado o en la fuente. Realmente no había entrado en el poblado para evitar el encuentro de los habitantes de la población, que eran hostiles a los del Sanedrín. Pasé por detrás de Betania para llegar a la casa de Lázaro, que estaba en la punta opuesta de quien entra en el poblado viniendo de Ensemes.

Con toda razón Juan escribe diciendo que Jesús no había entrado en el poblado. También la tiene el pequeño Juan al asegurar que me había detenido junto al estanque (fuente, para los hebreos) que estaba en el jardín de Lázaro, pero separado de la casa.

Piensen también que durante el tiempo del luto y de la impureza [12] (todavía no se estaba en el días séptimo después de la muerte) las hermanas no salían de su casa. Por esto el encuentro se llevó a cabo dentro del recinto de su propiedad.

Nótese también que el pequeño Juan afirma que los habitantes de Betania llegaron al jardín sólo después que se había dado la orden de quitar la piedra. Al principio los de Betania no sabían nada de mi llegada, pero cuando corrió la voz corrieron a casa de Lázaro.»

[11] La cita está equivocada. Léase: Ju: 11, 30.
[12] Cfr. not. 3.

9. Reflexiones sobre la resurrección de Lázaro
(Escrito el 23 de marzo de 1944)

Dice Jesús:

«Hubiera podido llegar a tiempo para impedir que muriese Lázaro. Pero no quise hacerlo. Sabía que esta resurrección sería una espada de doble filo, porque habría convertido completamente a los judíos de recto corazón y habría hecho que no los que no lo eran, odiasen más. De éstos, y después del último golpe de mi poder, partió la sentencia de muerte contra Mí. Para eso había venido y la hora llegaba casi a su punto. Habría podido acudir inmediatamente, pero quería persuadir a los más obstinados al ver que de la corrupción un ser resucitaba. También quería persuadir a mis discípulos, que llevarían mi fe al mundo, y que tenían necesidad de poseer una fe templada con milagros de primer orden.

Los apóstoles eran muy humanos. Varias veces lo he dicho. No era esto un obstáculo insuperable, más bien una consecuencia lógica de su condición humana, que fueron llamados cuando eran ya hombres maduros. No se cambia una mentalidad, una "forma mentis" de la noche a la mañana. Ni Yo, en mi sabiduría, quise escoger y educar niños y que creciesen según mi modo de pensar para hacerlos mis apóstoles. Habría podido haberlo hecho. No lo hice para que las almas no me reprochasen de haber despreciado a los que no son inocentes y de tener como disculpa que en mi elección había Yo querido dar a entender que los adultos no pueden cambiar.

No. *Todo puede cambiarse si se quiere.* De hecho, hice que los que eran pusilánimes, peleadores, usureros, sensuales, incrédulos, se convirtiesen en mártires y santos, en evangelizadores del mundo. Sólo el que no quiso cambiar, no cambió [1]. *He amado las pequeñeces, las debilidades — tú eres un ejemplo — con tal de que en ellas haya la voluntad de amarme y de seguirme, y de estos "nada" hago mis predilectos, mis amigos, mis ministros.* Sin embargo de todo esto me aprovecho y es un milagro continuo que obro al hacer que los demás crean en Mí, y no ahoguen la posibilidad del milagro. ¡Cómo disminuye esta posibilidad! Como una lámpara a la que faltase aceite, así agoniza y muere, debido a la falta de fe en el Dios del milagro.

Hay dos formas de alcanzar el milagro. A una de ellas Dios accede por el amor. A la segunda vuelve la espalda irritado. *La primera es la que pide,* como he enseñado a pedir, *sin desconfianza ni cansancio, que cree que Dios la escuche, porque es bueno, y que quien es bueno escucha, porque Dios es poderoso y todo lo puede. Esta es amor y Dios concede lo que pide quien ama. La otra es la fuerza de los rebeldes que quieren que Dios sea su siervo, que se humille a sus acciones malas y que les de, lo que no dan a El: amor y obediencia. Esta forma es una ofensa que Dios castiga negando sus gracias.*

Os lamentáis que no realice más milagros colectivos. ¿Cómo puedo realizarlos? ¿Dónde están los grupos que creen en Mí? ¿Dónde los verdaderos creyentes? ¿Cuántos son los verdaderos creyentes en un grupo? Como flores que quedan después de que el fuego pasó por un bosque, así veo otros tantos corazones que creen. Las demás las ha quemado Satanás con su doctrina. Y siempre arderá más.

Os ruego que tengáis como regla lo que respondí a Tomás. Nadie puede ser mi verdadero discípulo, *si no se da a la vida humana lo que merece como medio para conquistar la vida verdadera y no como fin.* El que quiera salvar su vida en este mundo, perderá la vida eterna. Lo dije y lo repito. ¿Cuáles son las pruebas? La nubecilla que pasa. El firmamento permanece y espera más allá de la prueba.

He conquistado el cielo para vosotros con mi heroismo. Debéis imitarme. *El heroismo no es sólo de los que mueren mártires. La vida cristiana es un perpetuo heroismo porque es una lucha perpetua contra el mundo,*

---

[1] Cfr. not. 10, pág.56.

el demonio y la carne. No os obligo a que me sigáis. Os dejo libres. Pero no quiero que seáis hipócritas. O conmigo y como Yo, o contra Mí. No podéis engañarme. No me doblego a hacer alianza con el enemigo. Si lo preferís a Mí, no podéis pensar que sea Yo al mismo tiempo vuestro amigo. O él o Yo. Escoged.

El dolor de Marta es distinto del de María debido a su condición síquica y a la conducta que observaron.

Felices los que se comporten de tal modo que no tienen ningún remordimiento de haber causado dolor alguno al que muere, a quien no se le puede consolar ya. *Pero cuán feliz es quien no tiene remordimiento de haber causado dolor a su Dios,* a Mí, Jesús, y no teme mi encuentro, más bien suspira ansiosamente por él, como una alegría en que soñó por toda su vida y que llega al fin.

Soy vuestro Padre, vuestro Hermano, vuestro Amigo. ¿Por qué, pues, tantas heridas? ¿Sabéis lo que os queda de vida? ¿Vivir para reparar? No lo sabéis. Entonces, hora tras hora, día tras día, obrad bien. Me haréis siempre feliz. Si el dolor tocaré a vuestras puertas, porque el dolor es santificación, es mirra que preserva de la corrupción carnal, tendréis siempre en vosotros la seguridad de que os amo, que os amo aun en ese dolor, y la paz que mana de mi amor. Tú, pequeño Juan, sabes que sé consolar aun en el dolor.

En la plegaria al Padre se lee lo que dije al principio: era meneste sacudir con un gran milagro la obstinación de los judíos y del mundo en general. La resurrección de uno que hacía cuatro días había sido sepultado, que había sido enterrado por una larga y repugnante enfermedad que todos sabian, no era cosa de dejar indiferentes, ni siquiera dudoso a alguien. Si lo hubiera curado mientras vivía, o dado la vida apenas muerto, el rencor de mis enemigos hubiera podido tener duda sobre la realidad del milagro. Pero el hedor del cadáver, la podredumbre que manaba de las bendas, la larga permanencia en el sepulcro, no dejaban lugar a duda alguna. Milagro en el milagro, quise que Lázaro fuese desatado y limpiado en la presencia de todos para que viesen que no sólo la vida, sino donde la gangrena había hecho estragos, ahí también había la integridad de miembros. Cuando hago un favor, siempre hago más de lo que se me pide.

Lloré ante la tumba de Lázaro. Y a esto se ha dado diversos nombres. *Sabed entre tanto que las gracias se obtienen con el dolor mezclado con una fe cierta en el Eterno.* Lloré no tanto por la pérdida de un amigo y por el dolor de sus hermanas, como porque en aquella hora salieron a flor tres ideas que como tres clavos siempre me habían punzado en el corazón.

La comprobación de la ruina a la que Satanás había llevado al hombre al seducirlo al mal. *Ruina, cuya condenación humana, era el dolor y la muerte. La muerte física, emblema y símbolo vivo de la muerte espiritual* [2], *que la culpa infiere en el alma sumergiéndola,* a ella que estaba

---

[2] Cfr. Gén. 3; Rom. 5, 12-21.

destinada a vivir cual reina, en el reino de la luz, *en las tinieblas infernales.*

La persuasión de que ni siquiera este milagro, puesto como corolario sublime de tres años de evangelización, *habría convencido al mundo judío de la Verdad que Yo traía. Y que ningún milagro habría hecho que el mundo que estaba por venir se convertiría a Mí.* ¡Oh dolor de estar próximo a morir por tan pocos!

La visión mental de mi próxima muerte. Era Hombre-Dios. Y para ser Redentor *debía sentir* el peso de la expiación. Por lo tanto el horror de la muerte y de una muerte semejante. Sentía vivir, me sentía sano, y sin embargo me decía: "Pronto habré muerto, pronto estaré en un sepulcro como Lázaro. Pronto la agonía más atroz será mi compañera. Debo morir". *La bondad de Dios os libra del conocimiento de lo porvenir. Pero a Mí no me libró.*

Vosotros que os lamentáis de vuestra suerte, creedme. No hubo otra más triste que la mía, porque tuvo la preciencia de todo cuanto me sucedería, junto a la pobreza, incomodidades, amarguras que me acompañaron desde mi nacimiento hasta la muerte. No os lamentéis, pues. Esperad en Mí. Os doy mi paz.»

10. En la ciudad de Jerusalén y poco después de la resurrección de Lázaro [1]
(Escrito el 27 de diciembre de 1946)

Si la noticia de la muerte de Lázaro había sacudido y agitado a Jerusalén y gran parte de la Judea, la de su resurrección terminó por sacudirla y penetrar hasta donde no había llegado la de su muerte.

Tal vez los pocos fariseos y escribas, esto es, los sanedristas que estuvieron presentes a la resurrección, no hubieran dicho nada al pueblo, pero los judíos sí que hablaron y la nueva se esparció como un rayo, de casa en casa, de terraza en terraza; voces femeninas la transmiten; mientras el pueblo la difunde con gran alegría por el trionfo de Jesús, y por Lázaro. La gente llena las calles. Corre de aquí a allá, creyendo ser el primero en dar la noticia, pero recibe un palmo de narices, porque se sabe en Ofel como en Bezeta, en Sión como en el Sixto. Se sabe en las sinagogas y en las tiendas, en el Templo, y en el palacio de Herodes. Se sabe en la Antonia, y de ésta se derrama, o al revés, a los puestos de guardia. Llena los palacios como las chozas: «El Rabí de Nazaret ha resucitado a Lázaro de Betania que murió el viernes pasado, que fue sepultado antes del sábado y ha resucitado a eso de la hora de sexta de hoy.»

Las aclamaciones hebreas al Mesías y al Altísimo se mezclan con las

[1] Cfr. Ju. 11, 47-53.

de los romanos: «¡Por Júpiter! ¡Por Pólux! ¡Por Libitina!» etc. etc.

Los únicos que veo que no hablan por las calles son los del Sanedrín. No veo a ninguno de ellos. Veo a Cusa y a Mannaén que salen de un espléndido palacio y oigo a Cusa decir: «¡Extraordinario, extraordinario! Ya mandé la noticia a Juana. ¡Realmente El es Dios!» y Mannaén le contesta: «Herodes, que vino desde Jericó a obsequiar... al patrón: Poncio Pilato, parece un loco en su palacio, y Herodías está fuera de sí. Le grita que mande arrestar a Jesús. Ella tiene miedo de su poder; él por sus remordimientos. Castañetea los dientes pidiendo a los de más confianza que lo defiendan... de los espectros [2]. Se ha embriagado para darse valor y el vino le crea en su mente fantasmas. Grita diciendo que el Mesías ha resucitado también a Juan quien de cerca lo maldice en nombre de Dios. Yo he huído de esa Gehenna. Le dije: "Lázaro ha resucitado por obra de Jesús Nazareno. Ten cuidado de no tocarlo, porque es Dios". Le conservo en este temor para que no cede a sus deseos homicidas.»

«Yo, al contrario, voy... Debo ir. Pero antes quise pasar por casa de Eliel y Elcana. Viven retirados, pero no dejan de ser grandes voces en Israel. Juana está contenta de que los honre. Y yo...»

«Son una buena protección tuya. Es verdad. Pero no como la del amor del Maestro. Es la única que puede tener valor...»

Cusa no replica. Piensa... Los pierdo de vista.

Todo presuroso viene José de Arimatea de Bezeta. Lo detiene un grupo de ciudadanos que no saben si creer o no creer en la noticia. Le preguntan.

«Es verdad. Es verdad. Lázaro ha resucitado y está también curado. Lo vi con mis propios ojos.»

«Entonces... ¡El es el Mesías!»

«Sus obras son tan grandes. Su vida es perfecta. Los tiempos han llegado. Satanás lo combate. Cada uno resuelva en su corazón lo que es el Nazareno» responde prudentemente. Saluda. Se va.

El grupo discute y concluye al fin: «En realidad El es el Mesías.»

Un grupo de legionarios habla: «Si mañana puedo, iré a Betania. ¡Por Venus y Marte!, mis dioses preferidos. Podré ir a los desiertos que arden, y de allí a las tierras heladas germánicas, pero encontrarme a alguien que haya resucitado ¡jamás! Quiero ver cómo es alguien que regresa de la muerte. Estará negro de las ondas de los ríos de ultratumba...»

«Si fue virtuoso estará pálido, porque debió haber bebido de las ondas azules de los Campos Elíseos. No hay sólo la laguna Estiges...»

«Nos dirá cómo son los prados de asfódelo del Ades [3]... También voy yo...»

---

[2] Cfr. vol. 2°, pág. 287, not. 1.

[3] Expresiones tomadas de la mitología romana. Campos Elíseos era un prado para los virtuosos. La laguna Estiges estaba reservada para los malos; la hierba asfódelo era la hierba consagrada a Proserpina. Los prados de asfódelo del Ades: donde se paseaban las sombras de los héroes.

«Si Poncio nos lo permite...»

«¡Oh, qué permitirá! Al punto envió un correo a Claudia para que venga. A ella le gustan estas cosas. Más de una vez le he oído discutir, con las otras y con sus libertos griegos, sobre el alma y su inmortalidad...»

«Claudia cree en el Nazareno, y para ella es superior a cualquier hombre.»

«Sí, pero para Valeria es más que hombre. Es Dios. Una especie de Júpiter y Apolo por su poder y belleza, dicen, y más savio que Minerva. ¿Lo habéis visto? Es la primera vez que he venido con Poncio, y no sé...»

«Creo que has llegado a tiempo para ver muchas cosas. Hace poco andaba gritando Poncio como Esténtor [4]: "Aquí se debe cambiar todo. Deben comprender que Roma manda, y que ellos, todos ellos son sus siervos. Y cuanto más fuertes, tanto más siervos, porque más peligrosos". Creo que la causa habrá sido la tablilla que le envió Anás...»

«Tienes razón. No quiero que venga a verle... Y cambia a todos... porque no quiere que haya amistad entre ellos y nosotros.»

«¿Entre nosotros y ellos? ¡Ja, ja, ja! ¿Con esos narigudos que huelen a chivo? Poncio digiere mal la mucha carne de cerdo que come. A lo mejor... la amistad es con que alguna mujer que no hace asco a los besos de bocas rasuradas...» maliciosamente ríe uno.

«El hecho está que después de los motines de los Tabernáculos [5], pidió y obtuvo el cambio de todas las guardias, y que a nosotros nos toca irnos...»

«Es verdad. Ya estaba determinada en Cesarea la llegada de la galera que trae a Longinos y su centuria. Nuevos graduados, nuevos soldados... y todo por causa de esos cocodrilos del Templo. Yo estaba bien aquí.»

«Yo mejor en Brindis... Me acostumbraré» dice el que acaba de llegar a Palestina.

También ellos se van.

Algunos guardias del Templo pasan con tablas enceradas. La gente los mira y comenta: «El Sanedrín celebra reunión de emergencia. ¿Qué pretenderá hacer?»

Uno responde: «Subamos al Templo a ver...» Toman la calle que va hacia el Moria.

El sol desaparece detrás de las casas de Sión y de los montes occidentales. Baja la tarde que barre a los curiosos de las calles. Los que subieron al templo, bajan de mal humor porque se les echa fuera aun de las puertas donde se habían parado para ver pasar a los sanedristas.

El Templo, vacío, desierto, envuelto en la luz de la luna, parece inmenso. Los sanedristas van llegando poco a poco a la sala del Sanedrín. Están todos, como cuando Jesús fue condenado, a excepción de los que entonces hicieron de secretarios. No hay más que sanedristas, unos en sus lugares, otros en grupos cerca de las puertas.

[4] Personaje de la Hélade (cerca de 757 años a.C.) cuya voz era tan fuerte como la de 50 hombres juntos.
[5] Cfr. Ex. 23, 14-17.

64

Entra Caifás con su cara y cuerpo de sapo, obeso y malo. Se dirige a su puesto.

Empiezan sin más a discutir sobre los acontecimientos, y tanto los apasionan que la reunión parece convertirse en algarabía. Dejan sus lugares, bajan al espacio libre gesticulando, gritando. No falta quien aconseje la calma y de que se piense bien antes de tomar alguna decisión.

Otros replican: «Los que llegasteis aquí después de nona ¿no oisteis nada? Si perdemos a los judíos más importantes, ¿de qué nos sirve acumular acusaciones? Cuanto más El viva, tanto menos se nos creerá, si lo acusamos.»

«Este hecho no puede negarse. No se puede decir a tánta gente que estuvo ahí: "Visteis mal. Fue una burla. Estabais ebrios". El en realidad estaba muerto. Podrido. Deshecho. El cadáver había sido puesto en el sepulcro que taparon bien. El muerto estaba bajo bendas y bálsamos desde días antes. Estaba ligado. Y sin embargo salió de su lugar, salió por si solo, sin caminar, hasta la entrada. Y cuando se le quitaron las bendas, no tenía señales de haber muerto. Respiraba. No había nada de corrupción. Cuando vivía estaba lleno de llagas, y cuando murió deshecho.»

«¿Habéis oído a los judíos más influyentes, a los que habíamos hecho que fueran allá para ganárnoslos? Vinieron a decir: "Para nosotros es el Mesías". Vinieron casi todos. Y luego el pueblo...»

«Y a estos malditos romanos con sus fábulas, ¿a dónde los vais a meter? Para ellos El es Júpiter Máximo. ¡Y si se les mete esa idea! Nos enseñaron sus fábulas, y fue una maldición. Anatema sobre quien quiso que hubiera helenismo entre nosotros, y se contaminó por adulación con costumbres ajenas [6]. Pero esto también sirve para conocer, y sabemos que el romano es listo en destruir y en ensalzar valiéndose de conjuraciones y golpes de estado. Ahora si alguno de esos locos se entusiasma por el Nazareno y lo proclama César, y por lo tanto divino, ¿quién lo va a tocar después?»

«No, hombre, ¿quién quieres que lo haga? Ellos se burlan de El y de nosotros. Por grande que sea lo que hace, para ellos siempre es *"un hebreo"* y por lo tanto un miserable. ¡Oye, hijo de Anás, el miedo te está entorpeciendo!»

«¿El miedo? ¿Has sabido cómo respondió Poncio a la invitación de mi padre? Está muy preocupado. Muy preocupado por esto último y teme al Nazareno. ¡Desgraciados de nosotros! ¡Ese hombre ha venido para nuestra ruina!»

«¡Si no hubiéramos ido allá y no hubiéramos ordenado que hubieran ido los judíos más poderosos! ¡Si Lázaro hubiera resucitado sin testigos!»

«¿Y qué con ello? ¿Iba a cambiarse algo? No íbamos a hacerlo desaparecer para hacer creer que seguía muerto.»

«Eso no. Pero podíamos decir que su muerte había sido una farsa.

---

[6] Cfr. 1 Mac. 1; 2 Mac. 1, 1 - 6, 11.

Siempre se encuentren testigos pagados para decir lo que se quiere.»

«Pero, ¿por qué hemos de estar tan intranquilos? No veo la razón. ¿Ha atacado caso al Sanedrín y al pontificado? No. Se limitó solo a realizar un milagro.»

«¿Se limitó? ¿Eres acaso un vendido, Eleazar? ¿Que no ha lanzado ningún ataque contra el Sanedrín y el pontificado? ¿Y qué mas quieres? La gente...»

«La gente puede decir lo que se le ocurra, pero las cosas son como las dice Eleazar. El Nazareno no hizo más que un milagro.»

«Ved a otro que lo defiende. ¡No eres justo, Nicodemo! ¡No eres ya más un justo! Esto es un acto contra nosotros. Contra nosotros, ¿comprendes? Ninguna cosa persuadirá más a la gente. ¡Ah, desgraciados de nosotros! Hoy este día algunos judíos me befaron. ¡Yo, befado! ¡Yo!»

«Cállate, Doras. Tú no eres más que un hombre. La idea es la que ha sido atacada. ¡Nuestras leyes! ¡Nuestras prerogativas!»

«Dices bien, Simón, hay que defenderlas.»

«¿Cómo?»

«Ofendiendo, destruyendo las suyas.»

«Fácil es decirlo, Sadoc. ¿Y cómo vas a destruirlas, si no puedes por ti mismo ni siquiera revivir un mosquito? Lo que hace falta es un milagro como el que hizo. Pero nadie de nosotros puede hacerlo porque...» El que ha hablado no añade el por qué...

José de Arimatea termina la frase: «Porque nosotros somos hombres, solamente hombres.»

Se arrojan contra él preguntando: «¿Y entonces qué es El?»

José de Arimatea con firmeza responde: «El es Dios. Si hubiese tenido todavía dudas...»

«Pero no las tenías. Lo sabemos, José. Lo sabemos. Di también claramente que lo amas.»

«No hay nada de malo si José lo ama. Yo mismo lo reconozco como al más grande Rabí de Israel.»

«¡Tú! ¿Tú, Gamaliel, dices esto?»

«Lo afirmo. Me siento honrado en que El haya tomado mi lugar. Hasta ahora había conservado la tradición de los grandes rabinos, el último de los cuales fue Hilel, pero después de mí no habría podido encontrar quien pudiera recoger la sabiduría de los siglos. Ahora me voy contento porque sé que no morirá, sino crecerá más, porque aumentará con la suya, en la que ciertamente está el Espíritu de Dios.»

«¿Pero qué estás diciendo, Gamaliel?»

«La verdad. No con cerrar los ojos, se puede ignorar lo que somos. No somos más sabios, porque el principio de la sabiduría es el temor de Dios [7] y nosotros no lo tenemos. Si lo tuviésemos no aplastaríamos al justo y no seríamos avidos de las riquezas del mundo. Dios da y Dios

---

[7] Cfr. Salm. 110, 10; Prov. 1, 7; Eccli. 1, 16.

quita, según los méritos o deméritos [8]. Si Dios nos quita ahora lo que nos había dado, para darlo a otros, sea bendito porque el Señor es santo y todas sus acciones son santas.»

«Nosotros estábamos hablando de los milagros y quisimos decir que ninguno de nosotros puede hacerlos porque con nosotros no está Satanás.»

«No es así. Porque con nosotros no está Dios. Moisés dividió las aguas [9] y abrió el peñasco [10], José detuvo el sol [11]; Elías resucitó a un niño y hizo llover [12], pero Dios estaba con ellos. Os recuerdo que hay seis cosas que Dios odia y la última la aborrece del todo [13]: ojos altaneros, lengua mentirosa, manos que derraman sangre inocente, corazón que maquina planes perversos, pies ligeros para hacer el mal, falso testimonio, y a quien siembra discordias entre sus hermanos. Nosotros estamos haciendo todas estas cosas. Nosotros, digo. Pero sois vosotros los que las hacéis, porque yo me abstengo de gritar "Hosanna" y de gritar "Anatema". Yo espero.»

«¡La señal! ¡Comprendido! ¡Tú esperas la señal! ¿Pero qué señal puedes esperar de un pobre loco, aun cuando no quisiéramos condenarlo?»

Gamaliel levanta las manos y los brazos. Cierra los ojos, inclinando ligeramente la cabeza, hiératico, con una voz que parece lejana continúa hablando: «Con todas las ansias he preguntado al Señor que me indicase la verdad, y El se ha dignado iluminarme las palabras de Jesús, hijo de Sirac: "El Creador de todas las cosas me habló y me dio sus órdenes. El que me creó, reposó en mi tienda y me dijo: 'Habita en Jacob. Tu herencia sea Israel. Echa tus raíces entre mis elegidos'" [14]... Y también me iluminó las siguientes, que he comprendido: "Venid a Mí, todos los que me deseáis y saciaos de mis frutos porque mi espíritu es más dulce que la miel y mi herencia más que el panal. Mi recuerdo permanecerá en las generaciones por venir. Quien me comiere tendrá hambre de mí y quien me bebiere, tendrá sed de mí. Quien me escucha no tendrá por qué avergonzarse, y quien trabaja por mí, no pecará. Quien me dé a conocer, tendrá la vida eterna". Y la luz de Dios aumentó en mi corazón mientras mis ojos leían estas palabras: "Todas estas cosas contiene el libro de la Vida, el testamento del Altísimo, la doctrina de la Verdad... Dios prometió a David que de él haría nacer al Rey potentísimo que debe sentarse en el trono de la gloria para siempre. Rebosa de sabiduría como el Fisón y el Tigris (de aguas) en el tiempo de la cosecha, como el Eufrates abunda en inteligencia y crece como el Jordán en el tiempo de la mies. El difun-

---

[8] Alusión a Job 1, 20-22.
[9] Cfr. Ex. 14, 15 - 15, 21; Sal. 77; 104; 105; 113; Sab. 10, 15-21; 1 Cor. 10, 1-2.
[10] Cfr. Ex. 17, 1-7; Núm. 20, 1-13; Sal. 77; 104; 105; 113; Sab. 11, 6-15; 1 Cor. 10, 1-5.
[11] Cfr. Jos. 10, 10-15; Eccli. 46, 1-8.
[12] Cfr. 3 Rey. 17, 17-24; 18, 41-46; Sant. 5, 16-18.
[13] Cfr. Prov. 6, 16-19.
[14] Cfr. Eccli. 24, 12-13, 26-38 (y en otros lugares).

de el don de la sabiduría como la luz... El fue el primero en haberla conocido completamente" [15]. Esto me lo ha iluminado Dios. Pero, ¡ay!, ¡qué digo! la Sabiduría que está entre nosotros es demasiado grande, para que se le comprenda y se acepte el pensamiento que es más vasto que los mares, y el consejo, más profundo que el gran abismo. Lo oimos gritar: "Yo como el canal de aguas abondantes broté del Paraís y dije: 'Regaré mi jardín', y entonces mi canal se convertió en río, y este en mar. Como la aurora yo esparzo a todos mi doctrina, y la daré a los más remotos. Penetraré en las partes inferiores. Echaré mi mirada sobre los que duermen. Iluminaré a los que esperan en el Señor. Y extenderé aun mi doctrina como profecía y la dejaré a los que buscan la sabiduría. No dejaré de anunciarla. No he trabajado sólo por mí, sino por todos los que busaran la verdad" [16]. Esto me ha hecho leer Yeové, el Altísimo» y baja sus brazos, levantando la cabeza.

«¿Entonces para ti es el Mesías? ¡Dilo!»

«No.»

«¿No? ¿Entonces qué cosa es para ti? Un demonio, no. Un ángel, no. Mesías, no...»

«Es El que es [17].»

«Deliras. ¿Es Dios? ¿Es Dios para ti, ese loco?»

«Es El que es. Dios sabe que El es. Nosotros vemos sus obras. Dios ve aun sus pensamientos. Pero no es el Mesías, porque para nosotros Mesías quiere decir Rey. El no lo es, ni lo será jamás. Es santo. Sus obras son de un santo. No podemos levantar la mano sobre el Inocente, sin cometer pecado. No aprobaré este pecado.»

«Pero con esas palabras, casi has dicho que es el Esperado [18].»

«Lo dije. Mientras duró la luz del Altísimo lo vi tal. Luego... al no tenerme el Señor más de la mano, elevado en su luz, torné a ser el hombre, el hombre de Israel, y sus palabras no fueron más que palabras a las que el hombre de Israel, yo, vosotros, nuestros antepasados, y Dios no lo permita, los que vendrán después, damos el significado de *su*, de *nuestro* pensamiento, no el significado que tienen en el Pensamiento eterno, que lo dio a su siervo.»

«No hacemos más que hablar. Estamos divagando, perdiendo el tiempo, y entre tanto el pueblo se agita» grazna Cananías.

«¡Dices bien! ¡Hay que decidirse a la acción, a salvarse y a triunfar.»

«Dijisteis que Pilato no quiso escuchar cuando le pedimos su ayuda contra el Nazareno. Pero si le hiciéramos saber... Dijisteis hace poco que si los soldados se exaltan, podrían proclamarlo César... ¡Eh, eh! ¡Buena idea! Vamos a hacer ver al Procónsul este peligro. Seremos honrados como fieles siervos de Roma y... y si interviene, nos desembarazaremos del Rabí. ¡Vamos, vamos! Tú, Eleazar de Anás, que eres su amigo. Llévanos.

---

[15] Ib. 24.
[16] Ib. 24.
[17] Cfr. Ex. 3, 13-15; Is. 42, 8.
[18] Tal vez se alude a Jer. 14, 8. Pero sin duda al Mesías, cfr. vol. 1°, pág. 468, not. 1.

Sé nuestro jefe» y Elquías se ríe traidoramente.

Hay un poco de titubeo, pero luego un grupo de los más fanáticos sale para ir a la Antonia. Se queda Caifás con los demás.

«¡A esta hora! ¡No serán recibidos!» objeta alguien.

«Al revés. Es la mejor. Después de bebido y comido, como lo hacen los romanos, Poncio está siempre de buen humor.»

Los dejo que discutan y se me ilumina la escena de la Antonia.

El espacio que caminan es corto y sin obstáculos porque la luna ilumina con sus blancos rayos que contrastan con el color rojizo de las lámparas encendidas en el vestíbulo del pretorio.

Eleazar logra hacerse anunciar a Pilato, y los pasan a una sala amplia y vacía. Absolutamente vacía. Hay solo una silla pesada, con el respaldo bajo, cubierta con un paño púrpura que resalta en el color blanco de la sala. Forman grupo. Un poco miedosos, friolentos de pie en el pavimiento blanco. No viene nadie. El silencio es absoluto. A intervalos se oye que viene de lejos música que rompe el silencio.

«Pilatos está a la mesa, y ciertamente está con amigos. La música sale del triclinio. Habrá danzas en honor de los invitados» dice Eleazar de Anás.

«¡Corrompidos! Mañana me purificaré. La lujuria trasuda por estas paredes» dice con desprecio Elquías.

«Entonces, ¿por qué viniste? Tú fuiste el de la idea» le replica Eleazar.

«Por el honor de Dios y el bien de la Patria soy capaz de hacer cualquier sacrificio. ¡Y este es grande! Me había purificado porque me acerqué a Lázaro... y ¡ahora!... Día terrible el de hoy...»

Pilatos no viene. Pasa el tiempo. Eleazar que conoce el lugar, trata de abrir las puertas. Están cerradas. El miedo se apodera de ellos. Se saben terribles cosas. Se lamentan de haber venido. Se sienten perdidos.

Finalmente, al lado contrario de ellos, que están cerca de la puerta por la que entraron, y por lo tanto cerca de la única silla se abre una puerta y entra Pilatos, con su vestidura blanca. Entra hablando con invitados. Viene riéndose. Se vuelve a dar órdenes a un esclavo, que tiene sostenida la cortina de la salida, de que eche esencias en un brasero y que traiga perfumes y agua para las manos, que venga otro esclavo con el espejo y peine. No se preocupa de los hebreos. Como si no existiesen. Se encolerizan, pero no lo manifiestan...

Se traen los braceros, se pone resina sobre las brasas y se vierte agua en las manos de los romanos. Un esclavo con movimientos prácticos peina las cabelleras según la costumbre de aquellos tiempos. Los hebreos mueren de rabia.

Los romanos se ríen entre sí. Pronuncian palabras picarescas. Da vez en vez echan una mirada al grupo que está esperando en el fondo. Uno de ellos habla a Pilatos, que no se ha volteado ni siquiera un solo instante a ver a los judíos. Hace un gesto como de enfado con las espaldas, bate sus manos para llamar a un esclavo, al que ordena en voz alta que traiga pastelillos y que vengan las bailarinas. Los hebreos tiemblan de ira y escándalo. ¡Pensar que un Elquías tendrá que ver las bailarinas! Su cara es una página abierta de sufrimiento y de odio.

Regresan los esclavos con pastelillos en palanganas, detrás de ellos las bailarinas coronadas de flores y apenas cubiertas con telas que parecen velos. Sus carnes blanquísimas se ven tras los leves vestidos, de color rosa y azul, cuando pasan ante los braceros y la multitud de lámpares que hay en el fondo. Los romanos admiran la gracia de los cuerpos y movimientos. Pilato pide una vez más un movimiento de danza que le ha gustado muchísimo. Elquías — lo mismo sus compañeros — enojado se voltea contra el muro para no ver a las bailarinas danzar cual mariposas entre un ondear de vestiduras que revolotean.

Terminada la breve danza, Pilatos les ordena que se vayan, no sin poner en las manos de cada una, una fuente de pastelillos en la que echa, como al acaso, un brazalete. Finalmente se digna a mirar a los hebreos. Con voz cansona dice a sus amigos: «Y ahora... deberé pasar del sueño a la realidad;... de la poesía... a la hipocresía;... de la belleza al fastidio de la vida. Miserias que me tocan por ser Procónsul... Salve, amigos, y tened compasión de mí.»

Se queda solo. Lentamente se acerca a los hebreos. Se sienta, se mira sus bien cuidadas manos, y ve que tiene algo bajo la uña. Prontamente saca de su vestido algo como un bastoncito delgado de oro, con lo que se la limpia.

Después, con una gran condescendencia, despacito vuelve la cabeza. Sonríe malignamente viendo a los judíos que siguen inclinados de un modo servil, dice: «¡Eh, vosotros! ¡Sed breves! No puedo desperdiciar mi tiempo en cosas sin monta.»

Los hebreos se acercan como siempre, abyectos, hasta que un: «¡Basta! ¡No muy cerca!» los enclava en el suelo. «¡Hablad! Derechos y no como los animales viendo el suelo.» Se ríe.

Los hebreos se enderezan al oir la burla, se yerguen.

«¿Y qué...? Hablad. Vinisteis porque quisisteis. Hablad, pues.»

«Queríamos decirte... Nos sucede... Somos nosotros siervos fieles de Roma...»

«¡Ja, ja, ja! ¡Siervos fieles de Roma! Lo haré saber al divino César que se sentirá feliz. ¡Se sentirá feliz! ¡Hablad, payasos! ¡Y pronto!»

Los sanedristas bufan, pero no reaccionan. Elquías toma la palabra en nombre de todos: «Debes saber, ¡oh Poncio! que en Betania un hombre hoy fue resucitado...»

«Lo sé. ¿Habéis venido para anunciármelo? Hace horas que lo sabía. ¡Feliz él que sabe lo que es morir y lo que es el ultratumba! Y ¿qué puedo hacer si Lázaro de Teófilo ha resucitado? ¿Acaso me trajo un mensaje del Ades?» Habla con ironía.

«No. Pero su resurrección es un peligro...»

«¿Para él? ¡Claro! Porque de nuevo debe morir. Lo que no es muy agradable. ¿Y luego? ¿Qué puedo hacer yo? ¿Soy acaso Júpiter?»

«No es peligro para Lázaro, sino para César.»

«¿Para?... ¡Señor! ¿Qué he bebido mucho? ¿Dijisteis: para César? ¿Y en qué puede hacer mal Lázaro a César? ¿Teméis acaso que la pestilencia de su sepulcro pueda corromper el aire que respira el emperador? ¡Calmaos! ¡Está muy lejos!»

«No se trata de esto. Es que al resucitar Lázaro, puede hacer que se quite el trono al emperador.»

«¿Quitarle el trono? ¡Ja, ja, ja! ¡Faltaría más! Bueno.·Yo no soy el que está ebrio, sino vosotros. Tal vez el susto os ha sacado de quicio. Ver resucitar... Creo, creo que puede quitar la presencia de ánimo. Idos, idos a la cama. Un buen descanso. Un bueno baño caliente. Muy caliente. Saludable contra el delirio.»

«No estamos delirando, Poncio. Te decimos que, si no tomas providencias, pasarás horas tristes. Se te castigará, aun cuando el usurpador no te matare. Dentro de poco el Nazareno será proclamado rey, rey del mundo, ¿comprendes? Tus legionarios mismos lo harán. El Nazareno los ha seducido, y lo que pasó hoy los ha exaltado. ¿Qué siervo eres de Roma, si no te preocupas de su tranquilidad? ¿Quieres ver el Imperio destruido y dividido por causa de tu inercia? ¿Quieres ver a Roma vencida, sus banderas abatidas, muerto el emperador, destruido todo?...»

«¡Silencio! Hablo yo. Os digo: *estáis locos*! Aun más. *Sois unos mentirosos. Sois unos cobardes.* Mereceríais la muerte. Largaos de aquí, asquerosos esclavos de vuestro interés, de vuestro odio, de vuestra bajeza. Sois unos esclavos. No yo. Yo soy ciudadano romano y los ciudadanos romanos no son esclavos de ninguno. Soy un representante imperial, y trabajo por la fortuna de la patria. Vosotros... sois los súbditos. Vosotros... vosotros sois los vencidos y dominados. Vosotros... vosotros sois los galeotes amarrados al banco e inútilmente tembláis. El látigo os zumba por la cabeza. ¡El Nazareno!... ¿Querríais que matase yo al Nazareno? ¿Querríais que lo echase en prisión? ¡Por Júpiter! Si para salvar a Roma y al divino emperador tuviese que meter en prisión a súbditos peligrosos o matarlos donde yo gobierno, tendría que dejar libre al Nazareno y a sus seguidores, *sólo a ellos*. Largaos. Largaos y no vengáis a estorbar otra vez. ¡Revoltosos! ¡Agitadores! ¡Ladrones y sus favorecedores! Conozco todos vuestros engaños. Tenedlo en cuenta. Sabed también que nuevos soldados y legionarios han ayudado a descubrir vuestros planes y tácticas. Os morís de rabia por los impuestos de Roma. Pero, ¿cuánto os ha costado Melquías de Galaad, Jonás de Escitópolis, Felipe de Soco, Juan de Betaven, José de Ramaot, y todos los otros que pronto estarán en prisión? No váis más a las grutas del valle porque hay más legionarios que piedras, y la ley como las galeras son iguales para todos. ¡Para todos! ¿Entendido? *¡Para todos!* Tengo esperanzas de vivir muchos años para poder veros a todos vosotros en cadenas, esclavos entre esclavos bajo el pie de Roma. ¡Largaos! Id a decir, y lo mismo tú, Eleazar de Anás a quien no quiero ver más en mi casa, que el tiempo de la clemencia se *ha acabado*, que yo soy el Procónsul y vosotros los súbditos. *Los súbditos.* Yo soy el que mando. En nombre de Roma. ¡Largaos, sierpes nocturnas! ¡Vampiros! ¿Os quiere redimir el Nazareno? ¡Si fuese Dios os debería exterminar con sus rayos! Y así se borraría del mundo esta mancha asquerosa. ¡Fuera! No os atreváis a hacer alguna conjuración o probaréis la daga y el látigo.»

Se levanta, va golpeando las puertas ante los pálidos sanedristas, que no tienen tiempo de volver en sí, porque un piquete de soldados los arroja de la sala, y del palacio, cual perros.

Regresan a la aula del Sanedrín. Cuentan lo sucedido. La agitación es grande. La noticia del arresto de muchos ladrones, de los golpes dados en las grutas para aprehender a los demás, desquicia completamente a los que se habían quedado, porque muchos, cansados de esperar, se habían ido.

«Y pese a todo, no podemos dejarlo vivir» gritan algunos sacerdotes.

«No podemos dejar que obre. El obra. Nosotros no. Día tras día perdemos terreno. Si lo dejamos libre, continuará haciendo milagros y todos creerán en El. Los romanos terminarán por atacarnos, y destruirnos completamente. Poncio piensa de este modo. Si la multitud lo aclamase como a rey ¡oh! entonces Poncio tiene el derecho de castigarnos, a todos. No debemos permitirlo» grita chillonamente Sadoc.

«Está bien. ¿Pero cómo? El camino... legal, el romano, no ha resultado. Poncio no tiene ninguna preocupación por el Nazareno. Nuestro camino... el legal, no sirve. El no falte en nada...» objeta alguien.

«Se inventa la culpa, si es que no la hay» insinuá Caifás.

«Hacerlo así, es pecado. ¡Jurar en falso! ¡Condenar al inocente! ¡Es... demasiado!» gritan casi todos con horror. «Es un crimen, porque significaría su muerte.»

«¿Y qué? ¿Os espanta esto? Sois unos pedazos de alcornoque y no sois capaces de entender nada. Después de lo sucedido Jesús *debe* morir. ¿No comprendéis que es mejor para nosotros que muera un hombre, antes que muchos? Que muera El para salvar a su pueblo, y así no se vea destruida nuestra nación. Por otra parte... El dice que es el Salvador. Que se sacrifique pues, para salvar a todos» grita Caifás, vomitando odio frío y astuto.

«Pero, Caifás, ¡piensa! El...»

«Lo he dicho. El Espíritu del Señor está sobre mí, sumo Sacerdote. ¡Ay de quien no respeta al pontífice de Israel! ¡Que los rayos de Dios caigan sobre él! ¡Basta, basta de esperar, de vacilación! Ordeno y decreto que cualquiera que sepa donde se encuentra el Nazareno que venga a denunciar el lugar, y que el anatema caiga sobre quien no obedezca mi palabra.»

«Pero Anás...» objetan algunos.

«Anás me dijo: "Todo lo que hicieres será cosa santa. La sesión ha terminado. El viernes, entre tercia y sexta, venid todos aquí para deliberar. *He dicho todos. Hacedlo saber a los ausentes.* Se convoque a todos los jefes de familias y de secciones; a todo lo mejor de Israel. El Sanedrín ha hablado. Podéis iros.»

Caifás es el primero en salir. Los demás se van hablando en voz baja y sumisa. Salen del templo para dirigerse a sus hogares.

11. Jesús en Betania
(Escrito el 30 de diciembre de 1946)

¡Qué descansado es estarse así!, con el cariño de los amigos y junto al Maestro en los días soleados que huelen un poco a primavera al mirar los campos que abren sus surcos a un débil despunte de trigo, al mirar los huertos que rompen el verde uniforme del inverno con florecillas multicolores, al mirar las cercas que donde más les da el sol, sonríen con yemas que se abren, al mirar los almendros en cuyas copas comienzan a echar espuma las primerizas florecillas.

Jesús goza de todo ello y con El los apóstoles y sus tres amigos de Betania. Tan lejos está la mala voluntad, el dolor, la tristeza, la enfermedad, la muerte, el odio, la envidia, todo lo que causa pena, tormento, preocupaciones en la tierra.

Los apóstoles se congratulan entre sí y lo dicen. Muestran su *persuasión*, ¡oh!, de que sin duda alguna, triunfará Jesús de que ha acabado con todos sus enemigos, que su misión continuará adelante sin obstáculos, que será reconocido como Mesías aun por los más obstinados. Hablan entusiasmados, rejuvenecidos, por la felicidad que sienten, forjando proyectos para el futuro, y sueñan... sueñan... a lo humano.

El más exaltado, por su carácter que lo empuja siempre a los extremos, es Judas de Keriot. Se congratula de que haya sabido esperar, y de haber sido sagaz en obrar. Se congratula por haber creído tanto tiempo en el triunfo del Maestro, se congratula de haber desafiado las amenazas del Sanedrín... Está tan exaltado que termina revelando lo que tenazmente había ocultado, sin preocuparse de la sorpresa de sus compañeros: «Querían comprarme, seducirme con sus lisonjas, y al ver que no daban resultado, con amenazas. ¡Si supierais! Pero yo les he devuelto la moneda. Fingí que los estimaba. Los adulé como ellos me adularon, y los traicioné como lo hicieron... Para esto me querían. Querían hacerme creer que probaban al Maestro con buena intención para poder proclamarlo solemnemente el Santo de Dios. ¡Pero los conozco! Los conozco. En todo lo que decían que hiciese me comportaba de modo que apareciese la santidad de Jesús cual sol meridiano en un cielo sin nubes... ¡Mi juego era peligroso! ¡Si lo hubieran comprendido! Pero estaba preparado a todo, aun a morir, con tal de ser útil a Dios en mi Maestro. Y de este modo me informaba de todo... ¡Eh!, algunas veces me tomasteis por loco, por malo, por intratable. ¡Si supierais todo! Sólo soy yo quien conoce las largas noches, los cuidados que tenía que tomar para que nadie cayese en la cuenta. Sospechabais de mí. Lo sé. Pero no os guardo rencor. Mi modo de obrar... sí... pudo dar sospechas. Pero el fin era bueno, y sólo eso era lo que me llenaba. Jesús no sabe nada de esto. Esto es, creo que hasta sospecha de mí. Pero procuraré guardar silencio sin pedirle alabanzas. También vosotros guardais silencio. Un día, eran los primeros cuando estaba con El — y también tú, Simon Zelote, y tú, Juan de Zebedeo, estabais conmigo — me reprehendió porque me gloriaba de tener sentido práctico. Desde entonces... no le he hecho notar esta cualidad, pero he seguido usándola, para bien suyo. Me he comportado como se comporta una madre con su hijo inexperto. Le quita todos los obstáculos del camino, le baja la rama que no tiene espinas y levanta la que puede herirle; o con acciones perspicaces lo invita a hacer lo que debe hacer, como también a evitar lo que le puede causar daño, y esto sin que el niño caiga en la cuenta. Y sucede que el mismo hijo cree poder caminar sin tropezarse, poder coger una flor para la mamá, poder hacer esto o aquello espontáneamente. De igual modo me he comportado con el Maestro, porque no basta en el mundo de los hombres y de satanás la santidad. Es necesario también combatir con armas iguales, al menos como hombres... y algunas veces... no está mal introducir un poquitín de astucia diabólica. Esta es mi idea. Pero El no quiere escucharla... Es demasiado bueno... ¡Bien! Comprendo todo. A todos y a todos vosotros os excuso de los malos pensamientos que habréis podido tener contra mí. Ahora lo sabéis. Ahora podemos amarnos como buenos compañeros. Y todo por amor a El. Por su gloria» y señala a Jesús que muy allá pasea en una explanada bañada de sol, conversando con Lázaro, que lo escucha con una sonrisa de éxtasis en su faz.

Los apóstoles van a la casa de Simón. Jesús regresa con su amigo. Digo que Lázaro dice: «Es así. Había comprendido que para un gran fin me dejabas morir, y que era un acto de bondad. Pensaba que era porque querías verme libre de las persecuciones que te hacen. Sabes que digo la verdad. Estaba yo contento de morir para no verlas. Me desesperan. Me turban. Mira, Maestro. He perdonado *muchas* cosas a los que son jefes de nuestro pueblo. Tuve que perdonar hasta los últimos días... Elquías... Pero la muerte y la resurrección han borrado lo que hubo antes. ¿Qué fin tiene recordar sus últimos actos con los que me causaron dolor? *Todo he perdonado* a María. Ella parece que no lo cree. No sé por qué, pero desde que resucité ha tomado una cierta actitud... no sabría explicarla. Hay una dulzura y sumisión, extrañas en ella... Ni siquiera en los primeros días que regresó, redimida por Ti, se comportaba de este modo... Tal vez Tú lo sabes, y puedes decírme el motivo... ¿Sabes si los que venieron aquí le echaron en cara algo y con dureza? Siempre he intentado disminuir el recuerdo de su error cuando la veía absorta en el pensamiento del pasado, para aliviar su sufrimiento. No puede encontrar la calma. Parece como si... fuese superior a lo que podría ser humillación. A algunos les podrá parecer que no está muy bien arrepentida... Pero yo la comprendo... Lo sé. Lo hace todo por expiar. Creo que hace grandes penitencias, y de toda clase. No me admiraría que bajo sus vestidos trajese el cilicio y que atormentase su cuerpo con disciplinas... Pero nadie tendrá el amor que yo tengo en tender un velo sobre su pasado, y que quiera hacerla levantar. ¿Sabes acaso si alguien le dije palabras duras, alguien que no quiere perdonar...? Ella que tiene tanta necesidad de perdón.»

«No lo sé [1], Lázaro. María no me ha hablado de ello. Sólo me dijo que había sufrido mucho al oir ciertas insinuaciones de los fariseos de que Yo no soy el Mesías, porque no te curaba, no te resucitaba.»

«¿Y de mí no te dijo nada? Sabes... me sentía mal... Recuerdo que mi madre en sus últimas horas reveló cosas que habían pasado insospechadas tanto a Marta como a mí. Fue como si el fondo de su alma y de su pasado flotasen a la superficie. Yo no hubiera querido... Mi corazón sufrió mucho por María... tanto que se esforzó en no haberle dado muestra alguna de su sufrimiento... No me hubiera gustado haberla herido, ahora que es buena; cuando, por amor a Ti, por amor a ella, no le hice nada cuando era una verguenza. ¿Qué te ha dicho, Maestro?»

«Me ha hablado de su dolor, porque no tuvo tiempo de mostrarte su cariño como hermana y condiscípula. Al perderte comprendió la pérdida del tesoro de afectos que un tiempo pisoteó... y ahora está feliz porque puede ofrecerte todo el amor que quiso brindarte, para decierte que para ella eres un hermano santo, un hermano bueno.»

«¡Ah, lo había intuído! Esto me da gozo. Pero temía de haberla ofendida... Desde ayer pienso... pienso... me esfuerzo en recordar... pero no lo logro...»

«Y ¿para qué quieres recordar? Tienes ante tu vista el futuro. El pasado se quedó en la tumba. Más bien, ni siquiera se quedó allí. Se ha quemado junto con las bendas con que estuviste atado. Pero si quieres tranquilizarte, te diré las últimas palabras que dijiste, sobre todo a María. Dijiste que por causa de ella Yo había venido aquí y que vengo, porque María sabe amar más que todos. Es verdad. Le dijiste que ella te ha amado más que todos los demás. También esto es verdad porque ella te ha amado al renovarse por amor de Dios y tuyo. Le dijiste, y con toda razón, que toda una vida de placeres no te hubiera proporcionado la alegría que tienes ahora. La bendijiste, como un patriarca bendice sus seres más amados [2]. También bendijiste a Marta a la que decías ser tu paz; y a María a quien llamabas tu alegría. ¿Estás contento, ahora?»

«Sí, Maestro. Ahora estoy contento.»

«Porque la paz da misericordia, perdona también a los jefes del pueblo que me persiguen; ya que debas a entender: que puedes perdonar todo, menos el mal que me hacen.»

«Es así, Maestro.»

«No. Lázaro. Yo los perdono. Tú *debes* perdonarlos si quieres ser semejante a Mí.»

«¡Oh, semejante a Ti no puedo! ¡Soy un hombre cualquiera!»

---

[1] Cfr. vol. 1°, pág. 356, not. 7.
[2] Cfr. por ej., Gén. 48, 49; Deut. 33. En general: Núm. 6, 22-27.

«El hombre se quedó allá abajo. ¡El hombre! Tu corazón... Tú sabes lo que sucede al hombre después de la muerte...»

«No, Señor. No recuerdo nada de lo que me sucedió» interrumpe con energía Lázaro.

Jesús sonríe y le responde: «No me refería *a tu saber personal, a tu experiencia propria*. Me refería a lo que cualquier creyente sabe lo que le sucede cuando muere.»

«¡Ah! El juicio particular. Sé. Creo. El alma se presenta ante Dios y la juzga.»

«Es así. El juicio de Dios es justo e inmutable. Es de infinito valor. Si el alma juzgada es mortalmente culpable, es condenada eternamente [3]. Si es levemente culpable se le envía al Purgatorio [4]. Si es justa va a la paz del Limbo [5] en espera de que abra Yo las puertas del cielo. Así pues, te envié a llamar después de que Dios te había juzgado. Si hubieras sido un condenado *no te habría podido llamar a la vida porque al hacerlo anularía el juicio de mi Padre. Para los condenados no hay cambio. Son sentenciados para siempre.* No estabas, pues, en el número de los condenados. Por lo tanto: o estabas en la categoría de los bienaventurados o en la de los que lo serán después de la purificación. Piensa bien, amigo mío. Si la voluntad sincera de arrepentimiento que puede tener el hombre cuando todavía está sobre la tierra, tiene un valor de purificación; si un rito simbólico bautismal, que el corazón acepta por contrición, tiene para nosotros los hebreos fuerza purificadora de las fealdades contraídas en el mundo y por la carne ¿qué valor no tendrá el arrepentimiento, más real y perfecto, mucho más perfecto, de un alma que se ve libre de las cadenas del cuerpo, que comprende lo que es Dios, que a la luz divina ve la gravedad de sus errores, ve la inmensa alegría de que ha estado alejada por horas, años, o siglos: la alegría de la paz que hay en el Limbo, que pronto será la alegría de la posesión final de Dios; qué será la purificación doble, triple del arrepentimiento perfecto, del amor perfecto, del baño en el ardor de las llamas que el amor de Dios y el de los espíritus encendieron en el que y por el que los espíritus se despojan de toda inmundicia y emergen bellos como serafines, con una corona que ni siquiera estos tienen: con la de su martirio terreno y ultraterreno contra los vicios y por el amor? ¿Qué será? Dilo, pues, amigo mío.»

«No... sé... una perfección. Mejor... una re-creación.»

«Has dicho la palabra exacta. El alma es como re-creada. Se hace semejante a la de un niño. *Es nueva.* El pasado no existe más. Su pasado humano. Cuando cae la culpa original, el alma sin mancha o sombra de ella, es super-creada y digna del Paraíso. Yo llamé tu alma que había sido ya re-creada porque amaba el Bien, por la expiación de los sufrimientos y de la muerte, por tu perfecto arrepentimiento y tu perfecto amor, que se prolongaron aun después de la muerte. Tú tienes, pues, el alma

[3] Cfr. pág. 22, not. 5.
[4] Cfr. 2 Mac. 12, 38-46; 1 Cor. 3, 10-15.
[5] Cfr. vol. 4°, Apéndice.

completamente inocente, de un recién nacido. Si eres un niño recién nacido ¿por qué quieres poner sobre esta infancia espiritual los vestidos pesados del hombre adulto? Los infantes tienen alas y no cadenas para su espíritu alegre. Me imitan fácilmente porque todavía no tienen ninguna personalidad determinada. Se hacen como Yo soy, porque en su alma limpia de huellas se puede imprimir sin borrón alguno mi figura y mi doctrina. Tienen el alma libre de humanos recuerdos, resentimientos, prejuicios. No hay nada en ella. Y puedo Yo estar en ellas, perfecto, absoluto, como estoy en el cielo. Tú, que eres como un recién nacido, porque en tu vieja carne la fuerza motriz es nueva, sin pasado, limpia, sin rasgos de lo que fue; tú que has vuelto para servirme, solo para esto, debes ser como Yo soy, *más que todos*. Mírame. Mírame bien. Mírate en Mí cual en un espejo. Dos espejos que se miran para reflejar mutuamente la presencia de lo que aman. Tú eres un adulto y un infante. Adulto por la edad, infante por la limpieza de corazón. Superas a los infantes porque conoces el bien y el mal, y porque supiste escoger el bien aún antes del bautismo en las llamas del amor. Pues bien, Yo te digo, a ti, que te has purificado: "Sé perfecto como lo es nuestro Padre celestial, y como lo soy Yo. Sé perfecto, esto es, sé semejante a Mí que te amé en tal forma que hice a un lado las leyes de la vida y de la muerte, del cielo y de la tierra [6] para volver a tener en la tierra a un siervo de Dios, a un verdadero amigo mío, y en el cielo a un bienaventurado, a un gran bienaventurado". Lo digo a todos: "Sed perfectos". Los más de ellos no tienen el corazón que tenías, merecedor del milagro, merecedor de que se te hubiera tomado por instrumento de la glorificación de Dios en su Hijo. No tienen ellos la deuda de amor para con Dios... Puedo decirlo, puedo pedirlo de ti. Y como primera cosa te pido que no guardes rencor contra los que te ofendieron y me han ofendido. Perdona, perdona, Lázaro. Fuiste sumergido en las llamas del amor. Debes ser "amor", para que no tengas otra cosa más que el abrazo de Dios.»

«Y si hago así ¿habré cumplido la misión para la que me resucitaste?»

«La habrás realizado.»

«Basta, Señor. No quiero preguntar ni saber más. Mi ideal es servirte. Si te he servido en lo poco que pude cuando enfermo o muerto, si logro servirte mucho ahora que estoy sano, mi sueño se habrá realizado y no pido más. ¡Sé bendito, Jesús, Señor y Maestro mío! Y que también lo sea quien te envió.»

«Bendito sea siempre el Señor Dios Omnipotente.»

Se dirigen a la casa, y de cuando en cuando se detienen a contemplar el despertar de los árboles. Jesús alza su brazo y corta, pues es alto, un puñado de florecillas de un almendro que el sol calienta enfrente de la pared que da al sur.

Sale María que los ha visto. Se acerca a oir lo que Jesús viene diciendo: «¿Ves, Lázaro? También a estas el Señor ha dicho: "Venid, flores". Y

---

[6] «... hice a un lado todas las leyes...» esto es, obró un milagro sin igual.

obedecieron para servirle.»

«¡Qué misterio es el germinar de las flores! Parece imposible que de una rama dura, o de un hueso duro, puedan salir pétalos tan frágiles y estambres tan tiernos, para convertirse en fruta o en planta. ¿Me equivocaría al decir, Maestro, que la linfa o el germen son como el alma en la planta o en la semilla?»

«No te equivocas, porque es la parte vital. En ellas no es eterna. Fue creada para cada especie en el día en que fueron creadas las plantas y los cereales. En el hombre es eterna, semejante a su Creador, es creada cada vez que un hombre es concebido. Por el alma la materia vive. Por esto afirmo que sólo vive el hombre por el alma. No sólo acá, sino más allá. Vive por su alma. Nosotros los hebreos no hacemos ninguna figura en los sepulcros como lo hacen los gentiles. Si la hiciéramos, deberíamos siempre pintar, no la llama apagada, ni la clepsidra vacía u otra cosa semejante, sino más bien el grano arrojado en el zurco que despunta. Porque se debe a la muerte que el alma se vea libre de la corteza, y fructifique en los jardines de Dios. La semilla. La chispa vital que Dios ha puesto en nuestro polvo, y que se convierte en espiga, si sabemos con nuestra voluntad y también con el dolor, hacer que sea fértil la tierra en que se deposita. La semilla. Símbolo de la vida que se perpetúa... Maximino te está llamando...»

«Voy a ver, Maestro. Habrán venido los mayordomos. Durante varios meses todos los negocios se pararon. Ahora se apresuran a darme cuentas...»

«Que apruebas de antemano porque eres un buen patrón.»

«Y porque ellos son buenos siervos.»

«El buen patrón forma buenos siervos.»

«Entonces ciertamente seré un buen siervo, porque Tú eres mi Patrón perfecto» y se va sonriendo, ágil, tan diverso de lo que fue en años anteriores.

María se queda con Jesús.

«¿Y tú, María, serás una buena sierva de tu Señor?»

«Tú lo puedes saber, Raboni. Yo... yo sé que fui una gran pecadora.»

Jesús sonríe: «Mira a Lázaro. También el estuvo muy enfermo, y sin embargo está ahora completamente sano.»

«Así es, Raboni. Tú lo curaste. Lo que haces, lo haces siempre completo. Nunca Lázaro había sido tan fuerte, ni había estado tan contento como desde que salió del sepulcro.»

«Tú lo dices, María. Lo que hago *es siempre completo*. Por esto también tu redención *es completa*, porque la realicé.»

«Es verdad. Salvador mío, Redentor, Rey, Dios. Es verdad. Y si quieres, también yo seré una buena sierva de mi Señor. Por mi parte lo quiero. No sé si Tú lo quieres».

«Lo quiero, María. Una buena sierva mía. Hoy más que ayer. Mañana más que hoy. Hasta que te diga: "Basta, María. Es la hora de que descanses".»

78

«Dicho está, Señor. Querré que me llames en ese día como llamaste a mi hermano del sepulcro. ¡Oh, llámame fuera de la vida!»

«No, fuera de la vida, no. *Te llamaré a la Vida, a la verdadera Vida.* Te llamaré a que salgas fuera del sepulcro que es la carne y la tierra. Te llamaré a las nupcias de tu alma con el Señor.»

«Mis nupcias. Tú amas las almas vírgenes, Señor...»

«Amo a quienes me aman, María.»

«Eres divinamente bueno, Raboni. Por esto me moría de dolor que te llamasen malo, porque no venías. Era algo así como si todo se me viniera encima. Cuánto me costaba decirme a mí misma: "¡No, no! No debes aceptar la evidencia. Esto que te parece evidencia es un sueño. La realidad es el poder, la bondad, la divinidad de tu Señor". ¡Ah, cuánto me hicieron sufrir la muerte de Lázaro y sus palabras! ¿Te ha dicho alguna cosa? ¿No se acuerda? Dime la verdad...»

«Nunca miento, María. El teme de haber hablado y de haber revelado lo que había sido el dolor de su vida. Pero lo he tranquilizado, sin decir nada que no fuese la verdad.»

«Gracias, Señor. Esas palabras suyas... me hicieron bien. Así como un médico que ataca el mal en su raíz y lo quema. Terminaron esas palabras por destruir la "vieja" María. Me consideraba todavía muy grande. Ahora... mido el fondo de mi abyección y sé que debo caminar *mucho* para salir de él. Lo haré, si me ayudas.»

«Te ayudaré, María. Aun después de ido, te ayudaré.»

«¿Cómo, Señor mío?»

«Aumentando tu amor incalculablemente. Para ti es el único camino.»

«Muy dulce lo es por lo que tengo expiar. Todos se salvan con el amor. Todos conquistan el cielo. Pero lo que es suficiente para los puros, para los justos, no lo es para las grandes pecadoras.»

«No hay otro camino para ti, María. Cualquiera que sea la ruta que tomares, siempre será la del amor. Amor si haces bien en mi nombre. Amor si evangelizas. Amor si te separas de todos. Amor si te martirizas. Amor si te hacen mártir. No sabes sino amar, María. Es tu naturaleza. La llama no hace otra cosa más que arder. Bien se le arroje al suelo, quemando los petates, bien que suba como un abrazo de brillo alrededor de un tronco, de una casa, de un altar para levantarse al cielo. Cada uno tiene su propria naturaleza. *La inteligencia de los maestros de espíritu consiste en saber aprovechar las inclinaciones del individuo encaminándolas por el sendero en que puedan crecer bien.* Igual ley existe en los animales y plantas. Sería una cosa tonta pretender que un árbol frutal diese solo flores, o que produjese frutos diversos; o que un animal realizase cosas que no son de su especie. ¿Podrías exigir que esa abeja que no sabe más que hacer miel, fuese un pájaro que cantara entre las ramas? O bien ¿que este ramo de almendro, que lo corté de aquel árbol, produjese resinas aromáticas en lugar de estas florecillas? La abeja trabaja, el pajarillo canta, el almendro da frutos, la planta resinosa da aromas. Todos son para el oficio a que se les ha destinado. De igual modo las almas. Tu oficio es amar.»

«Entonces enciéndeme, Señor. Te lo pido como un favor.»

«¿No te basta la fuerza de amor que tienes?»

«Es muy poca, Señor. Podría emplearla en amar a los hombres, pero no a Ti que eres infinito.»

«Y por que lo soy, sería necesario un amor sin límites...»

«Así es, Señor mío. Esto es lo que quiero. Que pongas dentro de mí un amor sin límites.»

«María, el Altísimo, que sabe lo que es el amor, dijo al hombre: "Me amarás con todas tus fuerzas" [7]. No quiere más, porque sabe que amar con todas las fuerzas es ya un martirio.»

«No importa, Señor mío. Dame un amor ilimitado para amarte como debe ser, para amarte como a nadie he amado.»

«Me pides algo semejante a una hoguera que quemara sin acabarse. Ella quema y se acaba poco a poco. Piénsalo.»

«Hace mucho tiempo que lo pienso, Señor mío. Pero no me atrevía a pedírtelo. Ahora sé cuánto me ames. Ahora comprendo en qué forma me amas, y me atrevo a pedírtelo. Dame este amor sin límites, Señor.»

Jesús la mira. Se le ve delgada por las noches sin dormir y por el dolor. Viste sencillamente y peina sin adornos, como una niña, con la cara pálida que enrojece por el ansia de lo que quiere alcanzar, con los ojos suplicantes, que arden de amor. Más que mujer es un serafín. Es en verdad la contempladora que pide el martirio de la contemplación absoluta.

Jesús, después de haberla mirado, como para medir su voluntad, dice: «Sí.»

«¡Ah, Señor mío, qué honra es morir por Ti!» cae de rodillas, besándole los pies.

«Levántate, María. Ten estas flores. Son las de tus nupcias espirituales. Sé dulce como lo es el almendro. Pura como su flor. Luminosa como el aceite que se extrae de él cuando se le enciende; perfumada como este aceite, que lleno de esencias, se le rocía en los banquetes o sobre las cabezas de reyes, perfumado con tus virtudes. Entonces habrás esparcido sobre tu Señor el bálsamo que El agradará infinitamente.»

María toma las flores, pero no se levanta de la tierra, y anticipa su bálsamo de amor, con besar los pies de Jesús, que baña con sus lágrimas.

Llega Lázaro: «Maestro, hay un niño que te busca. Fue a la casa de Simón a buscarte y encontró sólo a Juan que lo trajo aquí. No quiere hablar sino contigo.»

«Bien. Tráemelo. Estaré bajo el emparrado de los jazmines.»

María entra en casa con Lázaro. Jesús va al emparrado. Regresa Lázaro que trae de la mano al niño que vi en casa de José de Séforis. Jesús lo reconoce al punto y lo saluda. «¿Marcial, tú? La paz sea contigo. ¿A qué has venido?»

«Me han mandado a decirte una cosa...» y mira a Lázaro que compren-

---

[7] Cfr. vol. 2°, pág. 335, not. 5

80

de y que hace como irse.

«Quédate, Lázaro. Este es Lázaro, mi amigo. Puedes hablar delante él, porque no tengo otro amigo más fiel.»

El niño se tranquiliza. Dice: «Me manda José el Anciano, porque ahora vivo con él, a decirte que vayas cuanto antes, cuanto antes, a Betfagé, cerca de la casa de Cleonte. Tiene algo que comunicarte. Pero ve pronto. Dijo que fueras solo, porque tiene que decirte algo en secreto.»

«Maestro, ¿qué pasa?» pregunta Lázaro espantado.

«No sé, Lázaro. No hay más que ir. Ven conmigo.»

«Con mucho gusto, Señor. Podemos ir con el niño.»

«No, Señor. Me voy solo. Me lo ordenó José. Me dijo: "Si lo haces tú solo y bien, te querré como un padre" y yo deseo que José me quiera como a un hijo. Me voy inmediatamente a la carrera. Tú puedes venir detrás. Salve, Señor. Salve, Lázaro.»

«La paz sea contigo, Marcial.»

El niño desaparece como una golondrina.

«Vamos, Lázaro. Tráeme el manto. Voy a adelantarme, porque ves, el niño no puede abrir el cancel y no quiere llamar a nadie.»

Jesús va ligero al cancel, Lázaro a la casa. Jesús recorre los cerrojos al niño que veloz escapa. Lázaro trae el manto de Jesús y a su lado camina a Betfagé.

«¿Qué se lo ofrecerá a José para haber enviado con tanto secreto a un niño...?»

«Un niño no llama la atención de nadie» responde Jesús.

«Crees... que... sospechas que... Crees que estás en peligro, Señor.»

«Estoy seguro.»

«¡Cómo! ¿Ahora? Una prueba mayor no hubieras podido haber dado...»

«El odio crece bajo el aguijón de la realidad.»

«¡Oh!, entonces soy yo la causa. Te he hecho daño... Un dolor mío sin igual» afirma Lázaro lleno de dolor.

«No por tu causa. No te aflijas sin motivo. Has sido el medio, ¿comprendes?, el medio para dar al mundo la prueba de mi naturaleza divina; pero la causa ha sido la necesidad. Si no hubieras sido tú, otro lo lo hubiera sido, porque debía demostrar al mundo que, como Dios que soy, puedo todo lo que quiero. Volver a la vida a un muerto que días antes estaba corrompido, no puede ser sino obra de Dios.»

«¡Ah, quieres consolarme! Para mí la alegría, toda mi alegría... ha desaparecido... Sufro, ¡Señor!»

Jesús hace un gesto como para decir: «¡Bueno!» y ambos se callan.

Caminan ligeros. La distancia entre Betania y Betfagé es corta, y pronto llegan.

José está yendo y viniendo a la entrada del poblado. Está de espaldas cuando Jesús y Lázaro salen de un atajo oculto tras una cerca. Lázaro lo llama.

«¡Oh, la paz sea con vosotros! Ven, Maestro. Te estuve esperando aquí para salir pronto a tu encuentro, pero vayamos al olivar. No quiero que nos vean...»

Los lleva detrás de las casas que hay en un espeso olivar.

«Maestro, mandé al niño que es despabilado y obediente, y me quiere mucho, porque *tengo* que hablarte. No *quería* que alguien me viera. Atravesé el Cedrón para venir aquí... Maestro, debes irte de aquí e *inmediatamente*. El Sanedrín ha decretado tu aprehensión y el bando se leerá mañana en las sinagogas. Cualquiera que sepa dónde estás, tiene la obligación de avisarlo. No es necesario que te diga, Lázaro, que tu casa será la primera que estará bajo vigilancia. Salí a eso de sexta del Templo y al punto pensé. Mientras hablaban, hice mi plan. Fui a casa, tomé al niño. Salí a caballo por la puerta de Herodes, como si fuera a dejar la ciudad. Atravesé luego el Cedrón y lo seguí. Dejé mi cabalgadura en Getsemaní, mandé al niño que conoce el camino porque conmigo había ido a Betania. Vete lo más pronto posible, Maestro. A un lugar seguro. ¿Conoces algún lugar? ¿Sabes a dónde ir?»

«¿No es suficiente si se aleja de acá? Digamos ¿de Judea?»

«No es suficiente, Lázaro. Están que se mueren de rabia. Tiene que irse a donde ellos no van...»

«Por todas partes van. No vas a querer que el Maestro abandone Palestina...» replica Lázaro intranquilo.

«Bueno. ¿Qué quieres que te diga? El Sanedrín lo quiere...»

«Por mi causa, ¿no es verdad? Dilo.»

«Bu... Bueno... Por tu causa... esto es, porque todos se convierten a Él, y a ellos... no les gusta.»

«¡Es un crimen! ¡Un sacrilegio!... Es...»

Jesús, pálido, pero tranquilo, levanta su mano para poner silencio: «Cállate, Lázaro. Cada uno tiene su oficio. Todo está escrito [8]. Te lo agradezco, José. Te aseguro que me voy. Vete, vete, José. Que no vayan a notar tu ausencia... Que Dios te bendiga. Te haré saber por medio de Lázaro dónde estoy. Vete. Te bendigo a ti, a Nicodemo, a todos los de buen corazón.» Lo besa y se separan. Jesús regresa con Lázaro. Atraviesan el olivar. Toman el camino a Betania. José se dirige a la ciudad.

«¿Qué vas a hacer, Maestro?» pregunta angustiado Lázaro.

«No lo sé. Dentro de pocos días llegan las discípulas con mi Madre. Tenía que esperarlas...»

«Por esto... les podría hablar en tu nombre, y las podría llevar. ¿Pero a dónde vas? No creo que a casa de Salomón... Ni a la de los discípulos que todos conocen. ¡Mañana!... Debes partir al punto.»

«Puedo encontrar lugar. Sólo quisiera esperar a mi Madre. Su angustia empezaría *muy antes* si no me encontrase...»

«¿A dónde irías, Maestro?»

«A Efraín [9].»

«¿A Samaría?»

---

[8] Cfr. vol. 2°, pág. 644, not. 3.

[9] En cuanto a Efraín, como tribu, como territorio, cfr. Gén. 49, 22-26; Deut. 33, 13-17; Jos. 16.

«A Samaría. Los samaritanos son menos samaritanos [10] que otros muchos, y me aman. Enfraín está en los confines...»

«¡Oh! y para mostrar su desprecio a los judíos, te honrarán y defenderán. Pero... ¡espera! Tu Madre no puede venir sino por el camino de Samaría o el del Jordán. Yo y Maximino tomaremos uno u otro camino con los demás criados. Y uno u otro la encontraremos. No volveremos sino es con ellas. Bien sabes que *nadie de la casa de Lázaro te puede traicionar*. Entretanto ve a Efraín. Y pronto. ¡Ah, estaba escrito que no pudiera alegrarme de estar contigo! Pero iré. Por los montes de Adomín. Estoy sano ahora. Puedo hacer lo que quiera. ¡Más bien! haré creer que por el camino de Samaría me dirijo a Tolemaide para embarcarme hacia Antioquía... Todos saben que allí tengo tierras... Las hermanas se quedarán en Betania... Tú... Sí... Voy a preparar ahora dos carros que os llevarán a Jericó. Mañana al amanecer seguiréis el camino a pie. ¡Oh, Maestro, ¡Maestro mío! ¡Sálvate! ¡Sálvate!» Después de la excitación de los primeros instantes, Lázaro cae en la tristeza y llora. Jesús suspira, pero no dice nada. ¿Qué puede decir?...

Han llegado a la casa de Simón. Se separan. Jesús entra en la casa. Los apóstoles sorprendidos ya de que el Maestro se había ido sin decir nada, lo rodean. Ordena: «Tomad vuestros vestidos. Preparad las alforjas. Partimos inmediatamente. Hacedlo aprisa y uníos a Mí en casa de Lázaro.»

«¿También los vestidos mojados? ¿No podemos tomarlos al regreso?» pregunta Tomás.

«No regresaremos. Tomad todo.»

Los apóstoles se van hablandose con la mirada. Jesús va a tomar sus cosas que tiene en la casa de Lázaro y se despide de las consternadas hermanas...

Los carros están prontos. Carros grandes, cubiertos, de que tiran robustos caballos. Jesús se despide de Lázaro, de Maximino, de los siervos que han acudido.

Suben a los carros que están aguardando por una puerta de atrás. Los conductores levantan los látigos. Y empieza el viaje por el mismo camino que recorrió Jesús sólo hace unos cuantos días.

[10] Cfr. vol. 2°, pág. 12, not. 3; pág. 16, not. 5; pág. 23, not. 1.

12. Camino a Efraín [1]

(Escrito el 2 de enero de 1947)

En el fresco y claro amanecer los campos que circundan la casa de Nique son una alfombra de trigo de pocos centímetros de alto; tallos delicados de color esmeralda. El huerto que hay cerca de la casa, al compa-

[1] Cfr. Ju. 11, 54.

rarlo con el risueño plantío y con el firmamento sereno, parece más oscuro, más tosco. La blanca casa, cuando los rayos del sol la besan, se corona de palomos que revolotean.

Nique ya se ha levantado y con diligencia provee a que no falte nada a los que están por partir. Despide primeramente a los dos siervos de Lázaro que han permanecido durante la noche y que parten montando en sus caballos al trote. Entra de nuevo en la cocina donde las siervas preparan leche y alimentos en buenos hornos. De una olla grande echa aceite en dos pequeñas, y vino en pequeños odres. Ordena a una sirvienta que está preparando algo así como hogazas, que las ponga al horno que está ya listo. Toma de las mesas los mejores quesos que están secándose al calor de la cocina. Toma miel y la echa en pequeños recipientes que tapa con cuidado. Con todos estos alimentos hace sendos envoltorios; uno con un cabrito o corderito que la sirvienta toma del asador; otro de manzanas coloradas como el coral; otro de aceitunas; otro más de uva pasa; y otro de cebada limpia. Está terminando este último cuando entra Jesús que saluda a todas.

«Maestro, la paz sea contigo. ¿Tan pronto te levantaste?»

«Debería de haberlo hecho antes, pero estaban tan casados mis discípulos que los he dejado dormir hasta ahora. ¿Qué estás haciendo, Nique?»

«Preparo... No pesan, ¿ves? Doce envoltorios. He tenido en cuenta las fuerzas de los que los van a cargar.»

«¿Y Yo?»

«¡Oh, Maestro! Tú tienes ya tu peso...» y en los ojos de Nique se ve brillar una lágrima.

«Ven conmigo, Nique. Vamos a conversar en paz.»

Salen. Se alejan de la casa.

«Mi corazón llora, Maestro...»

«Lo sé. Pero hay que ser fuertes. Fuertes pensando que no se me ha causado algún dolor...»

«¡Oh, esto nunca! Yo me había imaginado que podría estar cerca de Ti, y por esto me vine a Jerusalén. De otra manera me hubiera quedado donde tengo mis campos...»

«También Lázaro, también María y Marta pensaban estar conmigo. ¡Ya lo ves!...»

«Lo veo. Ahora que no estás en Jerusalén, no regreso a allá. Estando aquí estaré siempre más cerca de Ti y podré ayudarte.»

«Me has ayudado tanto...»

«Ha sido nada. Quisiera llevarte mi casa donde quiera que estuvieres. Pero iré, ciertamente que iré a ver lo que te falte. Lo que me dijiste que hiciera está muy bien. Estaré aquí, hasta que se convenzan de que no estás aquí. Pero después...»

«Es un camino largo y difícil para una mujer, además de que no está vigilado.»

«¡Oh, no tengo miedo! Soy demasiado vieja para agradar como mujer, y no llevo conmigo tesoros para que puedan robarme. Los ladrones son mejores que muchos que se creen santos, pero que son unos bandidos que quieren robarte la paz y la libertad...»

«No los odies, Nique.»

«Esto me cuesta muchísimo. Por amor tuyo trataré de no odiar... Toda la noche he llorado, Señor.»

«Te oí que ibas y venías por la habitación como una abeja. Y me pareció ver en ti a una madre afligida por su hijo perseguido... No llores. Los culpables deben llorar, no tú. Dios es bueno con su Mesías. En las horas más tristes, siempre me permite encontrar un corazón maternal que esté junto a Mí...»

«¿Y qué vas a hacer de tu Madre? Me habías dicho que pronto vendría...»

«Irá a Efraín... Lázaro va a avisarle. Mira ahí a Simón de Jonás y a mis hermanos...»

«¿Lo saben?»

«Todavía no, Nique. Lo diré cuando estemos lejos...»

«Y yo te contaré cuando vaya, lo que sucediere aquí y en Jerusalén.»

Se reunen los apóstoles que van saliendo uno por uno en busca de Jesús.

«Venid, hermanos. Tomad un buen bocado antes de partir. Todo está pronto.»

«Por cuidarnos, Nique no ha dormido toda la noche. Dad las gracias a la buena discípula» invita Jesús entrando en una amplia cocina donde hay una mesa larga sobre la que se ve leche caliente y hogazas acabadas de sacar del horno, untadas de mantequilla y miel que les echó Nique. Ella asegura que son alimentos que dan fuerzas al que debe hacer una larga caminata cuando todavía no hace mucho calor.

Terminan de comer. Entre tanto Nique ha terminado de hacer los últimos envoltorios con el pan sacado del horno. Cada apóstol toma lo suyo.

Es la hora de partir. Jesús se despide y bendice. Los apóstoles saludan. Nique los acompaña hasta los límites de sus campos y luego regresa despacio llorando en su velo, mientras que Jesús con los suyos se aleja por un camino secundario que ella había señalado.

Los campos están todavía desiertos. El caminillo pasa por campos de trigo que va naciendo, por viñedos sin hojas. No se ven pastores, porque no pueden traer sus ganados acá. El sol calienta el aire matinal. Las primeras florecillas en los bordes brillan como piedras preciosas bajo el rocío que el sol ilumina. Los pajarillos se deshacen en trinos. Está próxima la bella estación. Todo se hermosea. Todo vuelve a la vida. Todo quiere amar... Y Jesús va al destierro que precede a la muerte que el odio le depara.

Los apóstoles no hablan. Caminan pensativos. La partida improvisa los ha desorientado. Tan seguros se creían ya. Avanzan agachados más bien por lo que llevan dentro que por el peso de lo que dio Nique. Las agacha la desilusión, la comprobación de lo que es el mundo, de lo que son los hombres.

Jesús por su parte, aunque no sonríe, no camina ni triste, ni abatido. Va con la cabeza en alto, delante de todos, sin altanería, pero tampoco sin temor. Camina como quien sabe a dónde debe ir y lo que debe hacer. Camina como un *valiente*, como un héroe a quien nada perturba ni amedrenta.

La vereda desemboca en el camino principal. Jesús la sigue hacia el norte. Los apóstoles detrás, sin hablar. Como este es el que viene de Galilea, atravesando la Decápolis y Samaría en dirección a la Judea, se ven personas y caravanas de mercaderes.

Pasa el tiempo. El sol calienta cada vez más. Jesús se separa del camino principal para tomar otra vereda que, a través de los campos de trigo, va a las primeras colinas.

Los apóstoles se miran entre sí. Probablemente empiezan a comprender que no van a Galilea por el camino del valle del Jordán, sino a Samaría. Pero no preguntan.

Al llegar a las primeras arboledas que hay en las colinas, Jesús dice: «Detengámonos y comamos. Es mediodía.»

Se acercan a un arroyuelo que trae poca agua, porque hace tiempo que no llueve, que es limpia y corre entre la arena salpicada con piedrecillas. En su ribera hay piedras suficientemente grandes para servir de mesa y de silla. Se sientan después que Jesús ha bendecido y ofrecido la comida. Comen silenciosos, pensativos.

Jesús los saca de sus pensamientos: «¿No me preguntáis a dónde vamos? La preocupación del mañana os ha hecho mudos, ¿o no soy más vuestro Maestro?»

Los doce levantan la cabeza. Son doce caras afligidas o por lo menos atolondradas que se vuelven al rostro impasible de Jesús, y se oye un solo «¡oh!» que sale de sus bocas. Después de este «¡oh!» se oye la respuesta de Pedro, que en nombre de todos habla: «Maestro, Tú sabes que para nosotros no has cambiado. Sin embargo desde ayer estámos como a quienes han recibido un fuerte golpe en la cabeza. Todo nos parece un sueño. Y Tú, vemos y sabemos que eres Tú, pero nos parece que... ya estás como lejos de nosotros. Algo de esto gustamos desde que hablaste con tu Padre antes de llamar a Lázaro, y desde que lo sacaste de allí, atado, valiéndote sólo de tu voluntad, y lo hiciste revivir con la sola fuerza de tu poder. Casi nos das miedo. Lo digo por mí... pero creo que lo mismo sienten los demás. Luego... Nosotros... Esta partida... tan imprevista y misteriosa.»

«¿Tenéis doble miedo? ¿Sentís que el peligro se os viene encima? ¿Pensáis, créeis no tener la fuerza suficiente para enfrentaros y superar la última prueba? Decidlo francamente. Todavía estamos en la Judea. Estamos todavía cerca de los caminos que llevan a la Galilea. Cualquiera de vosotros se puede ir si quiere, y a tiempo para que no se objeto del odio del Sanedrín...»

Los apóstoles al oir estas palabras se turban. El que estaba casi echado sobre la hierba, se endereza, y el que estaba sentado se pone de pie.

Jesús continuá: «Porque desde ahora soy un hombre perseguido según la ley. Tenedlo en cuenta. A esta hora va a leerse en las cicuenta y más sinagogas de Jerusalén y en las de las ciudades que han recibido el bando, que se dio ayer a la hora de sexta [2], que Yo soy el gran pecador, y que cualquiera que supiere dónde esté, tiene la obligación de denunciarme al Sanedrín para que me cautive...»

Los apóstoles gritan, como si lo vieran ya preso. Juan se le cuelga del cuello, gimiendo fuertemente: «¡Ah, siempre lo había previsto!» Algunos maldicen el Sanedrín, otros invocan la justicia divina; otros lloran, otros se quedan fríos como una estatua.

«Callaos. Escuchad. Nunca os he engañado. Siempre os he dicho la verdad. Cuando he podido, os he defendido y protegido. He amado vuestra compañía como si fuerais mis hijos. No os he escondido ni siquiera mi última hora... mis peligros... mi pasión. Se trataba de cosas mías, exclusivamente mías. Ahora tenéis que pensar en vuestra seguridad, y en la de vuestras familias. Os ruego que lo hagáis. Con libertad completa. No penséis esto a través del amor que me tenéis, por el hecho de que os haya elegido. Y como os dejo libres de cualquier obligación para con Dios y para con su Mesías, imaginaos que es la primera vez que os encuentro, y que después de haberme escuchado, tomáis las providencias de que si os conviene o no seguir al Desconocido cuyas palabras os han conmovido. Imaginaos que es la primera vez que me ois y que me véis y que os diga: "Ved bien que soy un perseguido, que me odian, que el que me ama y me sigue es perseguido y odiado como Yo, en su propia persona, intereses, afectos. Ved bien que la persecución puede llevar a la muerte y confiscación de los bienes familiares". Pensadlo bien y decidid. Os seguiré siempre amando aunque me digáis: "Maestro, no puedo más seguirte". ¿Os entristecéis? No debéis hacerlo. Seamos buenos amigos que deciden pacífica y amorosamente lo que debe hacerse, que mutuamente se comprenden. No puedo permitir que salgáis al encuentro del porvenir sin haceros reflexionar sobre él. No os menosprecio. Os amo a todos. Yo soy el Maestro. Y es claro que debo conocer a mis discípulos. Soy el Pastor y el pastor tiene que conocer a sus corderos. Sé que mis discípulos, puestos a la prueba sin haber sido preparados suficientemente no sólo con el saber que reciben del Maestro, y que en este caso es bueno y perfecto, sino también con la reflexión que deben aportar, podrían fallar o por lo menos no triunfar como buenos atletas en el estadio. *Medirse y medir es siempre una sabia providencia*, en las cosas pequeñas o grandes. Yo, Pastor, debo decir a mis corderos: "Ved que ahora me adentro en una región de lobos y de carniceros. ¿Tenéis fuerzas para ir entre ellos?" Podría aún deciros quién no va tener fuerzas para resistir la prueba, aun cuando os pueda asegurar una y otra vez que ninguno de vosotros caerá en las manos de los verdugos que sacrificarán

---

[2] Cfr. vol. 4°, pág. 463, not. 3.

al Cordero de Dios. Se contentarán con haberme capturado... Repito: "Reflexionad". Una vez os dije: "No temáis a los que maten". Os dije: "El que pone mano al arado y vuelve atrás para considerar lo pasado, y lo que puede perder o conseguir, no es apto para mi misión". Pero se trataba de normas que os indicaban lo que significa ser discípulos míos, normas para el futuro cuando no seré más el Maestro, sino cuando mis fieles lo sean. Esas normas eran para daros un corazón fuerte. Pero esta misma fortaleza, que creo tenéis — me refiero a vuestro espíritu — es muy poca en comparación a la magnitud de la prueba. No penséis en vuestros corazones: "¡El Maestro se escandaliza de nosotros!" No, no me escandalizo. Aun más os digo que ni siquiera vosotros debéis escandalizaros de vuestra debilidad. En los siglos que están por venir, habrá entre los miembros de mi iglesia, bien corderos, bien pastores, quienes serán inferiores a la alteza de su misión. Llegarán períodos en que pastores ídolos y fieles ídolos [3] serán más numerosos que los verdaderos pastores y que los fieles verdaderos. Períodos en que el espíritu de fe en el mundo se eclipsará. Pero el eclipse no es la muerte de un astro. Es tan sólo un oscurecimiento momentáneo, más o menos parcial. Después resplandece su belleza que parece más luminosa. Lo mismo sucederá con mi Redil. Os digo que reflexionéis. Os lo digo como Maestro, como Pastor y Amigo. Os dejo en plena libertad de discutir entre vosotros. Voy a ir allá, entre aquel matorral, a orar. Uno por uno vendrá a decirme lo que piense. Qualquiera que sea vuestra decisión la bendeciré. Os amaré teniendo en cuenta el amor que me habéis dado.» Se levanta y se va.

Los apóstoles quedan espantados, perplejos, conmovidos. Al principio nadie se atreve a hablar. Pedro es el primero en tomar la palabra: «¡Que me trague el infierno si lo abandono! Estoy seguro de mí. ¡Aunque me viniesen a atacar todos los demonios que hay en la Gehenna, con Leviatán, al frente, no me separaré de El por temor!»

«Tampoco yo. ¿Voy a ser inferior a mis hijas?» dice Felipe.

«Yo estoy seguro que no le harán nada. El Sanedrín amenaza, pero lo hace para hacernos ver de que todavía vive. Es el primero en saber que nada vale, si Roma no quiere. ¡Sus amenazas! ¡Es Roma la que condena!» afirma Iscariote desvergonzadamente.

«Pero en cosas religiosas el Sanedrín es Sanedrín» hace notar Andrés.

«¿Tienes miedo, hermano? Ten en cuenta que en nuestra familia jamás ha habido bellacos» le replica Pedro con tono amenazador, sintiendo en sus venas sangre belicosa.

«No tengo miedo, y espero poder demostrarlo. He tan sólo querido responder a Judas.»

«Tienes razón. El error del Sanedrín está en querer emplear el arma política para no decir y que no se le diga, que levantó su mano contra el Mesías. Estoy seguro de ello. Les gustaría hacer caer al Mesías en pecado y hasta lo han intentado para hacerlo odioso a las multitudes. ¡Pero

---

[3] Cfr. vol. 4°, pág. 624, not. 4.

matarlo! ¡He, no! ¡Tienen miedo! Un miedo que no tiene comparación, porque es miedo que llevan dentro. Saben bien, *saben bien*, que El es el Mesías! Y tanto lo saben que sienten que para ellos ha llegado el fin, porque vienen los tiempos nuevos. Quieren destruirlo. ¿Destruirlo ellos? No. Por esto buscan una razón política para que sea el Procónsul, para que sea Roma, quien acabe con El. Pero el Mesías no hace sombra a Roma, y Roma no le hará ningún mal, y el Sanedrín aúlla en vano.»

«¿Entonces tú te quedas con El?»

«Claro. ¡Más que todos!»

«Yo no tengo que perder o ganar nada quedándome o yéndome. Tan sólo tengo la obligación de amarlo, y lo haré» dice Zelote.

«Yo lo reconozco como al Mesías y por esto lo sigo» proclama Natanael.

«También yo. Lo he creído desde el momento que Juan el Bautista me lo señaló» afirma Santiago de Zebedeo.

«Nosotros somos sus hermanos. A la fe hemos juntado el amor de la sangre. ¿No es verdad, Santiago?» dice Tadeo.

«Desde hace años El es mi sol. Sigo su trayectoria. Si cae en el abismo que le hubieren abierto sus enemigos, lo seguiré» responde Santiago de Alfeo.

«¿Y yo? ¿Puedo olvidar que me redimió?»

«Mi padre me maldeciría siete veces siete si lo abandonase. Por otra parte tan sólo por el amor a María yo no me separaría jamás de Jesús» exclama Tomás.

Juan no habla. Está con la cabeza inclinada, abatido. Los otros toman esta actitud por debilidad y le preguntan.

«¿Y tú? ¿Eres el único en quererte ir?»

Levanta su cara, tan franca en sus gestos como en sus miradas y clavando sus ojos azules en ellos responde: «Yo estaba rogando por todos nosotros. Queremos hacer, decidir, por nuestras propias fuerzas, y no caemos en la cuenta que al hacerlo así dudamos de las palabras del Maestro. Si asegura que no estamos preparados, estará en lo cierto. Si no lo hemos logrado en tres años, ¿vamos a lograrlo en pocos meses?...»

«¿Qué estás diciendo? ¿En pocos meses? ¿Qué sabes tú? ¿Eres profeta?» lo atacan como regañándolo.

«No soy nada.»

«¿Y entonces? ¿Qué sabes tú? ¿Te lo dijo acaso? Tú no ignoras sus secretos...» grita con rabia Judas de Keriot.

«No me odies, amigo, si comprendo que la tranquilidad se está acabando. ¿Cuándo será? No lo sé. Pero sí llegará el fin. El lo dice. ¡Cuántas veces lo ha dicho! No queremos creer. El odio de los otros es señal de que sus palabras son verdaderas... Y por eso prefiero orar, porque no hay otra cosa que hacer. Pedir a Dios que nos haga fuertes. ¿No te acuerdas, Judas, de que un día nos dijo que El había orado a su Padre para que tuviese fuerzas en las tentaciones? La fuerza viene de Dios. Yo imito a mi Maestro, como es razonable hacerlo...»

«En una palabra, ¿te quedas?» lo interpela Pedro.

«¿Y a dónde quieres que vaya sino me quedo con El, que es mi vida y mi todo? Como soy un pobre jovencillo, el más necesitado de todos, todo lo pido a Dios, Padre de Jesús y nuestro.»

«Dicho está. Nos quedamos todos. Vamos donde está. Ha de estar triste. Nuestra fidelidad lo contentará» dice Pedro.

Jesús está orando de rodillas, con el rostro inclinado a la hierba. Ha de estar orando a su Padre. Se yergue al oir el ruido de las pisadas y mira a los doce. Los mira serio pero un poco triste.

«Alégrate, Maestro. Ninguno de nosotros te abandona» dice Pedro.

«Muy pronto tomasteis vuestra decisión y...»

«Las horas y los siglos no cambiarán nuestra decisión» reitera Pedro.

«Ni las amenazas nuestro amor» proclama Iscariote.

Jesús no los mira ya en grupo, sino a uno por uno. Su mirada es larga, profunda, mirada que los doce sostienen sin miedo. Su mirada se detiene especialmente en Iscariote, que lo mira con más seguridad que todos los otros. Abre sus brazos con un acto de resignación y dice: «Vámonos. Vosotros, vosotros *todos*, habéis sellado vuestro destino [4].» Vuelve a su lugar, toma su alforja, da la orden: «Tomemos el camino que lleva a Efraim, que nos indicaron.»

«¿A Samaría?» La sorpresa no tiene límites.

«A Samaría. Por lo menos a sus confines. Juan también fue a esos lugares para vivir predicando al Mesías, hasta que llegase su hora [5].»

«¡Sin embargo no se salvó!» objeta Santiago de Zebedeo.

«No busco salvarme, sino salvar, y salvaré en la hora señalada. El Pastor perseguido va a donde están las ovejas más infelices. Para que ellas, las abandonadas, tengan la prudencia de prepararse para los tiempos nuevos.»

Con paso rápido se pone en camino, con la esperanza de llegar antes de que la noche les impida caminar, ahora que han descansado y observado el sábado.

Cuando llega al arroyuelo que corre de Efraim al Jordán, Jesús llama a Pedro y a Natanael y les da una bolsa diciendo: «Adelantaos. Buscad a María de Jacob. Recuerdo que Malaquías me dijo que era la más pobre del lugar, pese a su gran casa, ahora que en ella no viven ni sus hijos ni hijas. Nos hospedaremos en su casa. Dadle suficiente dinero para que nos hospede sin tener que tratar del caso con otros. Conocéis la casa. Es grande. Tiene unos cuatro granados. Está cerca del puente que da al arroyo.»

«La conocemos, Maestro. Haremos como ordenas.» Rápidos se van. Jesús los sigue lentamente con los demás.

Desde ambas riberas se ven blanquear las casas del poblado iluminadas a los últimos rayos del día y a los primeros de la luna. No hay nadie

---

[4] Cfr. vol. 2°, pág. 644, not. 3.
[5] Cfr. not. anterior y vol. 4°, pág. 213, not. 7.

por la calle cuando llegan a la casa que la luna adorna con su luz. Sólo el arroyuelo rompe el silencio de la noche. Si alguien mira hacia el horizonte, verá una inmensa extensión de cielo que se inclina curva sobre una inmensidad de terrenos que bajan hacia la llanura del Jordán. La tranquilidad reina por doquier. Llaman a la puerta. Pedro abre: «Todo está arreglado, Señor. La mujer lloró al ver el dinero. No tenía ni un céntimo. Le dije: "No llores. Donde está Jesús, no existe el dolor". Me respondió: "Lo sé. Durante toda mi vida he sufrido y ahora estaba ya para no soportar más. El Cielo se me ha abierto en esta noche, y me trae a la Estrella de Jacob [6] para que me de paz". Ahora está preparando las habitaciones que por tanto tiempo habían estado cerradas. La mujer parece muy buena. ¡Hela aquí! ¡Mujer, el Rabí está aquí!»

Se acerca una viejecilla de ojos tiernos, llenos de melancolía. Se detiene como avergonzada ante Jesús, unos cuantos pasos. Tiene miedo.

«La paz sea contigo. No te daré mucha molestia.»

«Quisiera... quisiera yo que caminases sobre mi corazón para que al entrar a mi casa tus pies encontrasen todo delicado. Entra, Señor, y que Dios entre contigo.» Ha tomado alientos y fuerzas bajo la luz de la mirada de Jesús.

Entran todos. Cierran la puerta. La casa es amplia como un hotel y vacía como si nadie viviese en ella. Sólo en la cocina el fuego que sube en lenguetas de alegría y de calor. Bartolomé, que estaba echando leña, se vuelve y sonriendo dice: «Consuélala, Maestro. Está afligida porque no sabe cómo honrarte.»

«Me basta tu corazón. No te preocupes de nada. Mañana proveremos. Tambien Yo soy un pobre. Dale las provisiones. Entre pobres se comparte pan y sal sin verguenza, y con amor fraternal. Amor que en ti debe ser maternal, porque podrías ser mi madre. Y como a tal te honro...»

La mujer llora silenciosamente, y seca sus lágrimas con su velo: «Tuve tres varones y siete mujercitas. El arroyo arrastró a uno, y la fiebre al otro. El tercero me abandonó. De las mujercillas cinco murieron del mismo mal que su padre, la sexta murió de parto y la última... Lo que no hizo la muerte lo hizo el pecado. En mi vejez no tengo hijos que sean mi honra y me pongo triste... Acá todos son buenos... Pero a esta pobre mujer. Tú eres bueno conmigo también como madre...»

«Yo también tengo una madre, y en cada mujer que es madre honro a la mía. No llores. Dios es bueno. Ten fe y los hijos que te quedan, pueden regresar todavía. Los otros están en paz...»

«Yo pensaba que fuese un castigo porque todos nacieron en estos lugares...»

«Ten fe. Dios es más justo que los hombres...»

Regresan los apóstoles que habían ido con Pedro a las habitaciones. Traen los alimentos. Calientan al fuego el corderito que Nique les asó. Lo ponen sobre la mesa. Jesús ofrece y bendice. Dice a la viejecita que

6 Cfr. Núm. 24, 15-19. (Ap. 2, 26-29; 22, 16-17).

esté con ellos y no en su rinón comiendo raíces de hierbas como cena...
El destierro a los confines de Judea ha empezado...

13. El primer día en Efraín
(Escrito el 8 de enero de 1947)

«La paz sea contigo, Maestro» dicen Pedro y Santiago de Zebedeo que regresan a casa con sendas jarras llenas de agua.

«La paz sea con vosotros. ¿De dónde venís?»

«Del arroyo. Fuimos a traer agua, y traeremos más para la limpieza. Ya que estamos aquí, no es justo que la anciana se canse por nuestra culpa. Está allá calentando el agua. Mi hermano fue al bosque a traer leña. Hace tiempo que no llueve y la leña arde como hierba seca» explica Santiago de Zebedeo.

«Bueno. Pese a que es muy temprano nos han visto en el arroyo y en el bosque. Y pensar que yo había ido allá para no ir al manantial...» dice Pedro.

«¿Por qué, Simón de Jonás?»

«Porque en la fuente siempre hay gente que podrían reconocernos y venir aquí...»

Mientras están hablando entran en el largo corredor que divide la casa los dos hijos de Alfeo, Judas de Keriot y Tomás. Oyen, pues, las últimas palabras de Pedro y la respuesta de Jesús: «Lo que no podía acaecer en las primeras horas de este día, sucedería más tarde, mañana al máximo, porque vamos a quedarnos aquí...»

«¿Aquí? Pensábamos que sólo estaríamos de paso» protestan varios.

«No es un lugar de paso, sino un lugar donde vamos a estar por un tiempo. De aquí no partiremos sino para regresar a Jerusalén para la Pascua.»

«Oh, yo había imaginado que cuando hablaste de lobos y carniceros, querías referirte a esta región, como otras veces te has referido, para decirnos que sólo hablas de lugares donde transitan pocos judíos y fariseos...» interviene Felipe que acaba de llegar. Otros agregan: «También nosotros pensábamos así.»

«Entendisteis mal. Esta no es la región de lobos y carniceros, aun cuando en sus montes haya lobos de verdad. No me refería a lobos...»

«¡Acabáramos!» dice un poco irónico Judas de Keriot. «Se comprende que para Ti que te llamas Cordero los hombres sean lobos. No somos unos tontos de remate.»

«No lo sois sino lo que no queréis comprender, mi naturaleza, mi misión y el dolor que me causáis por no trabajar con todas vuestras fuerzas en prepararos para el porvenir. Lo digo por vuestro bien, y os enseño con hechos y palabras. Pero vosotros rechazáis lo que turba vuestro modo humano haciéndoos oir presagios de dolor, o que os exige esfuerzos contra vuestro modo de pensar. Oídme, antes de que haya extraños. Ahora os dividiré en dos grupos de cinco en cinco e iréis bajo la guía del jefe de cada grupo a las regiones cercanas, como cuando en los primeros tiempos en que os enviaba. Acordaos de todo lo que os dije en aquella ocasión y ponedlo en práctica. Habrá una excepción y es que pasaréis anunciando como próximo el día del Señor, aun a los samaritanos, para que estén prontos a esperarlo, y más fácilmente se conviertan al Dios Unico. Id llenos de caridad y de prudencia, libres de todo prejuicio. Lo estáis viendo y comprobaréis que lo que no se permite en otros lugares, acá sí. Por lo tanto sed buenos con éstos que inocentemente pagan las culpas de sus padres. Pedro será la cabeza del grupo de Judas de Alfeo, Tomás, Felipe y Mateo. Santiago de Alfeo lo será del de Andrés, Bartolomé, Simón Zelote y Santiago de Zebedeo. Judas de Keriot y Juan se quedan conmigo. Así se hará desde mañana. Hoy vamos a descansar y a hacer los preparativos para los días subsiguientes. El sábado lo pasaremos juntos. Procurad estar aquí antes del sábado, para volver a partir después de él. Será el día en que mostreremos nuestro amor mutuo, como prueba del amor que manifestamos a nuestros hermanos que pertenecen al mismo redil paterno. Vaya cada uno a sus quehaceres.»

Se queda solo. Se retira a una habitación al fondo del corredor.

La casa resuena con pasos y voces, aun cuando todos estén en las habitaciones y no se vea a ningún otro que a la viejecita, que atraviesa el corredor, ocupada en sus quehaceres, como es el de hacer el pan, cosa que se advierte por la harina que hay en sus cabellos y por la masa en sus manos.

Jesús, pasado algún tiempo, sale y sube a la terraza de la casa. Meditando pasea, y de vez en vez mira lo que le rodea.

Se le acercan Pedro y Judas de Keriot, con caras no muy alegres. Tal vez Pedro no quiere separarse de Jesús. Tal vez no quiere irse y presentarse por la ciudad. Lo cierto es que no traen cara alegre cuando suben a la terraza.

«Venid aquí. Mirad qué bello panorama.» Y señala el horizonte con sus diversos espectáculos. Al noroeste grandes montes, llenos de vegetación, que se prolongan como columna espinal de norte a sur. Uno, que hay a espalda de Efraín es un gigante de verdor que sobresale sobre todos los otros. A noroeste y sudeste se ven colinas más pequeñas. El país está situado como en una concha verde con fondos lejanos, que son planicies entre las dos cadenas, una alta y otra baja, que suben de la región a la llanura jordánica. Por una abertura de entre los montecillos menos altos se ve esta llanura verde, más allá de la que está el Jordán. Cuando sea primavera este lugar será bellísimo, verde y fértil. Por ahora los viñedos y campos surcan con su color oscuro lo verde de los campos sembrados de trigo, y sembrados de hierba que servirá de pastura.

Si lo que está más allá de Efraín lo llama Juan con el nombre de desierto, señal es que el desierto de Judea era más acogedor, por lo menos en esta parte, o que sólo era desierto, porque no había poblaciones, sino bosques y pastizales entre alegres arroyuelos, muy diverso de las regiones cercanas al Mar Muerto que justamente pueden llamarse «desierto» porque son áridas, sin vegetación, fuera de unos cuantos matorrales espinosos, torcidos, nacidos entre los pedruscos que hay aquí y allí y arenas cubiertas de sal. Pero este acogedor desierto, que está más allá de Efraín, por largo espacio está cubierto de viñedos, de olivos, de huertos frutales. Ahora los almendros esparcidos en montones de color blanco-rosa aquí y allí, sonríen al sol, en las pendientes que pronto los ramos de las vides cubrirán con su fronda.

«Parece como si estuviera yo en mi ciudad» exclama Judas.

«Se parece también a Yutta. Sólo que allá el arroyo está abajo y la ciudad en alto. Aquí al revés. Parece como que el país esté dentro de una ancha concha con un río en el centro. Es una región que abunda en viñedos. Qué bello ha de ser tener una viña en estos lugares» dice Pedro.

«''Bendiga el Señor su tierra con frutos de lo alto y con el rocío, con fuentes que nacen de las profundidades de la tierra, con frutos que crecen al calor del sol y a los rayos de la luna, con frutas en las cimas de sus montes, con frutos de colinas muy antiguas con pastizales en abundancia'' [1], está dicho. Y apoyados en estas palabras del Pentateuco se creen ser siempre superiores. Tienen razón. *También la palabra de Dios y sus dones, si caen en corazones en que domina la soberbia, se convierten en ruina. No por causa suya, sino por la soberbia que cambia su buena savia*» dice Jesús.

«Tienes razón. A ellos les tocó solo la rabia del toro y la testuz del rinoceronte. No me gusta estar aquí. ¿Por qué no me dejas ir con los otros?» pide Iscariote.

«¿No te gusta estar conmigo?» pregunta Jesús, dejando de contemplar el paisaje y volviéndose a mirar a Judas.

«Contigo, sí. Pero no con esos de Efraín.»

«¡Qué bonito razonamiento! ¿Y a poco nosotros que iremos por la Samaría o por la Decápolis — pues no podemos ir más allá entre sábado y sábado — vamos a ir entre gente santa?» se dirige Pedro en son de reproche a Judas, que no responde.

«¿Qué te importa quién esté cercano a ti, si sabes amar todo a través de Mí? Amame en el prójimo y todos los lugares te serán iguales» dice calmadamente Jesús.

Judas no responde ni siquiera a El.

«Y pensar que tengo que ir... ¡Tanto que me gustaría estar aquí! ¡Tanto... por lo que sé que debe hacerse! Nombra a Felipe el jefe de grupo, o a tu hermano. Yo... mientras se trata de decir: hagamos esto, vayamos a aquel lugar, lo puedo hacer. Pero si tengo que hablar... Echaré a perder todo.»

«La obediencia hará que todo salga bien. Lo que hicieres me agradará.»

---

[1] Cfr. Deut. 33, 13-16.

«Entonces... si te agrada, me agrada a mí también. Me basta con tener-te contento. Pero mira — ¡lo he dicho! — ¡Mira que viene mucha gente! El sinagogo... y los principales... sus mujeres... sus niños y la gente...»

«Vayamos a su encuentro» propone Jesús y se apresura a bajar por la escalera, llamando a los otros apóstoles para que salgan con El.

Los habitantes de Efraín avanzan con señal del más grande respeto, y después de los saludos de costumbre, tal vez el sinagogo, habla en nombre de todos: «Bendito sea el Altísimo por este día, y bendito su Profeta que ha venido entre nosotros, porque ama a todos los hombres en nombre del Dios Altísimo. Bendito seas, Maestro y Señor, que te acordaste de nuestro corazón y de nuestras palabras, y viniste a descansar entre nosotros. Te abrimos el corazón y nuestros hogares pidiendo tu palabra para bien nuestro. Bendito sea este día, porque gracia a él el desierto será fértil para quien sabe acogerlo con espíritu recto.»

«Has dicho bien, Malaquías. Quien acoge con recto espíritu al que ha venido en nombre de Dios, verá fructificar *su* desierto, y verá que las plantas selváticas se convertirán en árboles domésticos. Estaré entre vosotros. Vendréis a Mí como buenos amigos. Estos llevarán mi palabra a los que la acogieren.»

«¿No vas a enseñar, Maestro?» pregunta un poco desilusionado Malaquías.

«He venido aquí para recogerme y orar para prepararme a los acontecimientos futuros. ¿Os desagrada que haya escogido vuestro lugar para mi descanso?»

«¡Oh, no! Si te vemos orar, nos servirá para hacernos prudentes. Gracias por haber escogido este lugar. No turbaremos tu oración y *no permitiremos* que tus enemigos te la perturben. Ya corre la voz de lo que sucedió y sucede en Judea. Haremos buena guardia. Cuando no te sea molestia, nos contentaremos con alguna palabra tuya. Entre tanto acepta nuestra hospitalidad.»

«Soy Jesús y no rechazo a nadie. Acepto por tanto lo que me ofrecéis y así os muestro que no os rechazo. Pero si me queréis amar, desde ahora, dad aquello que me daríais a Mí, a los pobres del pueblo y a los viajeros que pasan por aquí. No tengo necesidad más que de paz y de amor.»

«Lo sabemos. Sabemos todo. Esperamos poder darte lo que necesitas, de modo que puedes exclamar: "La tierra que para mí debía ser Egipto, se ha convertido para mí, como lo fue para José de Jacob, en tierra de paz y gloria".»

«Si me amáis, cogiendo mi palabra, así responderé.»

Los ciudadanos entregan a los apóstoles sus presentes y se retiran, menos Malaquías y otros dos que en voz baja hablan con Jesús. Se quedan los niños, atraídos por el atractivo que Jesús les inspira. Se quedan sin hacer caso a los gritos de sus madres. No se van sino hasta que Jesús los ha acariciado y bendecido. Sólo entonces, parlachines como golondrinas, dan vueltas por el camino, y se van alejando seguidos por el sinagogo y los otros dos.

14. Si el prepcepto del sábado es grande, mayor es el del amor
(Escrito el 11 de enero de 1947)

Los diez, cansados y polvorientos, regresan a casa. Apenas la mujer abre la puerta, que le preguntan: «¿Dónde está el Maestro?»

«Creo que está en el bosque. Siempre va a orar allí. Salió muy de mañana y aun es la hora que no regresa.»

«¿Y nadie ha ido a buscarlo? ¿Qué están haciendos esos dos?» grita fuera de sí Pedro.

«No te excites. Entre nosotros está seguro como si estuviera en su casa.»

«¡Seguro, seguro! ¿Os acordáis del Bautista? ¿Estuvo seguro?»

«No, porque no podía leer el corazón de quien le hablaba. Si el Altísimo permitió que sucediese esto al Bautista, de seguro que no lo permitirá a su Mesías. Mejor que yo que soy mujer y samaritana debes creerlo tú.»

«María tiene razón. ¿Pero a dónde fue? ¿Se puede saber?»

«No lo sé. Ahora va a una parte, ahora a otra. Algunas veces solo, otras con los niños que lo quieren tanto. Les enseña a pedir a Dios viéndolo en todas las cosas. Tal vez hoy debe estar solo, porque no ha venido a siesta. Cuando los niños están con él, regresa, porque ellos son como los pajaritos que quieren comer a su hora...» sonríe la viejecita, acordándose tal vez de sus diez hijos, y luego lanza un suspiro... también porque alegrías y dolores son el pan diario de cada vida humana.

«¿Dónde están Judas y Juan?»

«En la fuente, Judas. Juan fue a traer leña. Acabe el agua y la leña porque lavé vuestros vestidos para que los llevéis limpios cuando partáis.»

«Dios te lo pague, madre. Mucho te molestas por nosotros...» dice Tomás poniéndole una mano en su espalda flaca y encorvada, como para acariciarla.

«¡Oh!... no es ninguna molestia. Es como si volviese a ver a mis hijos...» sonríe mientras una lágrima se asoma en sus ojos.

Entra Juan con una carga de leña y parece como si el corredor se iluminase con su llegada. He notado siempre que hay algo como de luminoso donde está Juan. Su sonreir es tan dulce, franco, juvenil; sus ojos son claros, sonrientes como un hermoso cielo de abril, su voz cadenciosa al saludar a sus compañeros; es algo así como un rayo de sol, o como un arco iris de paz. Todos lo quieren. No sé si Judas de Keriot lo quiera o no, pero sí lo envidia; frecuentemente se burla de él, y algunas veces le dice palabras duras. En este momento Judas no está.

Lo ayudan a descargar su fardo y le preguntan dónde está Jesús. También Juan se alarma por la tardanza, pero confiando en Dios más que los otros dice: «Su Padre lo preservará del mal. Debemos creer en el Señor.» Y agrega: «Venid. Estáis cansados y polvorientos. Tenemos preparada la comida, y agua caliente. Venid, venid.»

Regresa también Judas de Keriot con sus botes llenos de agua. «La paz sea con vosotros. ¿Os fue bien en el viaje?» pregunta, pero en su voz no hay amor. Está entretejida de burla y de descontento.

«Sí. Comenzamos por la Decápolis.»

«¿Por temor a que os apedreasen o a que os contaminaseis [1]?» de nuevo pregunta ironicamente Iscariote.

«Ni por una, ni por otra cosa, sino por prudencia de principiantes. Fui yo quien lo propuse, que aunque no tengo nada que reprocharte, he encanecido con los pergaminos» responde Bartolomé.

Judas no replica. Va a la cocina, donde los que acaban de regresar toman de lo que se les había preparado.

Pedro mira a Iscariote que sale y mueve la cabeza, pero no dice nada. Tadeo toma de la manga a Juan y le pregunta: «¿Cómo se ha portado en estos días? ¿Ha estado siempre inquieto? Sé franco...»

«Lo soy, Judas. Pero te aseguro que no causó ningún dolor. Casi siempre el Maestro está separado. Yo estoy con la viejecilla, que es muy buena. Oigo al que viene a hablar al Maestro, y luego se lo comunico. Judas va por el poblado. Se ha hecho de amigos. ¡Qué queréis! Es así... No puede estar tranquilo como sabríamos estar nosotros.»

«A mí no me importa lo que haga. Me basta con que no cause ninguna aflicción.»

«No la ha causado. No molesta. Pero... ved al Maestro. Oigo su voz. Está hablando con alguien...»

Corren todos afuera y ven a Jesús que avanza entre las penumbras que caen, con dos niños en los brazos y uno asido a su vestido, y los consuela para que no lloren.

«Que Dios te bendiga, Maestro. ¿De dónde regresas tan tarde?»

Al entrar en casa Jesús responde: «De los ladrones. También yo he capturado una presa. Caminé después del crepúsculo, pero espero que mi Padre me absolverá [2] porque hice un acto de misericordia... Juan, toma. Simón, toma... Tengo los brazos que se me caen... estoy cansadísimo.» Se sienta en una banquilla que hay en el camino. Sonríe cansado pero feliz.

«¿Con los ladrones? ¿Pero dónde estuviste? ¿Quiénes son estos niños? ¿Has comido? No es prudente estar afuera a estas horas ¡y lejos!... Estábamos preocupados. ¿No estabas en el bosque?» todos preguntan simultáneamente.

«En el bosque, no. Fui en dirección de Jericó...»

«¡Imprudente! ¡Por esos caminos puedes encontrar a quien te odie!» le reprende Tadeo.

«Seguí el camino que nos enseñaron. Hacía días que quería ir por allá. Hay infelices que redimir. No podían hacerme nada. Llegué a tiempo pa-

---

[1] Cfr. vol. 2°, pág. 12, not. 3

[2] Modo humano de expresarse para enseñar la superioridad y necesidad de la caridad y misericordia sobre las observancias legales.

ra ayudar a estos pequeñuelos. Dadles de comer. Pienso que no han comido, porque tenían miedo de los ladrones, y Yo no llevaba alimentos conmigo. ¡Si hubiera encontrado por lo menos a algún pastor!... La proximidad del sábado había dejado desiertos los pastizales...»

«Se comprende. Somos los únicos que desde hace ya algún tiempo no respetemos el sábado» observa Iscariote, cortante como siempre.

«¿Qué dices? ¿Qué insinúas?» le preguntan.

«Quiero decir que ya son dos sábados que trabajamos después de la caída del sol.»

«Judas, tú lo sabes porque tuvimos que caminar el sábado. El pecado no siempre es de quien lo comete, *sino también de quien obliga a alguien a que lo cometa*. Y hoy... Lo sé. Quieres decir que también hoy he violado el sábado. *Te respondo que si el precepto del reposo sabático es grande, mucho mayor lo es el del amor*. No estoy obligado a justificarme contigo, pero lo hago para enseñarte la mansedumbre, la humildad, y la gran verdad que *ante a necesidad santa se debe aplicar la ley con libertad de espíritu*. Nuestra historia tiene episodios de esta necesidad. Fui, cuando amanecía, por los montes de Adoním porque sé que allá hay gente miserable, que tienen lepra en el alma. Esperaba encontrarlos, hablarles, regresar antes de la puesta del sol. Los encontré. No pude decirles lo que había pensado, porque hubo otras cosas de qué hablar... Habían encontrado ellos a estos tres niños que lloraban a la entrada de un redil pobre de la llanura. Habían bajado en la noche a robar ovejas y decididos a matar, si el pastor resistía. En el invierno el hambre es dura en los montes... Y cuando la sufren corazones crueles, hace a los hombres más feroces que los lobos. Estos niños estaban allí con un pastorcito un poco mayor que ellos, y muerto de susto. No sé por qué causa su padre había muerto en la noche. Bien pudo haberle picado algún animal, como habérsele parado el corazón... Estaba frío sobre la paja, cerca de las ovejas. El primero que vió que estaba muerto fue su hijo mayor que dormía a su lado. De este modo los ladrones, en lugar de cometer un homicidio, encontraron a un muerto y a cuatro niños que lloraban. Dejaron al muerto y echaron las ovejas y al pastorcillo adelante, y como aun en los más perversos suele haber algo de piedad que no desaparece, tomaron también consigo a los niños... Los encontré cuando discutían sobre lo que tenían que hacer. Los más duros querían matar al pastorcillo de diez años, que era un testimonio peligroso, los menos crueles querían devolverlo con amenazas, quedándose con el ganado. Pero todos querían quedarse con los niños.»

«¿Para qué? ¿Tienen familia?»

«No. Su madre es difunta. Por esto su padre se los había llevado en el invierno a los pastizales, y ahora subía atravesando estos montes, a su hogar desierto. ¿Podía haber dejado estos pequeñuelos a los ladrones para que los convirtiesen en iguales? Les hablé... Os digo en verdad que me comprendieron mejor que otros. Y tanto me comprendieron que me dejaron los pequeñuelos y mañana acompañarán al pastorcillo por el camino de Siquén, porque por esos contornos viven los hermanos de su madre. Así, me he traído a los niños. Los tendré conmigo hasta que lleguen sus parientes.»

«¿Y crees a los ladrones...?» pregunta Iscariote con risas en los labios...

«Estoy seguro que no arrancarán un cabello al pastorcito. Son infelices. No debemos juzgar el motivo, sino tratar de salvarlos. Una acción buena puede ser el principio de su salvación...» Jesús baja la cabeza, absorto en quién sabe qué pensamiento.

Los apóstoles y la viejecilla hablan y buscan la manera de consolar a los niños que están asustados...

Jesús se yergue al oir el llanto del más pequeño, un morenito de unos tres años y dice a Santiago que se afana inútilmente por darle leche: «Dame el niño y ve a traer mi alforja...» y sonríe porque el niño se calma sobre sus rodillas, y con toda avidez bebe la leche que antes rechazaba. Los otros, más grandecitos, comen sopas que les han puesto delante, mas las lágrimas no desaparecen de sus ojos.

«¡Cuánto dolor! ¡Que nosotros suframos es justo, pero los inocentes!...» dice Pedro que no puede oir que lloren los niños.

«Eres un pecador, Simón. Reprochas algo a Dios» observa Iscariote.

«Seré un pecador, pero no reprocho nada a Dios. Decía sólo... Maestro, ¿por qué deben sufrir los pequeñuelos? Ellos no han pecado.»

«Todos tienen pecados, por lo menos el del origen» replica Iscariote.

Pedro no le contesta. Espera la respuesta de Jesús que está mimando al niño que ha terminado de beber su leche: «Simón, el dolor es la consecuencia de la culpa [3].»

«Está bien. Entonces... después de que hayas quitado la culpa, los niños no sufrirán más.»

«Sufrirán. No te admires de ello, Simón. Siempre habrá dolor y muerte sobre la tierra. Hasta los más puros sufren y sufrirán. Más bien serán los que sufran por todos. Serán las hostias aceptables al Señor.»

«¿Por qué? No lo comprendo...»

«Hay muchas cosas que en la tierra no se comprenden. A lo menos tened en cuenta que el Amor perfecto las quiere. Cuando la gracia haya sido restituída a los hombres, hará que los más santos conozcan mejor las verdades escondidas. Entonces se verá que propiamente los más santos querrán ser víctimas porque han comprendido la fuerza del dolor [4]... María, el niño se está durmiendo ¿te lo llevas contigo?»

«Sí, Maestro. Entre nosotros se dice: niño espantado, sueño corto y mucho lloro, como también: a pájaro sin nido hace falta el ala materna. Mi lecho es grande, ahora que duermo sola. Me llevaré los niños y tendré cuidado de ellos. También estos están por dormirse y olvidar el dolor. Llevémoslos a la cama.»

[3] Cfr. Gén. 3; Rom. 5, 12-21.
[4] A la pregunta sobre el dolor se da una respuesta profunda y clara, digna de tenerse en cuenta. Forma parte de los conceptos expresados en pág. 115 y sig.

Toma al pequeñuelo de las rodillas de Jesús, y seguida de Pedro y Felipe se va, cuando regresa Santiago de Zebedeo con la bolsa de Jesús.

Jesús la abre y busca algo. Saca un vestido pesado, lo desdobla, mide su amplitud. No está contento. Hace lo mismo con su manto oscuro. Los pone a un lado y cierra la alforja, devolviéndola a Santiago.

Regresa Pedro con Felipe. La viejecita se ha quedado con los tres niños. Pedro ve los vestidos doblados. Pregunta: «¿Quieres cambiarte de vestido, Maestro? Con lo cansado que estás, te haría muy bien un baño. Hay agua y te calentaremos los vestidos. Luego cenamos e iremos a descansar. Esta historia de los pequeñuelos me ha llenado de compasión...»

Jesús sonríe, pero no responde. Se limita a decir: «Alabemos al Señor que me llevó a tiempo para salvar a estos inocentes.» Luego se calla, cansado...

Vuelve a entrar la viejecita con los vestidos de los niños. «Habría que cambiárselos... Están rotos y llenos de lodo... No tengo más los vestidos de mi hijos que pudiera darles. Mañana se los lavaré...»

«No es necesario. Cuando acabe el sábado harás de este mío tres vestidos pequeños...»

«Pero, Señor, ¿no sabes que sólo tienes tres mudas? Si regalas una, ¿con qué te quedas? No está aquí Lázaro, como aquella vez que diste el manto a la leprosa» protesta Pedro.

«No te preocupes. Me quedan dos, y son suficientes para el Hijo del hombre. María, toma. Mañana después de que se ponga el sol comenzarás tu trabajo, y el Perseguido tendrá la alegría de haber socorrido al pobre cuyas tribulaciones comprende.»

15. El día siguiente
(Escrito el 12 de enero de 1947)

«Levantaos y vayamos al arroyo. Celebraremos el sábado como lo hacen los hebreos que se encuentran en lugares o naciones donde no hay sinagogas. Venid, muchachos...» dice Jesús a los apóstoles que están en el huerto de la casa y tiende su mano a los pequeñuelos que están en un ángulo.

Corren, pero con una cierta tímida alegría que se dibuja en las caras de quienes han saboreado el dolor antes de tiempo. Los dos mayorcitos ponen su mano en la de Jesús, pero el más pequeño quiere estar entre los brazos, y Jesús lo contenta diciendo al mayor: «Tú agárrate como ayer a mi vestido. Isaac está muy cansado y es muy pequeño para caminar...» El pequeño bebe la sonrisa de Jesús y contento camina a su lado como un hombrecito.

«Dame el niño, Maestro. Has de estar todavía cansado de ayer, y Rubén quisiera ir colgado de tu mano...» propone Bartolomé, y hace por

100

tomar el niño que se prende al cuello de Jesús.

«Es testaduro, como buen judío» exclama Iscariote.

«No es verdad. Tiene miedo. Tú de hijos no sabes nada. Los pequeños son así. Cuando algo les pasa, o tienen susto buscan refugio en el primero que les sonríe, o consuele» replica Bartolomé, y no pudiendo tomar en brazos al más pequeño, da la mano al más grande, acariciándole los cabellos y sonriéndole como si fuera su padre.

Salen de la casa, donde no queda más que la viejecita, y se van, siguiendo el arroyo fuera del poblado. Sus riberas son hermosas. Las florecillas las tapizan. El agua es clara y parlanchína entre las piedras; y aunque poca, canta con melodía de arpa, y se deshace contra las piedras que se le oponen, o bien se cuela entre las vericuetos de algún pequeño islote cubierto de juncos. Los pajarillos que hay en los árboles escapan con trinos de alegría, o se posan en alguna rama que el sol calienta, y entonan sus canciones amorosas de principios de primavera, o descienden con gracia y veloces a buscar insectos y gusanos, o a beber junto a la ribera. Dos tórtolas selváticas se bañan en un recoveco, sacudiendo sus plumas levantan el vuelo, llevando en su pico una vedija de lana que encuentran en un majoleto que al lado del río empezó a florecer.

«Es para su nido» dice el niño mayor. «Han de tener polluelos...» Baja la cabeza, y después de haber sonreído levemente cuando decía las primeras palabras, llora quedamente, secándose las lágrimas con la mano.

Bartolomé lo toma en sus brazos, comprendiendo que hay una herida que volvieron a abrir las tortolillas. El, que tiene corazón de un buen padre, suspira. El niño llora sobre su hombro. El otro al verlo llorar, también se pone a llorar. El tercero no se deja esperar. Llama a su padre con su vocecita.

«¡Hoy será esto nuestra oración sabatina! ¡Podías dejarlos en casa! La mujer sabe mejor de estas cosas que nosotros...» observa Iscariote.

«¡Pero si ella no hace más que llorar! Como también yo tengo ganas de hacerlo... Son cosas... que provocan el llanto...» responde Pedro tomando en sus brazos al segundo niño.

«Son cosas que hacen llorar. Es verdad. María de Jacob, una pobre anciana llena de dolores, no es muy capaz para consolar...» confirma Zelote.

«También yo soy del mismo parecer. El único que puede consolar es el Maestro. Y no lo ha hecho.»

«¿Que no lo hizo? ¡Y qué más podía haber hecho! Convenció a los ladrones, trajo cargando a los niños desde lejos, ha hecho que se avisase a su familiares...»

«Cosas sin importancia. El, que manda aun sobre la muerte, podía, *debía* bajar al redil y resucitar al pastor. ¡Lo hizo con Lázaro que no hace falta a nadie! Aquí se trata de un padre, viudo por añadidura, de niños que quedan solos... A este debía resucitársele. No te comprendo, Maestro.»

«Y nosotros no comprendemos por qué eres tan irrespetuoso...»

«¡Paz, paz! Judas no comprende. No es el único en no comprender las razones de Dios y las consecuencias del pecado. Tampoco tú, Simón de Jonás, comprendes porqué los inocentes deban sufrir. No juzguéis, pues, a Judas de Simón que no comprende porque no resucité al padre de estos. Si Judas reflexionare, él que siempre me echa en cara que vaya solo y lejos, comprenderá que no podía ir así... Porque el redil está en la llanura de Jericó, más allá de la ciudad, cerca del vado. ¿Que habríais dicho si hubiera estado ausente por tres días?»

«Podías ordenar con tu voluntad que resucitase el muerto.»

«¿Eres más empecinado que los fariseos y escribas, que pidieron la prueba de un muerto ya corrompido, para poder decir que Yo realmente resucito los muertos?»

«Ellos la pidieron porque te odian. A mí me gustaría tenerla porque te amo y quisiera verte pisotear a todos tus enemigos.»

«Tu viejo y desordenado sentimiento de amor. No has sabido arrancar de tu corazón las viejas plantas para sembrar nuevas; y las antiguas, fértilizadas con la Luz a la que te has acercado, se hacen más robustas. Muchos participan de tu error. Muchos que viven hoy, que vivirán mañana. Ellos que no obstante los auxilios de Dios no se transforman porque no responden con una voluntad heroica a la ayuda de Dios [1].»

«¿Acaso estos, que como yo son tus discípulos, han arrancado las viejas plantas?»

«Por lo menos las han podado e injertado. Tú ni esto. Ni siquiera te has puesto a meditar si tus viejas plantas tienen necesidad de injerto, de ser podadas, o de ser arrancadas. Eres un jardinero tonto, Judas.»

«En lo que se refiere a mi alma. Porque de jardines sé.»

«Es verdad, eres experto en lo que es terrenal. Quisiera que lo fueras también en las cosas del cielo.»

«¡Tu luz debería obrar en nosotros toda clase de prodigios! ¿No es buena, acaso? Si hace fértil el mal y lo robustece, entonces no es buena, y culpa suya es de que uno se haga bueno.»

«Es dilo por ti, amigo. No veo que el Maestro me haya hecho más fuertes las malas inclinaciones» protesta Tomás.

«Tampoco yo.» «Y yo» dicen Andrés y Santiago de Zebedeo.

«Su poder me libró del mal y me hizo nuevo. ¿Por qué hablas así? ¿No reflexionas en lo que dices?» le grita Mateo.

Pedro está por hablar, pero prefiere irse, llevando al niño en sus brazos e imitando el balanceo de una barca para hacerlo reir, y al pasar toma por un brazo a Tadeo y grita: «¡Ea! vamos a quella islita. Está llena de flores como un racimo. Venid, Natanael, Felipe, Simón, Juan... Hay una bella caída de agua. Y el arroyo se divide en dos partes...» Salta sobre un saliente arenoso de unos cuantos metros de largo, lleno de hierba, cubierto de las primeras florecillas como una alfombra, en cuyo centro hay un álamo alto y esbelto que en su cima se mueve al impulso

[1] Cfr. vol. 3°, pág. 621, not. 4.

de un viento ligero. Los demás se le unen. Jesús queda atrás hablando con Iscariote.

«¿Pero todavía no acaba ese?» pregunta Pedro a su hermano.

«El Maestro le está trabajando el corazón» responde Andrés.

«¡Eh! Es más fácil que yo haga producir higos a esta planta que en el corazón de Judas puede nacer la justicia.»

«Y en su inteligencia» agrega Mateo.

«Es un necio porque lo quiere, y en lo que quiere» añade Tadeo.

«Está irritado porque no se le mandó a evangelizar. Lo sé» explica Juan.

«Por lo que se refiere a mí... si quiere ir en mi lugar... No tengo muchas ganas de ir por acá y por allá» exclama Pedro.

«Ninguno de nosotros lo quiere, pero él sí. Mi hermano no lo quiere enviar. Se lo dije esta mañana porque comprendo el mal humor de Judas y la razón. Pero Jesús me respondió: "Como es un corazón enfermo, lo tengo cerca de Mí. Los que sufren y los débiles tienen necesitad del médico y de quien los sostenga".»

«¡Ea, niños! Venid, muchachos. Cortemos estas bellas cañas y hagamos barquitas con ellas. ¡Ved qué buenas están! Y en lugar de pescados, pondremos flores. Ved si no parecen ser cabezas, con un velo blanco y rojo... Aquí hacemos el puerto, allí las chozas de los pescadores... Ahora ligamos las barcas con estas bellas y delgadas hierbas. Vosotros las echáis al agua, así... y después de la pesca las traéis a la ribera... Podéis dar vueltas por la isla... pero atentos con las piedras...» Pedro es admirable con su paciencia. Con su cuchillo ha estado cortando las cañas de modo que pueda hacer barquitas con ellas. Ha puesto vellorritas de prado todavía sin reventar en lugar de pescadores, y ha hecho un agujero en la arena como si fuera un puerto, y con arena húmeda ha hecho a manera de casuchas. Lo único que se ha propuesto es que los niños se alegren. Se sienta y entre dientes murmura: «¡Pobres criaturas!...»

Jesús llega a la isla cuando los dos pequeñuelos empiezan a jugar. Los acaricia, pone en el suelo al pequeñín que se junta a sus hermanitos.

«Bueno, aquí estoy. Hablemos ahora de Dios, porque hablar de El, es prepararse a la misión. Después de la oración, esto es, después de haber hablado con Dios, hablarémos de Dios que está presente en todas las cosas para enseñar a las cosas buenas. ¡Ea, levantaos y oremos!» y entona algunos salmos en hebreo a los que los apóstoles se unen.

Los niños que se habían alejado con sus barquitas, al oir que cantan, suspenden su juego. Atentos escuchan con los ojos clavados en Jesús que es todo para ellos, y luego con el instinto infantil de imitar, toman el aire de quienes oran y tratan de seguir el canto, con la entonada, pues ignoran las palabras. Jesús baja sus ojos y los mira con una sonrisa que entusiasma a los niños a cantar más. Se sienten animados. Ven que se aprueba lo que hacen.

Los salmos terminan. Jesús se sienta en la hierba y empieza a hablar: «Cuando los reyes de Israel, el de Joram y el de Judá se juntaron para combatir al rey de Moab y pidieron su parecer al profeta Eliseo, este respondió al enviado del rey: "Si no respetase a Josafat, rey de Judá, ni siquiera te hubiera mirado. Tráeme a uno que suene el arpa". Y mientras sonaba el arpista Dios habló a su profeta, mandándole que excavasen fosos y fosos en el río seco, para que se llenasen de agua de la que beberían hombres y animales. A la hora del sacrificio de la mañana, sin que hubiera soplado viento alguno o hubiera llovido, se llenó como el Señor había dicho [2]. Decid ¿que podemos aprender de este episodio?»

Los apóstoles hablan entre sí. Alguien dice: «Cuando el corazón está turbado Dios no habla. Eliseo quiso calmar su irritación por haber visto al rey de Israel, y poder escuchar a Dios.» Otro: «Es una lección de justicia. Eliseo para no castigar al buen rey de Judá, salva al culpable.» Otros proponen: «Es una lección de obediencia y de fe. Excavaron fosos, obedeciendo a algo que parecía cosa tonta, y con fe esperaron el agua aun cuando el cielo estabase sereno y no soplaba viento.»

«Habéis respondido bien, pero no completamente. Dentro de un corazón perturbado Dios no habla. Es verdad. Pero las arpas no son necesarias para tranquilizar un corazón. *Basta con tener caridad, que es el arpa espiritual y que produce melodías paradisíacas. Cuando un alma vive en la caridad, su corazón está tranquilo, oye la voz de Dios y la comprende.*»

«Entonces Eliseo no tenía caridad, porque estaba conturbado.»

«Eliseo pertenece al tiempo de la Justicia. Hay que saber llevar al tiempo de la Caridad los episodios antiguos, y verlos no a la luz de sus fulgores, sino a la de los astros [3]. Vosotros pertenecéis a los tiempos nuevos. ¿Por qué más frecuentemente estáis turbados e irritados que los de tiempos idos? Despojaos del pasado. Lo repito, aun cuando a Judas no le gusta oirlo. Extirpad, podad, injertad, plantad árboles nuevos. Renovaos, abrid fosos de humildad, de obediencia, de fe. Aquellos reyes supieron hacerlo y eran dos contra uno, y aunque no eran ambos de Judá, ambos oyeron, si no a Dios, sí lo que el Altísimo ordenaba. Hubieran muerto de sed en el desierto si no hubieran obedecido. Pero como obedecieron, los fosos se llenaron de agua y así no sólo se salvaron de morir de sed, sino que también derrotaron a sus enemigos. Yo soy el Agua de la Vida. Excavad fosos en vuestros corazones para poder recibirme. Escuchad. No voy hablar mucho. Os doy la materia para que meditéis. Seréis siempre como estos pequeñuelos, y menos que ellos porque ellos son inocentes y vosotros no, y por lo tanto la luz en vosotros es menos clara, si no os acostumbráis a meditar. Siempre estáis atentos, pero no guardáis nada, porque vuestra inteligencia está dormida en lugar de estar activa. Oid pues. Cuando murió el hijo de la Sunamites, quiso ir a donde estaba el profeta, pese a que el marido le dijo que no era el primer día del mes, ni sábado [4]. Pero ella quiso ir porque tratándose de ciertas

[2] Cfr. 4Rey. 3, 4-27.
[3] Alusión a los rayos que acompañaron a la declaración de la Ley antigua (Ex. 19, 1-20, 21) y a la estrella que vino al nacimiento de Jesús (Mt. 2, 1 - 12).
[4] Cfr. 4 Rey. 4, 1-37.

cosas no puede haber dilación. Y como supo comprender la realidad de las cosas, su hijo fue resucitado. ¿Qué decís de esto?»

«Que con ello me regañas por lo del sábado» responde Iscariote.

«Ves, Judas, que cuando quieres comprender, comprendes. Abre tu espíritu a la justicia.»

«Lo haré... pero Tú no violaste el sábado para resucitar al hombre.»

«Hice mucho más. Impedí la muerte de estos, su ruina completa. Recordé a los ladrones que...»

«¡Oh, con tan poca cosa te consuelas! No creo que te hubieran obedecido...»

«Si el Maestro lo dice...»

«En la narración de la Sunamites Eliseo dijo: "El Señor me lo ha ocultado"⁵. Así pues ni siquiera los profetas saben todo» replica Iscariote.

«Nuestro hermano es más que un profeta» afirma sin ambages Tadeo.

«Lo sé. Es el Hijo de Dios. Pero también es Hombre. Como tal puede verse sujeto a ignorar cosas secundarias como la de una conversión o de un regreso... Maestro, ¿sabes verdaderamente siempre todo? Frecuentemente me lo pregunto...» insiste Iscariote arrastrado por sus ansias intimas.

«¿Y con qué espíritu te lo preguntas? ¿Para tranquilizarte, para decirte lo que hay que hacer, para perder la paz?» pregunta Jesús.

«No puedo decirlo. Pero quisiera saberlo y...»

«Y al preguntárselo, se ve que no tienes paz en ti» objeta Tomás.

«¿Yo? Es que la duda turba.»

«¡Cuántas sutilezas! Yo no me las hago. Creo sin investigar y no siento ni turbación, ni dudas. Pero dejemos que hable el Maestro. Esta lección no me gusta. Dinos una parábola bella, Maestro. Agradará hasta los niños» pide Pedro.

«Tengo algo más que preguntar. ¿Que significa para vosotros la harina que quitó la amargura del potaje dado a los hijos de los profetas⁶?»

Nadie responde.

«¿No respondéis?»

«Puede ser, porque la harina quita lo amargo...» responde dudoso Mateo.

«Todo se hubiera hecho amargo, aun la harina.»

«Porque el profeta obró un milagro para que el criado no se sintiese afligido» sugiere Felipe.

«Puede ser, pero no es todo.»

«El Señor quiso mostrar el poder del profeta aun en cosas comúnes y corrientes» propone Zelote.

«Tal vez, pero todavía el significado no es el justo. Las vidas de los profetas son un antecedente de lo que será en el tiempo nuevo: *en el mío,* reflejan mi tiempo terrenal bajo símbolos y figuras. Así pues...»

---

⁵ Cfr. 4 Rey. 4, 27.
⁶ Cfr. 4 Rey. 4, 38-41.

Silencio. Se miran. Juan con la cabeza inclinada y colorado sonríe.

«¡Habla, Juan!» le incita Jesús. «No es falta a la caridad, porque no lo haces por mortificar a nadie.»

«Pienso que esto sea el significado. En el tiempo del hambre por la Verdad y en que faltaba la Sabiduría, en que viniste, todos los árboles eran selváticos y producían frutos amargos, que no podían comer los hombres por ser veneno, y que en vano los cortan para alimentarse con ellos. Pero la bondad del Eterno te envió, harina de trigo precioso, que con tu perfección quitas el veneno del alimento, haciendo que sea bueno, como también el árbol de la Escritura, que en el correr de los años abandonó su ser natural, y el paladar de los hombres que la concupiscencia corrompió. En el caso presente quien manda que se lleve la harina y la eche es tu Padre y Tú eres la harina que se sacrifica para hacerse alimento de los hombres. Después de tu sacrificio no producirá más amargura en el mundo porque habrás restablecido la amistad con Dios. Tal vez me he equivocado.»

«No. Tal es el símbolo.»

«¡Oh!, ¿cómo pudiste pensarlo?» pregunta admirado Pedro.

Jesús le responde: «Te lo diré con tus palabras de hace poco. Un buen brinco y se encuentra uno en la isla tranquila y florida de la espiritualidad. Pero hay que tener valor de dar el salto abandonando la ribera, el mundo. Brincar sin pensar que pueda haber alguien que se ría de nosotros, o de nuestra sencillez por preferir un islote solitario al mundo. Brincar sin tener pensar en poder herirse, mojarse, o sufrir un chasco. Dejar todo para refugiarse en Dios. Entrar en la isla separada del mundo y salir de ella *únicamente* para distribuir a los que están en la ribera, flores y aguas limpias recogidas en el isla del espíritu, donde hay un árbol solo: el de la Sabiduría, cuyas palabras si está uno cerca, lejos del mundanal ruido, puede uno captar, y llegar a ser maestro, porque se ha sabido ser discípulo. También esto es un símbolo. Pero ahora vamos a decir una parábola a los pequeños. Acercaos más.»

Los tres niños están tan cerca que se sientan sobre sus rodillas. Jesús los abraza y empieza a hablar:

«Un día el Señor Dios dijo [7]: "Haré el hombre y el hombre vivirá en el paraíso terrenal donde está el gran río que se divide luego en cuatro ramas, que son el Fisón, el Geón, el Eúfrates, y el Tigris, que corren por la región. El hombre se sentirá feliz al poseer todas las bellezas y bondad de lo creado y mi amor para alegría de su espíritu". Y así lo hizo. Era como si el hombre fuese en una gran isla, pero más florida que ésta y con árboles y animales de toda clase. En él vivía el amor de Dios que servía de sol para su alma, y la voz de Dios estaba en los vientos, más melodiosa que el trino de los pajarillos.

Pero en esta bella isla florida, en medio de los animales y plantas, entró arrastrándose una serpiente diversa de las que Dios había creado

---

[7] Para el sustrato bíblico de todo esto cfr. Gén. 1, 26 - 3, 24.

y que eran buenas, que no tenían veneno en los colmillos, que no aterrorizaban al enrollarse. La dicha serpiente se había vestido con colores bellísimos que tenían las otras, aun más, se había hecho más bella, en tal forma que parecía un collar real, que anduviese adornando los árboles del jardín. Fue a enrollarse cerca de un árbol que se erguía en medio del jardín, un árbol frondoso, solitario, con bellos frutos. La serpiente parecía una piedra preciosa a su alrededor. Brillaba al sol. Todos los animales la miraban, porque ninguno se acordaba de haberla vista cuando fue creada, ni haberla vista antes. Ninguno se le acercaba, más bien todos se alejaban del árbol, desde que la tenía a su alrededor.

Sólo el hombre y la mujer se acercaron. La mujer fue la primera porque le agredaba lo que lucía, lo que brillaba al sol, que movía su cabeza semejante a una flor, que se abre, dio oídos a lo que decía la serpiente, desobedeció al Señor e hizo desobedecer a Adán. Después de haber cometido el acto de desobediencia, vieron la serpiente en lo que era y comprendieron su pecado, porque habían perdido ya la inocencia de su corazón. Se escondieron de Dios que los buscaba, y luego le mintieron cuando las preguntó.

Entonces Dios puso ángeles en los límites del Jardín y arrojó de él al hombre. Fue como si de la ribera segura del Edén los hombres hubieran sido arrojados a los ríos terrenales, como cuando vienen las avenidas en primavera. Dios dejó en el corazón de los expulsados el recuerdo [8] de su destino eterno, esto es, del paso del hermoso jardín, donde oían la voz y amor de Dios, al Paraíso donde hubieran podido gozar de Dios completamente. Y con el recuerdo les dejó el estímulo santo para subir con una vida justa al lugar perdido.

Hijos míos, acabáis de ver que mientras la barca desciende siguiendo la corriente su camino es fácil, pero cuánto le cuesta estar derecha al subir contra corriente, cuánto para que no la volteen las ondas, para no naufragar entre las hierbas y la arena o piedras que hay. Si Simón Pedro no hubiera armado vuestras barquitas con tiras de juncos, las habríais perdido, como sucedío a Isaac por haber dejado ir el junco.

Lo mismo sucede a los hombres que se arrojan a la corriente de la tierra. Deben estar siempre en las manos de Dios, poniendo su voluntad, que es cual un junco, en las manos del buen Padre que está en los cielos y que es Padre de todos, sobre todo de los inocentes, y deben estar vigilantes para evitar las hierbas y espadañas, las piedras, remolinos y lodo que pudieran detener, quebrar o tragarse la barca de su alma, rompiendo el hilo de la voluntad que los tiene unidos a Dios. Porque la serpiente, que no está más en el jardín, está ahora en la tierra, y trata de hacer naufragar las almas; busca el medio de que no suban por el Eufrates, el Tigris, el Geón, el Fisón, el gran Río que corre en el paraíso eterno y alimenta los árboles de la vida y salud, que producen perpetuos frutos de que gozarán todos los que pudieron subir la corriente para reunirse con Dios y

---

[8] Cfr. vol. 1°, pág. 60, cap. 17; vol. 2°, pág. 964, not. 13 y pág. 990, not. 1.

sus ángeles y llegar a la seguridad completa.»

«También lo decía mi mamá» dice el mayor de los niños.

«Sí, lo decía» balbucea el pequeño.

«No puedes saberlo. Yo sí, porque soy grande. Si dices cosas que no son ciertas, no entrarás en el paraíso.»

«Papá decía que nada era verdadero» objeta el de en medio.

«Porque no creía en el Señor de mamá.»

«¿Era tu padre samaritano?» pregunta Santiago de Alfeo.

«No. Era de otros lugares. Pero mamá sí era, y nosotros somos porque ella nos quería. Nos hablaba del paraíso y del jardín, pero no tan bien como Tú lo has hecho. Yo tenía miedo de la serpiente y de la muerte porque mamá decía que aquella era el diablo y porque papá decía que la muerte acaba todo. Por esto me sentía infeliz de estar solo, y también decía yo que era inútil ser buenos, porque, mientras vivieron nuestros padres, era agradable ser buenos, y que ahora no había más quien se alegrase de nuestro buen corazón. Pero ahora sé... Saré bueno. No quitaré mi hilo de las manos de Dios para que no me arrastren las aguas de la tierra.»

«¿A dónde se fue mamá, arriba o abajo?» pregunta con sencillez el niño mediano.

«¿Qué quieres decir?» pregunta Mateo.

«Quiero decir que dónde está. ¿Ha ido al río del paraíso eterno?»

«Así lo esperamos, niño. Si fue buena...»

«Era samaritana...» responde con desprecio Iscariote.

«¿Entonces no hay paraíso porque somos samaritanos? ¿Entonces no tendremos a Dios con nosotros? El lo ha llamado "Padre de todos". A mí que soy huérfano me gusta pensar en que todavía tengo padre... Pero si para nosotros no hay...» baja su cabecita afligido.

«Dios es el padre de todos, hijo mío. ¿Te he amado menos porque eres samaritano? Te arrebaté de los ladrones y te arrebataré del demonio, del mismo modo como pelearía por el hijo del sumo sacerdote del templo de Jerusalén, si no pensara es un oprobio que el Salvador salvase a su hijo. Oyeme, estoy más contigo, porque estás solo y huérfano. Para mí no hay diferencia entre el espíritu de un judío y de un samaritano. Y dentro de poco no habrá más divisiones entre Samaría y Judea, porque el Mesías tendrá un solo pueblo que llevará su nombre, y en el que estarán todos los que lo hubieran amado.»

«Yo te amo, Señor. ¿Y me llevas donde está mi mamá?» pregunta el mayor de los tres.

«No sabes dónde está. Lo dijo ese hombre. Que sólo hay que esperar...» replica el mediano.

«Yo no lo sé, pero lo sabe el Señor. El supo dónde estábamos, cosa que nosotros no sabíamos.»

«Con los ladrones... Nos querían matar...» El espanto se dibuja en la carita del mediano.

«Los ladrones eran como demonios. Pero El nos salvó porque nuestros ángeles lo llamaron [9].»

«Los ángeles han salvado también a mamá. Lo sé porque la sueño siempre.»

«Mientes, Isaac. No puedes soñarla. Ni siquiera te acuerdas cómo era.»

El pequeño replica: «No. No. La sueño. Que la sueño.»

«No llames mentiroso a tu hermano, Rubén. Su alma puede ser que vea vuestra madre porque el buen Padre que está en los cielos puede conceder que el huérfano la sueñe [10] y la conozca parcialmente como concede al hombre que lo conozca, para que de este conocimiento limitado le nazca una buena voluntad de conocerlo perfectamente, que se obtiene siendo siempre mejores... Ahora vámonos. Hemos hablado de Dios y el sábado ha sido santificado.» Se ponen de pie y entonan otros salmos.

Alguna gente de Efraín que ha oído los cantos, ha venido a escuchar, y respetuosa espera a que terminen, para saludar a Jesús: «¿Preferiste venir aquí más bien que a nuestra sinagoga? ¿No nos amas?»

«Ninguno de vosotros me invitó. Por esto vine aquí con mis apóstoles y estos tres niños.»

«Tienes razón, pero pensábamos que tu discípulo te habría comunicado nuestro deseo.»

Jesús mira a Juan y a Judas. Este: «Me olvidé de decírtelo ayer. Y hoy por causa de tres pequeñuelos me volví a olvidar.»

Jesús sale de la islita y atravesando la parte de arroyuelo, se dirige donde están los de Efraín. Los apóstoles lo siguen. Los niños se quedan a soltar sus dos barquitas que les han quedado, y dicen a Pedro: «Las queremos tener para acordarnos de la lección.»

«¿Y yo? Yo perdí la mía. No me acordaré. No iré al paraíso» llora el más pequeño.

«Espera. No llores. Te voy hacer otra barquita. De veras. También tú debes recordar la lección. ¡Eh! Sería necesario hacer a todos una barquita con su junco amarrado a la proa para que se recordasen. Más que vosotros, nosotros los adultos tenemos necesidad de ello.» Pedro corta una caña, y hace una barquita con su junco, y agarrado a los tres pequeños con un solo brazo, salta el arroyuelo, yéndose donde está Jesús.

«¿Son estos?» pregunta Malaquías.

«Estos.»

«¿Y son de Siquén?»

«El pastorcillo decía que sus parientes son de la campiña.»

«Pobres niños. Si ni viniesen ¿qué haríais?»

«Los tendría conmigo. Pero vendrán.»

«¿Los ladrones acaso también vendrán?»

[9] Cfr. vol 4°, pág. 51, not. 3.
[10] En la Biblia se habla algunas veces de sueños que Dios concedió para iluminar o avisar algo. Cfr. por ej.: Gén. 20; 28, 10-22; 37, 2-11; 40; 41; Núm. 12; 3 Rey. 3, 4-15; Dan. 2; 4; 7; Mt. 1, 18 - 2, 23.

«No vendrán. No tengáis miedo de ellos, aunque viniesen... Yo buscaría de *robarlos*, y no ellos a *vosotros*. Les arrebaté cuatro presas y aspero haber arrancado un poco su alma del pecado, por lo menos en alguno.»

«Nos permitirás que te ayudemos con estos niños.»

«Sí, pero que no sea porque son de vuestra región, sino porque son inocentes y el amor para los inocentes es el camino que conduce rápidamente a Dios.»

«Tu eres el único que no haces distinción entre inocentes y culpables. Un judío no habría recogido a estos pequeños samaritanos, como tampoco un galileo. Nadie nos quiere. Y esto lo muestran no sólo con nosotros, sino con los pequeños que no saben lo que sea un samaritano o un judío. Esto es horrible.»

«Es verdad, pero no será cuando existirá mi ley. Míralos Malaquías, que están entre los brazos de Simón Pedro, de mi hermano, y de Simón Zelote. Ninguno de ellos es samaritano, ni padre de alguno de ellos, y sin embargo, ni siquiera tu estrechas contra tu corazón a tus hijos con tanto amor, como lo hacen estos discípulos míos. La idea mesiánica consiste en *reunir a todos en el amor* [11]. Este es su emblema. Un solo pueblo en la tierra, bajo el cetro del Mesías. Un solo pueblo en el cielo, bajo la mirada de un solo Dios.»

Se alejan... hablando en dirección de la casa de María de Jacob.

[11] Cfr. vol. 1°, pág. 468, not. 1 y Ju. 17.

16. La noche del mismo día

(Escrito el 15 de enero de 1947)

Jesús está solo en una habitacioncilla, sentado sobre la cama. Piensa u ora. Una lamparita de llama amarillenta ilumina. Debe ser ya noche porque no se oye ningún ruido por la casa, o por el camino, sólo el ruido del arroyo que parece aumentar con el silencio de la noche.

Jesús levanta su cabeza mirando hacia la entrada. Escucha. Se levanta y se dirige a abrir. Ve a Pedro en el umbral. «¿Tú? Ven. ¿Qué se te ofrece, Simón? Tenías que estar acostado porque mañana te espera una larga caminata.» Jesús lo toma de la mano, lo pasa dentro, cierra la puerta sin hacer ruido, le invita a sentarse al borde de la cama.

«Vine a decirte, Maestro... Sí, vengo a decirte que también este mismo día te has convencido de que soy capaz sólo de hacer que se diviertan los pequeñuelos, de consolar a una viejecilla, arreglar un pleito entre dos pastores por una oveja herida. Soy un pobre hombre, y tanto que no comprendo ni siquiera lo que me explicas. Pero esto es otra cosa. Ahora vengo a decirte, que por esta razón, quisiera me tuvieras contigo. No me dan ganas de ir por acá y por allá, cuando no estás con nosotros. No soy capaz de obrar... Dame gusto, Señor.» Pedro habla con vehemencia pero con los ojos clavados en la rústica baldosa.

«Mírame, Simón» le dice Jesús. Pedro levanta su cara, Jesús lo mira fijamente y le pregunta: «¿Es esto toda la razón de que estés despierto? ¿Toda la razón para que te tenga aquí? Sé sincero, Simón. No es murmurar decir a tu Maestro la otra parte de tu pensamiento. *Hay que saber distinguir entre palabra ociosa y palabra útil. Es algo ocioso, y generalmente en el ocio florece el pecado, cuando se habla de faltas de otros con quien no tiene que ver nada con ellas. Es una falta de caridad, aun cuando lo que se diga es verdad. Como también es falta de caridad reprochar más o menos duramente sin dar el consejo necesario. Me refiero a regaños justos. Si no lo son, son pecado contra el prójimo. Cuando uno ve que su prójimo peca, y le duele, porque con el pecado ofende a Dios y hace daño a su alma, y considera que por sí solo no es capaz de comprender la magnitud del pecado, ni de dar consejo, y por esto se vuelve a alguien que es recto, capaz, y le confía su preocupación, entonces no es pecado, porque su confidencia tiene por objecto acabar con un escándalo y salvar un alma.* Es como uno que tuviese un pariente enfermo de algo que no quiere que se conozca. Es claro que procurará ocultar el mal, pero secretamente irá al médico a decirle: "Mi pariente, según yo, tiene esto y esto. No puedo darle algún consejo, ni curarlo. Ven o dime qué debo hacer". ¿Falta acaso contra su pariente? No. ¡Al contrario! Faltaría si fingiera no caer en la cuenta de la enfermedad y la dejase progresar, haciendo que muera el otro, por un sentido de amor y prudencia mal entendidos. Llegará el día, y no pasarán muchos años, que tú y tus compañeros escucharéis penas del corazón, no como hombres comunes y corrientes, *sino como sacerdotes, esto es, como médicos, maestros y pastores de las almas, así como Yo soy Médico, Maestro y Pastor* [1]. *Deberéis escuchar, decidir, aconsejar. Vuestro juicio tendrá el mismo valor como si Dios lo hubiese pronunciado...*»

Pedro se separa de Jesús un tantín y poniéndose en pie objeta: «No es posible esto, Señor. No nos lo impongas. ¿Cómo quieres que se juzgue como Dios, si no sabemos ni siquiera juzgar como hombres?»

«*Entonces lo podréis, porque el Espíritu de Dios estará sobre vosotros y os iluminará con sus luces. Podréis juzgar, teniendo en cuenta las siete condiciones, según las que podréis aconsejar o perdonar los hechos que se os presentaren. Escúchame bien y trata de aprenderlas. A su tiempo el Espíritu de Dios te traerá a la memoria mis palabras* [2]. *Pero también tú trata de usar tu memoria, porque Dios te la ha dado para que la uses sin haraganería, ni presunción espiritual que arrastra a esperar y exigir todo de Dios.* Cuando seas maestro, médico y pastor en mi lugar, y cuando un fiel venga a llorar a tus pies sus cuitas debidas a acciones propias o de otros, deberás tener presentes estas siete condiciones.

---

[1] Cfr. vol. 4°, pág. 554, not. 1.
[2] Cfr. Ib. pág. 541, not. 4.

Quién: ¿Quién ha pecado?

La cosa: ¿Cuál es la materia del pecado?

En dónde: ¿En qué lugar?

Cómo: ¿En qué circunstancias?

Con qué o con quién: El instrumento o la criatura que sirvió para pecar.

Por qué: ¿Cuáles fueron los estímulos que indujeron al pecado?

Cuándo: En qué condiciones y reacciones, o si accidentalmente o por hábito contraído.

Ten en cuenta, Simón, *que la misma culpa puede tener innumerables matices y grados según las circunstancias que la produjeron y los individuos que la realizaron. Tomemos,* para illustrar lo que digo, *dos pecados que son los más frecuentes: el de la concupiscencia carnal y el de la riqueza.*

Un hombre ha pecado de lujuria, o cree haberlo hecho. Porque algunas veces el hombre confunde el pecado con la tentación, o bien juzga como iguales el estímulo creado artificialmente por un apetito malsano, y los pensamientos que brotan por reflejo del sufrimiento de una enfermedad o porque algunas veces la carne y la sangre se sacuden imprevistamente, lo que llega hasta la inteligencia antes de que pueda ponerse en guardia para controlarlos. Llega a ti y te dice: "He pecado de lujuria". Un sacerdote imperfecto diría: "Mal hecho". Pero tú, mi Pedro, no harás así. Porque tú eres Pedro de Jesús, eres el sucesor de la Misericordia. Antes de decir que está mal, debes considerar e investigar suave y prudentemente el corazón que llora para conocer todos los matices de la culpa o de la supuesta culpa, del escrúpulo. Dije: suave y prudentemente. Acuérdate que además de pastor eres médico. El médico no pone veneno en las llagas. Si está pronto a amputar algún miembro gangrenado sabe descubrir y curar con mano suave donde sólo hay herida. Acuérdate que además de médico y pastor eres maestro. Un maestro mide sus palabras según la edad de su discípulos. Obraría mal el pedagogo que a sus pequeños alumnos enseñase las leyes del instinto que ignoraban, haciendo que las conozcan y que se convierten en maliciosos precoces. En el tratar las almas hay que tener cuidado cómo se les interroga. Te será fácil, si en cada alma ves a tu hijo. Por naturaleza el padre es maestro, médico y guía de sus hijos. Por esto, cualquiera que sea la persona que se encuentre bajo culpa, o bajo el temor de ella, ámala con amor paternal, sabrás juzgar sin herir y sin escandalizar. ¿Me comprendes?»

«Sí, Maestro. Comprendo muy bien. Deberé ser cauto, paciente. Deberé persuadir para descubrir la herida, cuidar de no llamar la atención de otros, y cuando vea la herida, entonces diré: "¿Ves? Aquí por esto y por aquello sufres". Pero si veo que la persona sólo tiene miedo de haberse herido por haber visto fantasmas, entonces... quitar la oscuridad sin necesidad de iluminar, por celo inútil, sino a almas que realmente lo necesitan. ¿Dije bien?»

«Muy bien. Si, pues, alguien te dijere: "He pecado de lujuria", *conside-*

ra a quién tienes enfrente. Es verdad que se puede pecar en toda edad. Pero será más fácil encontrar el pecado en un adulto que no en un niño. Por lo tanto el modo de preguntar y las respuestas serán diversas. Terminado el primer modo de escrutiño, sigue el segundo sobre la materia del pecado, luego el tercero acerca del lugar del pecado, el cuarto sobre las circunstancias, el quinto acerca de quién fue cómplice, el sexto acerca del motivo, y el séptimo acerca del tiempo y número de pecados.

Verás que generalmente mientras un adulto a cada pregunta tuya responderá con una circunstancia de la culpa; no así las almas infantiles por edad o por espíritu, y deberás decirte después de varias preguntas: "Aquí hay humo, y no razón de culpa". Puede ser que llegues a descubrir que en lugar de fango hay un lirio que tiene miedo de ensuciarse de fango y confunde la gota de rocío posada sobre su cáliz con la mancha de lodo. Son almas que desean así el cielo que tiemblan verse manchadas aun con la sombra de una nube que por un instante se interpuso entre ellas y el sol, pero que pasa pronto, y no hay huella en su cándida corola. Son almas tan inocentes y que quieren serlo, que Satanás espanta con tentaciones mentales o instigando los sentimientos de la carne, o la carne misma, aprovechándose de enfermedades del cuerpo. A estas almas hay que consolar y sostener porque no son pecadoras, sino mártires. Recuérdalo siempre.

Recuerda también de juzgar con el mismo método al que pecó de avidez de riquezas o de los bienes de otros. Porque si es un gran pecado ambicionar sin necesidad y sin compasión al robar al pobre, y contra la justicia es vejar a los ciudadanos, a los siervos, a los pueblos; no lo es, la culpa de quien, viendo que no se le da un pedazo de pan, lo roba, para apagar su hambre y la de sus hijos. Recuerda que si tratándose por ejemplo del lujurioso y del ladrón, hay que tener en cuenta al juzgar el número, las circunstancias, y gravedad de la culpa, hay que tener en cuenta también el conocimiento que tuvo el pecador de lo que en esos momentos cometía. Porque si alguien lo hace con pleno conocimiento, peca más que el que lo hace por ignorancia. Y quien libremente peca, es más pecador que el que se ve forzado. En verdad te digo que habrá casos con apariencia de pecado, pero que son martirio, y tendrán su premio. Recuerda sobre todo en todos los casos, que antes de que condenes, te acuerdes que también tú eres hombre y que tu Maestro, en quien nadie pudo encontrar pecado, jamás condenó a nadie que se hubiera arrepentido de haber pecado.

Perdona setenta veces siete, y tambien setenta veces setenta, los pecados de tus hermanos y de tus hijos. Porque cerrar las puertas de la salvación a un enfermo, sólo porque recayó en la misma enfermedad, es querer hacerlo morir. ¿Comprendido?»

«Sí. Esto sí lo he comprendido...»

«Dime ahora todo lo que traías en la mente.»

«¡Oh, sí! Te lo digo porque veo que sabes todas las cosas, y comprendo que no es murmurar, si te pido que envíes a Judas en mi lugar, porque él se siente muy mal si no va. Te lo digo no por que quiera decir que sea envidioso y que yo me escandalice de él, sino para que esté en paz... y para que también Tú lo estés. Pues debe ser muy pesado para Ti tener siempre cerca ese viento de tempestad...»

«¿Se ha quejado Judas?»

«Sí. Ha dicho que cada palabra tuya es una bofetada para él. Hasta lo que dijiste por los niños. Dice que a propósito dijiste por él que Eva se había acercado al árbol porque le gustaba esa cosa que brillaba como una corona de rey. Realmente yo no había reparado en semejante comparación. Bueno. Yo soy un ignorante. Bartolomé y Zelote dijeron que Judas "recibió un buen golpe" porque anda ciego trás todo lo que brilla y atrae su vanagloria. Ha de ser así, porque ellos son hombres de saber. Sé bueno con tus pobres apóstoles, Maestro. Da contento a Judas, y a mí el de quedarme contigo. Lo viste. Soy sólo capaz de hacer que los niños se diviertan... y de comportarme como un niño contigo» y abraza a Jesús a quien ama con todas sus fuerzas.

«No puedo darte gusto. No insistas. Tú, *por lo que eres,* irás a misión. El *por lo que es, se queda* aquí. También mi hermano me había hablado de ello, y aunque lo quiero mucho, le respondí con un *"no".* Ni aunque me suplise mi Madre, cedería. No es un castigo, sino una *medicina.* Judas debe tomarla. Si no sirve a su espíritu, sirve al mío, porque no podré reprocharme haber dejado de haber hecho cosa alguna para que se santificase.» Jesús habla clara y firmamente.

Pedro deja caer sus brazos y baja la cabeza suspirando.

«No te aflijas, Simón. Nosotros tendremos una eternidad para estar juntos y amarnos. Pero tenías otras cosas que comunicarme...»

«Ya es tarda, Maestro. Tú debes dormir.»

«Tú más que Yo, Simón, que debes partir al alba...»

«¡Oh! para mí estar contigo me da más descanso que estar en la cama.»

«Habla, pues. Sabes bien que duermo poco...»

«Bueno. Soy un pedazo de tonto, lo sé y lo digo sin verguenza. Si se tratase de mí, no importaría que no supiese muchas cosas, porque pienso que la sabiduría mayor consiste en amarte, seguirte y servirte con todo el corazón. Pero Tú me mandas por acá y por allá. La gente pregunta y tengo que responder. Me imagino que lo que te pregunto, otros me lo preguntarán, porque todos los hombres tenemos los mismos pensamiento. Dijiste ayer que siempre sufrirán los inocentes y los santos, y que hasta estos sufrirán por todos. Esto es duro para mi cabeza, aun cuando digas que ellos son los que lo desean. Pienso que como es duro para mí, puede serlo para otros. Si me preguntaren, ¿qué responderé? En este primer viaje, una madre me dijo: "No es justo que mi niña hubiera muerto con tantos dolores, porque era buena e inocente". No sabiendo qué decir, repetí las palabras de Job: "El Señor ha dado, el Señor ha quitado. Sea bendito el nombre del Señor" [3]. Pero ni ella, ni yo quedamos muy

[3] Cfr. Job. 1, 21.

convencidos con estas palabras. Quisiera saber otra respuesta...»

«Tienes razón. Escucha. Parece una injusticia, una gran injusticia que los mejores sufran por todos, pero dime, Simón, ¿qué cosa es la tierra? Toda la tierra.»

«¿La tierra? Un espacio grande, grandísimo, hecho de polvo y agua, rocas, con plantas, animales y hombres.»

«¿Y luego?»

«Basta. Al menos que no quieras que yo afirme que es el lugar de castigo del hombre, su destierro.»

«La tierra es un altar, Simón. Un gran altar. Debía ser un altar de perenne alabanza a su Creador. Pero la tierra está llena de pecado, por eso debe ser un altar de perpetua expiación, sacrificio, en el que ardan las hostias. La tierra debería, como los otros mundos esparcidos en la creación, cantar salmos a su Dios. ¡Mira!» Jesús abre la ventana y por ella entran el fresco de la noche, el rumor del arroyo, los rayos de la luna y se ve el firmamento tachonado de estrellas. «Mira esos astros. Cantan con su voz, que es de luz y de movimiento en los espacios infinitos del universo, las alabanzas de Dios [4]. Hace milenios y milenios de años que entonan su cántico que sube de los campos azules dal cielo al cielo de Dios. Podemos pensar en los astros y planetas, en las estrellas y cometas como en creaturas espaciales, que cual sacerdotes del espacio, cual levitas, vírgenes y fieles, deben cantar en un templo sin límites las alabanzas a su Creador [5]. Escucha, Simón. Oye el choque de la brisa entre la fronda y el rumor de las aguas en la noche. También la tierra como el cielo canta con los vientos, con el agua, con las voces de los pájaros y de los animales... Si en el firmamento basta la luminosa alabanza de los astros que lo pueblan, no basta el canto de los vientos, del agua y de los animales para el templo que es la tierra, porque en ella no sólo están los vientos, el agua y animales que inconscientemente cantan las alabanzas de Dios, sino que también en ella está el hombre: la criatura perfecta sobre todo que vive en el tiempo y en el espacio, dotada de cuerpo como los animales, de espíritu como los ángeles del cielo, y destinada como ellos lo están, si es fiel en la prueba, a conocer y poseer a Dios, primero con la gracia, y después en el paraíso. El hombre, síntesis que abraza todos los estados [6], tiene una misión que los demás no tienen, que debería ser de alegría: la de amar a Dios, la de dar con la inteligencia y voluntad culto de amor a Dios; pagar a Dios por el amor que El ha dado al hombre al darle la vida, y un cielo después de ella.

Dar culto *con la inteligencia*. Piensa, Simón. ¿Qué bien saca Dios de la creación? ¿Qué utilidad? Ninguna. La creación no aumenta a Dios, ni lo santifica, ni lo enriquece. El es infinito. Hubiera continuado siendo lo que es, aun cuando la creación no se hubiera realizado. Pero Dios, que es

---

[4] Alusión al Sal. 18, 2. Téngase en cuenta este salmo por lo que sigue y Dan. 3, 57-90.

[5] Una especie, pues, de liturgia cósmica.

[6] En el hombre está presente la naturaleza mineral, porque su materia se compone de sustancias minerales, la animal y la espiritual.

Amor, quería ser amado. Y por ello creó. Lo único que puede Dios obtener de lo creado es amor y este amor, que es inteligente y libre tan sólo en los angeles y en los hombres, es la gloria de Dios, la alegría de aquellos, la religión de éstos. El día en que el gran altar de la tierra dejase de entonar alabanzas y súplicas de amor, la tierra dejaría de existir. Porque apagado el amor, se habría apagado la reparación, y la ira de Dios acabaría con el infierno terrestre que habría azotado la tierra. *La tierra, pues, para existir tiene que amar.* Aun más, la tierra debe ser el templo que ame y ruege con la inteligencia de los hombres. En el templo, en cualquier templo ¿cuáles son las víctimas que se ofrecen? Las víctimas puras, sin mancha, ni defecto. Solo éstas son agradables al Señor [7]. Ellas y las primicias [8]. Porque al Padre se le ofrecen las cosas mejores, y a Dios, padre de la raza humana, se le presentan las primicias de todas las cosas, lo más selecto.

Te dije que la tierra tiene que ofrecer un sacrificio doble: el de alabanza y el de expiación, porque el linaje humano que en ella vive, arrastra consigo el pecado de la primera pareja, y además sigue pecando, agregando al pecado de no amar a Dios, el de otros miles con los que muestra su afecto al mundo, a la carne, a Satanás. Humanidad culpable que pese a su semejanza con Dios, y de que tiene inteligencia propia y los auxilios divinos, siempre peca, cada vez más. Los astros obedecen, lo mismo que las plantas, los elementos, los animales, y a su modo alaban al Señor. Los hombres no obedecen, y no alaban suficientemente al Señor. Esta es la razón por la que se tiene necesidad de almas hostias que amen y expíen por todos. Son los inocentes que pagan, inocentes e ignorantes de ello, el amargo castigo del dolor por los que no saben hacer otra cosa más que pecar. Son los santos que voluntariamente se sacrifican por todos.

Dentro de poco — un año, un siglo, son "poco" en comparación de la eternidad — no se celebrarán más otros holocaustos en el gran altar del templo de la tierra, que el de las víctimas-humanas, consumadas con el perpetuo sacrificio: hostias con la Hostia perfecta [9]. No te espantes, Simón. No estoy diciendo que introduciré un culto semejante al de Moloc, Baal y Astarté [10]. Los mismos hombres nos inmolarán. ¿Entiendes? Nos inmolarán. Y nosotros iremos contentos a la muerte para expiar y amar

[7] Cfr. 1 Pe. 2, 4-10.

[8] Cfr. vol. 3°, pág. 661, not. 1.

[9] «Con la Hostia perfecta», esto es, con Jesús. Cfr. Hebr. 3, 1 - 10, 18. En el *Missale Romanum*, en el domingo VII después de Pentecostés se leía: «*Deus, qui legalium differentiam hostiarum unius sacrificii perfectione sanxisti...*» La misma oración se encuentra en el *Missale Ambrosianum*, plegaria sobre la oblación en el IV domingo después de Pentecostés.

[10] Moloc, Baal y Astarté eran dioses para los cananeos. A Moloc (Molek o Melek, esto es, el rey, título divino) se le ofrecían en holocausto los niños. Cfr. Lev. 18, 21; 20, 2-5; Deut. 7, 1-6; 12, 29-32; 3 Rey. 11; 4 Rey. 23, 4-14. Jer. 32, 26-35. Por lo que se refiere a Baal (esto es: el señor) divinidad masculina fecundante, cfr. por ej.:Jue. 6, 25-32; 3 Rey. 18; 4 Rey. 10. Por lo que toca a Astarté, diosa del amor y de la fecundidad, cfr.: Jue. 2, 11-15; 3 Rey. 11. Baal y Astarté, cuyos nombres a veces aparecen en plural, eran dos divinidades que formaban una sola pareja.

por todos. Luego vendrán los tiempos en que los hombres no inmolarán más a los hombres, pero habrá siempre víctimas puras que consume el amor junto con la gran Víctima en el sacrificio perpetuo. Me refiero al amor de Dios y al amor por Dios. En realidad que serán las hostias del tiempo y del templo futuros. No más corderos, ni cabros, becerros o palomas, sino el sacrificio del corazón que es lo que agrada a Dios [11]. David lo intuyó. En el tiempo nuevo, en el del espíritu y en el del amor, solo este sacrificio será agradable.

Ten en cuenta, Simón, que si un Dios tuvo que encarnarse para aplacar la justicia divina por el gran pecado, por los muchos pecados de los hombres, sólo los sacrificios del corazón humano en el tiempo de la verdad podrán aplacar al Señor. Dirás: "¿Porqué entonces, El, el Altísimo ordenó que se le ofreciesen el fruto del primer parto de los animales y los frutos de las plantas [12]"? Te lo voy a decir: porque antes de mi venida el hombre era un holocausto imperfecto, porque el Amor no era conocido. Ahora lo será. Cuando el hombre por medio de la gracia que le daré para que conozca el Amor, lo hubiere conocido, saldrá de su letargo, recordará, comprenderá, vivirá, se pondrá en lugar de los machos cabríos y de los corderos, cual hostia de amor y expiación, a imitación del Cordero de Dios, su Maestro y Redentor. El dolor, que hasta ahora ha sido castigo, se cambiará en amor perfecto, y bienaventurados los que lo abrazaren con un perfecto amor.»

«Pero los niños...»

«¿Te refieres a ellos que no saben todavía ofrecerse?... ¿Y sabes cuándo Dios habla con ellos? El lenguaje de Dios es lenguaje espiritual. El alma lo entiende y el alma no tiene edad. Aun más te afirmo que el alma infante, pues no tiene malicia, tiene más capacidad de entender a Dios que la adulta de un viejo pecador. Créeme, Simón, que vivirás mucho tiempo para ver a muchos niños enseñar a personas adultas, y a ti mismo, la sabiduría del amor heroico. Dios obra directamente en los pequeños que mueren por enfermedad natural por razones de un amor tan alto que no puedo explicarte [13], pues pertenecen a los planes que están escritos en los libros de la vida, y que sólo en el cielo los bienaventurados leerán. Leerán, dije, pero en realidad, bastará mirar a Dios para conocer no sólo a Dios, sino también su infinita sabiduría... La luna está ya para ponerse, Simón... Pronto amanecerá y no has dormido...»

«No importa, Maestro. He perdido algunas horas de sueño pero he conseguido mucha sabiduría. He estado contigo. Si me lo permites, me voy, no a dormir, sin a meditar tus palabras.»

Está ya en la puerta. Se detiene pensativo y agrega: «Una cosa más, Maestro. ¿Está bien que diga al que sufre, que el dolor no es un castigo, sino una... gracia, una cosa como... como nuestro invitación que hacemos, hermosa aunque laboriosa, bella aunque a quien pueda parecer fea

---

[11] Cfr. Sal. 50, 18-19.
[12] Cfr. vol. 3°, pág. 336, not. 2 y pág. 661, not. 1; vol. 4°, pág. 560, not. 5.
[13] Cfr. vol. 4°, en el *Apéndice*.

y triste?»

«Lo puedes decir, Simón. Es la verdad. El dolor no es un castigo, cuando se acepta y se hace uso de él rectamente. El dolor es como un sacerdocio, Simón. Un sacerdocio al alcance de todos [14]. Un sacerdocio que da gran poder sobre el corazón de Dios. Un gran mérito. Nacido con el pecado [15] sabe aplacar la justicia. Porque Dios sabe emplear para el bien cuanto el odio ha hecho para causar dolor. Yo no he querido otro medio para borrar la culpa, porque no hay un medio mayor que este [16].»

[14] Cfr. 1 Pe. 2, 4-10.
[15] Cfr. Gén. 3.
[16] Cfr. 1 Cor. 1, 17-25; Flp. 2, 5-11.

17. Un sábado en Efraín
(Escrito el 17 de enero de 1947)

Debe ser otro sábado, porque los apóstoles están de regreso en casa de María de Jacob.

Los niños están cerca de la hoguera. Esto es lo que hace decir a Judas: «Una semana más, y los parientes no han venido» se ríe moviendo la cabeza.

Jesús no le responde. Acaricia al mediano. Judas pregunta a Pedro y a Santiago de Alfeo: «¿Seguisteis, de veras, los dos caminos que llevan a Siquén?»

«Sí. Pensándolo bien, fue inútil. Los ladrones no van por los caminos más transitados, sobre todo ahora que los piquetes romanos los recorren» responde Santiago de Alfeo.

«¿Entonces para qué los recorristeis?» insiste Iscariote.

«Bueno... para nosotros era lo mismo ir acá e ir allá. Por eso lo hicimos.»

«¿Nadie supo deciros algo más?»

«No preguntamos.»

«¿Cómo entonces podíais saber si habían pasado o no? ¿Lleva banderolas, o deja señales la gente cuando sigue un camino? No lo creo. Por lo menos los amigos nos habrían ya encontrado. Pero nadie ha venido desde que estamos aquí» y ríe sarcásticamente.

«Ignoramos por qué nadie haya venido. El Maestro lo sabe. Nosotros no. Nadie puede ir al lugar donde está otro, si no se dejan señales para que llegue. No sabemos si nuestro hermano lo ha dicho a los amigos» responde calmamente Santiago de Alfeo.

«Oh, ¿puedes creer, o hacer que otros crean que por lo menos no se lo dijo a Lázaro y a Nique?»

Jesús no habla. Toma a un niño de la mano y sale...

118

«Yo no creo en nada. Aun siendo así como tú dices, no puedes con todo juzgar, como ninguno de nosotros, la razón por qué nuestros amigos no hayan venido...»

«Fácil es de comprender. Nadie quiere tener dificultades con el Sanedrín, ni tampoco tenerlas quien es rico y poderoso. Eso es todo. Somos nosotros los únicos que nos metemos en peligro.»

«Sé justo, Judas. El Maestro no obligó a ninguno de nosotros a quedarnos con El. ¿Por qué te has quedado, si el Sanedrín te infunde miedo?» le hace notar Santiago de Alfeo.

«Puedes irte cuando quieras. Nadie te tiene encadenado...» irrumpe el otro Santiago, hijo de Zebedeo.

«¡Eso no! ¡De veras que no! Aquí estamos, y aquí nos quedamos. Todos. Eso se hubiera hecho antes. Ahora no. Si el Maestro no es contrario, me opongo yo» dice despacio pero firmemente Pedro, dando un golpe sobre la mesa.

«¿Y por qué? ¿Quién eres tú para mandar en lugar del Maestro?» pregunta airado Iscariote.

«Un hombre que razona no como Dios como hace El, sino como un hombre.»

«¿Sospechas de mí? ¿Crees que sea yo un traidor?» pregunta turbado Judas.

«Tú lo has dicho. No quisiera ni pensarlo... pero eres tan... despreocupado, Judas, y tan voluble. Tienes demasiados amigos. Te gusta mucho alardear de *todo*. No serías capaz de guardar silencio, o para atacar a algún enemigo, o para demostrar que eres un apóstol, ¡tú hablarías! Por esto aquí debes de estar. Así no haces mal a nadie y no te creas remordimientos.»

«Dios no fuerza la libertad del hombre, y ¿quieres hacerlo tú?»

«Sí. Pero en una palabra ¿te falta algo? ¿Te falta el pan? ¿Te hace mal el aire? ¿Te hace algún mal la gente? Nada de esto. La casa es buena, aunque no rica, el aire es bueno, comida no falta, la gente te honra. Entonces ¿por qué estás intranquilo, como si estuvieses en una galera?»

«"Mi corazón no puede sufrir a dos pueblos y al tercero al que odia, ni siquiera es pueblo: a los del monte Seir, a los filisteos, y al pueblo necio que vive en Siquén". Te respondo con las palabras del Sabio [1]. Tengo razón para pensar así. Mira si es que esta gente nos quiere.»

«¡Uhm! Viéndolo bien no me parece que sean peores que tu gente, o la mía. Nos han apedreado en Judea como en Galilea, pero más allá que acá, y más en el Templo de Judea que en cualquier otro lugar. No recuerdo que se nos hayan maltratado ni en tierras filisteas, ni acá, ni allá...»

«¿Cuál allá? No hemos ido más lejos. Aun cuando hubiéramos debido ir a otra parte, no habría ido yo, y nunca iré. No quiero contaminarme.»

«¿Contaminarte? No es esto lo que te molesta, Judas de Keriot. No quieres enemistarte con los del Templo. Esto es lo que te duele» dice cal-

---

[1] Cfr. Eccli. 50, 27-28.

mamente Simón Zelote, que está en la cocina con Pedro, Santiago de Alfeo y Felipe. Los demás se han ido saliendo uno después el otro y han ido a reunirse con los niños. Una fuga meritoria, porque así no se falta a la caridad.

«No. No es eso. Es que no me gusta perder mi tiempo, y dar la sabiduría a los necios. Mira, ¿de qué nos sirvió haber tomado a Ermasteo? Se fue y no regresó más. José contó que se separó diciendo que regresaría para las tiendas [2]. ¿Lo viste? Un renegado...»

«Como no sé la razón, no puedo juzgarlo. Pero te pregunto, ¿es el único que ha abandonado al Maestro y que se ha convertido en su enemigo? ¿No hay acaso renegados entre judíos y galileos? ¿Puedes negarlo?»

«Es verdad. Bueno. Yo me encuentro aquí mal. ¡Si se supiera que estamos aquí! ¡Si se supiese que tratamos con los samaritanos hasta entrar en sus sinagogas en el día de sábado! El quiere hacerlo... ¡Ay si se supiese! La acusación sería justificada...»

«Y el Maestro sería condenado, quieres insinuar. Si ya lo está. Lo está antes de que se sepa. Está condenado, aun después de haber resucitado a un judío en Judea. Se le odia y se le acusa de ser samaritano, amigo de publicanos y de prostitutas. Lo ha sido... siempre. Y tu mejor que nadie lo sabes.»

«¿Qué insinúas, Natanael? ¿Qué quieres decir? ¿Qué tengo que ver en todo esto? ¿Qué cosa puedo saber?» Está que se muere de ansia.

«Te pareces a un ratón a quien rodean enemigos. No eres ratón, ni tampoco tenemos palos para aprehenderte y matarte.¿Por qué te espantas tanto? Si tu conciencia está en paz, ¿por qué te perturbas con palabras que no tienen ningún sentido? Bartolomé no ha dicho ninguna palabra de más para que te sintieses intraquilo. ¿No es verdad que *todos* nosotros, sus apóstoles, que dormimos junto a El, que vivimos a su lado, sabemos y somos testigos que El no ama al samaritano, al publicano, al pecador, a la prostituta, *sino sus almas, y que sólo se preocupa de éstas y sólo por éstas* — y que sólo el Altísimo sabe cuán grande sea el esfuerzo que el Purísimo hace para acercarse a lo que nosotros humanos llamamos "suciedad" — va a donde están los samaritanos, los publicanos y las prostitutas? ¡Todavía no comprendes a Jesús, ni lo conoces aún, muchacho! ¡Lo comprendes menos que los samaritanos, filisteos, fenicios y cualesquiera otros!» dice Pedro marcando con un dejo de tristeza sus últimas palabras.

Judas no responde. Los demás no añaden otra cosa.

Entra la viejecita diciendo: «En la calle están los de la ciudad. Dicen que es la hora de la oración del sábado y que el Maestro prometió hablar.»

«Voy a avisarle. Di a los de Efraín que pronto vamos» le responde Pedro y va al huerto para avisar a Jesús.

«¿Qué haces? ¿Ven? Si no quieres venir, vete, vete antes de que se vea

[2] Cfr. Ex. 23, 14-17.

que no quieres venir» dice Zelote a Judas.

«Voy. ¡Aquí no se puede hablar! Parece como si yo fuese un gran pecador. Todo lo que digo se entiende de mal modo.»

Con la entrada de Jesús a la cocina, nadie habla.

Van a la calle. Se unen a los de Efraín y con ellos entran en la población hasta la sinagoga, en donde Malaquías está esperando e invitando a todos a que entren.

No veo ninguna diferencia mayor en el modo de orar de los samaritanos y el que he visto en otros lugares. Están siempre las mismas lámparas, los mismos atriles con sus rollos, el lugar del sinagogo o de quien habla en su lugar. Sólo que aquí los rollos son menos numerosos [3] que en otras sinagogas.»

«Dijimos nuestras oraciones mientras te esperábamos... Si quieres hablar... ¿Qué rollo preferes, Maestro?»

«No necesito de ninguno. Y aunque lo quisiera, no lo tenéis» responde Jesús y se dirige a la gente y empieza a hablar:

«Cuando los hebreos [4] regresaron a su patria con licencia de Ciro, rey de los persas, para que reedificasen el Templo de Salomón que había sido destruído cincuenta años antes, fue reedificado el altar, y sobre el ardió el holocausto diario, tarde y mañana, y el extraordinario del primer día de cada mes, y de las solemnidades consagradas al Señor o los holocaustos de las ofrendas individuales. En el segundo año del regreso, después de las primicias indispensables en el culto, se dio mano a lo que pudiera llamarse su adorno, cosa que no puede reprehenderse, porque se hace con la intención de honrar al Eterno, pero no es indispensable. Porque el culto a Dios consiste en amarle, y el amor se siente y se consuma con el corazón, no con las piedras, bien cuadradas, ni con madera preciosa, oro o aromas. Todo esto es una exterioridad que sirve más para satisfacer el orgullo nacional y el de la ciudad propia, que para honrar al Señor.

Dios quiere un templo espiritual. No se satisface con un templo de muralas, de mármoles, sino de corazones que amen. En verdad os digo que el templo del corazón limpio y lleno de amor es el único que ama a Dios y en el permanece con sus luces, y que son necedad lo que se disputan las diversas regiones o ciudades sobre cuál de sus lugares es el mejor para orar. ¿Qué fin tiene provocar rivalidades en riquezas y adornos dentro las casas de Dios destinadas a la oración? ¿Puede acaso lo finito satisfacer lo Infinito, aunque lo finito fuese diz veces más bello que el templo de Salomón y que todos los palacios juntos? Dios, el Infinito a quien ningún lugar, ni boato material pueden honrar como conviene, quiere por el contrario estar en el corazón del hombre, porque el espíritu del justo es un templo en que está como suspendido, entre los perfumes del amor, el Espíritu de Dios, y dentro de poco se convertirá en un templo en que el Espíritu encontrará una mansión real [5], como está en el cielo Uno y Trino.

[3] La razón es que los samaritanos no admitían más que el Pentateuco.
[4] 1 Esdr. 3.
[5] Procure el benévolo autor ver Ju. 14, 23.

También está escrito que apenas los albañiles pusieron los fundamentos del Templo, llegaron los sacerdotes con sus vestiduras y trompetas, y los levitas con sus címbalos, según lo establecido por David. Y cantaron que "Dios tiene que ser alabado porque es bueno y su misericordia dura para siempre". Que el pueblo se alegró. Que muchos sacerdotes, jefes, levitas y ancianos lloraron muchísimo al pensar en el Templo que antes había, y que por ello no se podían percibir los cánticos, del llanto. Se lee también que hubo gente que trató de impedir el trabajo de los del Templo por venganza, porque no habían sido aceptados cuando se ofrecieron a edificarlo, porque también ellos buscaban al Dios de Israel, al Dios Unico y verdadero. Estas molestias interrumpieron los trabajos hasta que Dios quiso que continuasen. Esto es lo que se lee en el libro de Esdras [6].

¿Cuántas lecciones y de qué naturaleza pueden desprenderse de este relato?

Se puede desprender, por ejemplo, que el culto tiene que ser sentido en el corazón y no hacerlo consistir en piedras y madera o en vestiduras y címbalos, cánticos, de lo que el espíritu está lejano. La falta de amor mutuo es siempre causa de retardo y perturbación, aun cuando se trata de un objeto bueno por sí. Donde no hay caridad, Dios no está. Es inútil buscar a Dios si no se pone uno en condiciones de poderlo encontrar. Dios se encuentra en la caridad. Los que se sitúan en ella sin dificultad alguna encuentran a Dios [7]. Y quien tiene a Dios consigo, tiene asegurado el triunfo de lo que emprendiere.

En el salmo que es el lamento del corazón que ha meditado profundamente sobre los sucesos dolorosos que siguieron a la reconstrucción del Templo y de las murallas, se dice: "Si el Señor no construye la casa, en vano se afanan los albañiles. Si el Señor no guarda la ciudad y la protege, en vano velan por ella sus defensores" [8].

¿Cómo puede Dios edificar la casa, si sabe que sus moradores no aman con el corazón a su prójimo? ¿Cómo va a proteger la ciudad y dar fuerza a sus defensores, si en ellos no ve más que odio contra sus vecinos? ¿Sirve de algo, ¡oh pueblos!, estar divididos por el odio? ¿Os hizo más poderosos, más ricos, más felices? El odio y el rencor para nada sirven. El que está solo jamás es más fuerte, ni puede ser amado el que no ama. De nada sirve, como dice el salmo, levantarse antes del amanecer para ser grandes, ricos, felices. Cada uno descanse del dolor de la vida, porque el sueño es un don de Dios como lo es la luz y todo de lo que goza el hombre; tome cada uno su descanso, pero tanto cuando duerma como cuando esté despierto tenga consigo la caridad, y sus obras seguirán adelante, como también su familia, sus negocios, y sobre todo su espíritu, y así conquistará la corona real de hijos del Altísimo y herederos de su Reino.

[6] Cfr. 1 Esd. 4-5.
[7] Cfr. 1 Ju. 4, 7-16.
[8] Cfr. Sal. 126, 1.

122

Está escrito que mientras el pueblo cantaba hosannas, algunos lloraban pues pensaban y lamentaban el pasado. Y que era no posible distinguir los cánticos de en medio de la gritería.

Hijos de Samaría, apóstoles mios, bien de Judea como de Galilea, también hoy hay quien aclama y quien llora mientras el nuevo Templo de Dios se levanta sobre fundamentos eternos. También ahora hay quien estorba los trabajos y quien busca a Dios donde no está. También ahora hay quien quiere edificar según las órdenes de Ciro y no según las órdenes de Dios, según la orden, esto es, del mundo y no según las voces del espíritu. También ahora hay quien lamenta neciamente un pasado inútil, un pasado que no tuvo nada de bueno ni de sabio, tanto que provocó el desprecio de Dios. Ahora también tenemos todas estas cosas, como si estuviésemos siempre en la oscuridad de los tiempos viejos, y no bajo los rayos de la nueva Luz.

Abrid vuestro corazón a la luz. Llenaos de ella para que me veais a Mí, Luz, que os hablo [9]. Estamos en los tiempos nuevos. Todo vuelve a ellos. Pero ¡ay! de los que no quisieren entrar y pusiesen obstáculos a los que edifican el Templo de la nueve fe en el que Yo soy la Piedra angular [10], al cual entregaré todo mi ser para hacer cal de las piedras, para que el edificio se levante santo y robusto, que los siglos admiren, vasto como la tierra bañada de su luz. Digo *luz*, no sombra, porque mi Templo se compondrá de espíritus y no de cuerpos opacos. Seré piedra con mi Espíritu eterno, y lo serán todos los que siguieren mi palabra, la nueva fe, piedras incorpóreas, piedras llenas de fuego, piedras santas [11]. Y la luz se extenderá por la tierra, la luz del nuevo Templo, y la cubrirá de sabiduría y santidad. Y fuera se quedarán solo los que llorarán lágrimas de cocodrilo y llorarán el pasado que fue para ellos fuente de utilidades y de honras humanas.

Abríos al tiempo y Templos nuevos ¡oh vosotros de Samaría! En ellos todo es nuevo. *No existen en ellos* las antiguas separaciones y límites corporales, de pensamiento y de corazón. Cantad, porque el destierro de la ciudad de Dios está por terminar. ¿Acaso os gusta ser cual desterrados, cual leprosos para con los demás de Israel? ¿Acaso os gusta que se os tenga como desterrados del seno de Dios? Esto es lo que sentís, esto lo que vuestras almas, vuestras pobres almas, encerradas en vuestros cuerpos, en los que hacéis que domine vuestro pensamiento protervo que no quiere confesar ante los demás: "Nos hemos equivocado, y cual ovejas extraviadas regresamos ahora al Redil". No lo queréis decir a los hombres: he aquí el mal. Decidlo, pues, a Dios. Aunque tratéis de ahogar el grito de vuestra alma, Dios oye su gemido que se siente infeliz de verse desterrada de la casa del santísimo Padre universal.

---

[9] El Nuevo Testamento y S. Juan en particular, afirman que Jesús es Luz. Cfr. Mt. 4, 12-17; Lc. 2, 22-32; Ju. 1, 1-18; 3, 16-21; 8, 12; 12, 35-50; 1 Ju. 1, 5-7; Ap. 21, 22-27.

[10] En el Antiguo como en el Nuevo Testamento se habla de piedra angular. He aquí algunos textos importantes: Sal. 117, 22-24; Mt. 21, 42, etc.

[11] Cfr. 1 Pe. 2, 4-6.

Escuchad las palabras del salmo [12]. Aunque hace siglos seáis peregrinos, id a la ciudad que está en alto, a la verdadera y celestial Jerusalén. De allá, del cielo, bajaron vuestras almas para animar un cuerpo, y suspiran por regresar a allá. ¿Por qué queréis sacrificar vuestras almas, hacer que no hereden el reino? ¿Qué culpa tienen de haberse encarnado en Samaría? Proceden de un Unico Padre. Tienen mismo Creador como las almas de Judea, Galilea, Fenicia o Decápolis. Dios es el fin de todo espíritu. Cada espíritu tiende a Dios, aun cuando idolatrías de cualquier clase, o herejías funestas, cismas, o la falta de fe lo mantengan ignorante del Dios verdadero, ignorancia que sería absoluta si el alma no tuviese un sello imborrable como recuerdo de la Verdad a la que siempre tiende [13]. Procurad de mantener este recuerdo y esta ansia. Abrid las puertas a vuestras almas. ¡Que entre la luz, que entre la vida, que entre la verdad! ¡Que se abra el camino! Que todos entren cual ondeadas luminosas y llenas de vida, como rayos de sol, como ondes y como vientos equinoxiales, para que hagáis que crezca la planta que se levanta en alto, cada vez más cercana a su Señor.

¡Salid del destierro! Cantad conmigo [14]: "Cuando el Señor nos hace regresar de la cautividad, el alma reboza de alegría. Nuestra boca se llena de sonrisas y nuestras lengua de gozo. Se dirá ahora: 'El Señor ha hecho grandes cosas en favor nuestro'". Sí, el Señor ha hecho grandes cosas por vosotros, y os veréis llenos de alegría.

¡Oh, Padre mío!, te ruego por ellos, como por todos. Haz, oh Señor, que regresen estos prisioneros nuestros, estos, para Ti y para Mí, se encuentran encadenados en el error. Tráelos, oh Padre, cual arroyuelo que se arroja al gran río, al gran mar de tu misericordia y de tu paz. Yo y mis siervos sembramos con lágrimas en ellos tu verdad. Padre, haz que cuando llegue el tiempo de la gran mies, podamos todos nosotros tus siervos enseñar tu verdad, segar alegramente entre estos surcos, que ahora parecen sembrados de epinas el trigo mejor de tus graneros. ¡Padre! ¡Padre! Por nuestros trabajos, lágrimas, dolores, sudores y muertos, que pasaron por este mundo o pasarán como compañeros de nuestro trabajo en sembrar, haz que podamos llevarte a Ti, como manojos, las primicias de este pueblo, las almas que han vuelto a nacer a la justicia y a la verdad para gloria tuya. Así sea [15].»

El profundo silencio poco a poco se rompe. Primero empieza algo como un rumorcillo, que poco a poco crece y que va aumentando hasta convertirse en grito de hosanna. Entonces la gente gesticula, hace comentarios, aclama...

Este epílogo del Maestro es diverso de todos los que había pronunciado en el Templo. Malaquías [16] habla por todos: «Eres el único en po-

---

[12] Alusión al Sal. 121.
[13] Cfr. vol. 1°, pág. 60, cap. 17; vol. 2°, pág. 964, not. 13 y pág. 990, not. 1.
[14] Sal. 125, parte a la letra, parte en paráfrasis.
[15] Hermosa oración ecuménica para que todos lleguen al único Redil. Cfr. Sal. 125.
[16] No se refiere al profeta, sino al arquisinagogo.

der decir estas verdades, sin ofender no molestar. ¡Eres verdaderamente el Santo de Dios! Ruega para que tengamos paz. Hace siglos que nos hemos endurecido... creencias y ofensas seculares. Debemos romper nuestra corteza. Ten compasión de nosotros.»

«Más todavía: os amo. Tened buena voluntad y la corteza se partirá por sí misma. Que venga a vosotros la luz.»

Sale, seguido de los apóstoles.

18. Los familiares de los niños y los de Siquén
(Escrito el 18 de enero de 1947)

Jesús está solo en la islita. A la otra orilla están jugando los niños y hablan quedito porque no quieren turbar los pensamientos de Jesús. De vez en cuando el pequeño prorrumpe en un grito de alegría al descubrir alguna piedrecita de color, o una nueva flor. Los demás le dicen que no grite: «No hables. Jesús está orando...», y el murmullo continúa mientras que sus morenas manitas fabrican casitas, y conos, que en sus imaginaciones serán casas y montañas.

Arriba el sol brilla, haciendo que crezcan cada vez más las yemas de los árboles y que vayan abriéndose las flores de los prados. El álamo se estremece entre sus grises y verdes hojas y los pajarillos, allá arriba, se disputan la hembra con cánticos que pueden terminar en un himno de triunfo como en una elegía.

Jesús sigue orando. Sentado en la hierba, protegido por un montón de espadañas, sigue absorto en su oración. Algunas veces levanta sus ojos para ver los pajaritos que juegan entre la hierba, otras los baja y se recoge nuevamente en sus pensamientos.

Pasos que se oyen entre los árboles de la ribera, Juan que llega a la islita, espantan los pájaros que huyen de entre las ramas del álamo. Juan no descubre al punto a Jesús que está oculto entre las espadañas y un poco coartado pregunta: «¿Dónde estás, Maestro?»

Jesús se pone de pie, mientras que los tres niños gritan del otro lado: «Está allí, detrás de las hierbas grandes.»

Juan ha visto a Jesús: «Maestro han venido los familiares. Los parientes de los niños, y con muchos de Siquén. Fueron a casa de Malaquías y él los ha traído a aquí. Vine a buscarte.»

«¿Dónde está Judas?»

«No lo sé, Maestro. Después de que viniste a aquí, salió y todavía no ha regresado. Estará en la población. ¿Quieres que lo busque?»

«No. No es necesario. Quédate aquí con los pequeñuelos. Voy a hablar con sus familiares.»

«Como quieres, Maestro.»

Jesús se va y Juan se pone con los niños a hacer un gran puente imaginario con largas hojas de cañas...

Jesús entra en casa de María de Jacob, que está esperándolo en la puerta, y que le dice: «Subieron a la terraza. Los llevé arriba para que descansasen. Mira a Judas que viene corriendo del poblado. Lo esperaré y prepararé algo para los peregrinos que están muy cansados.»

También Jesús espera a Judas en el pasillo semi oscuro respecto de la luz de afuera. Al legar, no ve inmediatamente a Jesús y altaneramente se dirige a la mujer: «¿Dónde están los de Siquén? ¿Se fueron ya? ¿Y el Maestro? ¿Nadie lo va a llamar? ¡Juan!...» Mira a Jesús y cambia de tono: «¡Maestro, corrí lo más que pude! Por casualidad... Estás ya en casa...»

«Juan estaba y me fue a buscar.»

«También yo lo hubiera hecho... pero en la fuente me pidieron unas personas que les explicase algo...»

Jesús no añade más. Abre su boca sólo para dar la bienvenida a los que lo saludan, algunos de ellos sentados sobre la valla de la terraza, y algunos en la habitación, y al verlo se levantan para presentarle sus respetos.

Después de haber hecho un saludo general, saluda a algunos en particular, con la admiración de estos que dicen: «¿Te acuerdas de nuestros nombres?» Deben ser habitantes de Siquén.

Jesús responde: «Me acuerdo de vuestros nombres, de vuestras caras, de vuestras almas. ¿Trajisteis a los familiares de los niños? ¿Son ellos?»

«Sí. Vinieron a llevárselos y vinimos con ellos para darte las gracias por la piedad que mostraste para con ellos, que son hijos de Samaría. ¡Eres el único en hacerlo!... Eres el Santo que sólo hace cosas santas. También nosotros nos acordamos de Ti. Y al saber que estabas aquí, vinimos, para verse y para decirte que te agradecemos que nos hayas elegido como refugio y que nos hayas amado en los hijos de nuestra raza. Escucha ahora a los familiares.»

Judas sigue a Jesús que se dirige a los familiares de los pequeñuelos y les dice que hablen.

«Tal vez no lo sepas, pero somos hermanos de la madre de los pequeños. Estábamos irritados contra ella, porque sin pensarlo bien, y contra nuestro parecer, se casó. Nuestro padre amaba mucho a la única hija, de tal modo que nuestras relaciones con él no fueron filiales, que digamos, y por varios años no nos hablábamos y estuvimos separados. Cuando supimos que la mano de Dios había caído sobre nuestra hermana y que tenía mucha aflicción en su casa, pues su unión impura no le alcanzó la bendición divina [1], nos llevamos a nuestro padre a nuestra casa para que si tenía que sufrir, sufriese sólo por la pobreza en que su hija vivía. Murió. Lo supimos. Hacía poco que habías pasado, y lo supimos... Nosotros, venciendo nuestro rencor, ofrecimos a su marido, por medio

---

[1] La unión entre el hombre y la mujer es pura cuando se hace según la voluntad de Dios, y por lo tanto tiene la bendición divina» (Cfr. Gén. 1, 27-28; 9, 1; y las liturgias de Oriente y Occidente para bodas matrimoniales); es impura cuando total o parcialmente no es conforme a la voluntad de Dios, sino a los deseos de Satanás, y por lo tanto no alcanza la «bendición divina».

de éste y éste (dos de Siquén) de tomar a nuestro cargo a los niños. Son también de nuestra sangre. Respondió que prefería verlos muertos, antes que comieran de nuestro pan. No nos permitió ni éstos, ni el cuerpo de nuestra hermana para que la sepultáramos según nuestros ritos. Entonces juramos odiarle a él y a sus descendientes. El odio cayó sobre él, en tal forma que de libre se convirtió en esclavo, y murió como chacal en una cueva inmunda. No nos preocupamos de él, porque hacía tiempo que había muerto en nuestros corazones. Tuvimos sin embargo mucho miedo cuando hace unas ocho noches vimos llegar a nuestra casa los ladrones. Enterados de la razón de ello, no el dolor, sino la aversión nos picó como aguijón y nos dimos prisa en despacharlos ofreciéndoles buena recompensa para que se mostrasen amigos, y nos admiramos al saber que ya habían cobrado y que no querían otra cosa.»

Judas improvisamente rompe el silencio con una carcajada irónica: «¡Su conversión! ¡Total! ¡No cabe duda!»

Jesús lo mira severamente, los demás se quedan sorprendidos. El que había hablado, continuá: «¿Y qué podías pedir más de ellos? ¿No era ya bastante que hubieran llegado a nuestra casa a la cabeza del pastorcillo, desafiando los peligros sin haber tocado nada? El que vive mal, se porta siempre mal. Pues no quitaron gran cosa al difunto. Apenas lo suficiente para poder pasar diez días sin robar. Nos sorprendió su honradez, en tal forma, que les preguntamos que quién les había dicho que tuviesen piedad. Por ellos nos enteramos de que un rabí les había hablado... ¡Un rabí! Tú solo, porque ningún otro rabí de Israel podría haber hecho lo que hiciste. Cuando se fueron, preguntamos al pastorcillo asustado y supimos bien las cosas. Nos enteramos primeramente que el marido de nuestra hermana había muerto, que los niños estaban en Efraín en casa de un hombre justo, que este hombre justo era rabí, que había hablado a los ladrones, e inmediatamente pensamos en Ti. Al llegar a Siquén al amenecer, hablamos con éstos, porque todavía no habíamos decidido recoger a los niños. Nos dijeron: "¿Pretendéis que sin motivo alguno el Rabí de Nazaret haya amado a los niños? No cabe duda que El fue. Vamos a verlo, porque nos quiere mucho a los de Samaría". Y arreglado lo que teníamos que hacer, vinimos aquí. ¿Dónde están los niños?»

«Junto al arroyo. Judas, ve a llamarlos.»

Judas va.

«Maestro, nos es duro el verlos. Nos recuerdan todas nuestras aflicciones, y todavía vacilamos en acogerlos o no. Son hijos del mayor enemigo que hemos tenido en esta tierra.»

«*Son hijos de Dios. Son inocentes.* La muerte anula el pasado, y la expiación alcanza el perdón, aun de Dios. ¿Queréis ser más severos que El? ¿Más crueles que los ladrones? ¿Más obstinados que ellos? Los ladrones querían matar al pastorcito y quedarse con los niños. Al pastorcillo porque les convenía, a los niños por piedad, por verlos indefensos. El Rabí les habló, y no sólo no hicieron mal al pastorcillo, sino que os lo llevaron a vuestra casa. Si logré que no se cometiese un crimen, ¿van a dejar de

127

escucharme corazones rectos?»

«Es que... Somos cuatro hermanos, y hay en casa ya treinta y siete niños.»

«Y donde comen treinta y siete pajaritos, porque el Padre de los cielos hace que haya granos para ellos, ¿no comerán cuarenta? ¿Será que el poder del Padre no puede encontrar comida para tres más, mejor dicho, para *cuatro* hijos suyos? ¿Conoce límites la divina Providencia? ¿Va a tener miedo el Infinito de bendecir con mayor larguez vuestros campos, vuestros huertos, vuestros ganados, porque cuatro pobres niños más van a comer de vuestro pan, de vuestro aceite, beber de vuestro vino, y vestirse con la lana de vuestros rebaños?»

«Son tres, Maestro.»

«Son cuatro. También el pastorcito es huérfano. ¿Si Dios se apareciese aquí, podríais afirmar que tenéis tan poco de comer que no podáis dar nada a un huérfano que muere de hambre? El Pentateuco manda que se tenga compasión del huérfano...»

«Claro que no, Señor. Tienes razón. No vamos a ser inferiores a los ladrones. Al niño pastor daremos también de comer, de vestir y vivirá con nosotros. Y eso por amor a Ti.»

«Por amor. Por amor *a todo*. A Dios, a su Mesías, a vuestra hermana, a vuestro projimo. Que esto sea vuestro obsequio y perdón que deis a vuestra sangre. No un sepulcro frío en que descanse su cuerpo. Perdonad. Olvidad. Daz paz al espíritu que pecó. No sería en realidad perdonada la que fue vuestra hermana y que fue madre de los pequeños, si además de la expiación justa que ha debido pagar, supiese que sus hijos, que son inocentes, pagan los pecados de ella. La misericordia de Dios es infinita. Conceded paz al espíritu de la difunta.»

«¡Lo haremos, lo haremos! No nos hubiéramos doblegado ante nadie, pero ante Ti, sí Maestro, que has pasado entre nosotros sembrando una semila que no muere, que no morirá.»

«¡Que así sea! Ved a los niños...» Jesús los ve venir a casa y los llama. Soltando las manos de los apóstoles corren gritando: «¡Jesús! ¡Jesús!» Entran, suben la escalera. Llegados a la terraza, se quedan espantados al ver tantos extraños que los miran.

«Ven, Rubén, también tú, Eliseo, y tú, Isaac. Estos son los hermanos de vuestra mamá y vinieron a llevaros para que estéis con sus hijos. ¡Ved cuán bueno es el Señor! Como el palomo de María de Jacob que vimos el otro día que daba de comer al pichoncito que no era suyo, sino de su hermano muerto. Os acoge y os entrega a ellos para que cuiden de vosotros, y no seais huérfanos. ¡Ea, salud a vuestros parientes!»

«El Señor sea con vosotros, señores!» dice tímidamente el mayor, mirando al suelo. Los otros dos lo imitan.

«Este se parece mucho a su madre, y también éste, pero ése (el mayor) es semejante a su padre» dice uno de los familiares.

«Amigo mío, no creo que vayas a dejar de amarlo, tan sólo porque haya semejanza en la cara» dice Jesús.

«¡Oh, no! Eso no. Lo miraba... y pensaba... No quisiera que tuviera el corazón de su padre.»

«Es un niño tierno todavía. Sus palabras sencillas recuerdan el amor que tenía por encima de todo por su madre.»

«Los tenía mejor cuidados de lo que imaginamos. Tienen buen vestido. y sandalias. Tal vez le fue bien al final...»

«Yo y mis hermanos tenemos vestidos nuevos porque Jesús nos los dio. No teníamos nada, ni sandalias, ni manto. Como el pastor» responde el mediano que es menos tímido que el primero.

«Te devolveremos todo, Maestro» dice un familiar y añade: «Joaquín de Siquén ha recibido ofertas de la ciudad. Añadiremos todavía dinero...»

«No quiero dinero. Quiero una promesa. Que améis a éstos que arrebaté a los ladrones. Las ofertas... Malaquías, úsalas para los pobres que conoces y de algo a María de Jacob porque está muy pobre.»

«Como Tú digas. Si se portan bien, los amaremos.»

«Nos portaremos bien, Señor. Sabemos que hay que serlo para volver a encontrar a nuestra madre y volver a subir el río, hasta el seno de Abraham y que no debemos romper el hilo de nuestra barca de las manos de Dios para que no nos arrastren las corrientes del demonio» promete Rubén como si recitase algo.

«¿Qué ha dicho ese?»

«Una parábola que me oyeron. La dije para consolar su corazón y que fuese una guía para su espíritu. Los niños se la aprendieron y la aplican en sus acciones. Tratadlos mientras hablo a los de Siquén...»

«Maestro, una palabra más. Lo que más nos extrañó con los ladrones fue que dijeron comunicásemos al Rabí, que se había llevado los niños, que los perdonase si tardaron mucho en llegar hasta nuestra casa, pero que tuviese en cuenta que no podían tomar cualquier camino, y que no podían caminar fácilmente con un niño por lugares difíciles.»

«¿Lo oíste, Judas?» dice Jesús a Iscariote, que no replica.

Luego Jesús se dirige a los de Siquén que le arrancan la promesa de una visita aunque fuese breve, antes del calor estival. Cuentan a Jesús muchas cosas, y entre otras cómo los que El curó en el cuerpo y en el alma, se acuerdan de El.

Judas y Juan se industrian porque los niños se familiaricen con sus parientes...

19. La lección secreta
(Escrito el 21 de enero de 1947)

Jesús va caminando por un sendero solitario. Delante de El van los familiares de los niños y a su lado los de Siquén. La región es desierta. No se ve ninguna población cercana. Los niños cabalgan en asnos. En los otros asnos nadie porque los de Siquén han preferido andar a pie para estar cerca de Jesús, y los asnos al no sentir carga se alegran y rebuznan contentos porque regresan a su hogar, en medio de un espléndido día, entre orillas tapizadas de tierna hierba, que de vez en vez mordizquean. Luego levantando sus ancas, corren presurosos. Los niños se ríen ante tal espectáculo.

Jesús viene hablando con los siquemitas. Es evidente que los samaritanos están orgullosos de tener consigo al Maestro y se hacen ilusiones irrealizables. Tanto que dicen señalando los montes altos que quedan a la izquierda: «¿Ves? Ebal y Garizín tienen mala fama, pero contigo son mejores que Sión, y lo serían completamente si los eligieses como permanencia tuya. Sión ha sido siempre madriguera de jebuseos. Y los que están allí ahora son más enemigos tuyos que lo fueron de David. Este como empleó la violencia, tomó la ciudadela [1], pero Tú que eres tan bueno, no reinarás allí. Jamás. Quédate con nosotros, Señor, y te tributaremos honores.»

Jesús responde: «Contestadme: ¿me habríais amado si os hubiera querido conquistar a la fuerza?»

«No... Te amamos porque eres en verdad todo amor.»

«¿Reino sólo por el amor en los corazones?»

«Así es, Maestro. Pero es porque hemos dado cabida en nuestro corazón a tu amor. Los de Jerusalén no te aman.»

«Es verdad que no me aman. Pero vosotros que sois muy buenos mercaderes respondedme: cuando queréis vender, comprar o ganar algo, ¿perdéis el ánimo porque en algunos lugares no os amen? o bien ¿os dedicáis sólo a vuestros negocios, pensando en hacer buenas ganancias, buenas ventas sin tener en cuenta si se os dió el dinero con amor?»

«Nos preocupamos sólo de nuestros intereses. Poco nos importa que se nos haya dado el dinero con amor o sin él. Negocios son negocios. Lo que interesa son las ganancias... lo demás no tiene valor.»

«De igual modo Yo que vine a ocuparme sólo de los negocios de mi Padre. No me interesa que donde trabaje encuentre o no amor. En un mercado no se puede vender a todos, ni tampoco se puede comprar de todos. Y cuando se hace negocio con alguien se dice que el viaje no fue inútil y vuelve uno al mismo puesto. Porque lo que no se obtuvo la primera vez, se puede obtener la segunda, la tercera o más veces. ¿No es verdad? También Yo hago lo mismo para las conquistas que quiero llevar al cielo, como vosotros por las terrenas. Insisto, persevero, encuentro suficiente cualquier cosa con tal de salvar un alma que considero la mayor recompensa para mi fatiga. Cada vez que voy allá y sobrepujo todo lo que puede ser reacción del hombre, con tal de conquistar, como rey del espíritu, un solo súbdito mío, no considero como inútiles mis dolores, mis fatigas. Mas bien considero que las befas, las injurias, las acusa-

---

[1] Cfr. 2 Rey. 5, 6-10; 1 Par. 11, 4-9.

ciones son dignas de ser amadas. No sería un gran conquistador si me detuviese ante los obstáculos de fortalezas de granito.»

«Tendrás necesidad de siglos para vencerlos. Eres hombre. No vivirás durante los siglos. ¿Por qué pierdes el tiempo donde no te aman?»

«Viviré menos. Dentro de poco no estaré entre vosotros, no veré más el amanecer, ni el atardecer como piedras millares de los días que nacen, de los días que mueren, pero los contemplaré solo como bellezas de lo creado y alabaré por ellos al Creador que los hizo y que es mi Padre; no veré florecer las plantas, ni madurar los trigales; tampoco tendré necesidad del fruto de la tierra para conservar la vida, porque regresado a mi reino, me alimentaré de amor. Y sin embargo conquistaré muchas fortalezas que son los corazones de los hombres. Ved ese manantial que brota debajo de esa piedra, al lado del monte. El manantial es tan flacucho, que parece apenas gotear. Es una gota que hace siglos cae. La piedra es muy dura. Es basalto. No es calcárea. Y ved sin embargo cómo en su centro se haya formado un hoyo, no mayor que el cáliz de un nenúfar [2], pero suficiente para reflejar el cielo azul y calmar la sed de los pajarillos. ¿Hizo acaso el hombre esa cuenca? No, no se preocupó. Tal vez durante los muchos siglos que han pasado, en que la gota inexorablemente ha venido cayendo sobre el mismo lugar, pasaron muchos hombres, y sin embargo nadie reparó en esa pequeña cuenca, como lo hacemos ahora y que admiramos su belleza, y por ella alabamos al Eterno que nos la quiso dar para admirarla y para que fuese refrigerio de los pajarillos que cerca hacen sus nidos. Decidme. ¿Fue acaso la primera gota la que hizo el hoyo en donde se reflejan cielo, sol, nubecillas y estrellas? No. Han sido millones y millones de gotas, que al chocar contra el basalto, parecían entonar una melodía luctuosa. De este modo por siglos y siglos, cuando el sol nacía, como cuando se escondía tras los montes; ya fuese sábado o no, luna nueva [3] o menguante, la gota ha venido cayendo. La roca resistió. El hombre que es soberbio y por lo tanto impaciente y poltrón, habría tirado el maso y el cincel después de los primeros golpes diciendo: "No puede trabajarse en ella". La gota lo hizo con todo. Era lo que tenía que hacer. Para eso fue creada. Por siglos gimió hasta que hizo la cuenca. No se paró alegando: "Ahora se ocupará el cielo para meter en la concavidad que he excavado, el rocío que cae, las gotas del cielo", sino que continuó cayendo y es la que llena la concavidad en los días calurosos del verano, en los duros del invierno, mientras los violentos o ligeros aguaceros turban su espejo, pero no pueden ni embellecerlo, ni hacerlo más grande o profundo, porque ya él es bello, grande y profundo. El manantial sabe que sus hijas, las goticas, mueren en ese pequeño hueco, pero no las detiene. Las empuja más bien al sacrificio, y para que no se entristezcan manda otras, de modo que la que termina, sepa que se perpetúa en la siguiente. De igual modo Yo, que soy el

---

[2] Nenúfar, planta acuática que se halla en estanque y fuentes.
[3] Cfr. vol. 4°, pág. 465, not. 3.

primero en golpear en los corazones duros como rocas, lo seguiré haciendo en mis sucesores que mandaré hasta el fin de los siglos [4], y abriré en ellos huecos, donde mi ley entrará como un sol, donde quiera que haya un hombre. Si después ellos se cerrasen a la luz y cerrasen el hoyo hecho con tanto trabajo, Yo y mis sucesores no tendremos ninguna culpa ante los ojos de nuestro Padre. Por otra parte si ese manantial hubiese buscado otro curso, al ver la dureza de la roca, y hubiese goteado donde la tierra está llena de hierba, decídme, ¿habríamos tenido esa piedra preciosa que brilla, y los pajarillos habrían podido refrescarse?»

«Ni siquiera se hubiera visto, Maestro.»

«A lo más... un poco de hierba tupida hubiera mostrado que allí estilaba un manantial.»

«Habría menos hierba que en otras partes, porque se hubiera podrido de tanta humedad.»

«Habría lodo, y el gotear hubiera sido inútil.»

«Tenéis toda la razón. Un goteo inútil. De igual modo Yo, si tuviese que escoger sólo los lugares donde los corazones están dispuestos a acogerme porque son rectos o porque me quieren, cumpliría un trabajo imperfecto, porque trabajaría, a no dudarlo, pero sin fatiga, más bien con mucha satisfacción de mi propio "ser", con un compromiso agradable entre el deber y el placer. Donde el amor rodea todo, no es pesado el trabajar, y donde el amor hace las almas dúctiles, no es gravosa la fatiga. Pero si no hay cansancio no hay mérito, y no hay ganancia, porque pocas conquistas pueden hacerse donde las almas aman ya la justicia. No sería Yo quien soy sino buscase primero de redimir a la verdad, y luego a la gracia a todos los hombres.»

«¿Y crees que lo lograrás? ¿Qué puedes hacer más de lo que hasta ahora has hecho para persuadir a tus enemigos que no acceptan tu palabra? ¿Qué? Ni siquiera la resurrección del hombre de Betania fue capaz de hacer que los judíos te reconociesen como el Enviado de Dios.»

«Tengo todavía que hacer algo mayor que la resurrección.»

«¿Cuándo, Señor?»

«Cuando la luna de nisán esté llena. Fijaos bien.»

«¿Dará alguna señal el cielo? Se dice que cuando naciste el cielo habló con luces, cánticos y estrellas raras.»

«Así fue para decir que la Luz había venido al mundo. En nisán los cielos y la tierra darán señales, parecerá el fin del mundo debido a las tinieblas, por el sacudimiento y bramar de los truenos en el cielo y por los estremecimientos de las entrañas abiertas de la tierra. Pero no será el fin, sino el principio. Antes de mi venida, el cielo dió a los hombres el Salvador y como era un acto de Dios, la paz rodeó el acontecimiento. En nisán será la tierra que voluntariamente devolverá a luz a sí misma el Redentor, y como será un acto de los hombres, la paz no la acompañará.

[4] «Seguiré haciendo en mis sucesores...» afirmación que recuerda a Mt. 10, 40; 28, 18-20; Mc. 9, 37; Lc. 10, 16; Ju. 13, 20; 20, 19-23.

La convulsión será horrible. En medio del horror de aquella hora y del infierno la terra desgarrará su seno bajo las saetas encendidas de la ira divina, y aullará, demasiado ebria para comprender su alcance, demasiado endemoniada para impedirlo. Como una parturienta loca creerá poder destruir el fruto que pensaba que era maldito, y no comprenderá que lo levantará en lugares a donde jamás el dolor y la asechanza llegarán. La planta, la nueva planta de ese día extenderá sus ramos por toda la tierra, por todos los siglos, y El que está hablando será reconocido bien por amor, bien por odio, como verdadero Hijo de Dios y su Mesías. ¡Ay de aquellos que lo reconocieren contra su voluntad, que no me confesasen, ni se convirtiesen a Mí!»

«¿En dónde sucederá esto, Señor?»

«En Jerusalén. Es la ciudad del Señor.»

«Entonces no estaremos, porque estaremos ocupados en la pascua. Somos fieles a *nuestro* Templo.»

«Sería mejor que fueseis fieles al Templo vivo que no está ni allá, en el monte Moria [5], ni en el Garízin [6], sino que siendo divino es universal. Pero yo sé esperar vuestra hora, en la que amaréis a Dios y a su Mesías en espíritu y verdad.»

«Nosotros creemos que eres el Mesías. Por esto te amamos.»

«Amar es dejar el pasado para entrar en mi presente. Todavía no me amáis como se debe.»

Los samaritanos se miran de reojo sin replicar. Luego uno dice: «Por llegar a Ti, lo haremos. Pero no podemos, aunque lo quisiéramos, ir a donde hay judíos. Lo sabes. No nos quieren...»

«Tampoco vosotros a ellos. Pero calmaos. Dentro de poco no habrá dos regiones, dos Templos, dos corrientes diversas de pensar, sino un solo pueblo, un solo templo, una sola fe para todos los que desean la verdad. Ahora os voy a dejar. Los niños están contentos y se divierten. Tengo que regresar a Efraín y el camino es largo para que llegue antes de que se eche encima la oscuridad. No hagáis ningún estrépito. Vuestros gestos podrían llamar la atención de los pequeños y no conviene que vean cuando regreso. Seguid. Yo me quedo aquí. Que el Señor os guíe por los senderos de la tierra y por las de su camino. Idos.»

Jesús se hace a un lado del camino y los deja pasar. Lo último que rompe el silencio de los que regresan a Siquén es la alegra risotada de un pequeñuelo, que se esparce por entre las ramas silenciosas del monte.

---

[5] Monte sobre el que Salomón edificó el Templo de Jerusalén. Cfr. Gén. 22; 2 Par. 3, 1.

[6] Un monte alto de la Samaría, en la tribu de Efraín, cerca de la ciudad de Siquem sobre el que los samaritanos edificaron un Templo (cismático), igual al de Jerusalén. Cfr. Deut. 11, 26-32; Jos. 8; 2 Mac. 6, 1-2; y también vol. 2°, pág. 16, not. 5.

20. Lo que sucede en la Decápolis y Judea
(Escrito el 22 de enero de 1947)

La noticia de que Jesús está en Efraín la esparcieron sus mismos pobladores bien para gloriarse de ello, bien por otros motivos que ignoro, pero el caso es que muchos están viniendo a ver a Jesús: sobre todo enfermos, uno que otro que tiene cuitas, y alguno que tiene ganas de verlo. Esto lo deduzco porque oigo que Iscariote dice a un grupo que acaba de llegar de la Decápolis: «No está el Maestro. Estamos yo y Juan, y es lo mismo. Decid que queréis.»

«No podéis enseñar lo que El nos enseña» replica uno.

«Somos igual que El. Recuérdalo siempre. Si quieres oir en persona al Maestro regresa antes del sábado y vete después que haya pasado. El Maestro ahora es un verdadero maestro. No habla ya en todos los caminos, ni bosques, o sobre peñascos como un vagabundo, y a cualquier hora como un esclavo. Aquí habla el sábado, como conviene a El. ¡Y hace bien! ¡Lo que le sirvió el haberse acabado de fatiga y de amor!»

«Nosotros no tenemos la culpa de que los judíos...»

«¡Todos! ¡Todos! ¡Judíos o no judíos! Todos sois iguales y lo seréis. El es todo para vosotros, y vosotros nada para El. El da, vosotros no, ni siquiera la limosna que se da al mendigo.»

«Pero nosotros tenemos la oferta. Mírala, si no nos crees.»

Juan, que ha estado callado pero que visiblemente sufre, mira a Judas con ojos suplicantes de reproche, de consejo. Cuando Judas extiende su mano para recibir la oferta, Juan le pone su mano sobre su brazo y le dice: «No, Judas, esto no. Conoces las órdenes del Maestro» y volviéndose a los llegados: «Judas se ha explicado mal y vosotros mal lo comprendisteis. No es esto lo que quiso decir mi compañero; se trata de una oferta de fe sincera, de un amor fiel, que nosotros, yo, mis compañeros, todos vosotros debemos dar por lo mucho que el Maestro nos da. Cuando andábamos errantes por Palestina, El aceptaba vuestras ofertas porque nos eran necesarias y porque encontrábamos en nuestro camino a muchos mendigos, o nos hablaban de miserias ocultas. Aquí ahora nada nos falta — sea alabada la Providencia — y no encontramos a menesterosos. Tomad vuestra oferta y dadla en nombre de Jesús a los que la necesiten. Esto es lo que quiere nuestro Señor y Maestro, y lo que ha dicho que hagan los que andan evangelizando por diversos poblados. Pero si hay algún enfermo, o alguien quiere hablar con el Maestro, decidlo, lo iré a buscar donde se aísla para orar, pues su espíritu anhela recogerse en el Señor.»

Judas murmura algo entre dientes. Se sienta junto al horno encendido como para desinteresarse de lo que pasa.

«En realidad... no tenemos mucha necesidad, pero supimos que estaba aquí y atravesamos el río para venir a verlo. Si os hemos causado alguna molestia...»

«No, hermanos. No es ninguna molestia que lo busquéis, que lo améis aun con fatiga. Vuestra voluntad tendrá buena recompensa. Voy a anunciar al Señor que habéis venido y El vendrá. Pero si no viniese, os traeré su bendición.» Juan sale al huerto para ir en busca del Maestro.

«Deja que yo voy» ordena Judas con imperio y sale corriendo.

Juan lo mira irse, y no dice nada. Vuelve a entrar en la cocina donde se han amontonado los peregrinos; pero casi al momento les propone: «¿Vamos al encuentro del Maestro?»

«Pero si no quisiera...»

«¡Oh, no preocupéis de lo que pasó! Conocéis la razón por la que estamos aquí. Son los demás los que obligan al Maestro a que tome estas providencias de reserva, no es que El lo quiera. El siempre conserva el mismo amor por todos vosotros.»

«Lo sabemos. Los primeros días de la lectura del bando se le buscó por toda la Transjordania, y por donde se pensaba que podían encontrarlo. En Betabara, Betania, Pela, Ramot Galaad y más allá. Sabemos que lo mismo sucedió en la Judea y Galilea. Las casas de sus amigos han estado muy bien vigiladas porque... si muchos son sus amigos y discípulos, también son muchos los que no lo son, y creen servir al Altísimo persiguiéndolo. Luego las pesquisas cesaron y se esparció la voz de que estaba aquí.»

«¿Quién os lo dijo?»

«Unos discípulos suyos.»

«¿Mis compañeros? ¿Dónde?»

«No. Ninguno de ellos. Otros. Son nuevos, porque nunca los hemos visto con el Maestro, ni con los antiguos discípulos. Hasta nos sorprendimos de que nos hubiesen dicho dónde estaba escondido. Pero pensamos que lo habían hecho porque no eran conocidos como discípulos de parte de los judíos.»

«No sé que os dirá el Maestro. Por mi parte os aseguro que de ahora en adelante no debéis creer sino a discípulos conocidos. Sed prudentes. Todos los de esta región saben lo que pasó al Bautista...»

«Piensas que...»

«Si una sola persona odió a Juan y fue aprehendido, ¿que no pasará a Jesús, que lo odian Palacio y Templo, fariseos, escribas, sacerdotes y herodianos? Sed pues prudentes para que no os remuerda la conciencia... Vedlo que viene. Vamos a su encuentro.»

La noche no tiene luna, pero sí estrellas. Al no ver la posición de la luna y de su cara no podría decir la hora. Lo que veo sólo es que la noche es serena. Efraín está envuelto en los velos nocturnos. El arroyo no es más que ruido. Su espuma, su brillantez han desaparecido entre el verdor de las plantas que impiden la luz.

En algún lugar una ave nocturna se queja. Se calla, al oir el chasquido de ramas y el apartarse de cañas que avanza hacia la casa, siguiendo el arrollo y que viene de la parte montañosa. Aparece una figura alta y robusta en el camino de la ribera que lleva a la casa. Se detiene un poco como para orientarse. Toca la pared con las manos para cerciorarse. Encuentra la puerta. La toca y sigue adelante. Da vuelta, tocando siempre, la esquina de la casa hasta llegar a la salida del huerto. La tienta, la abre, empuja y entra. Toca las paredes que dan al huerto. Se queda dudoso en la puerta de la cocina. Luego continúa hasta la escalera exterior, la sube a tientas, se sienta en el último escalón ¡Una sombra oscura en medio de la oscuridad! Allá al oriente, el color del cielo nocturno: un velo plomizo que ve que lo es por las estrellas que lo traspasan, empieza a cambiarse por otro que el ojo percibe como gris de pizarra que parece neblina espesa y no anuncio del amanecer. Lentamente el milagro diario de la luz se repite.

La persona que estaba acuclillada en el suelo, cubierta bajo su manto oscuro, se mueve, levanta la cabeza, echa el manto hacia atrás. Es Mannaén. Trae una vestido común y corriente de color café y un manto de igual tela. Es una tela tosca, de trabajador o peregrino, sin fibias ni faja. Con un cordón torcido de lana se sostiene el vestido. Se pone de pie. Mira el cielo de donde viene avanzando la claridad y permite ver lo que hay alrededor. Una puerta en la planta baja se abre, chirriando. Mannaén se asoma sin hacer ruido para ver quien sale de casa. Es Jesús que cautelosamente cierra la puerta y se dirige a la escalerilla. Mannaén se retira un poco y tose para llamar la atención de Jésus, que levanta su cabeza, deteniéndose a mitad de la escaleta.

«Soy yo, Maestro. Soy Mannaén. Ven acá que debo hablarte. Te he estado esperando...» dice en voz baja Mannaén y se inclina para saludarlo.

Jesús sube los últimos peldaños: «La paz sea contigo. ¿Cuándo viniste? ¿Cómo? Por qué?» pregunta.

«Creo que apenas había cantado el gallo, cuando llegué aquí. Pero allá en los matorrales, estoy desde ayer por la noche.»

«¡Toda la noche bajo el sereno!»

«No podía hacer menos. Debía hablarte a solas. Tenía que conocer el camino para venir, la casa y que nadie me viera. Por eso vine en el día y me oculté allá. Vi cuando la población se recogía. Vi cuando volvían entrar Judas y Juan. Casi Juan me tocó con su carga de leña que traía. No me vio por lo tupido de la maleza. Vi cómo una viejecilla entraba y salía, vi que empezaba a brillar el fuego en la cocina, y te vi que bajabas de acá cuando ya había anochecido. Vi cuando se cerraba la puerta. Entonces me acerqué a la luz de la nueva luna y estudié el camino. Entré en el huerto. La puerta de nada sirve. Oi vuestras voces. Pero debía hablarte a Ti solo. Regresé para volver a la tercera vigilia. Sé que de costumbre te levantas temprano para orar. Esperé. Alabado sea el Altísimo.»

«Pero ¿cuál es el motivo por el que quieres verme con tanta precaución?»

«Maestro, José y Nicodemo quieren hablarte y han pensado hacerlo burlando cualquier vigilancia. Lo han intentado otras veces, mas debe ser Belzebú [1] que ayuda tanto a tus enemigos. Tuvieron que renunciar porque tanto su casa como la de Nique tienen vigilancia continua. Ella tenía que haber venido antes de mí. Es una mujer valiente, se puso en camino por Adonim, pero la siguieron y entonces se detuvo cerca del lugar llamado la Subida sangrienta [2], y para no descubrir la razón de su estadía y justificar los alimentos que traía en su cabalgadura, dijo: "Voy a ver a un hermano mío que está en una gruta que hay en los montes. Si queréis venir, vosotros que enseñáis lo de Dios, haréis una obra santa porqué está enfermo y tiene necesidad de Dios". Y así con esta audacia los persuadió a irse. Pero no se atrevió a venir a aquí y fue en verdad a ver a alguien que está en una gruta y que le confiaste.»

«Es verdad. ¿Pero cómo Nique lo hizo saber a los otros?»

«Fue a Betania. Lázaro no está, pero sí las hermanas, y María no es una mujer que tiemble ante alguien. Se vistió como tal vez no lo hizo Judit cuando fue a verse con el soberano [3] y fue al Templo públicamente con Sara y Noemí y luego a su palacio de Sión. De allí envió a Noemí a casa de José con el recado. Y mientras... astutamente los judíos iban y venían para presentarle sus homenajes, y cualquier podía verla, señora en su mansión, la viejecilla Noemí, con vestidos que no llamaban la atención, fue a Bezeta a la casa de José. Nos pusimos de acuerdo en que yo vendría, porque nadie sospecha de mí, nómada, que voy de un palacio de Herodes a otro, a decirte que la noche entre el viernes y el sábado José y Nicodemo, uno desde Arimatea y el otro desde Rama, vendrán antes del crepúsculo, se encontrarán en Gofená y allí te esperarán. Yo sé el lugar, el camino, y vendré en la noche para llevarte. Puedes fiarte de mí. Pero de mí solo, Maestro. José te ruega que nadie sepa de este encuentro nuestro. Por el bien de todos.»

«También por el tuyo, Mannaén.»

«Señor... yo soy. Pero no tengo bienes que cuidar ni intereses de familia como José.»

«Y esto confirma mis palabras de que las riquezas materiales son siempre un peso... Di a José que nadie sabrá de nuestro encuentro.»

«Entonces me voy, Maestro. Empieza a aclarar y tus discípulos podrían verme.»

«Vete y que Dios sea contigo. Te voy a acompañar para enseñarte el lugar donde nos encontraremos la noche del sábado...»

Bajan sin hacer ruido y salen del huerto bajando pronto a la·ribera del arroyo.

[1] Cfr. vol. 4°. pág. 373, not. 2.
[2] El nombre «Subida sangrienta» se debe a los crímenes que allí solían perpetrar los ladrones. Cfr. Jos. 15, 7; Lc. 10, 30.
[3] Cfr. Jud. 10.

21. Lo que sucede en Judea y sobre todo en Jerusalén
(Escrito el 23 de enero de 1947)

Es un sendero muy difícil que ha tomado Mannaén para llevar a Jesús al lugar donde lo esperan. Todo montañoso, estrecho, pedregoso, entre maleza y árboles. La luz de una clarísima luna, en su primera fase a veces logra abrirse paso por entre las ramas, a veces no, entonces Mannaén saca antorchas preparadas, que trae consigo, terciadas al hombro como si fueran armas. Va delante, Jesús detrás. Ambos avanzan en silencio. Dos o tres veces algún animal corriendo entre el bosque simula el sonido de pasos que hace detener a Mannaén. Pero fuera de esto ninguna otra cosa perturba el silencio del camino y de la noche.

«Maestro, allí está Gofená. Ahora doblamos por aquí. Contaré trescientos pasos y estaré en la gruta donde te esperan desde el crepúsculo. ¿Te ha sido largo el camino? Estoy seguro que hemos caminado por atajos para guardar la distancia legal.»

Jesús hace un gesto como para decir: «No podía haberse hecho de otro modo.»

Mannaén no habla, porque va contando los pasos. Se encuentran en un corredor rocoso y sin vegetación, semejante a una cueva de subida, entre murallas del monte que casi se tocan. Podría decirse que un cataclismo hizo aquella abertura, como si hubiera dado una cuchillada, y dividió el monte en un tercio de su cima. Arriba, más allá de las paredes perpendiculares, más allá del ruido que producen las plantas nacidas a la orilla, resplandecen las estrellas, pero la luna baja a este abismo. La luz de la antorcha despierta a las aves que se asoman por entre las grietas.

Mannaén dice: «¡Es aquí!» y lanza dentro de la hendidura rocosa un grito semejante al chillido del búho.

Del fondo por entre un corredor rocoso avanza una luz rojiza. Es José: «¿El Maestro?» pregunta al no ver a Jesús que está un poco detrás.

«Estoy aquí, José. La paz sea contigo.»

«Contigo también. Pasa. Hemos hecho buen fuego para ver si hay alguna serpiente o escorpión y para no tener frío. Me adelanto.»

Se vuelve y por las ondulaciones del sendero los guía a un lugar donde hay una hoguera encendida. Cerca de ella, está Nicodemo que le está echando ramas y junípero.

«También la paz sea contigo, Nicodemo. He venido. Hablad.»

«Maestro, ¿ninguno se ha enterado de tu venida?»

«¿Y quién quieres, Nicodemo?»

«¿No están contigo tus discípulos?»

«Sólo Juan y Judas de Simón. Los otros evangelizan desde el crepúsculo del sábado hasta el de viernes. Yo salí de casa antes de sexta diciendo que no se me esperase antes del alba del día siguiente al sábado. Todos están acostumbrados a ver que me ausento por muchas horas, para que pueda suscitar sospecha alguna. Estad tranquilos. Tenemos mucho tiempo para hablar, sin temer de que nos sorprendan. Aquí... es el lugar mejor.»

«Sí, madriguera de serpientes y buitres... y de ladrones en la estación cuando estos montes están llenos de ganados. Ahora los ladrones prefieren otros lugares donde pueden bajar más rápidos sobre los rebaños y caravanas. Nos desagrada haberte obligado a venir hasta aquí. Pero es que de acá podemos partir por caminos diversos, sin que nadie nos vea. Porque donde se sospecha que alguien te quiere, allí está el ojo penetrante del Sanedrín.»

«En esto no estoy de acuerdo contigo José. Creo que somos nosotros los que vemos sombras donde no las hay. Me parece que desde hace días todo se ha calmado...» objeta Nicodemo.

«Te engañas, amigo. Te lo aseguro. Hay calma porque no tienen necesidad de buscar al Maestro, pues saben dónde está. Por esto se vigila a El, y no a nosotros. Por esto le recomendé que no dijese a nadie que nos veríamos. Para que no hubiese alguien pronto... a hacer algo» replica José.

«No creo que los de Efraín...» dice Mannaén.

«Cierto que ni los de Efraín, ni ninguno otro de Samaría. Y sólo para llevarnos la contra.»

«No, José. No es por esto. Es que no tienen en su corazón la sierpe maligna que hay en vosotros. No tienen miedo de que se les despoje de alguna prerrogativa. No tienen intereses sectarios, ni de casta. No tienen nada, fuera de un deseo instintivo de que se les perdone, que los ame Aquel a quien sus antepasados ofendieron, y que ellos continúan ofendiendo permaneciendo fuera de la religión perfecta. Son orgullosos, como también vosotros, y ambas partes no quereis dejar el rencor que os divide y tenderos la mano en nombre del único Padre. Aun cuando en ellos hubiese una gran voluntad, no así en vosotros, porque vosotros no sabéis perdonar. No queréis arrojar a los pies los prejuicios confesando: "El pasado ha muerto, porque ha nacido el Príncipe del siglo futuro que a todos acoge bajo su bandera" [1]. He venido y acojo. ¡Pero vosotros! para vosotros sigue siendo anatema aun lo que yo he juzgado digno de acoger.»

«Eres severo con nosotros, Maestro.»

«Soy justo. ¿Podéis negar que en vuestros corazones, por ciertas acciones mías, no me critiquéis? ¿Podéis afirmar que aprobáis mi misericordia que es igual con judíos, galileos, samaritanos, gentiles, y hasta mayor con estos y con los grandes pecadores, porque de ella tienen más necesidad? ¿Podéis asegurarme que no hubierais preferido que me hubiese revestido de violenta majestad para manifestar mi origen sobrenatural, y sobre todo, tenedlo en cuenta, mi misión de Mesías según *vuestro concepto que de El tenéis*? Decid la verdad: fuera del gozo por la resurrección de nuestro amigo, ¿no habríais preferido que hubiera llegado

---

[1] Cfr. Is. 9, 6-7; 11, 10-16; Rom. 15, 7-13.

majestuoso y cruel a Betania como nuestros antiguos cuando iban a encontrarse con los amorreos y basanitos [2], como José con los de Ai, y con los de Jericó, o mejor: haciendo caer por mandato mío las piedras y los muros enemigos, como lo hicieron las trompetas de José con las murallas de Jericó, o haciendo caer del cielo, sobre sus enemigos piedras como sucedió en la bajada de Beterón en los mismos tiempos de Josué [3], como en tiempos más recientes [4], llamando a jinetes que cubiertos de oro corriesen en sus cabalgaduras por el cielo, armados con lanzas, y se escuchase el choque de caballería de una y otra parte, el estrépito de escudos, de tropas que desenvainan la espada, y el silbido de los dardos que rompen el aire? Esto hubierais preferido. Pese a que me amáis mucho, vuestro amor todavía es imperfecto, y lo alimenta un deseo que tampoco es santo, vuestro modo de pensar israelita, *vuestro viejo modo de pensar.* El que existe en Gamaliel como en el último de Israel, el que existe en el sumo sacerdote, en el tetrarca, en el campesino, en el pastor, en el nómada, en el que vive en la Diáspora [5]. El pensamiento de un Mesías conquistador. La pesadilla que sufre el que teme que el Mesías lo reduzca a *nada.* La esperanza de quien ama la patria con pasión humana. La esperanza de quien está oprimido por otras fuerzas, en otras tierras. No es vuestra culpa. El pensamiento que Dios había concebido acerca de Mí ha venido cubriéndose de escorias inútiles. Pocos son los que, con dolor suyo, saben devolver a su pureza inicial la idea mesiánica. Ahora bien, los tiempos en que se dará la señal a Gamaliel [6] se acercan. El la espera y con él todo Israel ahora que se acercan los momentos de mi manifestación completa, en que vuestro amor y vuestro modo de pensar serán más imperfectos. Son los momentos en que está trabajando Satanás. *Es su hora.* Os lo digo. En esos momentos de tinieblas [7] aun los que actualmente ven, o un poco, cegarán completamente. Pocos, muy pocos, reconocerán en el Hombre abatido al Mesías. Pocos lo reconocerán por *verdadero Mesías*, porque será aplastado según lo vieron los profetas [8]. Yo quisiera para bien de mis amigos, que mientras es de día *pudiesen verme y conocerme para poder reconocerme y verme aun en el desfiguro y en las tinieblas de la hora del mundo...* Decidme lo que teníais pensado. El tiempo corre y llegará el alba. Lo digo por vosotros, pues de mi parte no temo ningún encuentro.»

«Bueno. Queríamos decirte que alguien denunció dónde te encuentras y que este alguien no soy yo, tampoco Nicodemo, como tampoco Mannaén, ni Lázaro y sus hermanas, ni Nique. ¿Con quién otro hablaste del lugar que habías escogido de ante mano?»

[2] Cfr. Núm. 21, 21-35; Deut. 2, 26-37.
[3] Cfr. Jos. 6-8; 10.
[4] Cfr. 2 Mac. 5, 1-4.
[5] Cfr. vol. 4°, pág. 374, not. 4.
[6] Cfr. pág. 55, not. 7.
[7] Cfr. vol. 4°, pág. 448, not.1.
[8] Cfr. vol. 1°, pág. 468, not. 1.

«Con ninguno, José.»

«¿Estás seguro?»

«Cierto.»

«¿Diste órdenes a tus discípulos de que no hablasen de ello?»

«Antes de partir no les indiqué el lugar. Llegados a Efraín los mandé a predicar y a hacer mis veces. Estoy seguro que me han obedecido.»

«¿Estás tú sólo en Efraín?»

«No. Están conmigo Juan y Judas de Simón. Ya lo he dicho. Judas, aunque es un poco imprudente, no ha podido hacerme daño alguno, *con su irreflexión*, porque no se ha alejado de la ciudad, y en estos días pasan por acá pocos peregrinos.»

«Entonces... es el mismo Belzebú que te denunció, porque el Sanedrín sabe que estás aquí.»

«¡Bien! ¿Cómo reaccionó cuando lo supo?»

«De diversas maneras, Maestro. Alguien dijo que esto era lógico. Como te han puesto en el bando en los lugares santos, no te quedaba otro lugar de refugio que Samaría. Otros por el contrario sostienen que esto confirma su idea de que eres un"samaritano de alma" más que de raza, y que esto es suficiente para condenarte. Todos, en suma, están alegres de haber podido hacerte callar y de poder atraer contra Ti las multitudes como amigo de los samaritanos. Dicen: "Hemos ganado la batalla. Lo demás será juego de niños". Te rogamos que hagas lo posible porque no sea verdad.»

«No lo será. Dejad que hablen. Los que me aman no perderán la paz con las apariencias. Dejad que el viento se aplaque. Es viento que arrastra tierra. Luego vendrá el viento del cielo y se abrirá el velo, apareciendo la gloria de Dios [9]. ¿Tenéis otra cosa que decirme?»

«Por lo que se refiere a Ti, no más. Cuídate. No salgas de donde estás. Te avisaremos si algo...»

«No. No es necesario. Quedaos donde estáis. Pronto vendrán las discípulas, y esto sí, decid a Elisa y a Nique, que si quieren, se les unan. Decidlo también a las dos hermanas. Como el lugar en que estoy es conocido, los que *no* tienen miedo al Sanedrín podrán venir para que mutuamente nos consolemos.»

«No pueden venir las dos hermanas, hasta que Lázaro no regrese. Partió con mucha pompa y toda Jerusalén supo que se iba a sus posesiones lejanas, y no se sabe cuándo regresará. Su siervo regresó ya de Nazaret y dijo, también esto debemos decir, que tu Madre estará aquí con las demás, a fines de esta luna. Está bien, lo mismo que María de Alfeo. El siervo las vio. Pero se tardarán un poco porque Juana quiere venir con ellas, y no puede sino hasta fines de esta luna. Y luego, si nos lo permites, quisiéramos socorrerte... como amigos fieles, aunque... imperfectos como nos llamas.»

«No. Los discípulos que andan evangelizando traen consigo la vigilia

[9] Cfr. vol. 4°, pág. 361, not. 12 y pág. 624, not. 6.

del sábado lo que necesitan para sí y para los que estamos en Efraín. No tenemos necesidad de más. El obrero vive de lo que le den. Esto es razonable. Lo demás sería superfluo. Dádselo a cualquier necesitado. Lo mismo ha dicho a los de Efraín y a mis apóstoles. Les exijo que a su regreso *no traigan ni una migaja de provisión* y que lo que se les da, lo den a otros, tomado para nosotros lo que basta para la comida frugal de una semana.»

«¿Por qué, Maestro?»

«Para enseñarles el desprendimiento de las riquezas y la superioridad del espíritu sobre las preocupaciones del mañana. Por esto y por otras razones que me reservo. No insistáis más.»

«Como quieras. Pero nos desagrada que no podamos servirte.»

«Llegará la hora en que lo haréis... ¿No se ve ya el primer rayo del alba?» pregunta volteándose hacia el oriente, de lado, esto es, al lado contrario por donde había venido y señalando un tímido claror que se ve por una abertura lejana.

«Debemos separarnos. Regreso a Gofená donde dejé mi animal, y Nicodemo por su parte bajará a Berot, y de allí a Rama, terminado el sábado.»

«¿Y tú, Mannaén?»

«¡Oh, yo iré sin temor alguno por los caminos que llevan a Jericó, donde está Herodes. Dejé el caballo en casa de gente pobre que por unos cuantos céntimos no les preocupa nada, ni siquiera que se trate de un samaritano como creen que lo soy. Por ahora me quedo contigo. En la bolsa tengo alimentos para los dos.»

«Entonces, despidámonos. Nos volveremos a ver en pascua.»

«No. ¡No querrás exponerte al peligro!» protestan José y Nicodemo. «No lo hagas, Maestro.»

«En verdad que sois malos amigos que me aconsejáis el pecado y la cobardía. ¿Podréis amarme al pensar detenidamente en lo que quiero hacer? Decidlo. Sed sinceros. ¿A dónde debo ir a adorar al Señor en la pascua de los Acimos [10]? ¿En el monte Garizín? ¿No deberé presentarme ante el Señor en el Templo de Jerusalén como debe hacerlo todo varón de Israel en las tres grandes fiestas anuales [11]? ¿No recordáis que se me acusa de no respetar el sábado, no obstante — y Mannaén puede testimoniar — que también hoy para consecuentar a vuestro deseo, me quedé en un lugar que pudiese estar de acuerdo con vuestro deseo y la ley sabática?»

«Por esta razón también nosotros nos quedamos en Gofená... Haremos un sacrificio para expiar una transgresión involuntaria por un motivo ineludible [12]. Pero ¡Tú, Maestro!... Ellos te descubriran inmediatamente.»

«Aunque no me descubriesen, haría de modo que me viesen.»

[10] Cfr. vol. 2°, pág. 180, not. 6.
[11] Cfr. vol. 4°, pág. 476, not. 2.
[12] Cfr. Lev. 4, 1 - 6, 7.

«Quieres tu ruina. Es como si te suicidases...»

«No. Vuestra inteligencia está llena de tinieblas. No es como si quisiera suicidarme, sino que obedezco solo a la voz de mi Padre que me dice: "Ve. Es la hora" [13]. Siempre he tratado de conciliar la ley con la necesidad, aun aquel día que tuve que huir de Betania y venir a refugiarme acá a Efraín, porque todavía no había llegado la hora en que fuera yo preso. El Cordero salvador no puede ser inmolado sino en la pascua de los Ácimos. ¿Y si así he obrado para observar la ley, no queréis que lo haga para obedecer las órdenes de mi Padre? ¡Podéis iros! No os aflijáis. Vine para ser proclamado rey de todas las naciones. Porque esto quiere decir "Mesías" [14], ¿no es verdad? Y también quiere decir "Redentor". Sólo que el verdadero significado de estas dos palabras no corresponde a lo que pensáis. Yo os bendigo y pido al cielo que junto con mi bendición descienda sobre vosotros un rayo de luz, porque os amo y me amáis, porque quisiera que vuestro modo de obrar estuviese bañado en luz. Porque no sois malos, sino que pertenecéis todavía al "Viejo Israel", y no tenéis la voluntad heroica de despojaros del pasado y haceros nuevos. Hasta pronto José. Sé justo. Bueno como el que fue mi tutor por muchos años y que fue capaz de renovarse completamente para servir al Señor su Dios [15]. Si estuviese aquí, entre nosotros, ¡oh!, cómo os enseñaría a servir a Dios perfectamente, a ser justos, buenos, rectos. Es bueno que el ya esté en el seno de Abraham... Para que no viera la injusticia de Israel. ¡Un santo siervo de Dios!... El fue un nuevo Abraham [16], con el corazón traspasado, pero con todo su ser, jamás me hubiera aconsejado a la villanía, sino que me habría repetido las palabras que solía decirme cuando algo duro pesaba sobre nosotros: "Levantemos el corazón. Encontraremos la mirada de Dios y olvidaremos el dolor que los hombres nos inflingen. Hagamos cualquier cosa por dura que sea, pensando que es Dios quien nos la presenta. De este modo santificaremos aun las cosas más pequeñas, y Dios nos amará". ¡Oh, así hubiera dicho para consolarme en medio de los más grandes dolores!... Nos habría consolado... ¡Oh, Madre mía!...»

Jesús se desprende de José a quien había abrazado, y baja su cabeza, mudo, al contemplar su próximo martirio y el de su pobre Madre... Levanta la cabeza, abraza a Nicodemo: «La primera vez que viniste a Mí como discípulo secreto, te dije que par entrar en el Reino de Dios y para tener su Reino en vosotros es necesario que volváis a nacer del espíritu y que améis la luz más de lo que el mundo la odia. Probablemente hoy es la última vez que nos encontramos en secreto, y te repito las mismas palabras. Renace en tu espíritu, Nicodemo, para poder amar la Luz que soy Yo y para que Yo viva en ti como Rey y Salvador. Idos. Que Dios esté con vosotros.»

[13] Cfr. vol. 4°, pág. 213, not. 7.
[14] De hecho Mesías que significa «ungido», también significa «sacerdote» y «rey». Cfr. Ex. 29; 30, 22-31; 1 Rey. 9, 26 - 10, 8; 2 Rey. 2, 1-4; 5, 1-5; 3 Rey. 1, 28-40; 1Par. 11, 1-3; Sal. 19, 7.
[15] Cfr. vol. 1°, pág. 253, Apéndice.
[16] Alusión a Gén. 22, 1-19.

Los dos sanedristas toman el camino opuesto por el que vino Jesús. Cuando no se oye más el rumor de sus pasos, Mannaén, que estaba a la entrada de la gruta para despedirlos, regresa con cara muy expresiva: «Son ellos los que violarán la distancia sabática, y no tendrán paz hasta que no hayan pagado lo que creen deber al Eterno con el sacrificio de un animal. ¿No sería mejor para ellos sacrificar su tranquilidad, declarándose abiertamente "tuyos"? ¿No sería más agradable ante el Altísimo?»

«Lo sería, pero no los juzgues. Son masa que poco a poco fermentan. Cuando llegue el momento decisivo, muchos de los que creen ser mejores de ellos, caerán, y ellos se levantarán contra todo un mundo.»

«¿Lo dices por mí, Señor? Quítame más bien la vida, antes que reniegue de Ti.»

«No me renegarás. En ti ya hay elementos diversos que no tienen ellos y que te ayudarán a ser fiel.»

«Es verdad. Soy... herodiano. Esto es, lo fui, porque así como me he separado del Consejo, así me he separado del partido desde que he comprobado que, como los demás, es vil e injusto contra Ti. ¡Ser herodiano!... Ante las otras castas es un poco menos que ser pagano. No digo que seamos santos. Por un motivo impuro cometimos una impureza. Hablo como si fuera yo el herodiano antes de conocerte y de declararme partidario tuyo. Somos dos veces impuros, según el mundo piensa, porque nos hemos aliado con los romanos [17] y porque lo hicimos para sacar ventaja. Pero dime, Maestro, Tú que no tienes miedo de perder un amigo por decir la verdad: ¿Quiés es más impuro, nosotros los que nos hemos aliado con Roma para... conseguir siquiera triunfos efímeros personales, o los fariseos, los jefes de los sacerdotes, los escribas, los saduceos que se han aliado con Satanás para destruirte? Apenas comprendí que el partido de los herodianos se aliaba contra Ti, lo dejé. No lo digo porque me alabes, sino por lo que tengo dentro. Y esos, me refiero a los fariseos y sacerdotes, a los escribas y saduceos, creen que van a sacar alguna utilidad porque se han aliado con los herodianos. ¡Desgraciados! No saben que los herodianos lo hacen para obtener más méritos, y por lo tanto mayor protección de parte de los romanos, y luego... terminado el móvil que los une, se echarán sobre ellos. De una y otra parte el juego es el mismo, basado en el engaño. Esto me ha repugnado tanto que me he independizado. Tú... Tú les infundes mucho miedo. *A todos.* Y también sirves de pretexto para los intereses de los diversos partidos. ¿Motivo religioso? ¿El desdén por el "blasfemo", como te llaman? Mentira. El único movil no es la defensa de la religión, ni el celo sagrado por el Altísimo, *sino sus intereses que jamás se sacian.* Me causan asco como algo inmundo. Quisiera... sí quisiera que los que son una minoría fueran más audaces. ¡Ah, me desagrada llevar una vida doble! Quisiera seguirte sólo a Ti. Pero te sirvo más así que si te siquiera. Me pesa... Tú dices que pronto se-

[17] Los paganos eran considerados como impuros, cfr. por ej.: Ex. 34, 10-16; Lev. 18, 24-30; Deut. 7, 1-6; 3 Rey. 11, 1-13; Sal. 105, 34-42.

144

rá... ¿Cómo?... ¿Serás inmolado de veras como el Cordero? ¿No es un lenguaje figurado? La vida de Israel está tejida con símbolos y figuras [18]...»

«Y tú quisieras que eso no me pasase... No se trata de una figura, es una realidad.»

«¿No lo es? ¿Estás seguro? Yo podría... Muchos podríamos volver a hacer lo que nuestros antepasados hicieron alguna vez, esto es, ungirte cual Mesías y defenderte. Bastaría una palabra tuya, y miles, y miles se levantarían para defender al verdadero Pontífice, que es sano y sabio. No hablo de un rey terrenal, porque comprendo que tu reino es espiritual. Pero ya que humanamente hablando nunca seremos fuertes ni libres, al menos que sea tu santidad la que nos gobierna y cure al Israel corrompido. Sabes muy bien que nadie quiere al actual sacerdocio y a quien lo apoya. ¿Aceptas, Señor? Dime y lo haré.»

«Mucho has progresado en tu modo de pensar, pero todavía estás distante como de la tierra al sol. Seré Sacerdote y para siempre, Pontífice inmortal en un organismo al que daré vida hasta el fin de los siglos [19]. Pero no seré ungido con aceite de alegría [20], ni proclamado como tampoco defendido con la violencia de algunos que me sean fieles y que empujen a la patria a un cisma mayor, y la conviertan en esclava cómo jamás fue. ¿Crees tú que el hombre pueda ungir al Mesías? Te digo en verdad que no. La verdadera autoridad que me ungirá como Pontífice y Mesías es la del que me ha enviado. Ningún otro, que no sea Dios, puede ungir a Dios como a Rey de reyes, y Señor de los señores para siempre [21].»

«¡Entonces no se puede hacer nada! ¡Me entristece!»

«Sí, puedes hacer algo. Amarme. Amar no al hombre que se llama Jesús [22] *sino lo que es Jesús*. Amarme con todo tu ser, así como Yo os amo, para que estés conmigo más allá de lo temporal. Mira qué bella aurora. La luz suave de las estrellas no nos llegaba hasta aquí. Pero la triunfante del sol, sí. Así sucederá a los corazones que lleguen amarme rectamente. Ven acá afuera, al silencio del monte, en que no se oye ninguna voz que busque su interés. Mirá allá esas aves que extienden sus alas en busca de presa. ¿La vemos nosotros? No. Pero ellas sí. Porque el ojo del águila es más potente que el nuestro, y desde la altura en que está descubre mayores extensiones. De igual modo Yo. Puedo ver lo que no veis, y desde lo alto en que está mi espíritu, se escoger mis presas. No para desgarrarlas, como hacen los buitres y las águilas, sino para llevarlas conmigo. ¡Seremos muy felices en el Reino de mi Padre, nosotros que nos amamos!...»

Jesús sale afuera de la cueva. A su lado, Mannaén. Y sonríe a algo que ve, que contempla...

[18] Cfr. 1 Cor. 10, 1-13. Casi toda la carta a los Hebr.
[19] Cfr. Hebr. 3, 1 - 10, 18. El organismo del que se habla es la Iglesia, cfr. Mt. 16, 13-20; 28, 16-20.
[20] Alusión al Sal. mesiánico 44, 8.
[21] Cfr. Is. 61, 1-3; Hech. 10, 34-43; Hebr. 1, 5-9.
[22] Jesús, en realidad, como Hombre es una creatura humana por su naturaleza humana. Cfr. S. Tomás, *Summa Theologica*, part. III, questión 16, art. 8.

22. El saforín Samuel, ex discípulo de Jonatás ben Uziel y luego de Jesús
(Escrito el 5 de febrero de 1947)

Jesús está solo todavía en la caverna. Hay una hoguera que alumbra y calienta. Se siente un olor fuerte a resinas y de las ramas salen disparadas las chispas. Está en el fondo, en un hueco donde hay ramas secas. Medita. La llama sube y baja según el aire que llega de la selva, y que dentro de ella gime. No es un viento constante. Se calla, vuelve a zumbar, como las ondas del mar. Cuando fuerte silba, hasta allá van a dar ceniza y hojas secas por el espacio rocoso del que ha venido Jesús, y la llama se dobla hasta el suelo. Cuando el viento cesa, vuelve a levantarse, radiante, juguetona. Jesús no ve eso. Medita. Luego, al silbido del viento se une el de la lluvia, que repiquetea, primero despacio, luego tupida entre las ramas del bosque. Un aguacero cambia los senderos en arroyuelos. Ya no es el viento el que se oye, sino el estrépito del agua. La luz incierta del amanecer lluvioso y la del fuego, que no levanta llama, apenas si revelan la figura de Jesús en medio de la oscuridad. Apenas si se ve su vestido de color oscuro, como su rostro, que tiene inclinado sobre las rodillas.

Ruido de pasos. Sonido afanoso de palabras, como de quien está cansado, se oyen por la vereda. Y luego en la entrada una sombra que chorrea agua por todas partes. El hombre, de barba suelta y negra, lanza un «¡oh!» de alivio; echa el capucho bañado en agua, sacude su manto, monologa: «¡Uhm! ¡Haces bien en sacudirte, Samuel! Parece como si estuvieses en el agujero de un batanero. ¿Las sandalias? Están hechas unas chalupas. Estoy mojado hasta los huesos. Me cae agua de los cabellos. Paresco un barril con miles de agujeros. ¡Se empieza bien! ¡Qué le pasará a Belzebú. ¡Bueno! El lugar no está mal...» Se sienta sobre una piedra grande cerca del fuego, que no lanza llamas y que él trata de reanimar. Se quita las sandalias, trata de secarse los pies sucios de lodo con una extremidad del manto. Lo que hace no es más que quitarse el lodo de los pies para ponerlo en el manto. Continúa monologando: «¡Son unos malditos, él y todos! Hasta perdí la bolsa. Y suerte que no perdí la vida... "Es el camino más seguro" me dijeron. Sí. Pero ellos no caminan nunca por él. Si no hubiera visto esta llama. ¿Quién la habrá encendido? Algún desafortunado como yo. ¿Dónde estará? Allá se ve un agujero... Tal vez sea una cueva... No habrá ladrones, ¿eh? Pero que si soy un tonto. ¿Qué puede quitarme sino tengo ni un céntimo? No interesa. Este fuego vale más que un tesoro. Si tuviese unas cuantas ramas para reavivarlo, me quitaría los vestidos para secarlos. Pero qué, no tengo más que estos hasta que no regrese...»

«Si quieres ramas, amigo, aquí hay» dice Jesús sin moverse de su lugar.

El recién venido que estaba de espaldas a Jesús, se sobrecoge al oir las palabras de Jesús y se pone de pie volviéndose. Está espantado. «¿Quién eres?» pregunta abriendo tamaños ojos para ver mejor.

«Un viajero como tú. Soy Yo quien prendió el fuego y me alegro que te haya servido de guía.» Jesús se acerca con un manojo de ramas y las echa cerca del fuego, diciendo: «Reaviva la llama antes de que todo sea ceniza. No tengo yesca ni eslabón porque quien me los prestó ya se fue.» Jesús habla con tono amigable, pero no se acerca tanto que el fuego pueda iluminarlo. Regresa a su rincón, estando más que nunca envuelto en su manto.

Entre tanto el recién venido se inclina a soplar con todas sus fuerzas y lo hace hasta que la llama se levanta. Echa ramas más gruesas. Jesús ha vuelto a su rincón, se sienta y contempla.

«Ahora tengo que quitarme la ropa para secármela. Prefiero estar desnudo que seguir bañado. Pero ni siquiera puedo esto. Se desplomó una pendiente y me vi en medio de tierra y agua. ¡Bueno, ahora estoy mejor! ¡Mira! Rompí el vestido. ¡Maldito viaje! ¡Si por lo menos hubiera traspasado el sábado!Pero ni eso. Hasta el crepúsculo me quedé allí... Y ahora, ¿cómo voy arreglármelas? Para salvarme dejé escapar la bolsa y ahora estará en el valle, o trabada en algún matorral. ¡Quién lo sabe!...»

«Ten mi vestido. Está seco y caliente. Me basta el manto. Tómalo. Estoy sano. No tengas miedo.»

«Y eres bueno. ¿Cómo podré agradecértelo?»

«Queriéndome como a un hermano.»

«¡Queriéndote como a un hermano! Tú no sabes quién sea yo. Si fuese un malvado, ¿querrías que te amase?»

«Para hacerte bueno.»

El hombre que es joven, más o menos de la edad de Jesús, baja la cabeza meditabundo. Ha tomado el vestido que Jesús le pasó, pero no lo ve. Piensa. Instintivamente se lo pone, porque está todo desnudo, aun de paños menores.

Jesús que ha regresado a su rincón pregunta: «¿Cuándo comiste?»

«A la hora de sexta. Tenía que haber comido cuando hubiese llegado al poblado, al valle. Pero perdí el camino, la bolsa y el dinero.»

«Ten. Me sobró un poco. Era lo que tenía que comer mañana. Pero ténlo. A Mí no me pesa el ayuno.»

«Si debes caminar, tendrás necesidad de fuerzas...»

«¡Oh! no voy muy lejos. Sólo a Efraín.»

«¿A Efraín? ¿Eres samaritano?»

«¿Te desagrada? No soy samaritano.»

«Tienes razón... tu acento es galileo. ¿Quién eres? ¿Por qué no te descubres? ¿Lo haces porque eres criminal? No te denunciaré.»

«Soy un viajero, te lo dije ya. Mi nombre te diría poco, o mucho. Por otra parte, ¿qué importa el nombre? Cuando te doy un vestido porque tienes frío, pan para tu hambre y sobre todo mi compasión para tu alma, ¿tienes necesidad de saber mi nombre si te sientes bien? Si quieres darme un nombre, llámame "Piedad". Nada deshonroso. No tengo cosa que me obligue a estar oculto, y con todo me denunciarías, porque dentro de tu corazón hay algo que no está bien. Los pensamientos malos son raíz de acciones malas.»

El hombre se estremece y va a donde está Jesús, de quien sólo se ven los ojos, y aun éstos cubiertos bajo las pestañas.

«Come, come, amigo. No hay más que hacer.»

El viajero regresa a la hoguera, come poco a poco, sin hablar. Está pensativo. Jesús es toda una interrogacíon envuelto en su manto. El viajero cobre fuerzas poco a poco. El calor de las llamas, el pan y la carne asada que Jesús le dio, lo ponen de buen humor. Se pone de pie, se estira, tiende su cordón, que le servía de cinturón y sosteniéndolo de una alcayata enmohecida extiende su vestido, el manto, el capucho. Sacude las sandalias, las pone junto al fuego que arde muy bien.

Jesús parece como si durmiera. El viajero se sienta y piensa. Luego se vuelve a mirar al Desconocido. Le pregunta: «¿Estás durmiendo?»

Jesús responde: «No. Pienso y oro.»

«¿Por quién?»

«Por todos los infelices. ¡Y que son muchos!»

«¿Eres un penitente?»

«Lo soy. La tierra tiene mucha necesidad de penitencia, para que los débiles puedan tener fuerzas con que resistir a Satanás.»

«Dijiste bien. Hablas como un rabí. Lo comprendo porque soy un saforín [1]. Estoy con el rabí Jonatás ben Uziel. Soy su discípulo predilecto. Y ahora, si el Altísimo me ayuda, me amará mucho más. Todo Israel alabará mi nombre.»

Jesús no replica.

Después de algunos minutos el viajero se levanta y va a sentarse cerca de Jesús. Pasándose la mano sobre los cabellos que están casi secos y alisándose la barba dice: «Oye. Dijiste que vas a Efraín. ¿Vas por casualidad o porque vives allí?»

«Vivo allí.»

«Pero no eres samaritano. Me lo dijiste.»

«Lo repito. No soy samaritano.»

«Y quién puede vivir allí si no... Oye... se dice que en Efraín se ha refugiado el Rabí de Nazaret, el proscrito, el maldito. ¿Es verdad?»

«Así es. Jesús, el Mesías del Señor, está allí.»

«No es el Mesías del Señor. ¡Es un mentiroso!¡Blasfemo!¡Demonio! Es la causa de nuestras desgracias. ¡Y pensar que no se levanta del pueblo algún vengador!» exclama con todas sus fuerzas, con todo su odio.

«¡Te ha hecho algún mal para que aun con la voz lo odies?»

«A mí, no. Una sola vez lo vi en la fiesta de los Tabernáculos [2], y en un motín, de modo que apenas podría reconocerlo. Hace poco tiempo que estoy en el Templo, pero desde antes he sido discípulo del rabí Jonatás ben Uziel. No pude estar antes... por muchas razones, y sólo cuando el

---

[1] Según los competentes expertos, la pronunciación debería haber sido saforím que significa *escribas* esto es , doctores de la Ley antigua.

[2] Cfr. Ex. 23, 14-17.

rabí estaba en su casa y yo a sus pies para beber la justicia y el saber... Pero... ¿me preguntaste que si lo odio? Un reproche me pareció oir en tu voz. ¿Eres acaso un seguidor del Nazareno?»

«No soy. Pero cualquiera que sea justo condena el odio.»

«El odio es justo cuando se odia a un enemigo de Dios o de la Patria. Y tal lo es el Rabí nazareno. Cosa santa es combatirlo, odiarlo.»

«¿Combatir al hombre o la idea que representa y la doctrina que sostiene?»

«¡Da lo mismo! ¡Da lo mismo! No se puede combatir una cosa, si no se ataca la otra. En el hombre existe su doctrina y su idea. O se destruye todo o no se hace nada. Cuando se acepta una idea, se acepta también a quien la propaga. Lo sé por experiencia propia. Las ideas de mi maestro son mías. Sus deseos son ley para mí.»

«De veras que eres un buen discípulo. Pero conviene distinguir si el maestro es bueno, y sólo en este caso seguirlo. Porque no es lícito perder la propia alma por amor a un hombre.»

«Jonatás ben Uziel es un buen hombre.»

«No. No lo es.»

«¿Qué dices? ¿A mí lo dices? Estamos solos. Puedo matarte porque has ofendido a mi maestro. Soy fuerte.»

«No tengo miedo. No tengo miedo a la violencia. No tengo miedo, aun sabiendo que si me haces mal *no me opondré.*»

«Comprendido. Eres un discípulo del Rabí, un apóstol. Así llama a sus discípulos más fieles. ¿Vas a juntarte con ellos? El que estuvo contigo antes era igual a Ti, y ahora estás en espera de otro semejante.»

«Espero a alguien. Es verdad.»

«¿Al Rabí?»

«No hay necesidad de que lo espere. No necesita de mis palabras para que lo cure. No tiene enferma ni el alma, ni el cuerpo. Estoy en espera de un alma envenenada, que delira. Quiero curarla.»

«¡Eres un apóstol! Sabemos que los envía porque el tiene miedo de salir desde que el Sanedrín lo condenó. Por esto piensas como El. Su doctrina es no reaccionar contra quien ofende.»

«Es doctrina suya porque enseña el amor, el perdón, la justicia, la bondad. Ama a los enemigos como si fuesen sus amigos, porque todo lo ve en Dios.»

«Si lo encontrara, como espero, no me amaría. ¡Sería un necio! Pero no puedo hablar contigo, que eres su apóstol. Siento haber dicho lo anterior. Se lo comunicarás.»

«No es necesario. Te aseguro que El te amará, más bien, *te ama,* no obstante que vayas a Efraín para ponerlo en aprieto y para entregarlo al Sanedrín que ha prometido una gran recompensa a quien lo haga.»

«¿Eres profeta o tienes el espíritu pitón [3]? ¿Te comunicó su poder? ¿Eres también un maldito? Acepté tu vestido, el pan que me diste. Has

[3] Cfr. vol. 1°, pág. 804, not. 2.

sido un buen amigo. Escrito está: "No alzarás tu mano sobre quien te ha hecho bien [4]". Tú has sido bueno conmigo, porque sabías que yo... yo no obraría de otro modo. Pero si te perdono a ti, porque me diste de comer, me hiciste que me calentase, me diste con qué cubrirme, sería injusto si te hiciere algún daño, no perdonaré a tu Rabí porque no lo conozco y no me ha hecho ni bien ni mal.»

«¡Insensato! ¿No caes en la cuenta que estás delirando? ¿Cómo puede alguien, a quien no conoces haberte hecho mal? ¿Cómo puedes respetar el sábado si no respetas el precepto de no matar [5]?»

«Yo no mato.»

«Físicamente no. No hay diferencia entre quien mata y quien pone a la víctima en manos del asesino. Respetas la palabra de un hombre que dice no hacer daño a alguien que te ha hecho bien; pero no respetas la de Dios, y engañosamente, por un puño de dinero, por un poco de honor, de honor asqueroso por haber podido traicionar a un inocente, te prestaste a un crimen...»

«No lo hago sólo por dinero y honor, sino para agradar a Yeové y salvar a la patria. Quiero hacerlo que hicieron Yael [6] y Judit [7].» Su fanatismo le brota de todas partes.

«Sísara [8] y Holofernes [9] fueron enemigos de nuestra patria, la habían invadido. Eran crueles. ¿Pero qué es el Rabí de Nazaret? ¿A qué país invade? ¿Qué usurpa? Es pobre y no quiere riquezas. Es humilde y no quiere honores. Es bueno con todos. Millares son los que han recibido beneficios de su mano. ¿Por qué lo odiáis? ¿Por qué lo odias? No te es lícito hacer daño a tu próximo. Obedeces al Sanedrín, ¿pero será el Sanedrín quien te juzgará en la otra vida, o Dios? ¿Y cómo te juzgará? No digo que cómo te juzgará porque mataste al Mesías, sino cómo te juzgará porque mataste a un inocente. Tú no crees que el Rabí de Nazaret sea el Mesías, y por esto no se te imputará tal crimen. Dios es justo y no toma por culpa lo que se hizo sin plena advertencia. No te juzgará, pues, por haber matado al Mesías porque para ti Jesús de Nazaret no lo es. Pero te culpará de haber matado a un inocente, porque sabes que lo es. Te han envenenado el corazón, te han embriagado de odio, pero no lo estás tanto que no comprendas que El es inocente. Sus obras hablan a su favor. Vuestro miedo os empuja a ver lo que no existe. No hay razón de que temáis de que os suplante. Os abre los brazos para deciros: "¡Hermanos!" No os envía contra ejércitos. No os maldice. Quiere tan sólo salvaros: a vosotros los grandes, a vosotros discípulos de los famosos, como quiere salvar al último de Israel. A vosotros más que al último de Israel, más que al niño que ignora lo que es odio, lo que es el amor. Porque

[4] Alusión al vez a Prov. 3, 29; 27, 10; Eccli. 7, 13; 37, 6.
[5] Cfr. vol. 1°, pág. 513, not. 1; Ex. 20, 13; 21, 12-17; Lev. 24, 17; Núm. 35, 16-34.
[6] Cfr. Jue. 4, 17-24.
[7] Cfr. Jud. 12, 10 - 13, 26.
[8] Cfr. Jue. 4, 17-24.
[9] Cfr. Jud. 12, 10 - 13, 26.

tenéis necesitad más que los ignorantes y que los niños, porque *sabéis y sabiendo pecáis*. ¿Puede tu conciencia, si la despojas de las ideas que te han inculcado, y la purificas del veneno que te hace delirar, decirte que El es culpable? ¡Dilo! Sé sincero. ¿Lo has visto faltar a la ley, o aconsejar que se falte a ella? ¿Lo has visto pelear, desear las cosas, ser lujurioso, calumniar, ser de duro corazón? ¡Habla! ¿Lo has visto faltar al respeto al Sanedrín? Por obedecer al veredicto del Sanedrín es ahora un proscrito. Podría lanzar un grito, y toda la Palestina lo seguiría y marcharía para contra unos cuantos que lo odian. Sin embargo aconseja a sus discípulos la paz y el perdón. Podría — como devuelve la vida a los muertos, la vista a los ciegos, el movimiento a los paralíticos, el oído a los sordos, como liberta a los endemoniados, porque el cielo y el infierno están sujetos a su querer — podría fulminaros con la ira divina y librarse así de sus enemigos. Sin embargo ruega por vosotros, cura a vuestros familiares, cura a vuestros corazones, os da pan, vestido, fuego. *Yo soy Jesús de Nazaret, el Mesías, el que buscas para obtener la recompensa y los honores de libertador de Israel prometidos por el Sanedrín.* Yo soy Jesús de Nazaret, el Mesías. Aquí estoy. Apréhendeme. Como Maestro y como Hijo de Dios te declaro libre y absuelto de la obligación de no levantar o de haber levantado tu mano contra quien te ha hecho bien [10].»

Jesús se pone de pie, quitándose el manto de la cabeza, extiende las manos como para ser apresado y atado. En esta actitud parece más delgado, pues no tiene más que la túnica corta, el manto que le cae por la espalda. Sus ojos están clavados en la cara de su perseguidor. Las llamas parecen poner chispas de fuego en sus cabellos e iluminar sus pupilas en el círculo de zafiro de la iris. Su actitud infunde más respeto que si estuviese rodeado de ejército que lo defendiese.

El hombre está como fascinado... paralizado de estupor. Después de algunos instantes se atreve sólo a murmurar: «¡Tú! ¡Tú! ¡Tú!»

Jesús insiste: «Apréhendeme. Quita aquella inútil cuerda en la que están secándose los vestidos y átame con ella. Te seguiré como el cordero al matator. No te odiaré porque me lleves a morir. Te lo repito. Es el fin el que justifica la acción y cambia su naturaleza [11]. Para ti soy la ruina de Israel y crees salvarlo matándome [12]. Para ti soy culpable de todos los crímenes y por lo tanto obedeces a la justicia acabando con un malhechor. No eres más culpable que el verdugo que cumple la orden recibida. ¿Quieres inmolarme aquí? Allí está el cuchillo con que partí el pan. Tómalo. Lo que empleé por amor a mi prójimo, puede cambiarse en

---

[10] Expresión perfectamente creíble si se piensa que Dios ordenó a Abraham que inmolase su hijo Isaac, y que el Verbo encarnado dijo a Judas que cuanto antes realizase su plan. Cfr. Gén. 22; Ju. 13, 27.

[11] No se formula con esto un principio o una ley *general*, que en varios casos resultaría falsa. Por ejemplo, la apostasía o la blasfemia son acciones siempre malas en sí mismas y no pueden hacerse buenas, aun cuando se hagan por fin laudable, como sería el librarse uno mismo de la muerte o a otros. Aquí se enuncia un juicio *particular*, que en este caso especial, es exacto como se desprende del contexto.

[12] La misma idea en Ju. 11, 47-53.

el cuchillo del que me sacrifique. Mi carne no es más resistente que la del cordero asado que mi amigo me dio para calmar mi hambra y que Yo te he dado, a ti, mi enemigo. ¿Temes las patrullas romanas? Ellas arrestan al que mata a un inocente, y no permiten que nosotros nos hagamos justicia, porque somos súbditos y ellos los dominadores. Por esto no te atreves a matarme, cargando mi cadáver para que lo muestres y ganes el dinero. Bueno: déjalo aquí y vas a avisar *a tus jefes*. Porque tú no eres un discípulo, *sino un esclavo*, porque has renunciado a la soberana libertad de pensamiento y voluntad que Dios mismo ha dado a los hombres. Y tú obedeces, ciegamente obedeces a tus jefes hasta el crimen. Pero no eres culpable. Estás *"envenenado"*. Esperaba Yo tu alma envenenada. ¡Ea! La noche, el lugar son propicios para el crimen. Digo mal: para la redención de Israel. ¡Oh, pobre hombre! ¡Dices palabras proféticas sin saberlo! Mi muerte será realmente redención, y no sólo de Israel, sino de todos los hombres. Vine para ser inmolado. Ardo en deseos de ser el Salvador de todos. Tú, saforín del docto Jonatás ben Uziel, conoces a Isaías [13]. Mira. El Hombre de dolores está delante de ti. Si no lo parezco tal, si no parezco el que vio David [14] con los huesos descubiertos, si no soy como el leproso que vio Isaías, es porque no ves mi corazón. Soy todo una llaga. La falta de amor, el odio, la dureza, vuestra injusticia me han herido todo y despedazado. ¿No tenía acaso oculto mi rostro, mientras me ofendías por lo que realmente soy: el Verbo de Dios, el Mesías? Soy el hombre acostumbrado al sufrimiento. ¿No decís que soy un perseguido de Dios? ¿No me sacrifico acaso para sanaros con mi sacrificio? ¡Ea! ¡Pega! No tengo miedo, ni tampoco tú debes tenerlo. Porque soy el Inocente y no tengo miedo al juicio de Dios. Al extender mi cuello al cuchillo hago que se cumpla la voluntad de Dios, anticipando un poco mi hora en bien vuestro. También anticipé mi nacimiento por amor vuestro, para daros antes de tiempo la paz. Pero vosotros rechazáis esta ansia mía de amaros... ¡No tengas miedo! No invoco sobre ti el castigo de Caín [15], ni los rayos de Dios. Ruego por ti. Te amo. No más. ¿Porque soy muy alto, tu mano no me alcanza? Es verdad, el hombre no podría dar el golpe final a Dios, si Dios no se pusiese voluntariamente en sus manos. Pues bien: me arrodillo ante ti. El Hijo del hombre está a tus pies. Pega, pues.»

Jesús se arrodilla, y tiende el cuchillo a su perseguidor que retrocede murmurando: «¡No! ¡No!»

«¡Ea!, un momento de valor... serás más celebre que Yael [16] y Judit [17]. Mira. Ruego por ti. Lo dice Isaías: [18] "...y oró por los pecadores". ¿Por qué te alejas? Tal vez temes no ver cómo muere un Dios. Me acerco al

[13] Cfr. Is. 52, 13 - 53, 12.
[14] Cfr. Sal. 21.
[15] Cfr. Gén. 4, 1-16.
[16] Cfr. Jue. 4-5.
[17] Cfr. Jud. 8-16, sobre todo 12, 10 -13, 26.
[18] Is. 53, 12.

fuego. El fuego no falta jamás en los sacrificios. Hace parte de ellos. Mira, ahora puedes verme bien.» Se ha arrodillado cerca del fuego.

«¡No me mires! ¡No me mires! ¿A dónde huiré para no ver tu mirada?» grita el nombre.

«¿Qué no quieres ver?»

«A Ti... No quiero ver mi crimen. En verdad que mi pecado está ante mis ojos. ¡A dónde, a dónde huir!» El hombre está aterrorizado.

«¡A mi corazón, hijo! Entre mis brazos se acaban las pesadillas, los temores. Sólo hay paz. ¡Ven, ven! ¡Hazme feliz!» Jesús se ha puesto de pie y extiende sus brazos. El fuego está en medio de ambos. Jesús brilla al reflejo de las llamas.

El hombre cae de rodillas, cubriéndose la cara y gritando: «Piedad de mí, ¡oh Dios! ¡Piedad de mí! ¡Borra mi pecado! ¡Quería matar a tu Mesías! ¡Piedad! ¡Ah, no puede haber piedad de un crimen semejante! ¡Estoy condenado!» Llora amargamente con la cara a tierra. Gime: «¡Piedad!» y grita: «¡Malditos!»...

Jesús da vuelta a la hoguera y va a donde el hombre. Se inclina, lo toca en la cabeza, dice: «No maldigas a los que te echaron a perder. Te hicieron el más grande favor: el que te hablase. Que te tuviese entre mis brazos.»

Jesús lo toma de la espalda, lo levanta, se sienta en tierra y lo trae hacía Sí. El hombre cae de rodillas en llanto desgarrador. Jesús le acaricia su morena cabeza, esperando que se calme.

El hombre levanta su cabeza y con la cara cambiada gime: «¡Tu perdón!»

Jesús se inclina y lo besa en la frente. El hombre recarga su cabeza sobre el hombro de Jesús entre sollozos. Quiere contar cómo lo habían sugestionado para cometer su crimen, pero Jesús se lo prohibe diciendo: «¡Cállate, cállate! No ignoro nada. Cuando entraste te conocí, por lo que eras y por lo que querías hacer. Habría podido alejarme y huir. Me quedé para salvarte. Lo estás ya. El pasado ha muerto. No lo recuerdes más.»

«Pero, ¿te fías tan fácilmente de mí? ¿Si volviese al pecado?»

«No. No volverás al pecado. Lo sé. Estás curado.»

«Lo estoy, pero ellos son astutos. No me devuelvas a ellos.»

«¿A dónde quieres ir que no estén?»

«Contigo. A Efraín. Si ves mi corazó, verás que no es un lazo el que te tiendo, sino súplica de que me protejas.»

«Lo sé. Ven. Pero te advierto que allí está Judas de Keriot, vendido al Sanedrín y traidor del Mesías.»

«¡Divina misericordia! ¿También esto lo sabes?» Su estupor no tiene igual.

«*Sé todo*. El cree que no lo sé, pero conozco todo. Y sé también que estás en tal forma convertido, que no hablarás con Judas, ni con ningún otro sobre esto. Piensa bien, que si Judas es capaz de traicionar a su Maestro, ¿qué no te podrá hacer a ti?»

El hombre piensa mucho, luego contesta: «¡No importa! Si no me despides, me quedo contigo. Por lo menos por algún tiempo, hasta la pascua, hasta que te reunas con tus discípulos. Me uniré a ellos. ¡Oh, si es verdad que me has perdonado, no me arrojes!»

«No te arrojo. Vamos ahora allí a esperar que amanezca y luego nos vamos a Efraín. Diremos que la casualidad nos juntó y que tu viniste a estar con nosotros. Es la verdad.»

«Sí, la es. Cuando haya amanecido mis vestidos estarán a secos y te devolveré los tuyos.»

«No. Deja esos vestidos. Son un símbolo. El hombre que se despoja de su pasado y viste ropa nueva. La madre de Samuel, llena de júbilo cantó: "El Señor de la vida y de la muerte. Lleva al lugar de los muertos y de allí hace regresar". Tú has muerto y vuelto a nacer. Vienes del lugar de los muertos a la verdadera Vida. Deja esos vestidos que estuvieron al contacto de sepulcros llenos de asquerosidad. Vive ahora para gloria tuya: la de servir a Dios con justicia, y poseerlo por la eternidad.»

Se sientan en el hueco donde se han amontado hojas. El silencio reina porque el hombre, cansado, se duerme con la cabeza reclinada en el hombro de Jesús que sigue orando.

...Es una bella mañana de primavera cuando llegan por el sendero del arroyo — que poco a poco se va limpiando del aguacero y canta con voz más ronca con el agua que lo ha aumentado — ante la casa de María de Jacob.

Pedro que está en la puerta da un grito y corre a su encuentro, echándose a abrazar a Jesús que viene bien envuelto en su manto: «Maestro bendito, ¡que sábado tan triste me has hecho pasar! No me decidía a partir sin volverte a ver. Durante toda la semana habría estado afligido porque ne me diste el "hasta pronto".»

Jesús lo besa sin quitarse el manto. Pedro sólo mira a su Maestro y no nota al extraño que ha venido con El. Los ótros también han acudido. Judas de Keriot grita: «¡Tú, Samuel!»

«Yo. El Reino de Dios en Israel está abierto a todos. Entré ya en él» responde con voz clara.

Judas se ríe de una manera rara, pero no replica.

Todos miran ahora al recién llegado. Pedro pregunta: «¿Quién es?»

«Un nuevo discípulo. La casualidad hizo que nos encontráramos, esto es: Dios lo quiso. Y el Padre me ordenó que lo tomase conmigo, y quiero que hagáis lo mismo. Y como hay gran fiesta cuando alguien entra en el Reino de los cielos, depone alforjas y mantos, los que ibais a partir, y estemos juntos hasta mañana. Déjame continuar Simón, porque di a este mis vestidos, y el aire de la mañana está frío.»

«¡Ah, ya me parecía! ¡Te vas a enfermar Maestro!»

«Yo no quería, El insistió» se excusa Samuel.

«Así es. Una avenida lo arrastró y se salvó porque quiso. Y para que nada de ese momento duro quedase como recuerdo, y viniese con nosotros sin nada sucio, le dije que dejase allí sus vestidos desgarrados y sucios, y le di los míos» aclara Jesús mirando a Judas de Keriot que vuelve a reírse de ese modo extraño como cuando Jesús dijo que habría fiesta cuando alguien entra en el Reino de los cielos. Entra ligero para vestirse.

Los demás se acercan al recién venido y le dan el saludo de paz.

23. Lo que sucede en Galilea y sobre todo en Nazaret
(Escrito el 6 de febrero de 1947)

«Y yo os aseguro que sois unos imbéciles en creer ciertas cosas. Imbéciles e ignorantes peor que los castrados que no sienten el estímulo del instinto porque están mutilados. Andan por las ciudades proclamando anatema contra el Maestro y otros traen órdenes que no pueden, por el Dios verdadero, no pueden proceder de El. No lo conocéis. Yo sí. Y no puedo creer que haya cambiado de este modo. ¡Que recorran las ciudades! ¿Afirmáis que son discípulos suyos? ¿Y quién los ha visto con El? ¿Decís que algunos rabinos y fariseos han dicho los pecados de El? ¿Y quién se los vió? ¿Le habéis oído hablar alguna vez de cosas obscenas? ¿Lo habéis visto cometer algún pecado? ¿Y entonces? ¿Créeis que si fuera pecador, Dios le permitiría hacer esas obras tan maravillosas? Tengo razón en llamaros imbéciles una y otra vez, retardados, ignorantes peor que patanes que por la primera vez ven un payaso en un mercado y creen que sea verdad lo que imita y dice. Ved si los que son sabios y de inteligencia clara se dejan seducir de las palabras de los falsos discípulos que son los *verdaderos enemigos* del Inocente, de nuestro Jesús de quien no sois dignos tenerlo por hijo. ¡Ved si Juana de Cusa, ¡perdón!, la mujer del mayordomo de Herodes, la princesa Juana, se aleja de María! Ved si... ¿Cometeré indiscreción en decirlo? No. Lo hago no por hablar sino por persuadiros a todos vosotros. Visteis el mes pasado ese carro tan lujoso que llegó y que fue a detenerse ante la casa de María. ¿Sabéis quién estaba dentro y quien bajó para ir a postrarse ante María? Lázaro de Teófilo, Lázaro de Betania, ¿comprendéis? El hijo del primer magistrado de Siria, el noble Teófilo, casado con Euqueria de la tribu de Judá y de la familia de David. El gran amigo de Jesús. El más rico y el hombre más instruido de Israel, en nuestras historias como las del mundo entero. El amigo de los romanos. El benefactor de los todos los pobres. *El resucitado después de cuatro días de estar en el sepulcro.* ¿Ha abandonado acaso a Jesús por seguir al Sanedrín? ¿Porque lo resucitó? No. *Porque sabe que Jesús es el Mesías.* ¿Sabéis qué vino a decir a María? Que estuviese pronta, porque la acompañaría a Judea ¿Comprendéis? El: Lazaro, como si fuese criado de María. Lo sé porque estaba yo allí cuando entró y la saludó postrándose sobre los rústicos ladrillos de la habitación, él que venía vestido como Salomón, acostumbrado a las alfombras; en tierra, a besar la fimbria del vestido de nuestra hermana y saludarla diciéndole: "Te saludo, oh María, Madre de mi Señor. Yo, tu siervo, el último de los siervos de tu Hijo, vengo a hablarte de El y a ponerme a tus órdenes". ¿Comprendéis? Estaba yo tan emocionado... que cuando me saludó llamándome: "hermano en el Señor", no supe decir ni una palabra. Lázaro ha comprendido, porque es inteligente. Durmió en el lecho de José enviando delante de sí a sus siervos que lo esperasen en Séforis, porque él iba a sus tierras de Antioquía. Dijo a las mujeres que estuviesen prontas porque a fines de esta luna pasará por ellas para que no se fatiguen en el viaje. Juana se unirá a la caravana con su carro para llevar a las discípulas de Cafarnaúm y Betsaida. ¿Y todo esto no os dice nada?»

El buen Alfeo de Sara finalmente deja de hablar en medio de un círculo de personas que hay en la plaza. Aser e Ismael, y también los dos primos de Jesús: Simón y José — más abiertamente Simón, más veladamente José — lo ayudan aprobando todo lo que dijo.

José dice: «Jesús no es un bastardo. Si tiene necesidad de que algo se anuncie en su nombre, tiene aquí sus hermanos que pueden hacerlo. Tiene discípulos fieles y poderosos como Lázaro. Este no dijo ni una palabra de lo que los otros dicen.»

«Estamos también nosotros. Antes éramos como nuestros asnos de tontos, pero ahora somos sus discípulos y para decir: "Haced esto o aquello" también somos capaces nosotros» dice Ismael.

«Pero la condenación que está colgada allí en la puerta de la sinagoga la trajo un enviado del Sanedrín y trae el sello del Templo» replican algunos.

«Es verdad, ¿pero qué? Nosotros que tenemos fama en todo Israel sabemos lo que es el Sanedrín y por lo tanto se nos desprecia ¿vamos a creer que el Templo no esté equivocado? ¿No conocemos a los escribas, a los fariseos y a los jefes de los sacerdotes?» replica Alfeo.

«Es verdad. Alfeo tiene razón. Yo estoy decidido a bajar a Jerusalén para enterarme de amigos *verdaderos* del estado de las cosas. Mañana mismo lo voy a hacer» responde José de Alfeo.

«¿Te quedarás allá?»

«No. Regreso, y luego volveré para la pascua. No puedo alejarme por mucho tiempo de casa. Es duro, pero también es mi obligación. Soy la cabeza de la familia y sobre mí pesa la responsabilidad de que Jesús esté en Judea. Yo fui quien insistió en que fuese allá... El hombre se equivoca en juzgar. Creí que era un bien para El, y fue lo contrario...¡Que Dios me perdone! Tengo que seguir de cerca las consecuencias de mi consejo para ayudar a mi hermano» dice lenta y sosegadamente José de Alfeo.

«Antes no hablabas así. También a ti te han seducido las amistades de los grandes. Tus ojos están llenos de humo» dice un nazaretano.

«No es verdad, Eliaquín, que las amistades de los grandes me hayan seducido. Es la conducta de mi hermano la que me convence. Si me equivoqué y ahora me corrijo, señal es de que soy un hombre recto. Porque propio del hombre es errar, pero ser tercos es de la bestia.»

«¿Y de veras vendrá Lázaro? ¡Oh, queremos verlo! Queremos ver cómo es uno que regresa de la muerte. Será como uno que desvaría. Estará como espantado. ¿Qué cuenta de su estadía entre los muertos?» preguntan muchos a Alfeo de Sara.

«Está como estamos vosotros y yo. Alegre, vivaz, tranquilo. No habla del otro mundo. Como si no recordase. Pero recuerda su agonía.»

«¿Por qué no nos avisaste que había venido?»

«¡Bueno! Porque habríais invadido la casa. También yo me retiré. Hay que tener un poco de delicadeza, ¿o no?»

«Pero cuando regrese, ¿se le podrá ver? Avísanos. Sin duda que harás de guardia de la casa de María.»

«Claro. Tengo la suerte de ser su vecino. No avisaré a nadie. Valeos de vosotros mismos. El carro se distingue, y Nazaret no es Antioquía, ni siquiera Jerusalén para que pase inadvertido. Haced guardia... y valeos de vosotros. Pero esto es en vano. Por lo menos haced que su ciudad no tenga fama de imbécil porque cree en las palabras de los enemigos de nuestro Jesús. ¡No creáis. No creáis! Ni a quien lo llama Satanás, ni a quien os instiga a levantaros en su nombre. Algún día os arrepentiríais. Si las demás partes de la Galilea caen en trampa, y creen en lo que es verdad, peor para ellas. Adiós. Me voy porque ya es tarde...» y se va contento por haber defendido a Jesús.

Los otros siguen discutiendo. Aunque se dividen en dos grupos, y el más numeroso es el de los papanatas, se acepta la opinión de los pocos amigos de Jesús de no rebelarse, ni de aceptar calumnias, si las otras ciudades galileas no lo hacen, y que por ahora «son más astutas que Nazaret, y se burlan en la cara de los falsos enviados» termina diciendo Aser el discípulo.

24. Lo que sucede en Samaría y entre las romanas
(Escrito el 7 de febrero de 1947)

La plaza principal de Siquén. Las hojitas que empiezan a nacer en la doble fila de árboles que hay al lado de las paredes de las casas que la rodean como una galería, dan una nota de alegría primaveril. El sol juguetea con las hojas tiernas de los plátanos tejiendo un recamo de luces y sombras en el suelo. El estanque del centro de la plaza es una laja de plata bajo los rayos del sol.

Hay gente que discute. Algunos, forasteros en apariencia, porque todos se preguntan quiénes sean, entran en la plaza, observan y se acercan al primer grupo que ven. Saludan. Se les devuelve el saludo, y con sorpresa. Pero cuando dicen: «Somos discípulos del Maestro de Nazaret» la desconfianza cae por el suelo y unos van a avisar a los otros, mientras los que se quedan preguntan: «¿Os mandó El?»

«Sí. Una misión muy secreta. El Rabí está en gran peligro. Nadie lo ama más en Israel y El, que es muy bueno, dice que por lo menos vosotros le seréis fieles.»

«Es lo que queremos. ¿Qué debemos hacer? ¿Qué quiere de nosotros?»

«¡Oh!, no quiere más que se le ame, porque se fía, *demasiado*, en la protección de Dios. ¡Y con lo que se anda diciendo en Israel! ¿No sabéis que se le acusa de satanismo e insurrección? ¿Comprendéis lo que significa esto? Represalias de los romanos sobre todos. Nosotros que tanto sufrimos, se nos golpeará más. A los santos de nuestro Templo se les condenará. Cierto que los romanos... Aun por *vuestro* bien deberíais hacer motines, persuadirlo a defenderse, defenderlo, hacer que de ningún modo se le aprehenda y que cause daño alguno involuntariamente. Persuadidlo a que vaya al Garizín. Allí hasta que no se aplaque la ira del Sanedrín y las sospechas de los romanos. El Garizín tiene el derecho de asilo. Es inútil decírselo a El. Si se lo decimos nosotros, nos dice que somos anatema, porque le aconsejamos a cometer una villanía. No es eso. Es que lo amamos. Lo hacemos por prudencia. No podemos hablar, pero vosotros, sí. Os ama. Prefirió vuestros lugares a otros. Tratad de acogerlo lo mejor que podáis, para que os convenzáis de que si os ama o no. Si rechazase vuestra ayuda, señal es de que no nos ama y por lo tanto sería mejor que se fuese a otra parte. Creednos, y lo decimos con el corazón desgarrado de dolor porque lo amamos: su presencia acarrea peligros a quien lo acoge. Vosotros sois mejores que otros y no pensáis en esto. A lo menos si habéis de sufrir las represalias romanas, hacedlo por amor. Os lo aconsejamos por el bien de todos.»

«Decís bien. Haremos como nos habéis dicho. Iremos a verlo...»

«¡Oh, sed prudentes! ¡Que no se trasluzca que os lo hemos sugerido.»

«¡No tengáis miedo! ¡No tengáis miedo! Sabremos darnos maña. Demostraremos que los despreciados samaritanos valen por cien, por mil judíos y galileos que defienden al Mesías. Venid. Entrad en nuestros hogares, vosotros los enviados del Señor. ¡Será como si El entrase! ¡Hacía mucho tiempo que Samaría esperaba que los siervos de Dios la amasen!»

Se alejan llevando en medio, como en triunfo, a los emisarios del Sanedrín, de lo que estoy casi segura. Dicen: «Vemos que nos ama porque en pocos días es el segundo grupo de discípulos que envía. Hecimos bien en haber tratado con cariño a los primeros.Y tenemos que ser buenos con El por los pequeñuelos de nuestra conciudadana muerta. El nos conoce ya...»

Se alejan felices.

Toda Efraín se desborda en las calles para ver un insólito cortejo de carruajes romanos que atraviesan por ella. Vienen muchos carruajes y literas, a sus lados esclavos, por delante y por destrás legionarios. La gente se deshace en comentarios. Llegado el cortejo cerca el camino que lleva a Betel y a Rama, se divide en dos partes. Se detienen un carro y una litera con su escolta de soldados. La cortina de la litera se separa un instante y una blanca mano femenina adornada con perlas hace señal al jefe de los esclavos de que se acerque. El hombre obedece sin hablar. Escucha. Se acerca a un grupo de mujeres curiosas, y pregunta: «¿Dónde está el Rabí de Nazaret?»

«En aquella casa. Pero a esta hora de costumbre está cerca del arroyo. Hay como una isla pequeña. Allá donde están aquellos sauces, donde está aquel álamo. Días enteros se los pasa orando allí.»

El esclavo lo comunica. La litera se pone en movimiento. El carro se queda. Los soldados siguen la litera hasta la ribera del torrente y cierran el camino. Sólo la litera sigue por el borde del cauce hasta la islita que con el tiempo se ha llenado de muchos matorrales, entre los que con su copa plateada sobresale el álamo. Los portadores se suben los vestidos, la litera pasa el riachuelo, baja Claudia Prócula con una liberta, y hace señal a un esclavo negro que la siga. Los demás regresan a la ribera.

Claudia entra en la islita con los otros dos y va derecha hacia el álamo. La hierba ahoga el ruido de los pasos. Llega donde está Jesús absorto, sentado a los pies del árbol. Lo llama. A sus dos seguidores les da orden con una mirada de que no la sigan.

Jesús levanta la cabeza y se pone de pie al ver a Claudia. La saluda sin inclinarse. No da muestras de sorpresa, ni de fastidio o disgusto, porque haya venido.

Claudia después del saludo, sin esperar dice a lo que ha venido: «Maestro, fueron a verme, mejor, fueron a ver a Poncio algunos... No me gusta hablar mucho. Pero porque te admiro te digo, como habría dicho a Sócrates si hubiera vivido en sus tiempos, o a cualquier otro hombre virtuoso a quien injustamente se le persigue: "No puedo hacer mucho, pero lo que puedo lo haré". Y mientras tanto escribiré a donde puedo para tenerte seguro y además... potente. Tantos que no lo merecen viven en tronos y en altos lugares...»

«Domina, no te he pedido ni honores, ni protección. Que el verdadero Dios te pague tu buen corazón. Da tus honores y tu protección a quien los desea como algo digno. Yo no los deseo.»

«¡Ah, esto es lo que quería! ¡Eres en verdad el Justo que he presentido! Y los otros: ¡tus indignos calumniadores! Fueron a vernos y...»

«No es necesario que hables, domina. Lo sé.»

«¿Sabes también que se dice que por tus pecados has perdido tu poder y que por eso vives aquí como desterrado?»

«También lo sé. Y sé que a esto le diste más credito que a lo primero. Porque tu inteligencia pagana puede discernir la grandeza o bajeza a que puede llegar un hombre, pero no puedes todavía comprender la grandeza del espíritu. Estás... desilusionada de tus dioses que en tu religión siempre están peleando y que apenas si tienen poder alguno, sujeto a caprichos mutuos. Y crees que así es el Dios verdadero, pero no. Soy el mismo cuando me viste por primera vez curar un leproso, y sigo siendo el mismo, y lo seré cuando parezca que todo se ha acabado. ¿No es aquel tu esclavo mudo?»

«Sí, Maestro.»

«Dile que venga.»

Claudia le grita y el hombre se acerca, se postra en el suelo entre Jesús y su patrona. Su corazón de esclavo no sabe a quién venerar más. Tiene miedo de que si venera más a Jesús que a ella, esta lo castigue. No obstante, mirando con ojos suplicantes a Claudia, vuelve a hacer lo que hizo en Cesarea: toma el pie desnudo de Jesús entre sus gruesas manos negras y poniendo su cara contra el suelo, se pone el pie sobre la cabeza.

«Escucha, domina. ¿Qué cosa es más fácil según tú, conquistar por sí mismo un reino, o hacer renacer una parte del cuerpo que no existe?»

«Un reino, Maestro. La fortuna ayuda a los audaces, pero ninguno, fuera de Ti, puede hacer que vuelva a la vida un muerto o que vea al ciego.»

«¿Y por qué?»

«Porque... porque sólo Dios puede hacerlo.»

«¿Entonces para ti soy Dios?»

«Sí... o por lo menos, Dios está contigo.»

«¿Puede Dios estar con un perverso? Hablo del Dios verdadero, no de vuestros ídolos que son ficción que se crea el que ignora lo que es, y fantasmas que se crea para apagar la sed de su alma.»

«No... diría yo. No, no lo diría. Nuestros mismos sacerdotes pierden su fuerza cuando están culpa.»

«¿Qué poder?»

«De leer en los signos del cielo y en las respuestas de las víctimas, en el vuelo de las aves, en su canto. Sabes... los augures, los arúspices...»

«Lo sé, lo sé. ¿Y qué? Mira. Tú levanta la cabeza, abre la boca, de la que hombres crueles te privaron de un don de Dios, y por voluntad del Dios verdadero, único, Creador de cuerpos perfectos, vuelve a tener lo que te arrancaron.»

Mete su dedo blanco en la boca del mudo. La liberta, curiosa, se acerca. Claudia se inclina a ver. Jesús saca su dedo y dice: «Habla y úsala para alabar al Dios verdadero.»

E inmediatamente ronco como el ruido de una trompeta, el hombre que hasta ahora había estado mudo, grita: «¡Jesús!» y cae en tierra llorando de alegría y lame realmente los pies desnudos de Jesús, como lo hiciera un perro agradecido.

«¿He perdido mi poder, domina? A quien insinúe esto, dale esta respuesta. Levántate. Sé bueno pensando en lo mucho que te he amado. Desde aquel día en Cesarea te he traído en mi corazón, y contigo a todos tus iguales. Se os considera mercancía, menos que a animales, cuando sois hombres, iguales a César por el nacimiento, y tal vez mejores por el corazón... Puedes irte, dómina. No hay más que hablar.»

«Sí. Hay algo más. Que yo había dudado... Que con dolor casi estaba a punto de creer lo que se decía de Ti. Y no yo sola. Fuera de Valeria que sigue constante en su modo de pensar, perdónanos a todas las demás. Hay también algo más. Te regalo a este que de nada me sirve ahora que habla; y esta bolsa de dinero.»

«No.»

«¡Entonces no me has perdonado!»

«Perdono aun a los de mi pueblo, que son dos veces culpables por no reconocer lo que soy, ¿y no iba a perdonaros a vosotros que carecéis de todo conocimiento divino? Bueno. Dije que no aceptaba ni el dinero, ni a este. Ahora acepto el dinero para que éste sea libre, para que vaya a su patria a decir que está en la tierra El que ama a todos los hombres, y que los ama cuanto más infelices los ve. Ten tu bolsa.»

«No, Maestro. Es tuya. Este queda libre. Es mío. Te lo doy. Tú lo libertas. No hay necesidad de dinero.»

«Entonces... ¿Cómo te llamas?» pregunta.

«Por burla lo llamaban Calixto, pero cuando fue aprehendido...»

«No importa. Sigue con el mismo nombre. Y que sea realidad al hacer bellísimo tu espíritu [1]. Vete, sé feliz porque Dios te ha salvado.»

¡Irse! El negro no se cansa de besar y de repetir: «¡Jesús! ¡Jesús!» nuevamente se pone el pie de Jesús sobre su cabeza diciendo: «Tú, mi único Patrón.»

«Yo, Yo soy tu verdadero Padre. Domina, procura que regrese a su patria. Emplea el dinero y lo demás que se le dé. Adiós, dómina. Y no des oído a las voces de las tinieblas. Sé justa. Trata de conocerme. Adiós, Calixto. Adiós, domina.»

Jesús de un solo brinco pasa el arroyo, de la parte contraria donde está la litera, y se mete entre matorrales, sauces y cañaveral.

Claudia llama a los portadores, y pensativa sube. Pero si guarda silencio, la liberta y el esclavo hablan por diez y hasta los mismos legionarios pierden su disciplina férrea ante el prodigio de una lengua que ha renacido. Claudia está muy pensativa para ordenar silencio. Recostada en la litera, la cara apoyada sobre los codos, no habla. Está absorta. Ni siquiera cae en la cuenta que la liberta no está con ella, sino que se ha puesto a hablar con los portadores, y Calixto con los legionarios. ¡Es grande la emoción para guardar silencio!

Tornan hacia el cruce para Betel y Rama. La litera deja Efraín para reunirse con el resto del cortejo.

---

[1] De hecho Calixto, palabra griega, significa: «bellísimo».

25. Jesús y el hombre de Yabnia

(Escrito el 7 de febrero de 1947)

Deben haber pasado muchos días, porque el trigo que en visiones anteriores había yo visto pequeñito, ahora después del último aguacero y de los días soleados, ha crecido y empieza a echar espiga. Un viento suave lo hace ondear. La brisa acaricia las nuevas ramas de los árboles frutales, que apenas caída la flor o a punto de caer, han echado hojitas de color esmeralda claro, tiernas, brillantes, hermosas como todo lo que es nuevo. Un poco retrasadas son las vides llenas de nudos. Pero entre sus brazos que se entretuercen, las yemas ha roto la costra, y aunque todavía dentro, dejan ver la pelusa gris plateada en donde anidan los futuros racimos. Los ramos parecen ablandarse con mayor gracia. El sol continúa su obra de pintor dando color a todo, de destilador de aromas; y mientras pasa su pincel con colores más vivos de los de ayer, calienta y con ello extrae del suelo, de los prados en flor, de los trigales, de los huertos, de los bosques, de los muros, de la ropa puesta a secar, las diversas ondas de olores, para crear una sola sinfonía de perfume que durará por todo el verano, hasta perderse en un agrio olor de mosto en las tinas donde la uva se convierte en vino. Se oye el cantar de los pajarillos, el balar de los corderos, de los chivos. Se oyen cantar a hombres por las faltas. Lo mismo que las risas de niños y mujeres. Es primavera. La naturaleza ama. El hombre se regocija con el amor de la naturaleza que mañana lo hará más rico, y goza de sus amores que prenden más fuerza. La esposa parece más bella. El marido más protector. Los niños más bonitos. Los niños que ahora son sonrisa y significan trabajo, pero que mañana en la vejez, serán también sonrisa y protección.

Jesús pasa entre los campos que suben y bajan según los desliveles del monte. Va solo. Vestido de lino, porque su último vestido de lana lo dio a Samuel. Trae un manto ligero color azul un poco alegre, echado sobre el hombro, que graciosamente envuelve su cuerpo, y que sostiene con un brazo sobre su pecho. La extremidad que pende del brazo, ligeramente ondea al soplo de la mansa brisa que pasa tocando, y los cabellos de su cabeza brillan al sol. Pasa. Donde ve niños se inclina a acariciar sus cabecitas inocentes y a escuchar sus cuitas, a admirar lo que le van a mostrar.

Una pequeñuela que tropieza en su carrera, por lo pequeña y porque su vestido es más largo, tal vez era de su hermano mayor, se acerca que es una sonrisa que se le escapa de los ojos y hace ver sus pequeños incisivos entre sus sonrosados labios, trayendo un manojo de margaritas en sus brazos, que más no podría traer. Las levanta y dice: «Para Ti. Son tuyas. A mamá daré después. Dame un beso, ¡aquí!» y aplaude con sus manitas sobre su boquita diciendo palabras de admiración y agradecimiento. Se pone de puntillas en un intento vano de llegar hasta el rostro de Jesús que bondadosamente ríe. La toma en sus brazos y con ella sigue su camino hacia un grupo de mujeres que meten en el agua telas nuevas para que después de tenderlas el sol las blanquee.

Las mujeres, agachadas hacia el agua, se enderezan saludando. Una de ellas sonriente dice: «Tamar te ha dado molestia... Desde hora temprana estaba cortando flores con la secreta esperanza de verte pasar. No me dio ni una, porque te las quería dar todas.»

«Las aprecio más que los tesoros de un rey. Son inocentes como las que acaban de nacer, y me las ha dado una que es inocente como las flores.» Besa a la niña poniéndola en el suelo y dice: «Que sobre ti venga la gracia del Señor.» Saluda a las mujeres y continúa su camino saludando a los agricultores y pastores que responden a su saludo desde sus campos o desde sus prados.

Parece que va a allá abajo, hacia Jericó. Luego regresa; toma otro sendero que sube nuevamente hacia los montes que están al norte de Efraín. También aquí, donde el sol da, y los vientos del norte no azotan, hay buenos trigales. El atajo entre dos campos tiene de una parte árboles frutales a determinada distancia y los capullos de los próximos frutos son como tantas perlas sobre la rama.

Un camino que baja de norte a sur corta el atajo. Debe ser un camino importante porque en el lugar del cruce hay piedras millares que usan los romanos en que está escrito señalando al norte: «Neápolis», y bajo esta palabra — esculpida con grandes letras latinas — con pequeñas, y con grafito en el granito: «Siquén»; en el lado que da el poniente: «Silo-Jerusalén»; en el del sur: «Jericó». En el de oriente no hay nada escrito. Se podría decir que si no hay escrito un nombre de ciudad, sí lo hay de una desgracia humana. En tierra, entre la piedra millar y el caño que flanquea el sendero, como en todos los caminos que están a cargo de los romanos, por donde corre el agua en tiempos de lluvia, está un hombre entumecido, es un montón de harapos y de huesos, tal vez muerto.

Jesús se inclina al verlo entre la hierba, lo toca: «Oye ¿qué te pasa?»

Un gemido es su respuesta. Se mueve, se desenvuelve, aparece una cara de esqueleto, cadavérica, y dos ojos cansados, dolorosos, lánguidos miran estupefactos. Trata de sentarse apoyándose con las manos, pero está tan débil que sin la ayuda de Jesús no lo logra.

Jesús lo ayuda y hace que se recline sobre la piedra millar. Le pregunta: «¿Qué te pasa? ¿Estas enfermo?»

«Sí.» Un «sí» muy débil.

«¿Por qué te has puesto de camino sólo y en estas condiciones? ¿No tienes a nadie?»

El hombre hace señal de que sí, pero está muy débil para responder.

Jesús mira a su alrededor. No hay nadie por los campos. Al norte, en la cresta de un collado, un montón de casas; al oeste, entre el verdor de la pendiente que se cambia entre las quebraduras del camino, pastores. Jesús baja sus ojos sobre el hombre. Pregunta: «Si te ayudase, ¿podrías ir hasta ese poblado?»

El hombre mueve la cabeza y dos lágrimas le bajan por las mejillas

163

tan secas como si fuera ya viejo, aunque la barba dice que todavía es joven. Une todas sus fuerzas y dice: «Me arrojaron... Temor a lepra... No lo estoy... Me muero... de hambre.» Respira dificultosamente por la debilidad. Se mete un dedo en la boca y saca una bolita verdosa: «Mira... He masticado trigo... pero todavía es hierba.»

«Voy a donde está ese pastor. Te traeré leche. Regreso pronto.» Casi de carrera va a donde está el ganado, a unos docientos metros.

Habla con el pastor, señala al hombre. El pastor se vuelve a mirar, parece como si no creyese. Luego dice que sí. Se quita del cinturón una escudilla de madera que trae como todos los pastores, ordeña una cabra, da la leche a Jesús, que con precaución baja la pendiente. El pastorcillo lo sigue.

Se pone de rodillas junto al hombre. Le pasa un brazo detrás de la espalda para levantarlo. Le acerca la leche tibia a los labios. Le hace beber a sorbos. Luego pone la taza en el suelo diciendo: «Por ahora basta. Si la bebes toda te haría mal. Deja que tu estómago tome fuerzas con la que bebiste.»

El hombre no protesta. Cierra los ojos. El pastorcillo lo mira sorprendido.

Después de algunos minutos Jesús ofrece nuevamente la taza, de la que bebe el hombre con pausas menos breves. Jesús devuelve la escudilla al muchacho que se va.

El hombre lentamente cobra fuerzas. Trata de incorporarse. Envía una sonrisa de agradecimiento a Jesús sentado en la hierba. A modo de excusa: «Te hago perder tiempo.»

«¡No te aflijas! El tiempo en amar a los hermanos no es perdido. Cuando te sientas mejor, hablaremos.»

«Me siento mejor. La vida vuelve a mi cuerpo y a mis ojos... Creía que iba morirme aquí... ¡Pobres de mis hijos! Había perdido toda esperanza... Y hasta ahora era grande... Si no hubieras venido, hubiera muerto... así... en el camino...»

«Cosa triste. Es verdad. Pero el Altísimo miró a su hijo y lo socorrió. Descansa un poco.»

El hombre obedece por unos minutos, luego abre sus ojos y dice: «Me siento revivir. ¡Oh, si pudiese ir a Efraín!»

«¿Para qué? ¿Hay alguien que te espere allí? ¿Eres de allá?»

«No. Soy de la campiña de Yabnia, cerca del Mar Grande. Fui a Galilea, a lo largo de la ribera, hasta Cesarea. Luego a Nazaret, porque estoy enfermo aquí (señala el estómago), de un mal que nadie puede curar y que no me deja trabajar en el campo. Soy viudo, con cinco niños... Soy nativo de Gaza. Mi padre fue filisteo y mi madre siro-fenicia. Uno de los nuestros, que era admirador del Rabí galileo, llegó con otro a nuestro lugar y nos habló del Rabí. Yo también lo oí. Cuando me enfermé, me dije: "Soy siro y filisteo: peste para Israel [1]. Pero Ermasteo ha afirmado que

---

[1] Porque paganos, como todos los paganos. Cfr. Mc. 7, 26 para los siro-fenicios; 1 Rey. 5, 1-4 para los filisteos. Cfr. también pág. 144, not. 17.

el Rabí de Galilea es bueno como poderoso. Yo lo creo. Voy a donde esté". Apenas llegó la buena ocasión, encomendé mis hijos a su abuela, recogí lo poco que tenía, pues mucho lo había gasto en medicinas, y me vine a buscar al Rabí. El dinero se acabó pronto en el viaje, sobre todo porque no se puede comer de cualquier cosa... y porque se debe estar en albergues, cuando el dolor arrecia. En Séforis vendí mi asno, porque no tenía más dinero, y para dar algo al Rabí. Pensaba que tan pronto me curase, podría comer de todo y regresar pronto a casa. Allí con el trabajo en mis tierras y de otros, me recuperaría... Pero el Rabí no estuvo en Nazaret, ni en Cafarnaúm. Su Madre me dijo: "Está en Judea. Búscalo en casa de José de Séforis en Bezeta o en el Getsemaní. Te dirán dónde está". Regresé a pie. Mi enfermedad crecía... el dinero disminuía. En Jerusalén, a donde me enviaron, encontré a muchos hombres, pero no al Rabí. Me dijeron: "¡Oh! lo han arrojado de acá desde hace mucho tiempo. El Sanedrín lo ha maldecido. Huyó y no sabemos dónde esté". Yo... me sentí morir... como ahora. Más que ahora. Fui preguntando a todos y a en las ciudades, y a en la capiña. Nadie supo darme razón. Algunos lloraban conmigo, muchos me pegaron. Un día, que estaba pidiendo limosna fuera del muro del templo, oí que dos fariseos decían: "Ahora que se sabe que Jesús de Nazaret está en Efraín..." No perdí tiempo. Débil como estaba vine para acá, pidiendo de limosna pan, cada vez más débil y de aspecto enfermizo. Como no soy de acá, extravié el camino... Hoy vengo de allá, de ese poblado. Hacía dos días que no chupaba sino hinojos selváticos, masticaba raíces y hierba de trigo. Me tomaron por leproso por mi palidez. Me echaron afuera a pedradas. No les pedía sino un pedazo de pan y que me señalasen el camino a Efraín... Aquí caí... Quisiera ir a Efraín... ¡Tan cerca que estoy de la meta! ¿Puede ser que no llegue? Yo creo en el Rabí. No soy israelita, pero tampoco lo era Ermasteo y el Rabí lo amó. ¿Posible que el Dios de Israel haga pesar su mano sobre mí en venganza de las culpas de mis antepasados?»

«El Dios verdadero es Padre de los hombres. Justo, pero bueno. Premia a quien tiene fe y no exige que los inocentes paguen por culpas que no son suyas. ¿Por qué dijiste que cuando oíste que no se sabía donde estaba el Rabí, te sentiste morir más que hoy?»

«¡Bueno! Porque me dije: "Lo perdí antes de encontrarlo".»

«¡Porque no te curarías!»

«No por esto sólo, sino porque Ermasteo nos repetía ciertas cosas que de haberlo conocido, no me consideraría más una asquerosidad.»

«¿Crees, pues, que sea El el Mesías?»

«Lo creo. No sé qué cosa quiera decir Mesías, pero creo que el Rabí de Nazaret es el Hijo de Dios.»

En el rostro de Jesús brilla una sonrisa luminosa. Pregunta: «¿Estás seguro que si tal lo es, te escucharía a ti, incircunciso [2]?»

---

[2] Respecto a la circuncisión cfr. Gén. 17; 21, 1-4; Ex. 4, 24-26; 12, 43-51; Lev. 12; 19, 23-25; Jos. 5, 2-9; 1 Mac. 1, 55-64; 2 Mac. 6, 10-11; Lc. 1, 59-66; 2,21; Hech. 7, 8; Rom. 4, 9-12.

«Seguro. Porque lo decía Ermasteo. Nos repetía: "Es el Salvador de todos. Para El no hay hebreos ni idólatras. Sólo criaturas que salvar porque el Señor Dios lo envió para esto". Muchos se reían. Yo creí. Si le pudiere decir: "Jesús, ten piedad de mí", me escuchará. ¡Oh, si eres de Efraín, llévame a donde está! Tal vez eres uno de sus discípulos...»

Jesús sonríe cada vez más y aconseja: «Trata de pedirme que te cure Yo...»

«Tú eres bueno. Cerca de ti me siento bien. Sí tú así eres bueno...cómo lo será el Rabí en persona. Tal vez te habrá dado poder de hacer un milagro, porque bueno eres, tienes que ser uno de sus discípulos. Todos los que encontré han sido buenos. ¿Te enojarías si dijese que podrías curar los cuerpos, pero no los corazones? Yo quisiera que también el mío se curara, como sucedió a Ermasteo. Ser un hombre recto... Y sólo puede hacerlo el Rabí. Soy un pecador además de enfermo. No quiero que mi cuerpo sane, sin que mi alma no se cure. Quiero vivir y quiero que viva también mi alma. Ermasteo nos decía que el Rabí es Vida del alma y que el alma que cree en El vive para siempre en el Reino de Dios. Llévame a donde está el Rabí. Eres bueno. ¿Por qué sonríes? ¿Porque crees que soy un atrevido en querer que me cure sin darle un óbolo? Una vez que me vea curado volveré a cultivar la tierra. Tengo huertos muy buenos. Que el Rabí vaya cuando es su estación y le pagaré con una hospitalidad como merece.»

«¿Quién te dijo que el Rabí quiere dinero? ¿Ermasteo?»

«No. Más bien él decía que el Rabí se compadece de los pobres y es el primero en socorrerlos. Pero se hace con todos los médicos... y con todos... para acabar...»

«Pero no con El. Te lo aseguro. Te aseguro que si pudieses aumentar tu fe a pedirle aquí el milagro, y de que es posible, lo alcanzarías.»

«¿De veras?... Si eres uno de sus discípulos no puedes mentir ni equivocarte. Aunque me desagrade no ver al Rabí... quiero obedecerte... Tal vez perseguido como está... no quiere que se le vea... no se fía de nadie. Tiene razón. Pero no somos nosotros los que lo llevaremos a la ruina. Serán los hebreos... Mira, yo digo aquí (se pone fatigosamente de rodillas): "Jesús, Hijo de Dios, ten piedad de mí!"»

«Y se haga como tu fe lo merece» dice Jesús con su gesto con que obra un milagro.

El hombre es presa como de una ofuscación, como si una luz improvisa le hubiera herido. Comprende — no sé si porque su inteligencia haya sido iluminada o por sensación física, o por ambas cosas — que es Jesús el que tiene delante y con un grito tan fuerte que el pastor, que había bajado, apresura el paso.

El hombre está en tierra con la cara entre la hierba. El pastor dice señalándolo con su cayado: «¿Está muerto? Cuando uno está exhausto además de la leche se necesita otra cosa» y mueve la cabeza.

El hombre lo oye, se pone de pie, fuerte, sano. Grita: «¿Muerto? ¡Estoy curado! El lo ha hecho. No me siento ni débil ni enfermo. Me siento como joven.¡Oh, Jesús bendito! ¿Porqué no te reconocí desde el principio? Tu piedad debió haberme dicho tu nombre. La paz que sentía cerca de Ti. Fui tonto. Perdona a tu pobre siervo» y se arroja de nuevo al suelo adorándolo.

El pastor deja allí mismo sus cabras y corre lo más que puede al poblado.

Jesús se sienta junto al curado: «Me hablaste de Ermasteo como si hubiera muerto. ¿Sabes cómo acabó? No quiero de ti sino una sola cosa, que vengas conmigo a Efraín y que digas a quien está conmigo cómo terminó. Luego te mandaré a Jericó, a casa de una discípula, para que te ayude a regresar.»

«Si lo quieres, iré. Ahora que me siento bien, no tengo miedo de morir en el camino. Aun la hierba me puede alimentar. No tendré verguenza de tender mi mano, porque no acabé mis bienes en la crápula, sino en algo que era honesto.»

«Quiero que vengas. Le dirás que me viste, que la espero aquí. Que puede venir, que nadie la molestará. ¿Podrás decírselo?»

«Lo podré. Ah, ¿por qué te odian, si eres tan bueno?»

«Porque muchos hombres tienen en sí un espíritu que se ha posesionado de ellos. Vamos.»

Jesús toma el camino a Efraín. Lo sigue el curado. Sólo los restos de una larga debilidad queda pintada en su rostro, como en el andar.

Del poblado baja haciendo señas y gritando mucha gente. Llaman a Jesús. Le dicen que se detenga. No los escucha, más bien aprieta el paso.

Llega a las cercanías de Efraín... Los trabajadores que se preparan a volver a casa, pues empieza el crepúsculo, lo saludan y miran también al hombre que lo acompaña.

De un atajo sale Judas de Keriot. Da como un grito de sorpresa al ver al Maestro, que no da señal de sorpresa alguna. Se vuelve al hombre que le acompaña y dice: «Este es un discípulo mío. Cuéntale de Ermasteo.»

«¡Oh, en pocas palabras se puede decir! Infatigable era en predicar al Mesías, aun después que se separó de su compañero para quedarse con nosotros. Decía que todos tenemos necesidad de conocerte, y que quería darte a conocer a su patria, y que regresaría después que hubiese divulgado en todos los poblados, aun los más pequeños, tu nombre. Vivía como un penitente. Si alguien le regalaba un pedazo de pan, lo bendecía en tu nombre. Si le arrojaban piedras los bendecía de igual modo. Se alimentaba de frutas del monte, de moluscos marinos que sacaba de los escollos o de la arena. Muchos decían que estaba "loco". Pero nadie lo odiaba en realidad. Llegaban a arrojarlo como mal augurio. Un día lo encontraron muerto por el camino, cerca de mis posesiones, en el camino que lleva a Judea. Nadie supo de qué murió. Pero se murmura que alguien lo mató porque predicaba al Mesías. Tenía una herida grande en la cabeza. Se dice que un caballo lo echó por suelo. Yo no lo creo. Aun tirado en el suelo, sonreía. Parecía como si sonriese a las últimas estrellas de la noche más serena de elul y a los primeros rayos matutinos. Los hortolanos que iban a la ciudad lo vieron y me lo dijeron cuando pasaban por mis limonares. Corrí a ver. Dormía en paz.»

«¿Oíste?» pregunta Jesús a Judas.

«Oí. ¿Pero no le prometiste que te habría servido, y que tendría una vida muy larga?»

«No dije así. Los años no te lo recuerdan bien. ¿No acaso me sirvió, evangelizando en lugares donde era desconcodio y no ha vivido así muchos años? ¿Qué vida más larga puede haber que la que se conquista en el servicio de Dios? Larga y gloriosa.»

Judas sonríe con esa sonrisa extraña que me molesta tanto, pero no replica.

Los del poblado se han unido a muchos de Efraín y hablan con ellos señalando a Jesús.

Jesús dice a Judas: «Acompáñalo a casa y trata de que se recupere. Después del sábado que empieza ahora, partirá.»

Judas obedece. Jesús se queda solo. Camina inclinándose a ver las espigas de trigo que comienzan a brotar.

Algunos hombres de Efraín le preguntan:«¿Verdad que es hermoso?»

«Hermoso, pero no diverso del de otras regiones.»

«Sin duda, Maestro. ¡Todo es trigo! Y debe ser igual.»

«¿Lo decís? Entonces el grano es mejor que los hombres. Basta con que se siembre bien, para que fructifique aquí como en Judea, o Galilea, o en las llanuras cercanas al Mar Muerto. Pero los hombres no dan el mismo fruto. La tierra también es mejor que los hombres, porque cuando se le arroja la semilla, no hace diferencia si es de Samaría o de Judea.»

«Tienes razón. ¿Pero por qué dices que la tierra y el grano son mejores que los hombres?»

«¿Por qué?... Hace poco un hombre pidió en un poblado por piedad un pedazo de pan. La gente judía de ese lugar lo arrojó. Lo arrojó porque creyó que estaba "leproso" debido a su flacura. Ese hombre estuvo a punto de morir en el camino. Por esto la gente de ese poblado, la que os mandó a preguntaros acerca de Mí, y que quería acercarse para ver al curado, es peor que el grano y que los terrones de tierra, porque aun cuando hace tiempo que he cuidado de ella no ha producido el mismo fruto que produjo ese hombre que no es ni judío, ni samaritano, que jamás me había visto ni oído, sino que acogió las palabras de un discípulo mío, y creyó en Mí sin conocerme. Es peor que los terrones porque rechazó al curado que es de otra raza. Ahora quiere satisfacer su sed de curiosidad, esa gente que no supo calmar el hambre de uno que moría. Decidles que el Maestro no satisfará su curiosidad. Y vosotros aprended la gran ley del amor, sin la que *jamás* seréis mis seguidores. No es el amor por Mí, ni sólo ello lo que salvará vuestras almas, sino el amor por mi enseñanza. Esta enseña a amar sin distinción de razas o de clases sociales. Váyanse lejos los duros de corazón que al mío han causado gran dolor, y se arrepientan si pretenden que los quiera. Recordad todos que si soy bueno, también soy justo. Si no hago distinciones y os amo como a los otros de Galilea o Judea, esto no quiere decir que os enorgullezcáis neciamente por ser preferidos, ni confiéis de que no os reprenda. Alabo y regaño, según la justicia lo necesita, a mis parientes y a mis apóstoles, como a cualquier otro. En mi regaño hay siempre amor. Lo hago porque quiero que haya rectitud en los corazones para poder un día premiarlos por lo que hicieron. Id y decidlo. Que mis palabras produzcan fruto en todos.»

Jesús se envuelve en su manto y ligero camina a Efraín dejando parados a sus interlocutores, que después se van cabizbajos, a repetir las palabras del Maestro a los del poblado que no tuvieron compasión.

26. Jesús, Samuel, Judas y Juan
(Escrito el 10 de febrero de 1947)

Nuevamente Jesús, solo y absorto, se dirige lentamente a el espeso del bosque, al oeste de Efraín. Del arroyo sale el choque del agua y de los árboles el canto de los pajarillos. La luz del sol es tibia bajo lo tupido de las ramas, y caminar sobre la hierba tupida no produce ruido alguno. Los rayos del sol forman una alfombra de ruedas o de rayos doradas en lo verde de la hierba, y los pétalos de alguna florecilla que hieren los rayos directamente parece como si fueran astillas brillantes.

Jesús va subiendo a un risco como balcón, sobre el que se levanta una gigantesca encina de la que penden ramas de mora o rosa selvática que se mueven, de hiedras o clemátides que no encontrando apoyo en donde nacieron, demasiado estrecho para su exuberante fuerza, se lanzan al vacío como una cabellera despeinada, tienden sus brazos como para asirse a cualquier objeto.

Jesús ha llegado a la cima. Camina hacia su extremidad, haciendo a un lado las ramas. Una parvada de pajarillos huyen impelidos por el miedo. Jesús se pone a mirar al que lo precedió, que a la orilla del peñasco, con los codos apoyados sobre el suelo y sobre ellos su cara, mira al vacío, hacia Jerusalén. El hombre es Samuel, el antiguo discípulo de Jonatás ben Uziel. Está pensativo. Suspira. Mueve la cabeza...

Jesús mueve las ramas para llamar su atención y al ver que el otro no cae en la cuenta, le echa una piedra entre la hierba que rueda hacia abajo. El ruido saca de sí al joven que se vuelve: «¿Quién es?»

«Yo, Samuel. Te me adelantaste a uno de mis lugares preferidos para orar» responde Jesús asomándose tras del tronco de la encina, y lo hace como si hubiera llegado en esos momentos.

«¡Oh, Maestro... me desagrada! Al punto te dejo el lugar» dice levantándose aprisa y recogiendo el manto que se había quitado para ponérselo debajo.

«No. ¿Por qué? Hay lugar para dos. Es tan hermoso este lugar. Tan solo, suspendido en el vacío, iluminado y plano hacia adelante. No lo dejes.»

«Quiero dejártelo para que ores...»

«¿Y no podemos hacerlo juntos, meditar, hablar con el espíritu elevado a Dios... olvidando a los hombres y sus debilidades, pensando en Dios nuestro Padre, en El que es bueno con todos los que lo buscan y lo aman con buena voluntad?»

Samuel se sacude de sorpresa cuando Jesús dice «olvidando a los hombres y sus debilidades...» mas no replica. Vuelve a sentarse.

Jesús se sienta a su lado en la hierba. «Siéntate aquí. Mira qué limpio está el día. Si tuviéramos ojos como el águila podríamos ver los poblados que blanquean sobre las crestas de los montes que rodean Jerusalén. Y tal vez, podríamos ver un punto resplandeciente como una piedra preciosa en el aire que haría palpitar más nuestro corazón: la cúpula de oro de la casa de Dios... Mira, allá está Betel. Blanquean sus casas, y más allá Berot. ¡Qué astutos fueron los antiguos habitadores de esos lugares y vecindades! Lo lograron aun cuando el engaño no sea un arma buena. Lo lograron porque lo hicieron para servir al verdadero Dios. Hay que perder siempre las honras humanas para conseguir la vecindad con lo divino, aun cuando los honores humanos fuesen muchos y de gran estima, y la cercanía con lo divino sea algo humilde y desconocida. ¿No es verdad?»

«Así es, Maestro. Igual me pasó a mí.»

«Pero estás triste, pese a que el cambio debería hacerte feliz. Estás triste. Sufres. Te aíslas. Miras hacia los lugares abandonados como si fueras un pájaro cautivo, que dentro de su jaula se queja los lugares en que tuvo sus amores. No digo que no lo hagas. Eres libre. Puedes irte y...»

«Señor, ¿te ha hablado Judas acaso mal de mí que así me hablas?»

«No. Judas no me ha hablado nada. *A Mí no me ha dicho nada, pero a ti, sí.* Y tú estás triste por esto, y te aislas desconsolado por esto.»

«Señor, si sabes estas cosas sin que nadie te las haya dicho, sabrás también que no tengo deseos de dejarte, porque no me hubiera arrepentido, por nostalgia del pasado... ni siquiera por temor a los hombres que podrían castigarme, por ninguna de esas cosas estoy triste. Miraba hacia allá, es verdad, en dirección de Jerusalén, pero no por ansia de regresar. Quiero decir como fui antes. Cierto que tengo ansias de regresar como un israelita que desea entrar en la casa de Dios y adorar al Altísimo, como todos las sentimos, y no creo que puedas reprocharme esto.»

«Soy Yo el primero, en mi doble Naturaleza, quien anhela por ese altar, y quisiera verlo rodeado de santidad como conviene. Como Hijo de Dios cualquier cosa que lo honra es para Mí un cántico, y como Hijo del hombre, como israelita, y por lo tanto Hijo de la ley, veo el Templo y el altar como el lugar más sagrado de Israel, alrededor del cual puede estar nuestro ser vecino a Dios y llenarse del perfume que rodea su trono.

Samuel, Yo no anulo la ley. Es sagrada para Mí porque mi Padre la dio. La perfecciono y pongo en ella cosas nuevas [1]. Puedo hacerlo porque soy su Hijo. Para eso me mandó, para fundar el espiritual de mi Iglesia, contra la que ni el tiempo, ni los hombres, ni los demonios podrán hacer algo. Pero las tablas de la ley no tendrán sino un honor en mi Iglesia, pues son eternas, perfectas, intocables. Mi palabra no anula el "no hacer esto o aquello" que se encuentra en las tables, que brevemente dictan lo que es suficiente para que cualquier hombre pueda ser justo a los ojos de Dios. Sólo os digo que cumpláis con esas leyes *perfectamente*, no por temor al castigo de Dios, sino por amor a El que es vuestro Padre. He venido para que pongáis vuestra mano filial en la de vuestro Padre [2]. ¡Cuántos siglos han pasado en que están divididas esas manos! El castigo las separaba, la culpa las separaba [3]. Llegado el Redentor, el pecado está para ser anulado. Las barreras caen. Nuevamente [4] sois hijos de Dios.»

«Es verdad. Eres bueno y me consuelas. Como sabes mi angustia no te la manifestaré. Pero te pregunto: ¿por qué los hombres son tan malos, tan necios, tan imbéciles? ¿Qué mañas usan para podernos sugestionar diabólicamente al mal? ¿Y por qué somos tan ciegos de no ver la realidad y creer en las mentiras? ¿Cómo podemos llegar a ser así demonios? ¿Y seguirlo siendo cuando se está tan cerca a Ti? Miraba allá y pensaba... Sí, pensaba en cuánto veneno sale de allá para hacer mal a los hijos de Israel. Pensaba cómo la sabiduría de los rabinos puede mancomunarse con tanta maldad que sea capaz de arrastrar al hombre al engaño. Pensaba yo, sobre todo pensaba en que...» Samuel, que había hablado con ímpetu se detiene y baja la cabeza.

Jesús termina la frase: «...por qué Judas mi apóstol, es lo que es, y me causa dolor a Mí, a quien me rodea, o a quien viene a Mí, como a ti que has venido. Lo sé. Judas trata de alejarte de aquí y te hace insinuaciones y se burla...»

«No sólo de mí... Me envenena mi gozo de haber entrado en la justicia

[1] Afirmación exacta y clara. Cfr. Mt. 5, 17 y todo el cap. 5; y también Rom. 3, 31.

[2] Como not. anterior.

[3] Cfr. Gén. 3; Rom. 5, 12-21.

[4] La expresión «nuevamente» es muy exacta: de hecho el Padre que por medio de su Hijo (Ju. 1, 3) creó todo, por su mismo medio, al haberse hecho Hombre, con Amor Infinito, esto es, por virtud del Espíritu Santo todo ha vuelto a crear y crea, ha renovado todo. Por esto la Liturgia, sobre todo en el tiempo pascual, canta a su renovación llevada por el Padre, mediante su Cristo, por la fuerza el Espíritu Paráclito. Piénsese por ejemplo en la antigua y hermosísima bendición de la fuente (o agua) bautismal: «...Hic (esto es, en esta fuente o agua) omnium peccatorum maculae deleantur, hic natura ad imaginem tuam condita, et ad honorem tui *reformata* principii, cunctis vetustatis squaloribus emundetur: ut omnis homo, sacramentum hoc regenerationis ingressus, in verae innocentiae *novam* infantiam *renascatur*...» *(Misal Romano*, Vigilia pascual). El renacimiento, esto es, la renovación, no será perfecto y completo si no en el día de la resurrección de los cuerpos. Entonces las expresiones litúrgicas: «...O felix culpa, quae talem ac tantum meruit habere Redemptorem!...» *(Misal Romano*, Vigilia Pascual, «Exultet», di s. Ambrosio, s. IV); «Deus, qui mirabiliter creasti hominem, et mirabilius redemisti...» (en el segundo nocturno), etc.

171

con tantas mañas que pienso de estar aquí como un traidor, traidor para mí y para Ti. Para mí porque me engaño de ser mejor, mientras que no es así, porque seré causa de tu ruina. De veras que todavía no me conozco... podría, si encontrase a los del Templo, ceder a mi propósito y ser... ¡Oh! si lo hubiera hecho antes, habría tenido la excusa de no conocer lo que eres, porque solamente sabía de Ti lo que me habían dicho para convertirme en un maldito... ¡Pero si lo hiciese ahora! ¡Cuál no será la maldición que caerá sobre el traidor del Hijo de Dios! Estaba yo aquí... pensando, sí pensaba a dónde huir para estar seguro de mí mismo y de ellos. Pensaba en huir a algún lugar lejano, para unirme a los de la Diáspora... Lejos, lejos, para impedir al demonio de que me hiciera pecar... Tiene razón tu apóstol, de desconfiar de mí. Mi conoce. Nos conoce a todos porque conoce a los jefes... Tiene razón de dudar de mí. Cuando dice: "¿Pero no sabes que El nos anuncia que seremos débiles? Piensa: nosotros que somos sus apóstoles y que desde hace tanto tiempo estamos con El. Y tú, que todavía hueles al viejo Israel, que has llegado cuando nuestro corazón tiembla de temor, ¿crees que vas a tener fuerzas para seguir siendo justo?" tiene razón.» Samuel, desconsolado, baja la cabeza.

«¡Cuántas tristezas se infligen mutuamente los hombres! En verdad que Satanás sabe aprovecharse de esta inclinación suya para aterrorizarlos y separarlos de la alegría que sale a su encuentro para salvarlos. Porque la tristeza del corazón, el temor del mañana, las preocupaciones son armas que el hombre pone en manos de su enemigo, que lo espanta con los mismos fantasmas que el hombre se crea. Hay otros hombres que hacen alianza con Satanás para espantar a sus hermanos. Pero, óyeme, ¿no hay un Padre en el cielo? ¿No es acaso un Padre que así como cuida de esta hierba nacida en la hendidura de la roca — en ella hay suficiente tierra, y está hecha de modo que la humedad del rocío, al correr por la roca, se junte en ese sutil hueco, para que pueda vivir y dar esta pequeña flor, que en su belleza no es menos admirable que el sol que resplande allá arriba, y ambos obra perfecta del Creador — así puede cuidar de su hijo *que quiere firmemente servirle?* ¡Oh, Dios no desilusiona a los "buenos" deseos del hombre, porque es El quien los enciende en vuestros corazones! Es El, próvido y sabio, que crea las circunstancias para ayudar no sólo el deseo de sus hijos, sino para enderezar y perfeccionar un deseo de honrarlo, que de imperfecto se hace perfecto.* Tú te encuentras entre éstos. Creíste, y estabas convencido de que persiguiéndome honrabas a Dios. El Padre vio en tu corazón no el odio, sino deseo de darle gloria, arrebatando del mundo al que te habían dicho que era enemigo de Dios y corruptor de almas. Entonces creó las circunstancias para escuchar tu deseo de darle gloria. Y por eso estás ahora entre nosotros. ¿Quieres pensar que Dios te abandone, ahora que te ha traído? *Sólo si tú lo abandonases* podría vencerte la fuerza del mal.»

«No quiero. Es mi voluntad sincera» responde firmemente Samuel.

«Entonces, ¿de qué te preocupas? ¿De las palabras de un hombre? Déjalo que diga. *El piensa a su modo.* El pensamiento del hombre es siempre imperfecto. Voy a tener cuidado de ello.»

«No quiero que lo vayas a regañar. Me basta que me asegures que no pecaré.»

«Te lo aseguro. No lo harás *porque no quieres* que te suceda. Mira, de nada te serviría ir a la Diaspora y hasta los confines de la tierra para preservar tu alma del odio contra el Mesías y del castigo por tal odio. En Israel muchos no se mancharán del crimen, pero no serán menos culpables de los que me condanarán y dictarán mi sentencia. Contigo puedo hablar de estas cosas, porque sabes que todo tiende a esto. Conoces los nombres y las intenciones de mis enemigos más encarnizados. Tú lo has dicho: "Judas nos conoce a todos, porque conoce los jefes". Si él os conoce, también vosotros, que no sois jefes, que sois como sus lacayos, conocéis lo que se está preparando entre manos, y en qué forma, y quién lo hace, qué planes se fraguan, qué medios se preparan... Por esto puedo hablar contigo. No lo podría hacer con otros... Lo que puedo padecer y compadecer, otros no lo pueden...»

«Maestro, pero ¿cómo puedes ser lo que eres, sabiendo esto?... ¿Quién viene subiendo?» Samuel se levanta para ver. Exclama: «¡Judas!»

«Soy yo. Me dijeron que por aquí había pasado el Maestro y te encuentro a ti. Me regreso. Te dejo entregado a tus pensamientos» y ríe con esa sonrisilla que es más lúgubre que el lamento de una lechuza.

«Estoy también Yo. ¿Me necesita alguien en el poblado?» pregunta Jesús mostrándose detrás de Samuel.

«¡Oh, Tú! ¡Estabas en buena compañía, Samuel! Y también tú, Maestro...»

«Dices bien. La compañía de uno que abraza la justicia es siempre buena. Me buscabas para estar conmigo. Ven. Hay lugar tanto para ti como para Juan, si viniese contigo.»

«Está allá abajo, con peregrinos.»

«Entonces tendré que ir.»

«No es necesario, se quedan hasta mañana. Juan los ha colocado en nuestros lechos. Es feliz en hacerlo. Todo lo contenta. En verdad que os asemejáis. No comprendo cómo lográis a estar siempre contentos y hasta de lo más... fastidioso.»

«La misma pregunta te iba yo a hacer cuando llegaste» dice Samuel.

«¡Ah, sí! Entonces tampoco tú te sientes feliz, y te sorprendes que otros, en condiciones todavía más... duras que las nuestras, lo sean.»

«Yo no soy infeliz. No hablo por mí. Pienso sólo que de donde saca el Maestro la serenidad que tiene, pese a que no ignora su futuro.»

«¿De dónde? ¡Del cielo! Es natural. Es Dios. ¿Lo dudas acaso? ¿Puede un Dios sufrir? El está sobre el dolor. El amor del Padre es para El como... como un vino que embriaga. Y vino embriagador es para El la convicción de que sus acciones... son la salvación del mundo. Y luego... ¿Puede tener reacciones físicas como nosotros los pobres hombres tenemos? Esto sería contrario al buen sentido. Si el inocente Adán no conoció el dolor de ninguna clase, ni lo hubiera conocido, si siempre se hubiera conservado inocente, Jesús que es el super-inocente, la criatura... no sé si llamarla, increada siendo Dios, o creada porque tuvo padres... ¡Oh, cuántos "porqués" insolubles a los que vendrán después, Maestro mío! Si Adán estaba libre del dolor por su inocencia, ¿puede pensarse que puedas sufrir?»

Jesús con la cabeza inclinada a vuelto a sentarse sobre la hierba. Los cabellos le hacen de velo, y por esto no puede ver la expresión de su rostro.

Samuel, de pie, cara a cara con Judas le replica: «Si debe ser el Redentor, debe sufrir *realmente*. ¿No te acuerdas de David y de Isaías?»

«Sí. Pero aunque veían la figura del Redentor, no veían el auxilio inmaterial por el que el Redentor aunque fuese, digamos, torturado, no sentiría.»

«¿Cuál? Una criatura puede amar el dolor, o padecerlo resignadamente, según la excelencia de su virtud. Pero siempre lo sentirá. Si no lo sintiese... no sería dolor.»

«Jesús es Hijo de Dios.»

«Pero no un fantasma. ¡Es un verdadero hombre! El cuerpo sufre si se le tortura. El hombre sufre si se le ofende o si se le hace objeto de burla.»

«Su unión con Dios elimina en El estas cosas humanas.»

Jesús levanta su cabeza y habla: «En verdad te digo, Judas, que sufro y sufriré como ningún hombre. *Puedo ser feliz igualmente por la felicidad santa y espiritual de los que se libraron de las tristezas de la tierra al abrazar la voluntad de Dios como su única meta. Puedo serlo porque he superado el concepto humano de felicidad, la inquietud de no poseerla, como los hombres se la figuran. No voy detrás de lo que los hombres creen que es la felicidad, sino que cifro mi alegría en el lado contrario de lo que el hombre cree. Lo que él desprecia y huye porque le producen fatiga y dolor, para Mí son lo más dulce. No miro a la hora, miro a las consecuencias que puede acarrear en la eternidad. Mi acción cesa, pero su fruto permanece. Mi dolor termina, pero sus valores no.* ¿Qué interés tiene para Mí una hora de "ser feliz" en la tierra, después de que anduve tras ella por años y lustros, si no puede venir conmigo a la eternidad, cuando debería de gozar de ella, y hacer que participen de ella a los que amo [5]?»

«Si triunfas, nosotros, tus seguidores, participaremos de tu felicidad» exclama Judas.

«¿Vosotros? ¿Y qué sois vosotros en comparación con las multitudes presentes, pasadas, futuras a las que mi dolor dará alegría? Yo veo más allá de la felicidad terrena. Mi mirada va a lo sobrenatural. *Veo que mi dolor es gozo eterno para una inmensidad de hombres. Abrazo el dolor como la fuerza mayor para llegar a la felicidad perfecta que es la de amar al prójimo hasta sufrir para darle alegría, hasta morir por él.*»

---

[5] «La verdad... a los que amo». Trozo profundo y exactísimo. Tiene que tenerse en cuenta en el volumen dedicado a la Pasión de Jesús. Cfr. Ju. 4, 34; 6, 37-40; 14, 30-31, etc.

«No comprendo esta felicidad» replica Judas.

«Todavía no eres sabio. De otro modo la comprenderías.»

«¿Y Juan lo es? Es más ignorante que yo.»

«Hablando humanamente sí, pero tiene la ciencia del amor.»

«Está bien. Pero no creo que el amor haga que los palos dejen de ser palos, que las piedras dejen de serlo, y que no produzcan dolor cuando uno se pega con ellas. Siempre has dicho que amas el dolor porque para Ti es amor, pero cuando realmente seas preso y torturado, si fuese posible, no sé si pensarás de igual modo. Piensa mientras puedes escapar al dolor. ¿Será horrible, sabes? Si los hombres te llegan a aprehender... ¡oh, no tendrán cumplimientos!»

Jesús lo mira con semblante palidísimo. Sus abiertos ojos parecen mirar, más allá de la cara de Judas, las torturas que lo esperan, y sin embargo envueltos en esta tristeza siguen siendo suaves y dulces, sobre todo serenos: los ojos limpios de un inocente. Responde: «Lo sé. Y sé aun lo que no sabes; mas espero en la misericordia de Dios. El que es misericordioso con los pecadorers, tendrá también misericordia de Mí. No le pido que no sufra, *sino de saber sufrir*. Vámonos. Samuel, adelántate un poco y dile a Juan que pronto estaré allí.»

Samuel se inclina y ligero se va.

Jesús empieza a bajar. El atajo es tan estrecho que va uno tras del otro. Esto no impide a Judas que diga: «Te fías mucho de ese hombre, Maestro. Te dije ya quién es. El más exaltado y revoltoso de los discípulos de Jonatás. Ahora ya es tarde. Te pusiste en sus manos. Es un espía. Y pensar que Tú más de una vez, y los otros más que Tú, habéis pensado que lo era yo. Yo no soy un espía.»

Jesús se detiene y se vuelve. Dolor y majestad se funden en su rostro, en su mirada. Dice: «No. No eres un espía. *Eres un demonio*. Has robado a la serpiente [6] su preorrogativa de seducir y de engañar para apartar de Dios. Tu conducta no es ni como la de una piedra, ni como la de un bastón, pero me hiere mucho más. En medio de duro padecimiento no habrá otro mayor que tu conducta con que me torturarás.» Jesús se lleva las manos al rostro, como para esconderse del horror, luego se apresura a bajar por el atajo.

Judas detrás le grita: «Maestro, Maestro, ¿por qué me causas dolor? Ese falso me calumnió... ¡Escúchame, Maestro!»

Jesús no le hace caso. Corre, vuela. Pasa sin detenerse junto a los bosquecillos o junto a los pastores que lo saludan. Pasa, saluda, pero no se detiene. Judas se resigna a no hablar...

Han llegado casi al cruce cuando se encuentran con Juan, que como de costumbre, con su sonrisa tranquila va a su encuentro. Lleva de la mano a un niño que chupa un pedazo de panal de miel.

«¡Maestro! Son personas de Cesarea de Filipo. Supieron que estabas aquí y vinieron. ¡Pero qué raro! Nadie ha hablado y todos saben dónde

---

[6] Cfr. Gén. 3, 1-13 y vol. 4°, pág. 419, not. 6.

estás. Ahora descansan. Están muy fatigados. Fui a casa de Dina para que me diese leche y miel porque hay un enfermo. Lo puse en mi lecho. No tengo miedo. El pequeño Anás quiso venir conmigo. No lo toques, Maestro, que está lleno de miel» y el buen Juan se ríe en cuyos vestidos hay muchas gotas de miel, de los dedos del niño. Procura que está detrás de él, para no ensuciar a Jesús, pero grita a voz en cuello: «Ven. Hay mucho panal para Ti.»

«Están ahora sacando la miel en la casa de Dina. Me lo dijeron» explica Juan.

Continúan su camino. Llegan a la primera casa donde todavía se oye el ruido que hacen los apicultores, que no comprendo por que lo hagan. Racimos de abejas — parecen piñas — cuelgan de las ramas, y se ve a algunos hombres que los cortan para llevarlos a las nuevas colmenas. Más allá se ve cómo en las colmenas ya hechas entran y salen zumbando las abejas.

Vienen al encuentro de Jesús varios hombres y una mujer con dos bellos panales de miel que le ofrecen.

«¿Por qué te privas de ellos? Ya le has dado a Juan...»

«Mis abejas tienen mucha miel. No me preocupa ofrecerte algo. Bendice mis colmenas. Mira: están recogiendo la última. Este año tuvimos el doble.»

Jesús va a las colmenas y bendice una por una en medio del zumbido de las abejas que jamás se cansan de trabajar.

«Todas están contentas. Tienen nueva casa...» dice alguien.

«Y nuevas bodas. Parece como si fuesen mujeres que se preparasen a las bodas» dice otro.

«Es verdad, con la excepción de que las mujeres más que trabajar se ponen a charlar. Estas, por el contrario, no hablan y trabajan en días aún en que hay bodas. Trabajan para hacerse un reino y riquezas» añade uno de más allá.

«Trabajar siempre para conseguir la virtud es cosa lícita, más bien, obligatoria. No así cuando se hace por lucro. Pueden hacerlo los que ignoran que a Dios puede honrársela su día [7]. Trabajar en silencio es algo meritorio que todos deberían aprender de las abejas, porque en el silencio se realizan cosas santas. Sed rectos como las abejas. Sed incansables y silenciosos. Dios ve. Dios premia. La paz sea con vosotros» dice Jesús. Y sólo ya con sus dos apóstoles dice: «*Sobre todo a los operarios de Dios propongo las abejas de modelo. Descargan en el interior de la colmena su miel que incansablemente formaron con su trabajo en las corolas. No parece que se fatiguen por el gusto con que lo hacen, volando de flor en flor, y luego cargados del polen, entran para elaborar la miel en lo íntimo de sus celdillas. Habría que imitarlas en escoger enseñanzas, doctrinas, amistades sanas, que den jugos de virtud, en saber aislarse para elaborar de lo que se recogió la virtud, la rectitud que es como la miel sacada de*

---

[7] Cfr. vol. 1º, pág. 511, not. 1.

muchas flores, sin descuidar la buena voluntad, sin la que el polen no serviría para nada; en saber meditar humildemente en el corazón lo que hemos visto y oído de bueno, sin envidiar si cerca de las obreras están las reinas, esto es, si hay alguien más justo de lo que sea el que medita. Todas las abejas son necesarias en la colmena como lo es la reina. ¡Ay si todas fuesan reinas!, ¡ay si todas obreras! Morirían todas. Las reinas no tendrían comida para alimentar a las crías, y las obreras se acabarían si las reinas no procreasen. No envidiar a las reinas. Sufren también ellas. No ven el sol sino una sola vez, en su vuelo nupcial. Después como antes no les queda más que la oscuridad en medio de paredes de ámbar. Cada uno tiene su oficio, y a cada oficio corresponde una elección, lo mismo que a ésta una honra. Las obreras no pierden su tiempo en vuelos inútiles o en vuelos peligrosos sobre flores venenosas. No se arriesgan a probar ventura. No se oponen a su misión. No se rebelan contra el fin para el que fueron creadas. ¡Oh, milagro en seres tan pequeños! ¡Cuánto enseñáis a los hombres!...»

Jesús se calla, perdiéndose en su pensamiento. Judas se acuerda de que tiene que ir a quién sabe que lugar, y parte a la carrera. Se quedan Jesús y Juan. Mira a Jesús sin decirle nada, con una mirada envuelta en un profundo cariño. Jesús levanta su cabeza y se encuentra con la mirada del predilecto. Su rostro brilla de alegría al verlo.

Juan pregunta: «¿Ha vuelto Judas a causarte dolor, no es verdad? Lo mismo habrá hecho a Samuel.»

«¿Por qué? ¿Te dijo algo sobre ello?»

«No. Pero lo he comprendido. Sólo dijo: "Generalmente si se convive con buenos, se hace uno bueno, pero Judas, pese a que viva con el Maestro, desde hace tres años, no lo es. Está corrompido en lo profundo de su ser, y la bondad de Jesús no penetra en él porque es un perverso". No supe qué responder... porque es verdad... ¿Por qué es así Judas? ¿Posible que no cambie nunca? Y sin embargo... todos tenemos las mismas lecciones... y cuando vino con nosotros, no era peor que nosotros...»

«¡Querido Juan!» y al besarlo en la frente le responde: «Hay criaturas que parecen vivir para destruir el bien que hay en sí. Eres pescador y sabes cómo se mueva la vela cuando el ventarrón se echa sobre ella. Se inclina hacia el agua que se convierte en peligro, de modo que hay veces en que es necesario arriarla, de otro modo en lugar de salvar, llevaría a la muerte. Pero si el ventarrón cesa, aunque sea por unos instantes, la vela se hincha y veloz corre hacia el puerto. Lo mismo sucede con muchas almas. Basta con que el ventarrón de las pasiones se aplaque, que estaba inclinada, y a punto de irse pique... para que vuelva a sentir sus anhelos hacia el Bien.»

«Así es, Maestro... ¿pero llegará Judas a tu puerto? Dímelo.»

«¡No me hagas ver el futuro de uno de mis mejores amigos! ¡Tengo ante mi vista el futuro de millones de almas para las que será inútil mi dolor... Tengo ante mis ojos *todas* las maldades del mundo... La náusea me perturba. La náusea del rebullir de cosas inmundas que como río cubre la tierra y la cubrirá con formas diversas, pero siempre horribles para la Perfección, hasta el fin de los siglos. ¡No me hagas ver! Deja que encuentre un poco de descanso al estar contigo, que eres realmente mi consuelo!» y Jesús le da una manifestación de cariño al besarlo en su frente.

Entran en casa. En la cocina está Samuel cortando la leña para ayudar a la anciana.

Jesús le pregunta: «¿Están durmiendo los peregrinos?»

«Me parece que sí. No oigo ningún ruido. El agua es para sus animales. Están debajo de la leñera.»

«Yo lo hago, y ve a la casa de Raquel. Me prometió un poco de queso fresco. Dile que se lo pagaré el sábado» dice Juan cargándose los dos cubos de agua.

Se quedan Jesús y Samuel solos. Jesús se inclina sobre Samuel que enciende la llama, le pone la mano sobre la espalda: «Judas nos interrumpió allá arriba... Quiero avisarte que te enviaré con mis apóstoles después del día siguiente al sábado. Tal vez te sea mejor...»

«Gracias, Maestro. Me desagrada no estar contigo, pero te encontraré en tus discípulos. Quiero ir, y no estar con Judas. No me atrevía a pedírtelo...»

«Está bien. Arreglado. Compádecelo, como Yo lo hago. No digas nada a Pedro, ni a nadie...»

«Sé guardar un secreto, Maestro.»

«Luego vendrán los discípulos, entre los que están Hermas, Esteban e Isaac, sabios, justos. Te acomodarás a ellos. Son verdadores hermanos.»

«Sí, Maestro. Tú comprendes a uno y lo ayudas. Eres en realidad el Maestro bueno» y se inclina a besarle la mano.

27. La Virgen y las discípulas llegan a Efraín
(Escrito el 12 de febrero de 1947)

En la casa de María de Santiago todos se han levantado pese a que apenas acaba de salir el sol. Como están los ápostoles, que siempre están en misión, me imagino que debe ser sábado. Se entregan a preparar hornos y a calentar agua. Ayudan a María a amasar la harina para hacer pan. La anciana, como una niña, está muy inquieta y cada vez que puede pregunta ya a este ya a aquel: «¿Será de veras hoy? ¿Están preparados los otros lugares? ¿Estáis seguros que no son más de siete?»

Responde Pedro que está desollando un cordero para cocerlo: «Debían de haber llegado antes del sábado, pero tal vez las mujeres no estaban prontas y por eso se retardaron. Hoy llegarán. ¡Me siento feliz! El Maestro tal vez ha salido a su encuentro...»

«Salió con Juan y Samuel hacia el camino que lleva al centro de

Samaría» responde Bartolomé que sale con un cubo lleno de agua hirviente.

«Entonces sí que llegan. El conoce todas las cosas» asegura Andrés.

«¿Por qué te ríes así? Dímelo. ¿Dijo mi hermano algo chistoso?» pregunta Pedro que vio la risilla de Judas, que está de ocioso en un rincón.

«No me río de tu hermano. Sois todos felices y también yo puedo serlo, y reir sin motivo alguno.»

Pedro lo mira con expresion clara, pero vuelve a lo que estaba haciendo.

«¡Miren! Me encontré una mata de flores. No era de almendro como hubiera querido, pero Ella se contentará con ésta» dice Tadeo que entra, bañado en rocío como si hubiera estado en el bosque y con un ramo de flores. Un milagro de rocío que parece embellecer la cocina.

«¡Qué bellas! ¿Dónde las encontraste?»

«En el huerto de Noemí, porque allí no le cae el sol por la posición que tiene. Subí allá.»

«Y pareces tú un árbol que gotea. Traes mojados los cabellos y el vestido.»

«La vereda estaba mojadísima. El rocío es abundante en estos meses.» Tadeo se va con sus flores y luego llama a su hermano para que le ayude a arreglar las flores.

«Yo voy. Sé de eso. Oye, mujer, ¿no tienes por ahí un jarrón de cuello alargado y de color a ser posible rojo?» pregunta Tomás.

«Lo tengo y los que quieras... Los que usaba en los días de fiesta... para las bodas de mis hijos o por otro motivo. Si me esperas un momento a que meta este pan en el horno, te abro el lugar donde están... Bueno, no serán muchos, después de tantas desgracias. Guardé algunos para acordarme... y para sufrir porque si me traen alegría, también me traen lágrimas.»

«¡Entonces era mejor que nada te lo pidiese! No quisiera que suceda como a Nobe. Tantos preparativos para nada...» habla Iscariote.

«¿Si te digo que un grupo de discípulos nos lo dijo? ¿Crees que estamos soñando? Hablaron con Lázaro. Los envió adelante. Vinieron a decir que antes del sábado habría llegado la Madre de Jesús en el carro de Lázaro, y éste con las discípulas...»

«Pero no vinieron...»

«Vosotros que habéis visto a ese hombre, decidme: ¿no causa miedo?» pregunta la viejecita secándose las manos en el mandil, después de haber dado las hogazas a Santiago de Zebedeo y a Andrés, que las llevan al fuego.

«¿Miedo? ¿Por qué?»

«¡Bueno! ¡Un hombre que regresa de los muertos!»

«No te intranquilices. Es como nosotros» responde Santiago de Alfeo para tranquilizarla.

«Procura más bien de no hablar con las otras mujeres, para que no tengamos aquí dentro a todo Efraín» dice imperiosamente Iscariote.

«No he dicho nada que pudiera comprometer desde que estáis aquí, ni a los de la población ni a los peregrinos. He preferido hacerme pasar por una tonta que dar molestia al Maestro o causarle algún mal. Hoy también sabré callar. Ven, Tomás...» y se va a eseñarle todo lo que tiene.

«La mujer está espantada con solo pensar en encontrarse con un resucitado» dice Iscariote, que ríe irónicamente.

«No ha sido la única. Me dijeron los discípulos que en Nazaret, como en Caná y Tiberíades, todos estaban asustados. Uno que regresa después de cuatro días de haber estado en el sepulcro no se le encuentra fácilmente como las margaritas en primavera. Todos nosotros estábamos pálidos cuando salió del sepulcro. Pero más que a estar hablando tonterías, ¿no sería mejor trabajar? Todos trabajamos y siempre hay algo que hacer... Hoy que se puede hacer, ve al mercado y compra lo necesario. Lo que teníamos no es suficiente ahora que vienen ellas, y nosotros no tuvimos tiempos de ir a la ciudad para las compras. El crepúsculo nos hubiera detenido donde nos encontrábamos.»

Judas llama a Mateo que entra en la cocina bien arreglado, y salen juntos. Entra Zelote también arreglado: «¡Ese Tomás, de veras que es un artista! Con una insignificancia ha adornado la habitación como si fuesen a celebrarse unas bodas. Id a ver.»

Todos, menos Pedro que sigue ocupado con lo suyo, van a ver. Pedro dice: «No veo el momento que estén aquí. Tal vez venga también Marziam. Dentro de un mes es la pascua. Habrá ya partido de Cafarnaúm o Betsaida.»

«Estoy contento de que venga María y consuele a Jesús. Lo hace mejor que todos. Tiene necesidad» dice Zelote.

«Sí. ¿Pero has notado que también Juan está triste? Le pregunté la causa. ¡Inútil! dentro de su dulzura es más fuerte que todos nosotros, y si no quiere revelar nada, no lo dirá. Estoy seguro que sabe algo. Parece la sombra del Maestro. Siempre lo sigue, lo vigila. Y cuado no cae en la cuenta de que se le observa — porque entonces te contesta con su sonrisa que amansaría a una tigresa — tiene una cara triste, muy triste. Haz las pruebas tú. Te aprecia mucho. Sabe que eres más prudentes que yo...»

«¡Eso no! Tú eres un ejemplo de prudencia. Nadie reconoce en ti al viejo Simón. En realidad que eres la piedra robusta y compacta que sostiene a todos nosotros.»

«¡Déjate de eso! ¡Ni lo mientes! Soy un cualquiera. Estando cerca de El... poco a poco se hace uno semejante a El. Un poco... pero siempre algo diverso de lo que se era antes. Todos hemos cambiado, aunque... Judas siempre es el mismo. Aquí como en Aguas Hermosas...»

«¡Quiera Dios que no sea siempre el mismo!»

«¿Qué cosa?»

«Nada, Simón de Jonás. Si el Maestro me oyese me diría: "No juzgar". Pero esto no es juzgar. Es: *temer*. Tengo miedo que Judas sea peor que en Aguas Hermosas.»

«Cierto que lo es y que hoy como entonces no ha cambiado. Es peor porque no ha cambiado nada, ni se ha hecho más justo, antes bien es el mismo. Tiene el pecado de ser espiritualmente perezoso, cosa que entonces no era. Los primeros meses... era un desequilibrado, pero lleno de buena voluntad... Oye, ¿por qué el Maestro habrá decidido de que Samuel vaya con nosotros y que se reunan todos los discípulos, que hay por el rumbo de Jericó, para la nueva luna de nisán? Antes había dicho que Samuel se quedaría aquí... más antes nos había prohibido de decir dónde El estaba. Tengo sospechas...»

«No hay razón. Las cosas son claras y lógicas. Todavía no sabe quién fue el que propagé la noticia de que el Maestro está aquí. Peregrinos y discípulos vienen de Cades, Engaddi, Joppe y Bozra. Es inútil conservar el incógnito. La pascua se acerca y sabemos que el Maestro quiere tener consigo a los discípulos para cuando regrese a Jerusalén. El Sanedrín dice que es un derrotado y que ha perdido todos sus discípulos. El responde entrando en la ciudad a su cabeza...»

«Tengo miedo, Simón, mucho miedo...Supiste ¿eh? que todos, hasta los herodianos, se han unido contra El...»

«Sí. ¡Que Dios nos ayude!...»

«¿Por qué envía a Samuel con nosotros?»

«Tal vez será para prepararlo para su misión. No veo razón de que te intranquiles... ¡Tocan a la puerta! ¡Deben ser las discípulas!...»

Pedro se quita el delantal manchado de sangre y a la carrera sigue a Zelote a la puerta. Los demás que hay dentro de casa se asoman por todas las salidas y todos gritan: «¡Helas aquí, helas aquí!»

Al abrir la puerta quedan desilusionados al ver sólo a Elisa y a Nique en tal forma que preguntan: «¿Pero qué ha pasado?»

«¡Nada, nada! Es que... pesábamos que María y las discípulas galileas...» responde Pedro.

«¡Ah! y os llevasteis un chasco. Nosotras sin embargo somos felices de veros y de saber que está por llegar María» dice Elisa.

«Chasco, no... solo un poco desilusionados. ¡Eso es todo! ¡Entrad! La paz sea con las buenas hermanas!» dice Tadeo en nombre de todos.

«Y también con vosotros. ¿No está el Maestro?»

«Fue con Juan al encuentro de María. Viene por el camino de Siquén en el carro de Lázaro» responde Zelote.

Entran en casa. Andrés toma el asno de Elisa, pues Nique ha venido a pie. Hablan de lo que sucede en Jerusalén. Preguntan por amigos y discípulos... por Analia, por María y Marta, por el viejo Juan de Nobe, por José, Nicodemo y por otros muchos. La ausencia de Judas Iscariote hace que se hable con paz y franqueza.

Elisa, mujer entrada en años, experimentada, que estuvo en Nobe con Judas y que lo conoce muy bien y que «no lo ama sino por amor de Dios» como claramente lo confiesa, pregunta si está en casa, que no se va con los otros movido por algún capricho, y sólo después de que se informa que ha ido fuera para hacer compras, dice lo que sabe: esto es, «que en

Jerusalén parece que todo está en calma, aun más, que los discípulos más conocidos no son interrogados, que se dice en voz baja que se deba a que Pilato se encaró con los del Sanedrín, recordándoles que él solo es quien imparte justicia en Palestina, y que así quiso acabar toda duda...»

«Pero también se dice» hace notar Nique «— y es Mannaén que lo dice y otros también, mejor dicho, Valeria — que Pilato está muy cansado de todas esas sublevaciones que agitan la nación, que le pueden dar fastidio, y fastidiado también por la insistencia con que los judíos le insinúan que Jesús quiere proclamarse rey. Se dice que si no fuese por los informes que los centuriones dan, y sobre todo por la presión que hace sobre él su mujer, terminaría por castigar a Jesús, hasta con el destierro, con tal de no tener ninguna molestia.»

«¡Y que si es capaz de hacerlo! ¡Demasiado! Es el castigo más suave que emplean los romanos, después de la flagelación. ¡Bueno! Jesús solo quién sabe dónde, y nosotros dispersos acá y allá...» dice Zelote.

«¡Sí, dispersos! Lo has dicho. Pero a mí no me separarán. Lo seguiré...» asegura Pedro.

«¡Simón! ¿Puedes creer que te lo permitirían? Te amarran como a un galeote, te llevan a donde les pega la gana, si no es que a las galeras, o te echan a alguna mazmorra suya, y no podrás seguir a tu Maestro» le dice Bartolomé. Pedro se desgreña desconsolado, sin saber qué hacer.

«Se lo diremos a Lázaro. Irá a Pilatos, y como a los gentiles les gusta ver seres extraordinarios, lo recibirá...» advierte Zelote.

«Tal vez antes de partir ya lo hizo y Pilatos no tendrá ganas de verlo» contesta Pedro abatido.

«Entonces, irá como hijo de Teófilo. O bien acompañará a su hermana María a la casa de sus amigas. Lo eran antes... cuando María era pecadora...»

«¿Sabéis que Valeria, después que se divorció de su marido, se hizo prosélita [1]? Y lo ha tomado en serio. Lleva una vida recta que sirve de ejemplo a todos. Ha dado libertad a sus esclavos y les habla del Dios verdadero. Había rentado una casa en Sión, pero ahora que Claudia regresó, ha vuelto con ella...»

«¡Entonces!...»

«No. Me dijo: "Cuando llegue Juana, me iré con ella. Quiero persuadir ahora a Claudia"... Parece como que ésta no logra dar el paso para creer en Jesús. Para ella es un sabio, no más... Parece que antes de venir a la ciudad hubiera dado oídos a las voces que corren, y que escéptica hubiese dicho: "Es un hombre como nuestros filósofos, y no el mejor de ellos; porque su palabra no corresponde a su vida", y que haya vuelto a lo que antes había abandonado» habla Nique.

«Era de esperarse. ¡Almas paganas! ¡Uhm! Una será buena... ¡pero las demás!... ¡Pestilencia... suciedad! [2]» grita Bartolomé.

---

[1] Cfr. Vol. 4°, pág. 655, not. 11.
[2] Cfr. pág. 164, not. 1.

«¿Y José?» pregunta Tadeo.

«¿Quién? ¿El de Séforis? ¡Tiene miedo! ¡Ah, estuvo en su casa vuestro hermano José! Tan pronto como llegó se fue. Pasó por Betania a decir a las hermanas que impidiesen a toda costa al Maestro de ir a la ciudad y de pernoctar en ella. Me encotraba yo allí y por eso escuché. También supe que José de Séforis ha tenido varias dificultades y ahora tiene miedo. Vuestro hermano le encargó que lo pusiese al corriente de lo que se trama en el Templo, porque él puede informarse por medio de un pariente que es marido no sé si de su hermana, o de la hija de la hermana de su mujer, y que tiene oficio en el Templo» dice Elisa.

«Mucho miedo, ¿no? Ahora que vamos a Jerusalén, diré a mi hermano que vaya a ver a Anás. Podría yo ir, porque conozco a esa zorra, pero Juan sabe hacerlo. Anás lo quiere desde que escuchaba las palabras de ese viejo lobo, al que se le tenía, como a un cordero. Le diré a Juan que vaya. No le importa que lo maltraten. No dice nada. Si me dijese a mí algo contra el Maestro, o que me dijese algo porque lo sigo, me le echaría al pescuezo, lo apretaría como se esprime la red, y le haría echar afuera su negra alma que tiene dentro, y eso aunque tuviese a todos los soldados y sacerdotes del Templo.»

«¡Oh, si oyese el Maestro hablar así!» dice escandalizado Andrés.

«Por eso no digo nada cuando está.»

«Tienes razón. No eres el único en tener esos deseos. También yo tengo algunos» dice Pedro.

«Lo mismo yo, pero no por Anás» dice Tadeo.

«Oh, tratándose de esto... tendría varios. Tengo una cuenta larga... Las tres carroñas de Cafarnaum — no me refiero a Simón el fariseo porque parece aparentemente bueno — los dos lobos de Esdrelón, y el viejo costal de huesos, ese Cananías... y luego una matanza, os lo digo, una matanza en Jerusalén, y el primero en morir sería Elquías. No puedo tener la paciencia de esas sierpas que siempre están a la espera» Pedro está furioso.

Tadeo con su calma glacial más fuerte que la ira de Pedro: «Y yo te ayudaría. Tal vez... empezaría por matar las serpientes que tenemos cerca.»

«¿A quienes? ¿A Samuel?»

«¡No, no! No tan sólo tenemos cerca a Samuel. Hay otros que tienen una cara diversa de la que llevan en el corazón. No los pierdo de vista. Nunca. Quiero estar seguro antes de obrar, y ¡cuando lo esté! La sangre de David quema como quema la de Galilea. Por ambas líneas, de padre y madre, se han fundido en mí.»

«Si se te ofreciere algo, me lo avisas. Te ayudaré...» dice Pedro.

«No. A los parientes toca vengar la sangre. Me toca a mí [3].»

«¡Hijos, hijos, no habléis así! El Maestro no enseña estas cosas.

---

[3] Con respecto a la venganza que tocaba al pariente más cercano, cfr. Gén. 4, 15; 9, 4-6; Núm. 35, 9-34; Deut. 19, 1-13.

Parecéis tigrillos furiosos en lugar de mansos corderillos. Olvidaos del espíritu de venganza. ¡Hace tiempo que pasaron los días de David [4]! Jesús ha anulado la ley del talión [5]. Deja los diez mandamientos como son, pero abroga las duras leyes mosaicas. De Moisés quedan los mandamientos de piedad, bondad, justicia que nuestro Jesús ha resumido y perfecionado con su más gran mandamiento: "Amar a Dios con todo vuestro ser, amar al prójimo como a vosotros mismos, perdonar a quien nos ofende, amar a quien nos odia. No me hagáis caso. Una sencilla mujer, como yo me he atrevido a enseñar a mis hermanos, mayores que yo. Pero he sido y soy una madre, y una madre tiene el derecho de hablar. Creédmelo, hijos míos, si invocáis a Satanás en vosotros al odiar a vuestros enemigos, al desear vengaros, entrará en vosotros y os corromperá. Satanás no es una fuerza. Creédmelo. Dios lo es. Satanás es debilidad, peso, vapor. No seríais capaces de mover un dedo, no digo ya contra vuestros enemigos, pero ni siquiera para acariciar a nuestro afligido Jesús, si el odio y la venganza os meten en cadena. ¡Ea, hijos míos!, aun los que tenéis más años que yo, que he vuelto a encontrar la alegría de ser madre, amándoos a todos como a hijos. No queráis afligir con perder de nuevo y para siempre a mis hijos amados, porque si morís con el odio, o con el crimen en el corazón, habréis muerto para siempre y no podremos reunirnos allá arriba, alegres, alrededor de nuestro amor común que es Jesús. Prometédmelo y al punto. Os suplica una pobre mujer, una pobre madre, de que no abrigaréis más estos pensamientos. ¡Oh, hasta vuestras caras se cambian! ¡Qué cara tan buena teníais! ¿Qué está pasando ahora? Escuchadme. María os diría las mismas palabras con mayor fuerza porque Ella es María. Pero es mejor que Ella no sepa todo el dolor... ¡Pobre Madre! ¿Pero qué pasa? ¿Debo creer acaso que surge la hora de las tinieblas, la hora que se tragará a todos, la hora en que Satanás será rey de todos, menos del Santo, y revolcará también a los santos, aún a vosotros, haciéndoos viles, perjuros, crueles como lo es? ¡Hasta hora siempre he esperado! Siempre he dicho: "Los hombres no ganarán al Mesías". ¡Pero ahora! Ahora temo y tiemblo por vez primera. Veo que en este sereno cielo de Adar se ensancha, invade la espesa oscuridad que se llama Lucifer y veo que a todos os llena en su negrura, y os da venenos que os intoxican. ¡Tengo miedo!» Elisa, que poco antes sollozaba sin nerviosismo, da rienda suelta a su llanto, reclinando su cabeza sobre la mesa.

Los apóstoles se miran entre sí. Luego, apenados, tratan de consolarla. Ella no quiere consuelos, lo asegura: «Sólo vale una cosa: vuestra promesa. ¡Por vuestro bien! Para que Jesús no tenga entre sus dolores el mayor: el de veros condenados, a vosotros que sois a los que ama sobre todo.»

«Sí que te lo prometemos, si es lo que quieres. ¡No llores, mujer! Te lo

---

[4] Cfr. 2 Rey. 13, 1 - 14, 24.
[5] Ex. 21, 22-25, Lev. 24, 18-22; Deut. 19, 21.

prometemos. Escucha. No levantaremos ni siquiera un dedo contra alguien. No abriremos nuestros ojos ni siquiera para ver. ¡No llores, no llores! Perdonaremos a quien nos ofenda. Amaremos a quien nos odie. ¡No llores!»

Elisa levanta su cara arrugada resplandeciente en lágrimas y dice: «Acordaos que me lo habéis prometido ¡Repetidlo!»

«Te lo prometemos, mujer.»

«Queridos hijos míos, ahora sí que me dais un gran placer. Veo que sois buenos. Ahora que mi aflicción se ha acabado y que os habéis limpiado de ese amargo fermento, preparémonos para recibir a María. ¿Qué falta que hacer?» termina secándose los ojos.

«Ya lo hicimos; más bien María de Jacob nos ha ayudado. Es una samaritana, pero muy buena. Ahora la conocerás. Estás en el horno del pan. Es sola. Sus hijos murieron o se olvidaron de ella al acabarse las riquezas, y sin embargo no guarda rencor...»

«¡Ah, lo veis! ¿Veis que hay alguien que sabe perdonar aun entre los paganos, entre los samaritanos? Debe ser terrible, no lo olvidéis, perdonar a un hijo... ¡Mejor muerto que pecador! ¿Estáis seguros que Judas no está?»

«Si no se ha convertido en pájaro, no puede estar. Fuera de una sola puerta y de las ventanas, todas las puertas están cerradas.»

«Bueno... María de Simón estuvo en Jerusalén con su pariente. Fue a ofrecer sacrificios en el Templo y luego fue a vernos. Parece una mártir. ¡Qué afligida está! Me preguntó, nos preguntó a todas si sabíamos algo de su hijo, que si estaba con el Maestro. Si siempre había estado.»

«¿Qué le pasa a esa mujer?» pregunta sorprendido Andrés.

«Que tiene un hijo, ¿te parece poco?» pregunta Tadeo.

«La conforté. Quiso que fuéramos al Templo con ella. Fuimos todas a orar... Luego se fue, siempre con su aflicción. Yo le dije: "Si te quedas con nosotras dentro de poco iremos a donde está el Maestro. Allí está tu hijo". Sabía que Jesús está aquí. Se sabe hasta los confines de Palestina. Respondió: "¡No, no! El Maestro me dijo que no estuviese en Jerusalén para la primavera. Yo obedezco. Quise, antes de que viniera, subir al Templo. Tengo tanta necesidad de Dios". Y dijo algo extraño: "No tengo ninguna culpa. Pero el infierno está dentro mí, y yo dentro él por lo afligida que me veo"... Le hicimos muchas preguntas, pero no quiso añadir más, acerca de sus aflicciones, ni de los motivos por lo que Jesús le prohibió ir a Jerusalén. Nos recomendó que no dijésemos nada ni a Jesús, ni a Judas.»

«¡Pobre mujer! Asi pues ¿no vendrá a la pascua?» pregunta conmovido Tomás.

«No vendrá.»

«Si Jesús se lo prohibió es porque tiene sus motivos... ¿oisteis? Todos saben que Jesús está aquí» dice Pedro.

«Y quien lo andaba diciendo incitaba a levantarse "contra los tiranos" usando su nombre. Otros decían que está aquí, porque no tiene ya la máscara...»

«Siempre las mismas razones. Habrán gastado todo el oro del Templo para enviar a ésos, sus criados... por todas partes» hace notar Andrés.

Golpes en la puerta.

«¡Ya vinieron!» dicen y corren a abrir.

Es Judas con las compras. Mateo lo sigue. Judas saluda a Elisa y a Nique. Les pregunta: «¿Vinisteis solas?»

«Solas. María aún no ha llegado.»

«Ella no viene del lado del sur. Me refería a Anastásica.»

«No vino. Se quedó en Betsur.»

«¿Por qué? También ella es discípula. ¿No sabes que de aquí nos iremos a Jerusalén para la pascua? Debía de haber venido. Si las discípulas y los fieles no son perfectos, ¿quién va a serlo? ¿Quién va a hacer el cortejo al Maestro, para destruir esos cuentos de que todos los abandonan?»

«Si se trata de eso, una pobre mujer como es ella no va a ocupar el lugar de muchos. Las rosas están bien entre las espinas y en los huertos cerrados. Soy para ella como una madre y así lo quiero.»

«¿Entonces no vendrá para la pascua?»

«No.»

«¡Y van dos!» interviene Pedro.

«¿Qué sugieres? ¿Cuáles dos?» pregunta Judas siempre sospechoso.

«¡Nada, nada! Cálculos míos. Uno puede contar muchas cosas. Hasta las moscas, por ejemplo, que están sobre mi cordero desollado.»

Entra María de Jacob a la que siguen Samuel y Juan con los panes sacados del horno. Elisa y Nique saludan a María. Elisa dice unas palabras apropiadas del momento: «Somos hermanas tuyas en el dolor. Yo estoy sola. Perdí a mi esposo e hijos. Y también ésta. Por esto nos amaremos, porque el que ha llorado sabe comprender.»

Pedro pregunta a Juan: «¿Por qué aquí? ¿El Maestro?»

«En el carruaje, con su Madre.»

«¿Y por qué no lo dijiste?»

«No me diste tiempo. Están todas. Veréis qué delgada está María de Nazaret. Parece haber envejecido. Cuenta Lázaro que se angustió mucho cuando le dijo que Jesús se había refugiado acá.»

«¿Por qué se lo dijo ese bobo? Antes de morir era inteligente. Tal vez en el sepulcro se le deshizo el cerebro y todavía no se le ha compuesto. ¡No en vano se muere!...» dice irónico y despectivo Judas de Keriot.

«Nada de eso. Ten cuidado en hablar. Lázaro de Betania lo dijo a María cuando estaban ya en camino, y cuando Ella se sorprendió de la dirección que tomaba» responde Samuel.

«Así es. Cuando pasó por Nazaret dijo sólo: "Te llevaré dentro de un mes a donde está tu Hijo".Y cuado estaban para partir, ni siquiera le dijo: "Vamos a Efraín"...» agrega Juan.

«Todos saben que Jesús está aquí. ¿Era ella la única en ignorarlo?» pregunta desvergonzadamente Judas, interrumpiendo a su compañero.

«María lo había oído y lo sabía. Pero como un río de mentiras corre por la Palestina, Ella no daba oídos a ninguna noticia. Se moría en el silencio, orando. Pero una vez que se pusieron de viaje, Lázaro tomó el camino que va a lo largo del río, con el objeto de desorientar a los nazarenos, y a todos los de Caná, Séforis, Belén de Galilea...»

«¡Ah! ¿Está también Noemí, Mirta y Aurea?» pregunta Tomás.

«No. No les permitió Jesús. La orden la llevó Isaac cuando fue a Galilea.»

«Entonces... tampoco estas mujeres estarán con nosotros como el año pasado.»

«No estarán.»

«¡Y van tres!»

«Ni siquiera nuestras hijas. El Maestro mismo se lo dijo antes de dejar Galilea. Hasta lo repitió. Mi hija Mariana me dijo que Jesús se lo había ordenado desde la pascua pasada.»

«¡Perfectamente bien! ¿Están por lo menos Juana? ¿Salomé? ¿María de Alfeo?»

«Sí, y Susana.»

«Y sin duda Marziam... ¿Pero qué ruido es ese?»

«¡Los carruajes, los carruajes! Todos los nazarenos que no han perdido el valor y siguieron a Lázaro... los de Caná...» responde Juan corriendo con los demás.

Al abrir la puerta se ve un espectáculo increíble. Además de María que viene sentada junto a su Hijo, de las discípulas, de Lázaro, de Juana que viene en su carruaje con María, Matías, Ester y otros criados y el fiel Jonatás, se ve una multitud de gente: caras conocidas, caras desconocidas: de Nazaret, Caná, Tiberíades, Naim, Endor. Hay samaritanos de todos los poblados por donde pasaron y de otros vecinos. Se precipitan sobre los carruajes impidiendo el paso.

«¿Pero qué quiere ésos? ¿A qué vinieron? ¿Cómo se enteraron?»

«Los de Nazaret estaban alertas. Cuando llegó Lázaro por la tarde para emprender el camino nuevamente por la mañana, corrieron por la noche a las ciudades vecinas, también hicieron lo mismo los de Caná porque Lázaro había pasado a tomar a Susana y a verse con Juana. Lo siguieron y se le adelantaron en varios lugares, para verlo y para ver a Jesús. También los de Samaría lo supieron y se unieron al grupo. Velos allí...» dice Juan.

«Dime, tú que tenías miedo de que al Maestro le faltase cortejo, ¿te parece insuficiente éste?» pregunta Felipe a Iscariote.

«Vinieron por Lázaro...»

«Una vez que lo vieron, podían haberse ido, pero no se van, allí están. Señal es que también vinieron por Jesús.»

«Como quieras y no discutamos. Tratemos de abrirles paso para que entren. ¡Ea, muchachos! Para hacer un poco de ejercicio. Hace mucho tiempo que no abrimos paso al Maestro a codazos» y Pedro es el primero a hacerlo en medio de una multitud que grita hosannas, gente curiosa, devota, habladora, según los casos. Los apóstoles y otros discípulos, esparcidos entre la gente, le ayudan, y logran abrir espacio para que las mujeres, Jesús y Lázaro, puedan entrar en la casa. Cierra la puerta, manda a otros que pongan las tracas y que cierren la parte posterior del huerto. «¡Oh, finalmente! ¡La paz sea contigo, María bendita! Finalmente te vuelvo a ver. Ahora todo es bello porque estás con nosotros» la saluda Pedro inclinándose ante María, una María del rostro triste, pálido, cansado, con un rostro de Dolorosa.

«Así es. Todo me es menos penoso estando con El.»

«Te lo había asegurado que no te decía sino la verdad» dice Lázaro.

«Tienes razón... Pero me pareció que el sol se me oscurecía y que no tenía más paz cuando supe que mi Hijo estaba aquí... He comprendido... ¡Oh!...» Corren lágrimas por sus mejillas pálidas.

«¡No llores, Madre mía! ¡No llores! Estaba entre esta buena gente, junto a otra María que es una madre...» Jesús la lleva a una habitación que da al huerto tranquilo. Todos los siguen.

Lázaro se excusa: «Tuve que decírselo, porque Ella conoce el camino, y no entendía por qué había tomado otro diverso. Creía que estaba en Betania... En Siquén un hombre gritó: "También nosotros vamos a Efraín, donde está el Maestro". No me fue posible dar alguna excusa... Esperaba librarme de la gente, saliendo de noche, tomando caminos no frecuentados. ¡Pero qué va! Estaban de guardia en cada lugar, y mientras un grupo seguía, el otro iba a avisar alrededor.»

María de Jacob trae leche, miel, mantequilla, pan fresco, y ofrece primero a María. A Lázaro lo mira de abajo a arriba, mitad curiosa, mitad espantada. Su manto tiembla ligeramente cuando al dar leche a Lázaro éste le toca ligeramente la mano, y no puede menos de lanzar un «¡oh!» cuando ve que come del pan como todos los demás.

Lázaro, como todos los hombres de buen linaje, afable, señorilmente le dice con la sonrisa en los labios: «Como tú, ni más ni menos, y me gusta tu pan y la leche que me has dado. Me gustará también dormir bajo tu techo, porque me siento cansado, como siento también el hambre.» Se vuelve a todos: «Muchos me tocan con algún pretexto para cerciorarse si tengo carne y huesos, si tengo calor en el cuerpo y si respiro. Es una molestia pasajera. Terminada mi misión me encerraré en Betania. Cerca de Ti, Maestro, te crearía molestias. He brillado, he dado testimonio de tu poder hasta en Siria. Ahora me eclipso. Sólo Tú debes brillar en el cielo del milagro, en el cielo de Dios y ante los hombres.»

María dice a la viejecita: «Has sido muy buena con mi Hijo. Me ha contado todo. Permíteme que te bese para darte las gracias. No tengo con que recompensarte sino es con mi amor. También yo soy pobre... y hasta yo puedo decir que no tengo más hijo porque El es de Dios y de su misión... Y así sea, porque siempre es santo y justo lo que Dios quiere.»

María muestra esa dulzura inefable, aunque siente despedazarse... Todo los apóstoles la miran con tal compasión que se olvidan del ruido de afuera y de hacer preguntas.

Jesús dice: «Voy a subir a la terraza a despedir y bendecir a la gente.» Entonces Pedro se sacude y pregunta: «¿Dónde está Marziam? He visto a todos los discípulos, menos a él.»

«No vino Marziam» responde Salomé, la madre de Santiago y Juan.

«¿No vino? ¿Por qué?¿Está enfermo?»

«Está bien. También tu mujer. Pero no vino Marziam. Porfiria no lo dejó veir.»

«¡Mujer tonta! Dentro de un mes es la pascua y él debe venir. Podía haberlo dejado venir con vosotras y así darnos a él y a mí alegría. Pero es más lenta que una oveja para comprender las cosas y...»

«Juan, Simón de Jonás, tú, Lázaro y Simón Zelote, venid conmigo. Vosotros esperad aquí hasta que haya despedido a la gente y llame a los discípulos» ordena Jesús y sale con ellos, cerrando la puerta.

Atraviesa el corredor, la cocina, sale al huerto seguido de Pedro que refunfuña. Antes de empezar a subir por la escalera, se vuelve, pone una mano sobre la espalda de Pedro que levanta una cara de descontento. «Escúchame, Simón Pedro, y deja de acusar a Porfiria. Ella es inocente. Obedece mis órdenes. *Antes de los Tabernáculos* [6] *le ordené que no dejase venir a Marziam a Judea...*»

«¡Pero la pascua, Señor!»

«Soy el Señor, lo has dicho. Y como tal puedo ordenar cualquier cosa, porque lo que deseo es siempre recto. Por esto no te turbes con escrúpulos. Recuerda que en los Números está escrito: "Si alguno de vuestra nación está inmundo por algún muerto o en largo viaje, celebre la pascua del Señor el catorce del siguiente mes, en la tarde"[7].»

«Pero Marziam no está inmundo, al menos espero que Porfiria no se quiera morir entonces; y no está de viaje...» replica Pedro.

«No importa. *Así lo quiero*. Hay cosas por las que el hombre contrae mas impureza que por el contacto de un muerto. Marziam... No quiero que se contamine. Déjame a hacer, Pedro. Yo sé. Procura obedecer como tu mujer y el mismo Marziam. Celebraremos con él la segunda pascua, el catorce del siguiente mes. Y entonces seremos felices. Te lo prometo.»

Pedro mueve la cabeza como para decir: «Resignémonos.»

Zelote hace notar: «Es mejor que no sigas contando los que no irán a la ciudad para la pascua.»

«No tengo más ganas de contar. Todo esto me da algo... es como hielo... ¿Puedo decirlo a los otros?»

«No. Por eso os llamé aparte.»

«Entonces... tengo algo que pedir algo a Lázaro.»

«Di. Si puedo lo haré» contesta.

«No importa. Me basta que vayas a ver a Pilatos — la idea es de tu amigo Simón — y que entre palabra y palabra le saques lo que piensa hacer por Jesús o contra Jesús... Sabes... con maña... Porque se andan contan-

[6] Cfr. Ex. 23, 14-17.
[7] Cfr. Núm. 9, 10-11 y también vol. 2°, pág. 180, not. 6.

do tantas cosas...»

«Lo haré tan pronto llegue a Jerusalén. Pasaré por Betel y Rama, en vez de por Jericó para ir a Betania. Me quedaré en mi palacio de Sión e iré a ver a Pilatos. Puedes estar tranquilo. Haré lo mejor que pueda.»

«Y perderás tu tiempo inútilmente, amigo mío. Porque Pilatos — tú lo sabes como hombre, Yo como Dios [8] — no es más que una caña que se dobla al vendabal, tratando de evitarlo. Jamás es insincero, porque está convencido siempre de querer hacer lo que en ese momento dice y hace. Pero después, al oir el aullido del huracán que viene de la otra parte, se olvida — ¡oh!, no es que falte a sus promesas y voluntad — *olvida, esto sólo, todo lo que antes quería*. Lo olvida porque el aullido de una voluntad más fuerte que la suya le quita la memoria, le manda muy lejos todos sus pensamientos, que otro ventarrón le había metido y le introduce otros nuevos. Y después de todos esos miles de aullidos, se agrega el de su mujer que lo amenaza con separarse de él si no hace lo que ella quiere, y así el pierde toda fuerza, toda protección ante el "divino" César, como dicen, aunque están convencidos que César es un ser más abyecto que ellos... Por otra parte saben reconocer la "idea"en el hombre, más bien esta anula al hombre que la representa. La "idea" no puede llamarse inmunda: cada ciudadano ama, es justo que ame a su patria, que quiera su triunfo... César es la patria... y entonces... que también un miserable es... uno grande por aquello que representa... Pero no quiero hablar de César, sino de Pilatos. Decía que sobre todos esos gritos, está el de su mujer, y sobre el de ella el de su *yo*. De un *yo* pequeño, de un *yo* ambicioso, orgulloso. Esta pequeñez, ambición, orgullo *quieren* reinar para ser grandes, quieren reinar para llenarse de dinero, quieren reinar para dominar sobre espaldas encurvadas. El odio está por debajo, cosa que no ve el pequeño César, llamando Pilatos, nuestro pequeño César... El sólo ve las espaldas encurvadas que fingen respeto y que tiemblan ante él. Y a causa de esta voz tempestuosa del *yo* está dispuesto a todo. Repito *a todo*, con tal de seguir siendo Poncio Pilato, el procónsul, el siervo de César, el dominador de una de las tantas provincias del imperio. Y por todo esto, si ahora es mi defensor, mañana será mi juez, *e inexorable*. El pensamiento del hombre es siempre incierto pero inciertísimo cuando éste se llama Poncio Pilatos. Pero tú, Lázaro, da contento a Pedro... Si esto lo consuela...»

«Consolar, no, pero... darme más tranquilidad, sí...»

«Entonces contenta a nuestro buen Pedro y ve a ver a Pilatos.»

«Iré, Maestro. Has pintado al procónsul como ningún historiador o filósofo lo hubiera logrado hacer. ¡Un perfecto retrato!»

«Podría igualmente pintar a cada hombre con su verdadera cara, con su carácter. Pero vamos con aquellos que hacen mucho ruido.»

Sube las escalinatas y se presenta. Levanta los brazos y dice en voz al-

---

[8] Cfr. vol. 1°, pág. 356, not. 7 y pág. 428 not. 15; vol. 3°, pág. 31, not. 1 y pág. 741, not. 2; vol. 4°, pág. 627, not. 1.

ta: «Hombres de Galilea y de Samaría, discípulos y seguidores. Vuestro amor, vuestro deseo de honrarme, de honrar a mi Madre y a mi amigo escoltando el carruaje, me revela vuestro corazón. No puedo menos de bendeciros por ello. Ahora regresad a vuestras casas, a vuestros negocios. Vosotros de Galilea id y decid a los que se quedaron que Jesús de Nazaret los bendice. Hombres de Galilea, nos veremos en la pascua en Jerusalén, donde entraré al día siguiente del sábado antes de ella. Hombres de Galilea, idos también y tratad de no limitar vuestro amor por Mí con seguirme sólo por los senderos de la tierra, sino por los del espíritu. Idos y que la luz brille en vosotros. Discípulos míos, quedaos en Efraín para recibir mis instrucciones. Idos. Obedeced.»

«Tiene razón. Lo disturbamos. ¡Quiera estar con su Madre!» gritan discípulos y nazarenos.

«Nos vamos, pero queremos una promesa tuya, de que vaya a Siquén antes de ir a la pascua. ¡A Siquén! ¡A Siquén!»

«Iré. Lo prometo.»

«¡No vayas, no vayas! ¡Quédate con nosotros! ¡Con nosotros! ¡Te defenderemos! ¡Te haremos Rey y Pontífice! ¡Ellos te odian! ¡Nosotros te amamos! ¡Abajo los judíos! ¡Viva Jesús!»

«¡Silencio! ¡No hagáis tumulto! Mi Madre está afligida por esta gritería que me puede hacer más daño que si me maldijesen. Todavía no es mi hora. Idos. Pasaré por Siquén. Quitaos del corazón el pensamiento que Yo pueda, por cobardía y por rebelarme sacrílegamente contra la voluntad de mi Padre, no cumplir con mi deber de israelita, adorando al Dios verdadero en el único Templo, en que puede ser adorado, y de Mesías haciéndome coronar en otra parte que no sea Jerusalén, donde seré ungido cual Rey universal según la palabra y la verdad que vieron los grandes profetas.»

«¡Abajo! ¡No hay otro profeta después de Moisés! ¡Eres un loco!»

«Y también vosotros. ¿Sois acaso libres? No. ¿Cómo se llama Siquén? ¿Qué nuevo nombre tiene ahora? Y lo mismo dígase de otras muchas ciudades de Samaría, Judea, Galilea, porque la fuerza de Roma nos nivela a todos por igual. ¿Se llama Siquén? No, Neapolis. Así como Betscam se llama Scitópolis, y así muchas otras ciudades que, por capricho de los romanos o por adulación de los vasallos, son llamadas de manera diversa. ¿Y sólo vosotros querréis ser más que una ciudad, más que nuestros dominadores, más que Dios? No. Nada pueda cambiar lo que está destinado como salvación de todos. Sigo el camino derecho. Seguidme, si queréis entrar conmigo en mi Reino eterno.»

Hace como para irse, pero los samaritanos hacen tal tumulto que los galileos reaccionan, y los que estaban dentro salen al huerto y suben por la escalera a la terraza. El primer rostro pálido y triste que se ve es el de María, que se pone detrás de Jesús, lo abraza, lo aprieta como si quisiera defenderlo de las injurias que de abajo llegan: «¡Nos has traicionado! Te refugiaste con nosotros, haciéndonos creer que nos amabas para despreciarnos después! ¡Mucho más se nos despreciará por tu culpa!»

Cercan a Jesús también las discípulas, los apóstoles, hasta María de Jacob. Los gritos de abajo explican el origen del tumulto, origen lejano pero seguro: «¿Por qué nos enviaste entonces a tus discípulos a decirnos que eres un perseguido?»

«No he enviado a nadie... Que los de Siquén salgan al frente. ¿Qué dije un día en la montaña?»

«Dijo que no podía adorar sino en el Templo, hasta que haya una nueva era para todos. Maestro, nosotros no somos culpables, créenoslo. Estos han sido engañados por falsos emisarios.»

«Lo sé. Idos, pues. De todos modos Yo iré a Siquén. No tengo miedo de nadie. Idos para no haceros daños a vosotros mismos y a los de vuestra sangre. ¿No veis que por allá bajan resplandeciendo al sol las corazas de los legionarios? Os siguieron desde lejos, al ver tanto cortejo, y se quedaron en el bosque en acecho. Vuestros gritos los atraen ahora. Idos por bien vuestro.»

De hecho, allá lejos, en el camino principal que sube hacia los montes, donde Jesús encontró al hombre que moría de hambre, se ve brillar algo que se mueve, que avanza. La gente se dispersa lentamente. Se quedan los de Efraín, los galileos, los discípulos.

«Idos también, vosotros de Efraín, a vuestras casas. Idos, vosotros de Galilea. Obedeced a quien os ama.»

También éstos se van. Se quedan sólo los discípulos a quienes Jesús ordena que entren en casa y en el huerto. Pedro baja a abrir con otros.

Judas de Keriot no baja. ¡Se ríe! Se ríe diciendo: «¡Ahora verás como los "buenos samaritanos" te odiarán! Para construir el Reino disperdes las piedras, y las piedras dispersas de un edificio se convierten en armas que golpean. ¡Los has despreciado! No lo olvidarán.»

«Que me odien. No voy a dejar de cumplir con mi deber por miedo a ellos. Ven, Madre. Vamos a decirles a los discípulos lo que tienen que hacer antes de que se vayan.» Baja entre María y Lázaro. Entran en casa donde están ya los discípulos a quienes da órdenes de ir por todas partes a avisar a todos sus compañeros de que se reunan en Jericó para la neomenia de nisán, de que lo esperen hasta su llegada, y a los ciudadanos de los lugares por donde pasaren que El saldrá de Efraín y que lo busquen en Jerusalén para la pascua.

Los divide en grupo de tres en tres. Confía a Isaac, Hermas y Esteban, el nuevo discípulo Samuel, al que Esteban saluda de este modo: «La alegría de verte en la luz templa mi afán de ver que cada cosa se convierte en piedra para el Maestro.» Hermas, a su vez: «Has dejado un hombre por un Dios. Y Dios está ahora verdaderamente contigo.» Isaac con palabras humildes y secas: «La paz sea contigo, hermano.»

Ofrecido el pan y la leche que los efrainitas en buena hora han traído, parten también los discípulos y finalmente hay tranquilidad... Pero mientras se prepara el cordero, Jesús tiene todavía algo que hacer. Se acerca a Lázaro y le dice: «Ven conmigo al arroyo.»

Lázaro obedece con su acostumbrada prontitud.

Se separan unos docientos metros de la casa. Lázaro espera a que Jesús hable. «Quería decirte esto. Mi Madre está muy abatida. Lo ves. Mándame tus hermanas. Mis intenciones son de ir a Siquén con todos los apóstoles y las discípulas. Pero antes las enviaré a Betania, mientras me detengo en Jericó por algunos días. Puedo todavía sin preocupación de tener acá en Samaría a las mujeres, pero no otra parte...»

«¡Maestro, temes en verdad!... Oh, si es así, ¿por qué me resucitaste?»

«Para tener un amigo.»

«Si es por esto, heme aquí. Cualquier dolor no es nada, si puedo consolarte con mi amistad.»

«Lo sé. Por esto te trato y trataré como al más perfecto amigo.»

«¿Debo de veras ir a ver a Pilatos?»

«Si te parece. Por Pedro. No por Mí.»

«Maestro te comunicaré la entrevista... ¿Cuándo dejas estos lugares?»

«Dentro de ocho días. Apenas si hay tiempo para ir a donde quiero y estar contigo antes de la pascua. Templarme en Betania, oasis de paz, antes de sumergirme en el tumulto de Jerusalén.»

«¿Sabías, Maestro, que el Sanedrín está dispuesto a levantar tales acusaciones que te obliguen a huir para siempre? Esto me lo dijo Juan el sanedrista, que encontré por casualidad en Tolemaida, feliz por el hijo que le va a nacer. Me dijo: "Sufro que esto haya decidido el Sanedrín, porque hubiera querido que el Maestro estuviese presente a la circuncisión de mi hijo, que espero sea varón. Nacerá en los primeros días de tamuz. ¿Pero todavía estará entre nosotros el Maestro? Yo quisiera... Yo quisiera que bendijese a Emmanuel, nombre que te dice lo que pienso, cuando entre en el mundo. Mi hijo será feliz de no haber luchado para creer, así como nosotros luchamos. Crecerá en el tiempo mesiánico y le será fácil aceptar la idea". Juan ha llegado a creer que Tú eres el Prometido.»

«Y éste entre muchos, me paga con lo que otros no hacen. Lázaro, despidámonos aquí, en paz. Gracias por todo, amigo. Eres un buen amigo. Con diez iguales a ti, sería dulce vivir en medio de tanto odio...»

«Tienes ahora a tu Madre, Señor mío. Vale por diez y cien Lázaros. Recuerda que cualquier cosa que pudiere hacerte falta, tan pronto pueda, te la procuraré. Ordena que soy tu siervo en todo. No soy sabio, ni santo, como otros que te aman, pero otro más fiel que yo, si excluyes a Juan, no lo encontrarás. No creo que sea yo soberbio al afirmar esto. Quiero decirte algo de Síntica. La vi. Es activa y prudente, como puede serlo una griega que ha sabido ser seguidora tuya. Sufre por estar lejos, pero dice que se encuentra feliz por prepararte el camino. Espera verte antes de morir.»

«Ciertamente me verá. No desilusiono jamás a los justos.»

«Tiene una escuela pequeña, a donde van las niñas de los lugares. Por la noche tiene consigo a una niña mestiza de raza, y que no tiene religión. Le habla de Ti. Le pregunté: "¿Por qué no te haces prosélita? Te serviría de mucho". Me respondió: "Porque no quiero dedicarme a los de Israel, sino a altares vacíos que esperan un Dios. Los preparo para que reciban a mi Señor. Cuando su Reino se haya fundado, iré a mi patria, y bajo el cielo de la Hélade acabaré mi vida a preparar los corazones a los maestros. Este es mi sueño. Pero si muriere antes, por enfermedad o persecución, feliz veré la muerte porque será señal de que habré cumplido con mi trabajo y que El llama a su sierva que lo ha amado desde el primer encuentro".»

«Es verdad. Síntica me ha amado desde el primer encuentro.»

«No quería nada decirle de tus penas, pero Antioquía es como una inmensa concha donde resuenan las voces del vasto imperio y por lo tanto se oye también lo que sucede acá. Síntica no ignora tus aflicciones, y por estar lejos, sufre más. Quería darme dinero, que no acepté, diciéndole que lo emplease para las niñas. Acepté un capucho que tejió con biso de dos tamaños. Lo tiene tu Madre. Síntica quiso describir, con hilo, tu historia, la suya y de Juan de Endor. ¿Y sabes cómo? Tejiendo alrededor del cuadro una bordadura en que se ve un cordero que defiende de una manada de hienas dos palomas, de las cuales, una tiene las alas destrozadas y la otra la cadena rota que la tenía ligada... Y la descripción continúa alternando hasta que la paloma de las alas destrozadas levanta el vuelo hacia lo alto, y la de la cadena rota se queda a los pies del cordero. Parece una de esas historias que los escultores griegos graban en mármol, en los festones de los templos y en los obeliscos dedicados a sus muertos, o que los pintores dibujan en vasos. Quería enviártelo por mis criados. Lo tumé yo.»

«Lo llevaré porque viene de una buena discípula. Vamos a casa. ¿Cuándo piensas partir?»

«Mañana al amanecer, para que descansen los caballos. Luego no me detendré sino hasta Jerusalén e iré a ver Pilatos. Si logro hablarle, te enviaré el mensaje por miedo de María.»

Vuelve a entrar en casa, hablando de menudencias.

28. Judas de Keriot es ladrón
(Escrito el 15 de febrero de 1947)

Jesús está con las discípulas y los dos apóstoles en una de las primeras ondulaciones del monte a espaldas de Efraín. Juana no trajo consigo a los niños ni a Ester. Me imagino que los habrá enviado a Jerusalén con Jonatás. Se han quedado, pues, además de la Madre de Jesús, María Cleofás, María Salomé, Juana, Elisa, Nique y Susana. No han llegado todavía las dos hermanas de Lázaro.

Elisa y Nique están doblando los vestidos, que lavaron en el arroyo y que han puesto a secar. Nique, después de haber examinado uno, lo muestra a María Cleofás diciendo: «A este vestido también desconsió tu

194

hijo el dobladillo.»

María de Alfeo toma el vestido y lo pone junto a los otros, sobre la hierba.

Todas las discípulas están ocupadas en coser y remendar.

Elisa, que trae otros vestidos secos, dice: «Se ve que hace tres meses no os acompañaba ninguna mujer experta. No hay un vestido bueno, exceptuando el del Maestro, que en cambio sólo tiene dos. El que trae y el que se lavó hoy.»

«Los regaló. Parecía como si un ansia lo devorara para no tener nada. Desde hace varios días trae el vestido de lino» dice Judas.

«Menos mal que tu Madre pensó en traerte nuevos. Ese de púrpura es bellísimo. Lo necesitabas, Jesús. Aun cuando te quede muy bien el vestido de lino. ¡Pareces un lirio!» exclama María de Alfeo.

«Un lirio muy grande» satiriza Judas.

«Pero puro como tú no lo eres, ni como lo es Juan. También tú estás vestido de lino, pero créeme que aspecto de lirio no lo tienes» le replica francamente María de Alfeo.

«Soy de cabellos negros y de color apiñonado. Por esto soy diverso.»

«No depende de eso. Es que tu candor lo tienes arriba, y El, dentro, que transpira por su mirada, por su sonrisa, por sus palabras. ¡Eso es! ¡Qué felicidad es estar con mi Jesús!» Y la buena María pone una de sus manos secas de mujer anciana y trabajadora sobre la rodilla de Jesús que se la acaricia.

María Salomé que está viendo otro vestido, exclama: «¡Esto es peor que la misma rasgadura! ¡Hijo mío! ¿Pero quién te cosió de este modo?» y escandalizada muestra a sus compañeras... una especie de ombligo muy plegado, que sobresale entre todos los otros burdísimos pespuntes. Todos se echan a reir, y el primero en hacerlo es Juan, autor de los pespuntes que dice: «No podría soportar la rasgadura y entonces... la cosí.»

«La estoy viendo. ¡Pobre de mí! ¿Por qué no le dijiste a María de Jacob que te la cosiera?»

«Está casi ciega. Y luego... no se trataba de una rasgadura, era un hueco. El vestido se trabó en el haz de leña que traía yo cargando, y al echarlo al suelo se llevó consigo el trozo de tela. Entonces cosí como pude el agujero.»

«Así lo echaste a peder, hijo mío. Se necesitaría...» Examina el vestido, mueve la cabeza, agrega: «Esperaba quitar el dobladillo, pero no tiene...»

«Lo quité en Nobe, porque estaba roto. Se lo di a tu hijo...» explica Elisa.

«Cierto, y lo empleé en cordones de mi alforja...»

«¡Pobres hijos! ¡Qué falta os hace que estemos cerca!» dice la Virgen que está remendando un vestido.

«Aquí falta tela. Mirad. Las puntadas en lugar de servir para algo, fueron peores... a no ser que encontremos un pedazo de trapo, para suplir el que falta... Se verá...»

«Tú me has dado pie para una parábola...» dice Jesús, al mismo tiempo que Judas: «Creo que tengo en el fondo de mi alforja un pedazo de tela de ese color, resto de un vestido viejo que di a un hombre pequeño y para que le viniese le cortamos dos palmos. Si me esperas te lo voy a buscar. Pero quisiera oir la parábola.»

«Que Dios te bendiga. Escucha, pues. Yo entre tanto vuelvo a meter los cordones en la alforja de Santiago. Estoy ya se acabaron.»

«Habla, Maestro. Luego daré contento a María Salomé.»

«Bueno. Comparo el alma a una tela. Cuando se pone, es nueva, sin rasgaduras. Tiene sólo la mancha original pero ninguna otra herida, ni otras manchas. Después con el tiempo, con los vicios, se llega hasta romper, por las imprudencias se mancha, por los desórdenes se rasga. Ahora cuando está rasgada no hay que hacer un remiendo malhecho, causa de otras rasgaduras, sino uno bueno, perfecto que impida que se rasgue el vestido. Si la tela está muy rasgada, de modo que se han perdido hasta trozos, no se debe pretender soberbiamente hacer el remiendo por uno mismo, sino ir con quien sabe para rehacer íntegra el alma porque se le ha concedido hacer todo y puede hacerlo. Me refiero a Dios, mi Padre, y al Salvador que soy Yo. *Pero el orgullo del hombre es tal que cuanto mayor es la rasgadura de su alma, tanto más trata de remendarla con medios imperfectos que crean un malestar mayor.* Se me puede replicar que siempre se ve una rasgadura. También Salomé lo ha dicho. *Se verán siempre las heridas que un alma lleva. El alma pelea su batalla, y por consiguiente recibe heridas. Muchos son los enemigos que la atacan.* Pero nadie al ver a un hombre cubierto de cicatrices, señales de otras tantas victorias gloriosas recibidas en batalla, puede decir: "¡Este hombre es un cobarde!" Dirá más bien: "Este es un héroe. He ahí las señales de su valor". Nunca se verá que un soldado se avergüence de una herida gloriosa, sino que va al doctor y le dice con santo orgullo: "Mira, he combatido y vencido. No evité ninguna fatiga. Cúrame ahora para que esté pronto para otras batallas y victorias". Por el contrario quien tiene llagas causadas por enfermedades inmundas, que los vicios le causaron, se avergüenza de ellas ante sus familiares y amigos, y aun delante de los médicos, y a veces es tan necio que las mantiene escondidas hasta que el hedor las descubre. Pero entonces ya es tarde su curación. *Los humildes son siempre sinceros, y además muy valientes que no se avergüenzan de las heridas que tuvieron en la lucha. Los soberbios son siempre mentirosos y cobardes. A causa de su orgullo llegan a la muerte sin querer ir con quien puede curarlos y decirle: "Padre, he pecado. Pero si quieres, puedes curarme". Hay muchas almas que por orgullo de no confesar una primera culpa, llegan a la muerte. También para ellas, la hora es tarde. No reflexionan que la misericordia divina es más poderosa y mayor que puede curar cualquier gangrena, por grande y arraigada que esté. Pero las almas de los orgullosos, cuando caen en la cuenta de haber despreciado todo medio de salvarse, caen en la desesperación, porque están sin Dios. Diciendo: "Es demasiado tarde", se dan a sí mismos la última muerte: la de la condenación.* Ve, Judas, a traer tu tela...»

«Voy, pero te diré que no me ha gustado la parábola. No la entendí.»

«¡Pero si ha sido clara! La entendí yo, que soy una pobre mujer» replica María Salomé.

«Pues, yo no. Antes decías unas muy bellas. Ahora... las abejas... la tela... las ciudades que cambian de nombre... las almas barcas... *Cosas tan pobres de sentido, tan oscuras*, que no me agradan más y no las comprendo. Voy a traer la tela que, aunque necesaria, no deja de ser una tela ya vieja.» Se levanta y se va.

María ha bajado cada vez más la cabeza sobre su labor mientras Judas hablaba. Juana, al contrario, le ha levantado mirando con ojos desdeñosos al imprudente. También Elisa hizo lo mismo, pero luego imitó a María, lo mismo Nique. Susana ha abierto tamaños ojos, espantada, y ha mirado a Jesús en vez de mirar a Judas, como preguntándole que por qué no reaccionaba. Pero ninguna hizo algún gesto o cosa semejante. María Salomé y María de Alfeo, más de pueblo, se han mirando, moviendo la cabeza, y apenas salido Judas, Salomé comenta: «Es él quien tiene la cabeza ya acabada.»

«Claro, y por eso no comprende nada. No sé si pudieras volver a arreglársela. Si mi hijo fuese así se la rompería yo. Así como se la hice, así se la puedo romper.¡ Es mejor tener una cara fea que el corazón!» sentencia María de Alfeo.

«Sé comprehensiva, María. No puedes comparar tus hijos, que crecieron en medio de una familia honrada, en una ciudad como Nazaret, con él» replica Jesús.

«Su madre es buena. Su padre no fue un malvado, según he oído decir» protesta María de Alfeo.

«Dices bien, pero orgullo no le faltaba. Por esto alejó al hijo de su madre muy pronto y contribuyó a desarrollar la herencia moral de su hijo con mandarlo a Jerusalén. Es doloroso decirlo, pero lo cierto es que el Templo no es el lugar donde el orgullo hereditario pueda disminuir...» dice Jesús.

«Ningún puesto de Jerusalén, que sea de honor, puede hacer que disminuya el orgullo o cualquier otro defecto» dice Juana con un suspiro. Luego: «Ni tampoco cualquier otro lugar de honor, bien esté en Jerusalén, Cesarea de Filipo, Tiberíades, o en la otra Cesarea...» y rápida con la cara inclinada sobre su labor cose.

«María de Lázaro es imponente pero no orgullosa» observa Nique.

«Ahora, pero antes era muy soberbia, lo contrario de sus padres que jamás lo fueron» responde Juana.

«¿Cuándo vendrán?» pregunta Salomé.

«Pronto. Dentro de tres días partiremos.»

«Trabajemos entonces con toda rapidez, para terminar a tiempo» incita María de Alfeo.

«Nos tardamos en venir por causa de Lázaro, pero estuvo bien, porque así se ahorró mucha fatiga a María» dice Susana.

«¿Sientes fuerzas para hacer un camino tan largo? ¡Estás tan pálida y cansada, María!» dice María de Alfeo poniendo su mano sobre las rodillas de María y mirándola con preocupación.

«No estoy enferma, María, y puedo caminar.»

«Enferma no, pero sí muy afligida, Madre. Daría diez y diez años de mi vida, abrazaría todos los dolores con tal de volverte a ver como cuando te vi por vez primera» dice Juan.

«Tu amor es ya medicina, Juan. Mi corazón se tranquiliza al ver qué amáis a mi Hijo. La causa de mi padecimiento no es otra que comprobar que no se le ame. Aquí, cercana a El, y entre vosotros, tan fieles, me siento florecer. Estos meses... en Nazaret sola... después de que lo vi partir tan afligido, tan perseguido... sabiendo todos esos rumores... ¡Cuánto, cuánto dolor! Aquí cerca, lo veo y digo: "Por lo menos mi Jesús tiene a su Madre que lo consuela, que le dice palabras que le hacen olvidar otras" y veo que en Israel no ha muerto del todo el amor. Me tranquilizo un poco, no mucho... porque...» María no añade más, baja su rostro que había alzado para contestar a Juan, del que no se ve más que su frente enrojecida por la emoción... y luego dos lágrimas brillan sobre el vestido oscuro que está remendando.

Jesús suspira, se levanta de su lugar, y va a sentársele a los pies, reclina su cabeza sobre sus rodillas, besándole la mano que tiene la tela, y se queda así como un niño que descansara. María quita de la tela la aguja para no hacer mal a su Hijo y enseguida pone su mano derecha bajo la cabeza, levanta su mirada al cielo, rogando aunque no mueva los labios. Todo su aspecto es una oración. Se inclina a besar a su Hijo en los cabellos, cerca de la sien descubierta.

Las otras no hablan hasta que Salomé dice: «¡Cuánto se tarda Judas! El sol empieza a bajar y no podré ver bien.»

«Tal vez alguien lo habrá entretenido» sugiere Juan y pregunta a su madre: «¿Quieres que vaya a llamarlo?»

«Harías bien. Si no ha encontrado una tela igual, cortaré las mangas, al fin y al cabo se acerca el verano, y para el otoño te preparé otro vestido, que esta no sirve ya, y con el retazo cortado te remendaré aquí. Servirá todavía para que vayas a pescar, porque después de Pentecostés, regresaréis a Galilea...»

«Voy entonces» responde Juan, y siempre cortés pregunta a las otras mujeres: «¿Tenéis vestidos ya arreglados que pueda llevar? Si los tenéis, dádmelos. Así cargaréis menos al regreso.»

Las mujeres recogen lo que ya remendaron y se lo dan a Juan, que está para irse cuando al ver que llega María de Jacob, se detiene.

La viejecilla, con lo que sus fuerzas le permiten, ha venido ligera y a gritas pregunte a Juan: «¿Está allí el Maestro?»

«Sí, madre. ¿Qué se te ofrece?»

La viejecilla responde sin dejar de caminar: «Ada está mala, mala... El marido quisiera consolarla con llamar a Jesús... pero después que aquellos samaritanos se portaron... tan mal... no se atreve. Yo dije: "No lo conoces aún. Voy... y no me dirá que no".» La viejecilla jadea por la prisa y por la subida.

«No corras más. Voy contigo. Más bien te me adelanto. Síguenos. Ya tienes años, madre, para que corras así» le dice Jesús. Luego volviéndose a su Madre y a las discípulas: «Me quedo en el poblado... La paz sea con vosotras.»

Toma a Juan del brazo y baja rápidamente con él. La viejecilla, un poco descansada, lo seguiría después de haber respondido a las mujeres que le preguntan: «¡Uhm! Sólo el Rabí puede salvarla, de otra manera morirá como Raquel. Está ya enfriándose, perdiendo fuerzas y se revuelca en medio de convulsiones dolorosas.»

Las mujeres: «¿No le habéis puesto ladrillos calientes sobre los riñones?»

«No. Mejor envolverla en telas de lana mojadas en vino y aromas lo más caliente que se pueda.»

«Cuando estuve enferma de Santiago me hicieron bien las untaduras de aceite y luego los ladrillos calientes.»

«Haced que beba mucho.»

«Si pudiese enderazarse, dar algún paso y mientras que alguien le podría dar un masaje en riñones.»

Las que han sido madres, menos Nique y Susana, y María que no sufrió los dolores del parto, aconsejan esto o aquello.

«Se ha intentado todo. Sus riñones están ya cansados. Es el undécimo hijo. Ahora me voy. Ya descansé. ¡Rogad por ella! Que el Altísimo la mantenga viva hasta que llegue el Rabí.» La buena y pobre anciana trota por el camino.

Entre tanto Jesús rápido baja a la ciudad bañada en sol. Entra por el lado contrario a donde está la casa, esto es, por el noroeste de Efraín, mientras la casa de María de Jacob está al sudeste. No se detiene a hablar con nadie. Se limita a saludar y sigue.

Un hombre hace notar: «Está irritado contra nosotros. Los de los otros lugares hicieron mal. Tiene razón.»

«No. Va a casa de Yanoé. Se le está muriendo su mujer en el undécimo parto.»

«¡Pobres hijos! ¿Y el Rabí va allá? Muy bueno, demasiado bueno. Aunque se le ofendió, bendice.»

«¡Yanoé no lo ofendió, como ninguno de nosotros!»

«Pero no dejamos de ser samaritanos.»

«El Rabí es justo y sabe distinguir. Vamos a ver el milagro.»

«No podremos entrar. Es una mujer que está por parir.»

«Oiremos llorar al recién nacido y será una voz del milagro.»

Corren a alcanzar a Jesús. Se les unen otros que quieren ver.

Jesús llega a la casa envuelta en angustia por la desgracia que le amenaza. La mayor de los diez hijos es una jovenzuela que llora, a la que se le cuelgan otros pequeñuelos también llorando. Está en un rincón del corredor cerca de la puerta abierta. Comadres que van y vienen, murmullos de voces, ruido de pies descalzos, que se delizan sobre el enlosado.

Una mujer ve a Jesús, grita: «¡Yanoé, espera! ¡Ha venido!» y se va con una cubeta de agua hirviente.

Acude un hombre, se postra. No hace más que un gesto y no pronuncia más que estas palabras: «Creo. Piedad, por éstos» y señala a sus hijos.

«Levántate y ten ánimo. El Señor ayuda a quien tiene fe y tiene piedad de sus hijos afligidos.»

«¡Ven, Maestro, ven! Está ya negra. Las convulsiones acaban con ella. Casi no respira. ¡Ven!» El hombre que ya había perdido el control de sí mismo, termina por perderlo cuando oye que una comadrona grita: «¡Yanoé, corre! ¡Ada se está muriendo!» y empuja a Jesús para que vaya pronto, muy pronto, a la habitación de la moribunda, pese a que El le ordena: «¡Ve y ten fe!»

Fe tiene, pero lo que le falta es poder entender esas palabras. Jesús sube por la escalera para entrar en la habitación donde está la mujer, no entra, sino que se queda a uno tres metros de la puerta abierta, por donde se ve una cara pálida, amarillenta, agonizante. Las comadronas no saben hacer algo más. Han cubierto a la mujer hasta el mentón y miran. Están como petrificadas en espera del momento fatal.

Jesús extiende sus brazos y grita: «¡Quiero!» y se vuelve.

El marido, las comadronas, los curiosos que se han amontonado, se quedan desilusionados porque esperaban que Jesús hiciese algo extrambótico, que naciese el niño inmediatamente. Pero al abrirse paso por entre ellos, los mira en la cara y les dice: «No dudéis. Un poco más de fe. Un momento más. La mujer debe pagar el amargo tributo del parir [1]. Pero está salva.» Baja la escalera dejándolos sin añadir más. Cuando está para salir, dice a los niños espantados: «¡No tengáis miedo! Mamá está salvada» y al decirlo toca levemente con la mano las caritas. En ese momento se oye un grito que se esparce por todas partes, hasta el camino por donde viene María de Jacob, la cual grita: «¡Misericordia!» creyendo que había sido el grito de la muerte.

«¡No tengas miedo, María! ¡Ve rápida! Verás nacer al pequeño. Le han vuelto las fuerzas y los dolores, pero dentro de poco será feliz.»

Se va con Juan. Nadie lo sigue porque todos quieren ver si se realiza el milagro, antes bien acuden a la casa, porque ha corrido la voz de que el Rabí había ido a salvar a Ada. De este modo, tomando una vereda, puede ir sin obstáculo a una casa donde entre llamando: «¡Judas, Judas!» Nadie responde.

«Se fue allá, Maestro. Podemos irnos también a casa. Aquí pongo los vestidos de Judas, de Simón y de tu hermano Santiago; luego pondré los otros de Simón Pedro, de Andrés, Tomás y Felipe en casa de Ana.»

Por esto colijo que para hacer lugar a las discípulas los apóstoles sino todos, a lo menos algunos, han ido a otras casas.

---

[1] Cfr. Gén. 3, 16; Miq. 4, 9-10; Ap. 12, 1-2.

Sin nada en las manos se van hablando a la casa de María de Jacob, entran por la puerta del huerto que está solamente emparejada. La casa está silenciosa, vacía. Juan ve que hay una jarra llena de agua en el suelo, y tal vez pensando que la hubiera dejado allí la viejecilla cuando la llamaron para ir a asistir a la mujer, la toma y se dirige a una habitación cerrada. Jesús se queda en el corredor para quitarse el manto y doblarlo con el acostumbrado cuidado antes de ponerlo en la banca. Juan abre la puerta y lanza un «¡ah!» como de espanto. Deja caer la jarra, se tapa los ojos con las manos, agachándose como para desaparecer, para no ver. De la habitación se oye salir un ritintín de monedas que corren por el suelo.

Jesús está ya en la puerta. Más tiempo tardé en escribir esto, que Él en haber llegado. Empuja a Juan que gime: «¡Vete, vete!» Abre la puerta semicerrada. Entra. Es la habitación donde, ahora que están las mujeres, toman los alimentos. Hay dos cofres bien guarnecidos, y ante uno de ellos, el que está en frente de la puerta, está Judas, pálido, con los ojos inyectados de ira, de temor juntamente, con una bolsa en las manos... La chapa había sido abierta... por el suelo hay monedas, y otras caen de una bolsa que está al borde del cofre, abierta. Todo es una prueba de lo que estaba sucediendo. Judas entró en la casa, abrió el cofre, y robó, mejor dicho, estaba robando.

Nadie habla. Nadie se mueve. Pero es peor que si todos gritasen o se arrojase el uno contra el otro. Tres estatuas: Judas el demonio, Jesús el Juez, Juan el aterrorizado testigo de la bajeza de su compañero.

La mano de Judas que tiene la bolsa en la mano tiembla, y se oye el ritintín ahogado de las monedas.

Juan no hace más que temblar de miedo, y aun cuando tiene sus manos sobre la boca, se oye el chasquido de sus dientes. Sus ojos espantados miran más a Jesús que a Judas.

Jesús no muestra ninguna emoción. Derecho, glacial. Da un paso, hace un gesto, dice una palabra. Un paso hacia Judas; un gesto a Juan indicándole que se retire; una palabra: «¡Vete!»

Pero Juan tiene miedo, suplica: «¡No, no! no me eches fuera. Déjame aquí. No diré nada... pero déjame aquí, contigo.»

«¡Vete, vete! ¡No tengas miedo! Cierra todas las puertas y si viene alguien... cualquiera que sea... aun mi Madre... no dejes que entre... Vete!»

«¡Señor!»... Juan parece más bien el culpable por el ansia que lo embarga.

«Te he dicho que te vayas. ¡No pasará nada!» y Jesús mitiga su orden poniendo su mano sobre la cabeza del Predilecto como en señal de caricia. Y veo que esa mano tiembla ahora. Juan la siente, la toma, la besa con un sollozo que dice más que muchas palabras. Sale. Jesús pone el pasador en la puerta. Se vuelve a mirar a Judas, que debe estar hecho una miseria. Pese a su audacia no se atreve a hacer nada. Jesús se le acerca, dando vuelta por la mesa, que hay en el centro de la habitación. No sé si lo hace rápido o lento, estoy demasiado asustada al ver su rostro para poder medir el tiempo. Veo sus ojos y me dan miedo como a Juan. El mismo Judas lo tiene, retrocede entre el cofre y una ventana abierta, por donde entra la luz que ahora ilumina a Jesús.

¡Qué ojos los de Jesús! No dice ni una palabra, pero cuando ve que de la faja de Judas se asoma una ganzúa, da un sobresalto. Levanta su brazo con el puño cerrado como para golpear al ladrón y de su boca se oye que empieza una palabra: «¡Maldito!» o «¡Maldición!» Pero se controla [2]. Detiene su brazo, no termina la palabra. Con un esfuerzo de dominio, que lo hace temblar, a abrir el puño, a bajar el brazo hasta la altura de la bolsa que Judas tiene en su mano, y a arrebatársela lanzándola al suelo, con voz ahogada, mientras la pisotea y las monedas corren, con una ira dominada pero terrible, grita: «¡Lárgate! ¡Asquerosidad de Satanás! ¡Oro maldito! ¡Esputo de infierno! ¡Veneno de serpiente! ¡Lárgate! [3]»

Judas que había intentado dar un grito cuando vio que Jesús estaba a punto de maldecirlo, no reacciona, pero de la otra parte de la puerta cerrada se oye otro grito cuando Jesús arrojó contra el suelo la bolsa. Este grito desespera al ladrón. Le devuelve su diabólica audacia. Lo enfurece. Casi se arroja contra Jesús aullando: «Mandaste que me espiaran para quitarme la honra. Que me espiara ese muchacho estúpido que no sabe ni siquiera guardar silencio. Que me avergonzará delante de todos. Esto es lo que querías. Por lo demás... ¡Sí! Esto también lo busco yo. ¡Lo quiero! ¡Que me arrojes! ¡Que me maldigas! ¡Que me maldigas, que me maldigas! He hecho todo lo posible porque me arrojaras.» Está ronco de la ira y feo como un demonio. Jadea como si tuviera alguna cosa que lo estrangulase.

Jesús le repite con voz baja pero terrible: «¡Ladrón, ladrón!» y termina: «Hoy ladrón, mañana asesino, como Barrabás. Peor que él.» El soplo — porque están ya vecinos — del aliento de Jesús choca sobre la cara de Judas.

Este, tomando aliento, responde: «Sí, ladrón, y por culpa tuya. Todo el mal que hago es por tu culpa, y no te cansas nunca de llevarme a la ruina. Salvas a todos. Amas y honras a todos. Acoges a pecadores, no te causan asco las prostitutas, tratas como amigos a los ladrones, a los usureros, a los proxenetas de Zaqueo, acoges como si fueses el Mesías al espía del Templo. ¡Eres un necio! Has hecho jefe nuestro a un ignorante, tesorero a un recaudador de impuestos, y de tus confianzas a un estúpido. A mí me das lo mínimo, no me das ni un céntimo, me tienes cerca como a un galeote amarrado al banco, no quieres que nosotros, digo nosotros, *pero soy yo, yo solo que no debo recibir los óbolos de los peregri-*

---

[2] Con la expresión «se controla» la Escritora ha querido indicar que Jesús quiso usar de su prerrogativa de Salvador, más que de Juez, que se reserva sobre todo para los últimos tiempos (cfr. Ju. 3, 17; Mt. 25, 31-46). Esta interpretación brota de períodos de este mismo cap. con sus notas correspondientes.

[3] Basta recordar la actitud que Jesús tomó con los cambistas, y vendedores, profanadores del templo. Cfr. Mt. 21, 12-17; Mc. 11, 15-19; Lc. 19, 45-46; Ju. 2, 13-17.

nos. Y para que no tocase yo el dinero, has dado órdenes de que no se recibiese de nadie. Porque me odias. Pues bien: *¡también yo te odio!* No te atreviste a pegarme ni a maldecirme hace poco. Tu maldición me hubiera convertido en ceniza. ¿Por qué no me la arrojaste? La habría preferido a verte así inútil, debilucho, como un hombre sin fuerzas, como un vencido...»

«¡Cállate!»

«¡No! ¿Tienes miedo de que Juan oiga? ¿Tienes miedo de que finalmente comprenda quién eres y que te abandone? ¡Ah, esto es lo que temes, Tú que te crees un héroe! ¡Temes! Me tienes miedo. ¡Temes! Por esto no pudiste maldecir. Por esto finges amarme, cuando en realidad me odias. Para ablandarme. Para tenerme quieto. ¡Sabes que yo soy una fuerza! Sabes *que yo soy la fuerza.* La fuerza que te odia y que te vencerá. Te prometí que te seguiría hasta la muerte, ofreciéndote *todo* y *todo* te he ofrecido. Estaré cerca de Ti hasta tu ahora y mi hora. ¡Valiente rey que no puede maldecir y arrojar a uno! ¡Un rey payaso! ¡Un rey ídolo! ¡Un rey necio, mentiroso! Eres un traidor de tu mismo destino. Desde nuestro primer encuentro me has despreciado. No me has correspondido. Te crees un sabio, y eres un estúpido. Te señalaba el camino recto. Pero Tú... ¡oh, Tú eres el puro! Eres la criatura que es hombre pero también Dios, y desprecias los consejos del inteligente. Desde el primer momento te equivocaste y sigues equivocándote. Tú... Tú eres... ¡Ah!»

El torrente de palabras cesa de golpe y sucede un silencio lúgubre, una inmovilidad lugubre después de tantos gestos. Porque mientras yo estaba escribiendo, sin poder ver lo que sucedía, Judas, agachado, semejante, sí, muy semejante a un perro feroz que está a punto de lanzarse sobre su presa, cada vez se ha ido acercando más a Jesús, con una cara que no puede verse, con las manos en forma de garfios, los brazos pegados al cuerpo, como si fuese a echarse sobre Jesús, que no da señal de miedo alguno, y aun cuando se vuelve a la puerta y la abre para ver si no está Juan, Judas que podía aprovecharse del momento, no se atreve. En el corredor semioscuro no hay nadie. Juan, después de haber cerrado la puerta que da al huerto, se ha ido. Al no verlo, Jesús cierra la puerta con el pasador, se recarga sobre ella, esperando, sin hacer ningún gesto, ni decir una palabra, que la furia de Judas se calme.

No soy competente, pero pienso que no me equivocaría si afirmase que por boca de Judas fue el mismo Satanás el que habló, y que fue un momento de clara posesión diabólica del apóstol pervertido [4], cercano ya al umbral del delito, condenado por su propia voluntad. El torrente de palabras cesó dejando al apóstol como atolondrado y me trae a la memoria otras escenas de posesión que he visto en los tres años de la vida pública de Jesús.

Apoyado contra la puerta, su color blanco hace contraste con lo negro de ella. No dice nada, sólo sus ojos impregnados de dolor miran al após-

[4] Cfr. vol. 1°, pág. 804, not. 3, y en particular: vol. 4°, pág. 418, not. 6.

tol. Si se pudiese decir que los ojos oran, podría afirmar que los de Jesús ruegan, mientras ve al desgraciado apóstol. Porque no sólo es control el que se desprende de ellos, sino también una ferviente plegaria. Después ya cuando Judas iba a acabar de hablar, Jesús abre sus brazos que tenía juntos al cuerpo, pero no para tocar a Judas, ni para hacer algún ademán, ni para elevarlos al cielo. Los abre horizontalmente, tomando la actitud de un crucificado. Fue entonces cuando de la boca de Judas salieron las últimas palabras que terminaron en un ahogado «¡Ah!»

Jesús sigue en la misma actitud, mirando al apóstol con esa mirada de dolor y plegaria. Judas, como cuando se sale de un delirio, pasa la mano por la frente, por la cara sudada... piensa, recuerda, y cae por tierra, no se si llorando o no, pero sí, como si le faltasen las fuerzas.

Jesús baja su mirada y los brazos y con voz queda, pero clara, le dice: «¿Y luego? ¿Te odio? Podría pegarte con el pie, aplastarte llamándote "gusano", podría maldecirte, así como te ha librado de la fuerza que te hacía delirar. Has creído que el no maldecirte es debilidad de mi parte. No lo es. Soy el Salvador, y el Salvador no puede maldecir [5]. Puede salvar, quiere hacerlo... Dijiste: "Soy la fuerza. La fuerza que te odia y que te vencerá". También Yo soy la Fuerza, mejor dicho: *soy la única Fuerza*. Pero ella no es odio, es amor. El amor no odia, no maldice, *jamás*. La Fuerza podría vencer las batallas individuales como ésta entre Yo y tú, entre Yo y Satanás que está en ti, quitarte tu patrón, para siempre, como lo hice tomando la actitud de la señal que salva, de la Tau [6], que Lucifer no puede ver. Esta Fuerza podría vencer cada batalla como vencerá la que se le acerca contra el Israel incrédulo y asesino, contra el mundo y contra Satanás por medio de la redención. Podría vencer cada batalla como vencerá la última, muy lejana para quien cuenta con siglos, muy cercana para quien mide el tiempo con la medida de la eternidad [7]. Pero, ¿de qué serviría traspasar las reglas perfectas de mi Padre? ¿Sería justicia? ¿Habría mérito? No. Ni una ni otra cosa. No sería justicia para con los culpables, a los que no se les quitó la libertad de serlo, los cuales podrían el último día preguntarme por qué fueron condenados y echarme en cara el haber sido parcial contigo. Habrá miles y miles de hombres que cometerán tus mismos pecados, que permitirán ser presa del demonio, ofensores de Dios, torturadores de sus padres, asesinos, ladrones, mentirosos, adúlteros, lujuriosos, sacrílegos y hasta deicidas, matando materialmente al Mesías dentro no mucho tiempo, matándolo espiritualmente en sus corazones en tiempos venideros. Todos podrían decirme, cuando venga a separar los corderos de los cabros, a bendecir a los primeros y a maldecir, entonces sí, *a maldecir a los otros*, a maldecir porque no habrá ya más redención, sino gloria o condenación [8], a volverlos a maldecir, después de haberlos maldecido individualmente

---

[5] Cfr. not. 2.
[6] Cfr. Ez. 9; Ap. 7, 1-8.
[7] Cfr. Sal. 89, 4; 2 Pedr. 3, 8-10.
[8] Cfr. not. 2. En cuanto al Juicio final, cfr. Mt. 25, 31-46.

cuando murieron y fueron juzgados. Porque el hombre, y lo sabes porque lo he dicho muchísimas veces, puede salvarse mientras le dura vida, aun en sus últimos momentos. Basta un instante para que todo se arregle entre el alma y Dios, para que se pida perdón y se alcance la absolución [9]... Todos los condenados podrían decirme: "¿Por qué no nos amarraste al bien como hiciste con Judas?" Y tendrían razón. Porque cada hombre nace con los mismos elementos naturales y sobrenaturales: con un cuerpo y un alma. Entre tanto que el cuerpo, engendrado por hombres, puede ser más o menos robusto, el alma creada por Dios, es igual en todos, y tiene las mismas propiedades, los mismos dones. Entre el alma de Juan el Bautista y la tuya, no hay diferencia, *cuando fueron infundidas en el cuerpo*. Y sin embargo te aseguro que aun cuando la Gracia no lo hubiese presantificado [10], para que el Precursor mío no tuviese mancha, como convendría que *todos* los que me anuncian fuesen, al menos por lo que se refiere a pecados actuales, su alma *habría sido* muy distinta de la tuya, meyor dicho, la tuya de la de él. Porque hubiera conservado su alma en la dicha de los que no cometen faltas, la habría adornado siempre secundando el querer de Dios que desea que seáis justos, haciendo fructificar los dones gratuitos con una perfección cada vez más heroica. Tú por el contrario... has destruido tu alma y los dones que Dios le entregó. ¿Qué has hecho de tu libre albedrío? ¿Qué de tu inteligencia? ¿La has conservado libre? ¿Has querido que fuera inteligente? No. Tú, que no quieres obedecerme a Mí, no digo a Mí-Hombre, pero ni siquiera a Mí-Dios, obedeces a Satanás. Empleas tu inteligencia y tu libertad para comprender las Tinieblas. Voluntariamente. Delante de ti se te han puesto el Bien y el Mal. Este has escogido. Aun más: se te ha puesto delante sólo el Bien: *Yo.* El Eterno, tu Creador, que ha seguido el desenvolvimiento de tu alma, que lo conocía antes de él porque nada ignora el Eterno Pensamiento de lo que sucede desde que el tiempo existe, te ha puesto delante el Bien, sólo el Bien, porque sabe que eres más débil que un alga seca. Me echaste en cara que te odio. Si es verdad que tengo en mi dos naturalezas, por la humana y hasta que la victoria no la libre de sus limitaciones, estoy en Efraín, y no puedo estar en otra parte; por la divina, como *Verbo de Dios*, estoy en el cielo como en la tierra, omnipresente y omnipotente. Ahora bien como soy Uno con el Padre y el Amor, Uno aquí como Uno en el cielo [11], la acusación que lanzaste, *la lanzaste contra el Dios Uno y Trino.* Contra Dios Padre que te creó *por amor*, contra Dios Hijo que se encarnó *por amor* para salvarte, contra Dios Espíritu que te ha hablado muchas veces *por amor* para darte buenos deseos. Has acusado a Dios Uno y Trino que tanto te ha amado, qué te ha traído a mi camino, haciéndote ciego al mundo para que tuvieses tiempo de verme, sordo al mundo para que pudieras oirme. ¡Y tú!... ¡Y tú!... Después de que me has visto y escuchado, después de que libremente viniste

[9] Cfr. vol. 3°, pág. 546, not. 4; vol. 4°, pág. 120, not. 3.
[10] Cfr. Lc. 1, 39-45.
[11] Cfr. vol. 1°, pág. 766, not. 5; vol. 3°, pág. 183, not. 7; pág. 209, not. 5; pág. 593, not. 5.

al Bien, percibiendo con tu inteligencia que *éste es el único camino de la verdadera gloria,* has rechazado el Bien y *libremente* te has entragado al Mal. Mas si tú con tu libre albedrío has querido esto, si descortésmente has siempre rechazado mi mano que te he ofrecído para sacarte del remolino, si siempre te has alejado de Mí para sumergirte en el enfurecido mar de las pasiones, del mal, ¿puedes acusarme a Mí, acusar a Aquel de quien procedo, a Aquel que hizo que me encarnara para tratar de salvarte? ¿Puedes acusarnos de que te hemos odiado? Me has echado en cara de que quiero tu mal... También el niño enfermo se enoja contra el médico y contra su madre porque le hacen beber medicinas amargas y porque le niegan cosas que le harían mal. ¿Te ha cegado tanto Satanás que no comprendas más la razón verdadera de las providencias que he tomado por tu bien, y que te atrevas a llamar: mala voluntad, deseo de llevarte a la ruina, lo que es providencia amorosa de tu Maestro, de tu Salvador, de tu Amigo que quiere curarte? Te he impedido que tocases ese metal infame que te enloquece... ¿No sabes, no sientes que es como uno de esos brevajes mágicos que provocan una sed insaciable, que inoculan en la sangre un ardor, una rabia que lleva a la muerte? En tu pensamiento, que leo, me estás reprochando: "¿Entonces por qué por tanto tiempo me permitiste que fuese quien administrase el dinero?" ¿Por qué? Porque si te lo hubiera impedido desde el principio, te habrías vendido antes, habrías robado antes. De todos modos te vendiste, porque poco podías robar... *Yo debí* de impedirlo sin hacer violencia a tu libertad. El oro es tu ruina. A causa del oro te has hecho lujurioso y traidor...»

«¡Eso! ¡Te has fiado de las palabras de Samuel! Yo no soy...»

Jesús que había ido cobrando ánimos en el hablar, pero sin poner en su voz algún tono violento de amenaza, da un grito imprevisto de orden, diría yo, de ira. Severamente ve a Judas que levantó su cara para decir esas palabras y le grita: "Cállate", grito que parece el eco de un trueno.

Judas se empequeñece sobre sus calcañales y no abre la boca.

Se escucha un silencio en que se ve que Jesús claramente se esfuerza por dominarse, y su esfuerzo es tal que muestra lo divino que hay en El [12]. Vuelve a hablar con su tono usual, animado, dulce aunque enérgico, persuasivo, conquistador... Sólo los demonios pueden resistir a esta voz.

«No tengo necesidad de que hable Samuel, ni cualesquiera para conocer tus acciones. ¡Oh, desgraciado! ¿Sabes delante de Quién estás? ¿De veras? Dijiste que no comprendías más mis palabras. No las comprendes más. ¡Pobre infeliz! Ni siquiera te comprendes a ti mismo. No comprendes ni siquiera el bien y el mal. Satanás, al que has obedecido en todas las tentaciones que te ha presentado, te ha vuelto estúpido. Pero hubo un tiempo en que me comprendías. ¡Creías que soy quien soy! [13]. Y este recuerdo no se ha apagado en ti. ¿Puedes creer que el Hijo de

[12] Cfr. not. 2 y 3.
[13] Cfr. Ex. 3, 13-15; Is. 42, 8.

Dios, que Dios tenga necesidad de las palabras de un hombre para saber el pensamiento y acciones de algún otro? Aun no estás del todo pervertido que no creas que soy Dios, y en esto está tu mayor culpa. Lo muestra el miedo que tienes a mi ira. Sientes que no luchas contra un hombre, sino contra Dios mismo, y tiemblas. Tiemblas, Caín, porque no puedes ver ni pensar a Dios sino como Vengador de sí mismo y de los inocentes [14]. Tienes miedo de que te suceda lo que a Coré, a Datán, a Abirón y secuaces [15]. Pese a que sabes quién soy, luchas contra Mí. Debería decirte: "¡Maldito!", pero no sería más el Salvador... Querrías que te arrojase. Dices que todo lo haces para que te arroje. Esta razón no justifica tus acciones, porque no hay necesidad de pecar para separarte de Mí. Lo puedes hacer, te lo he venido diciendo. Desde Nobe, cuando regresaste en una limpia mañana, lleno de mentiras y lascivia, como si hubieras salido del infierno para caer en el fango de los cerdos, o con los libidinosos monos, y tuve que hacerme fuerza a Mí mismo para no arrojarte con un puntapiés como un harapo asqueroso y para refrenar la náusea que sentía, no sólo en el corazón, sino aun en las entrañas. Siempre te lo he dicho, aun antes de aceptarte, antes de que vinieras con nosotros. Entonces, *sólo por ti, y para ti solo*, dije aquellas cosas. Pero quisiste quedarte. ¡Para tu ruina! Tú, *mi más grande dolor!* Pero andas pensando y diciendo, el primero de los herejes que vendrán, que soy superior al dolor. No, sólo al pecado soy superior. Sólo a la ignorancia lo soy. Al pecado porque soy Dios, a la ignorancia porque no puede existir en el alma que no ha herido la culpa original. Te hablo como Hombre, como el Hombre, como el Adán-Redentor venido a reparar la culpa del Adán-pecador y a mostrar qué hubiera sido el hombre, si hubiera permanecido como fue creado: *inocente.* Entre los dones que Dios concedió a Adán, ¿no acaso fue el de una inteligencia sin mengua, una ciencia grandísima por su unión con El, unión que le daba al hijo bendito [16] Yo, el nuevo Adán, soy superior al pecado *por mi propia voluntad* [17]?... Un día, hace mucho tiempo, te admiraste de que hubiese sido tentado, y me preguntaste que si no había consentido. ¿Recuerdas? Te respondí, como pude haberlo hecho... Porque tu eras desde entonces... un hombre caído, ante cuyos ojos era inútil descubrir las perlas preciosísimas de mis virtudes. No habrías comprendido su valor... las habrías tomado por... piedras, dada su grandeza excepcional. En el desierto volví a repetirte no sólo las palabras, sino su sentido que te había dicho ya cuando íbamos a Getsemaní [18]. *Si hubiera sido Juan, o aun Simón Zelote, que me hubiese hecho otra vez esa pregunta, le habría respondido de manera diversa, porque*

[14] Cfr. Gén. 4, 1-16.
[15] Cfr. Núm. 16; Sal. 105, 11-18; Eccli. 45, 7-27; Jds. 11.
[16] La ignorancia es una de las consecuencias del debilitamiento sico-físico que ignoró Adán cuando era inocente. Cfr. Gén. 2, 19-20.
[17] No sólo en cuanto Dios sino en cuanto Hombre, Jesús fue superior al pecado «por propia voluntad» cfr. nota siguiente.
[18] Cfr. vol. 1°, pág. 401, cap. 32, en particular nots. 4, 5.

Juan es puro y no la habría hecho con la malicia con que la hiciste... y Simón es un anciano sabio, que sin ignorar la vida, cual la ignora Juan, ha llegado a tal sabiduría que sabe contemplar todo evento sin turbarse en su ser mismo. Ellos no me preguntaron si había consentido a las tentaciones, *a la tentación más común. Porque en la pureza no manchada de Juan no hay huellas de lujuria, y en la reflexiva de Simón hay mucha luz con la que ve la pureza que brilla en Mí.* Preguntaste... y te respondí, como pude. *Con esa prudencia que no debe distinguirse de la sinceridad, virtudes amadas a los ojos de Dios. La prudencia que es como el triple velo puesto entre el santo y el pueblo, extendido para ocultar el secreto del Rey* [19]. *Esa prudencia que regula las palabras según la persona que lo escucha, según su capacidad de entender, según su pureza espiritual y rectitud. Porque ciertas verdades si se dicen a los tontos les causan risa, pero no veneración...* No sé si recuerdes aquellas palabras. Te las repito aquí, ahora en que Yo y tú estamos al borde del abismo. Porque... no es necesario decirlo. Te dije en el desierto, al responder al tu "por qué", mi explicación no te había satisfecho: "El Maestro jamás se ha considerado superior al hombre por ser 'el Mesías', sino que sabiendo que es el Hombre, ha querido serlo en todo, a excepción del pecado. Para ser maestros es necesario haber sido alumnos. Todo lo sé como Dios. La inteligencia divina puede hacer comprender aun las luchas del hombre. Pero un dí algún pobre amigo mío habría podido decir: 'Tú no sabes lo que quiere decir ser hombre y tener sentidos y pasiones'. Habría sido un reproche justo. Vine aquí no sólo para prepararme a mi misión, sino también a la tentación. A la tentación diabólica. Porque el hombre no habría podido tener poder sobre Mí. Satanás llegó cuando había terminado mi unión solitaria [20] con Dios y sentí que era Hombre con un cuerpo *verdadero* sujeto a sus propias debilidades: hambre, cansancio, sed, frío. Sentí el cuerpo con sus exigencias, lo psíquico con sus pasiones. Si por mi voluntad he doblegado desde su nacimiento todas las pasiones no buenas, he dejado que crecieran las santas". ¿Recuerdas estas palabras? Te dije a ti, a ti solo aquella primera vez: "La vida es un don santo y hay que amarla santamente. La vida es un medio que sirve al fin, que es la eternidad". Dije: "Demos entonces a la vida lo que necesita para durar y servir al espíritu en su conquista: continencia de la carne en sus apetitos, continencia del corazón en sus deseos, un anhelo ilimitado a las pasiones que son del cielo: amor a Dios y al prójimo, obediencia a la voz de Dios, heroísmo en el bien y en la virtud". Me dijiste que podía hacer esto porque era Yo santo, pero que tú no lo podías porque eras joven, lleno de vida. Como si el ser joven y fuerte fuese una excusa para ser vicioso, como si sólo los viejos o enfermos fuesen impotentes para lo que pensabas, tú que ardías en lujuria, como si sólo ellos fuesen libres de las tentaciones carnales. En ese entonces pude haberte objetado muchas cosas, pero no podías comprenderlas, ni siquiera ahora, pero a lo menos ahora

---

[19] Cfr. vol. 4°, pág. 361, not. 12; y también Tob. 12, 7.
[20] Esto es, «que había Yo hecho en el desierto».

no puedes sonreír incrédulamente si te digo que el hombre sano puede ser casto, aun cuando sufra las seducciones del demonio y de los sentidos. Castidad es un afecto espiritual, es un movimiento que repercute en el cuerpo y lo invade, lo eleva, lo perfuma, lo preserva. El que está lleno de castidad no tiene lugar para otros movimientos que no sean buenos. En él no penetra la corrupción. Además, la corrupción no entra de afuera, no es algo que penetre de lo exterior a lo interior. Es un movimiento que procede de lo interno, del corazón, del pensamiento, que penetra e invade la carne. Por esto he dicho que del corazón salen las corrupciónes [21]. El adulterio, la lujuria, cualquier otro pecado sensual no provienen de lo exterior, sino del lavorío del pensamiento, que corrompido, viste de aspecto solicitador todo lo que ve. Todos los hombres tienen ojos para ver. ¿Cómo se explica que una mujer que deja indiferentes a diez, que la miran como un ser igual a ellos, que la ven aún como una bella obra del Creador, pero sin encender dentro de ellos estímulos e imaginaciones obscenas, turba al hombre undécimo y lo arrastra a concupiscencias indignas? Porque ese undécimo ha corrompido su corazón, su pensamiento, y donde diez ven a una hermana, él ve a la hembra [22]. Aun cuando entonces no te dije esto, te dije que había venido sólo para los hombres, no para los ángeles. Vine para devolver a los hombres su realeza de hijos de Dios enseñándoles a vivir como dioses [23]. Dios no tiene lujuria, Judas. Yo he querido demostrar que aun el hombre puede existir sin lujuria. Os he querido demostrar que se puede vivir como enseño. Para mostrároslo tuve que tomar un cuerpo *verdadero* para poder sufrir las tentaciones humanas y decir al hombre, después de haberlo instruído: "Haced como Yo". Me pregustaste que si había pecado al sentir la tentación. ¿Recuerdas? Como veía que no podías comprender que hubiera sido tentado sin haber caído, pues te parecía mal que el Verbo fuese tentado y te parecía imposible que el Hombre no pecase, te respondí que todos pueden ser tentados, pero que sólo son pecadores los que quieren serlo. Tu admiración fue grande, incapaz de dominarse y preguntaste: "¿No has pecado nunca?" En ese entonces podías no creer. Hacía poco tiempo que nos conocímos. Palestina está llena de rabinos cuya doctrina es una antítesis de la vida que llevan. Ahora sabes que no he pecado, que no peco. Sabes que la tentación, aun la más terrible que pueda sufrir un hombre sano, viril, no me perturba. *Antes bien cualquier tentación* — pese a que rechazándola aumenta su violencia — *es una victoria mayor, porque el demonio ha luchado con mayores fuerzas para*

[21] Cfr. Mt. 15, 1-20; Mc. 7.

[22] Según las fuentes más puras de la Escritura y de la Liturgia mundial (esto es, de sus puntos más importantes respecto a esto) la mejor espiritualidad *no* aconseja *huir del mundo*, sino *preservarse del mal*, lo que se alcanza por la virtud poderosa del Espíritu Santo y la generosa cooperación del hombre. Cfr. Mt. 5, 8; 10, 16; Lc. 10, 3; Ju. 17, sobre todo 14-19; Gal. 3, 26-28. Cfr. también las preces de consagración de los obispos, sacerdotes, diáconos según la Liturgia bizantina y romana, las preces de consagración de las vírgenes que se encuentran en el Pontifical romano.

[23] Cfr. vol. 4°, pág. 207, not. 3.

vencerme. Y no sólo en lo que se refiere a la tentación carnal, *torbellino que ha dado vueltas a mi alrededor, sin sacudir, sin rasguñar mi voluntad* [24]. *No hay pecado, donde no se consiente a la tentación,* Judas. *Existe el pecado donde, aun sin consumarlo, se acepta la tentación y se la mira con buenos ojos. Será pecado venial, pero es ya una preparación para el pecado mortal que se desenvuelve en vosotros. Porque acoger la tentación y pensar en ella, seguir mentalmente las fases del pecado, es debilitarse a sí mismo. Satanás lo sabe, y por esto lanza repetidas llamas, esperando que una de ellas penetre... Después... puede ser fácil que el hombre tentado se haga culpable.* Entonces no lo comprendiste. No podías. Ahora sí. Ahora mereces menos de entender que entonces, y con todo te repito lo que te dije, porque tú, no Yo, eres el hombre en el que la tentación rechazada no se calma... No se calma porque no la rechazas totalmente. No realizas el acto, sino que cobijas su deseo. Y asi lo has hecho... hasta que caes en la realización del pecado. Por esto te enseñé que pidieses la ayuda del Padre, te enseñé que pidieses al Padre que no te dejase entrar en la tentación. Yo, el Hijo de Dios, Yo, el vencedor de Satanás, he pedido ayuda al Padre [25], porque soy humilde. Tú no lo eres. No has pedido a Dios la salvación, la preservación. Eres un soberbio, y por esto te hundes... ¿Recuerdas esto? ¡Puedes ahora comprender lo que significa para Mí, verdadero hombre, con todas las reacciones humanas, y verdadero Dios, con todas las reacciones de Dios, verte así: lujurioso, mentiroso, ladrón, traidor, homicida! ¿Sabés cuáles son los esfuerzos a que me sujetas por tenerte cercano? ¿Sabés lo que me cuesta dominarme, como ahora, para que mi misión en ti se realice completamente? Cualquier otro hombre te habría cogido por la garganta al sorprenderte forzando los cofres y apoderándote del dinero, al saber que eres un traidor, y más que un traidor... Te hablo con compasión. Mira. No es verano y por la ventana entra ya el aire fresco del atardecer, y sin embargo estoy sudando como si hubiese hecho un trabajo demasiado duro. ¿No te das cuenta de lo que me cuestas? ¿De lo que eres? ¿Quieres que te arroje? No. Jamás. Cuando alguien se está ahogando, asesino es el que lo deja que se hunda. Te encuentras en medio de dos esfuerzas que te jalan. Yo y Satanás. Si te dejo, lo tendrás a él sólo ¿y cómo te salvarás? Y con todo me abandonarás... *Me has ya abandonado con tu corazón...*Pues bien, yo detengo todavía conmigo la crisálide de Judas. Tu cuerpo privado de la voluntad de amarme, tu cuerpo inerte para el bien. Lo detengo hasta que no me exijas esto poco que es tu despojo para unirlo al espíritu para pecar con todo tu ser... Judas... ¿no me hablas? ¿No encuentras una palabra que decir a tu Maestro? ¿Una súplica que hacerme? No te exijo que me digas: "¡Perdón!" Muchas veces te he perdonado sin resultado, se que esa palabra saldría solo de tus labios, no de tu espíritu arrepentido. Quisiera que saliese de tu corazón. ¿Estás tan muerto que no eres ca-

---

[24] Cfr. vol. 1°, pág. 405, not. 4; vol. 4°, pág. 670, not. 7.
[25] Cfr. vol. 3°, pág. 167, not. 2.

paz de formar un deseo? ¡Habla! ¿Me temes? ¡Oh, si fuera realidad! ¡Por lo menos esto! Pero no. Si me temieses te diría las palabras que te dije aquel día ya lejano, en que hablamos de las tentaciones y pecados: "Te aseguro que aun después del mayor Crimen que se cometerá, si el culpable de él corriese a los pies de Dios con verdadero arrepentimiento, y llorando le pidiese perdón, ofreciéndose a expiar confiadamente, sin desesperarse, Dios lo perdonaría, y por medio de la expiación salvaría su alma" [26]. ¡Judas! Si no me temes, con todo todavía te amo. ¿No tienes nada que pedir ahora a mi amor infinito?»

«No. Mejor dicho, una sola cosa. Que impongas silencio a Juan. ¿Cómo quieres que pueda reparar si seré la vergüenza entre vosotros?» y habla con altanería.

«¿Y así hablas? Juan no hablará, pero al menos tú, y esto te lo pido, obra de tal modo que nada trasluzca tu ruina. Recoge esas monedas y ponlas en la bolsa de Juana... Trataré de cerrar el cofre... con el fierro que empleaste para abrirlo...»

Mientras Judas de mala manera recoge las monedas regadas, Jesús se apoya sobre el cofre abierto como cansado. Aunque la luz es débil, permite ver que Jesús llora en silencio, mirando al apóstol encorvado que recoge las monedas.

Judas ha terminado, se acerca al cofre, toma la bolsa gruesa, pesada de Juana y mete dentro las monedas, la cierra diciendo: «Aquí están». Se hace a un lado.

Jesús toma la improvisada ganzúa hecha por Judas, y con temblorosa mano hace girar la chapa y cierra el cofre. Luego pone el fierro sobre su rodilla y lo dobla en forma de V, lo aplasta con el pie, para que no sirva para nada y se lo guarda en el pecho. Al hacerlo le caen lágrimas sobre su vestido de lino.

Judas finalmente tiene un movimiento de arrepentimiento, se cubre la cara con las manos y en medio de un sollozo dice: «¡Soy un maldito! ¡Soy el oprobio de la tierra!»

«¡Eres el desgraciado eterno! ¡Y pensar que si quisieras podrías todavía ser feliz!»

«Júrame, júrame que nadie se enterará de esto... y yo te juro que me redimiré» grita Judas.

«No digas: "me redimiré". No puedes. *Yo sólo puedo redimirte*. Sólo Yo puedo vencer al que habló por tus labios. Pronuncia la palabra de humildad: "¡Señor, sálvame!" y te libraré de tu opresor [27]. ¿No comprendes que espero esta palabra con más ansias que un beso de mi Madre?»

Judas llora, llora, pero no la pronuncia.

«Vete. Sube a la terraza. Vete a donde quieras, pero no hagas alguna comedia. Vete, vete. Nadie te descubrirá porque Yo me preocuparé de

---

[26] Cfr. vol. 1°, pág, 786, not. 9; vol. 2°, pág. 310, not. 6.

[27] Cfr. vol. 1°, pág. 804, not. 3. Léanse los muchos *Esorcismos* (oraciones para arrojar a los demonios o también para bendecir) que hay en los libros litúrgicos de los diversos ritos.

ello. Desde mañana tendrás el dinero. ¡Es inútil todo ya!»

Judas sale sin replicar. Jesús se queda solo, se sienta sobre una silla que hay cerca de la mesa y con la cabeza apoyada sobre sus brazos llora angustiosamente.

Pocos minutos después llega Juan, se detiene un momento en el umbral. Está pálido como un muerto, luego corre a Jesús, lo abraza suplicando: «¡No llores, Maestro, no llores! Te amo también por ese infeliz...» Lo endereza, ve las lágrimas de su Dios y llora a su vez. Jesús lo abraza y las dos cabezas rubias, juntas, se intercambian las lagrimas y los besos.

Jesús pronto se domina, dice: «Juan, por amor mío, olvida todo esto. Lo quiero.»

«Sí, Señor mío. Trataré de hacerlo. Pero no sufras más... ¡Ah, qué dolor!... Me hizo pecar, Señor mío. Mentí. Tuve que mentir porque regresaron las discípulas. No. Primero aquellos de la mujer. Querían verte para agradecerte. Nació felizmente un varoncito. Dije que habías ido al monte... Luego vinieron las mujeres y volví a mentir diciendo que no estabas, que tal vez estarías en casa de Ada... No pude menos que decir eso. Estaba yo atolondrado. Tu Madre me vio que tenía lágrimas y me preguntó: "¿Qué te pasa, Juan?" Se puso angustiada... parecía que supiese. Mentí otra vez diciendo: "Estoy conmovido por la felicidad de Ada..." ¡A tanto puede llevar el estar cerca de un pecador! ¡A la mentira!... Perdóname, Jesús mío.»

«Quédate en paz. Olvídate de estos momentos. No ha sido nada... Un sueño...»

«¡Sufres! ¡Qué cambiado estás, Maestro! Respóndeme sólo esto: ¿Se arrepintió Judas a lo menos?»

«¡Quién puede comprenderlo, hijo mío!»

«Ninguno de nosotros, pero Tú, sí.»

Jesús no responde. Nuevas lágrimas silenciosas corren por su cansado rostro.

«¡Ah, no se arrepintió!...» Juan está aterrado.

«¿Dónde está ahora? ¿Lo viste?»

«Sí. Asomándose a la terraza, mirando si había alguien, y al verme solo, que estaba sentado bajo la higuera, bajo de carrera y salió por la puerta del huerto. Entonces me vine...»

«Hiciste bien. Pongamos en su lugar las sillas. Recoge la jarra. Que no haya huellas de nada...»

«Luchó contigo.»

«No, Juan, no.»

«Estás muy turbado, Maestro, para quedarte aquí. Tu Madre comprendería... y sufriría.»

«Tienes razón. Salgamos... Darás la llave a la vecina. Me adelanto al arroyo, en dirección al monte...»

Jesús sale y Juan se queda a poner todo en orden. Luego sale, da la llave a la vecina y a la carrera se mete entre los matorrales para que nadie lo vea.

A unos cien metros distante de la casa Jesús está sentado sobre una piedra. Se vuelve al oir los pasos del apóstol. Su figura resalta a la luz del atardecer. Juan se sienta en tierra cerca de El y recuesta su cabeza sobre sus rodillas, levantando su cabeza para mirarlo. Ve que todavía llora.

«¡No sufras más, no sufras más, Maestro! ¡No puedo verte sufrir!»

«¿No puedo sufrir por esto? ¡Es mi mayor dolor! Recuérdalo, Juan: *éste será para siempre mi mayor dolor* [28]! Todavía no puedes comprender todo... Mi mayor dolor...» Jesús está abatido. Juan se aflige por no poderlo consolar.

Jesús levanta su cabeza, abre sus ojos que tenía cerrados para detener las lágrimas y dice: «Recuerda que somos tres los que sabemos: el culpable, Yo y tú, y *que ningún otro debe saberlo.*»

«Nadie lo sabrá de mi boca. ¿Pero cómo pudo hacerlo? Cuando se apropiaba el dinero de la bolsa común, paciencia... ¡Pero esto! ¡Creí que estaba yo loco cuando lo vi... ¡Horror!»

«Te he dicho que lo olvides...»

«Me esfuerzo, Maestro, pero es muy horrible...»

«¡Horrible! Sí, ¡horrible!» Jesús apoya su cabeza sobre la espalda de Juan y vuelve a llorar su dolor. Las sombras, que rápidamente bajan, no permiten verlos más.

[28] «Para siempre», esto es, durante la vida mortal de Jesús. Cfr. Ju. 13, 8.

29. El viaje por Samaría antes de la pascua. De Efraín hacia Silo
(Escrito el 24 de febrero de 1947)

«Permítenos que te sigamos, Maestro. No te daremos ninguna molestia» proponen a Jesús muchos Efrainitas reunidos ante la casa de María de Jacob, que llora desconsolada apoyada contra el estípite de la puerta abierta de par en par.

Jesús está en medio de sus doce apóstoles; más allá, en grupo y alrededor de la Virgen, Juana, Nique, Susana, Elisa, Marta, María, Salomé y María de Alfeo. Tanto hombres como mujeres están preparados para la marcha, con los vestidos arremangados en la cintura, con sandalias nuevas, cuyas correas no sólo sujetan el empeine, sino se enredan en las pantorillas. Los hombres además de sus alforjas, cargan también las de las discípulas.

La gente suplica a Jesús que le permite seguirlo, mientras los niños gritan, levantando sus caritas y bracitos en alto: «¡Un besito! ¡Tómame en tus brazos! ¡Vuelve Jesús! ¡Vuelve pronto para que digas otras bellas parábolas! ¡Te guardaré las rosas de mi jardín! ¡No me comeré las frutas para guardártelas! ¡Vuelve Jesús! Mi ovejita va a tener un corderito y te lo regalaré para que con su lana te hagas un vestido... Si vienes pronto te daré de las hogazas que mamá hará con el nuevo trigo...» Dan vueltas, como otros tantos pajaritos, alrededor de su gran Amigo. Le jalan del vestido, se le cuelgan de la cintura para tratar de subirse hasta sus brazos, confiados en que los quiere tanto, aun cuando no le dejan responder a los adultos. Siempre hay un pequeñín más que quiere ser besado.

«¡Bueno, basta, dejad en paz al Maestro! ¡Mujeres, tomad a vuestros hijos!» gritan los apóstoles que saben que es la hora de emprender el camino en las primeras horas de la mañana. Y hasta dan uno que otro coscorrón a los que no quieren hacer caso.

«No. Dejadlos en paz. Me es más dulce su cariño, que lo fresco de la aurora, dejadlos en paz, y dejadme a Mí también. Dejadme que me consuele con su amor exento de cálculos y de incertidumbre» protesta Jesús defendiendo a sus amiguitos sobre los que, al abrir sus brazos, deja caer su ancho manto y felices se quedan quietos, como los polluelos baja el ala de la gallina.

Finalmente Jesús puede responder a los adultos: «Venid, pues, si queréis hacerlo.»

«¿Y quién nos lo prohibe, Maestro? ¡Estamos en nuestro lugar!»

«El trigo, las vides, los árboles os aguardan. Es tiempo de trasquilar las ovejas, o de que se aparejen, o de que paran. Es el tiempo del heno...»

«No importa, Maestro. Para lo de las ovejas bastan los viejos y los muchachos. También las mujeres pueden ayudar en eso y en el heno. Los árboles y los campos pueden esperar. Todavía falta que el trigo madure en la espiga para que lo cortemos con la hoz. Los olivos y los árboles no tienen más que recibir los besos del sol. No podemos hacer nada por ellos, sino hasta el tiempo de la cosecha, así como la madre de familia que no puede hacer el pan sino hasta que la levadura haya fermentado la harina. El sòl es la levadura de los frutos. Continúa la obra que el viento hizo cuando esparcía por todas partes el pólen. Y luego... ¡si se perdiese uno que otro racimo o fruta, o bien el farolillo y la cizaña acabasen con una que otra espiga, no sería nada en comparación de perder tu palabra!» dice un anciano al que he visto que la población respeta mucho.

«Has dicho bien. Vamos entonces. María de Jacob, te doy las gracias y te bendigo porque fuiste para Mí como una madre. ¡No llores! No debe llorar quien ha hecho una obra buena.»

«¡Ah, te pierdo y no te veré más!»

«Nos volveremos a ver.»

«¿Regresas, Señor?» pregunta con una sonrisa entre lágrimas. «¿Cuándo?»

«Aquí no volveré, así como ahora...»

«Y entonces dónde nos podremos ver, si yo estoy vieja y no puedo ir por todas partes.»

«En el cielo, María. En casa de nuestro Padre. Allí donde hay lugar para judíos y samaritanos, donde hay un lugar para todos los que amen en espíritu y verdad, lo que ya haces al creer en Mí como en el Hijo de Dios verdadero...»

«¡Oh, lo creo! Tú eres el único que nos amas sin diferencias.»

«Cuando me hubiese ido, éstos (señala a los apóstoles) vendrán en mi lugar. Y en recuerdo mío no preguntarán que quién es el que quiere entrar en la grey del verdadero y único Pastor.»

«Ya soy vieja, Señor. No viviré para ver eso. Tú eres joven, fuerte, por muchos años tu Madre estará contigo, como los que te aman y son de tu pueblo... ¿Por qué lloras, oh Madre?» pregunta, sorprendida al ver caer lágrimas de los ojos de la Virgen.

«Porque no tengo ahora más que mi dolor... Adiós, María. Que Dios te bendiga por lo que hiciste con mi Hijo, y recuerda que si tu dolor es grande, no hay mayor que el mío, ni lo habrá sobre la tierra. ¡Jamás! Acuérdate de María de Nazaret que sufre... ¡Adiós!»

Besa a la anciana en el umbral de la casa y se pone en camino con las mujeres, llevando a su lado a Juan, el cual como suele hacer siempre, levanta respetuosamente su cara hacia Ella y le dice: «No llores así, María. Si muchos odian a tu Jesús, muchos lo aman. Consuélate, oh Madre, al mirar a estos que lo aman y en pensar en los que en los siglos por venir lo amarán con todo su ser.» Toma a la Virgen del brazo como para ayudarle a que no tropiece, pues no puede ver con las lágrimas que llenan sus ojos y luego termina en voz baja: «No todos las mujeres podrán ver que sus hijos sean amados. Habrá algunas que angustiadas gritarán: "¿Por qué los habré concebido?"»

Jesús se reúne a ellos, pues ambos, la Virgen y Juan, se habían quedado un poco atras de las discípulas. Con Jesús viene Santiago de Alfeo. Los demás en grupo, detrás. Pensativos y tristes igual que las discípulas, que van delante de todos. En grupo compacto y cerrando la marcha, los de Efraín que entre sí hablan.

«Los adioses son siempre triestes, Madre, sobre todo cuando se ignora que el fin de una cosa es el principio de otra más perfecta. Es la triste consecuencia del pecado, y seguirá existiendo aun después del perdón. Pero los hombres al tener a Dios por amigo, lo soportarán con más valentía.»

«Tienes razón, Jesús. Pero hay un dolor que Dios aun siendo el amigo más paternal que pueda haber deja que se guste. ¡Oh, Dios es bueno! ¡Tan bueno! No quisiera que Santiago, ni Juan, ni ningún otro se fuese a escandalizar porque lloro. Dios es bueno, siempre lo ha sido con la pobre María. Desde que pude pensar, me lo he repetido diariamente. Y cuanto más el dolor me oprime, tanto más lo repito... Me dio a Ti: Hijo amoroso y santo, que aun sólo como humano, basta con recompensar todos los dolores... Te a dio a mi, y me hizo Madre de su Verbo encarnado... La alegría de poderte llamar "Hijo", ¡Señor mío adorado!, es tanta que de mis ojos ante cualquier martirio no deberían caer lágrimas, si fuese perfecta como Tú enseñas... Pero soy una pobre mujer, ¡Hijo mío! ¿Qué madre hay que no llore cuando sabe que el fruto de sus entrañas es odiado?... Hijo mío, socorre a tu sierva... Ciertamente que en mí había soberbia cuando pensaba que era yo fuerte [1]... Pero entonces... el tiempo estaba todavía lejos... Ahora ha llegado... Lo siento... Socórreme, ¡Jesús, Dios mío! Ciertamente que si Dios deja que sufra así es para mostrarme su bondad. Porque si quisiera podría hacerme sufrir sólo lo que pasa... El fue quien te formó en mi seno... Como... No hay cosa que pueda declarar cómo fuiste hecho... Pero quiere que yo sufra... que sea bendito... siempre. Pero Tú, Jesús, ayúdame. Ayudadme todos... todos... porque el mar en que bebo es amarguísimo...»

«Digamos la oración los cuatro. Digámosla nosotros que te amamos con todo el corazón, Madre. Yo, tu Hijo, Juan y Santiago que te aman como si fueras su madre... Padre nuestro que estás en los cielos...» y Jesús, recita toda la oración recalcando sobre las palabras: «*hágase tu voluntad...*»... «*no nos dejes entrar en tentación.*» Luego añade: «El Padre nos ayudará para que hagamos su voluntad aun cuando sea tal que nuestra debilidad humana crea no poderla realizar. No nos dejará entrar en la tentación de pensar que es menos bueno, porque mientras beberemos el cáliz amarguísimo, nos mandará su ángel a secarnos los labios que rebosan amargura con una consolación celestial.» Jesús tiene asida la mano de su Madre que valerosamente ha dejado de llorar. Los dos apóstoles miran conmovidos a Jesús y a María, que van en medio.

Las discípulas se volvieron al oir el llanto de María y la plegaria de los cuatro. Pero no se reunieron con ellos. Los apóstoles que vienen detrás se preguntan: «¿Por qué llorará así, María?» Dije los apóstoles, menos Judas de Keriot que va un poco adelante, aislado, pensativo, lóbrego de modo que Tómas lo hace notar a los demás: «¿Qué le pasará a Judas que está así? ¡Parece como si fuera a la muerte!»

«¡Bah! Tendrá miedo de regresar a Judea» le responde Mateo.

«Yo... ¿Qué te dijo el Maestro acerca del dinero?» le pregunta Zelote.

«Nada de especial. Tan sólo: ''Volvamos ahora a lo de antes. Judas es el tesorero y vosotros los distribuidores de las limosnas. Las discípulas han dicho que cuidarán de los gastos''. No me ha parecido verdad. He manejado tanto el dinero, que le tengo asco.»

«Las discípulas bien que socorren nuestras necesidades. Estas sandalias tan buenas... No parece que camina uno por el monte con ellas. ¡Quién sabe cuánto habrán costado!» dice Pedro mirando sus pies calzados con unas sandalias que cubren el calcañal y la punta y se sujetan fuertemente al empeine con correas.

«Me las dio Marta. Se ve al punto que es rica y previsora. Las otras sandalias también se amarraban igual, pero los cordones eran un suplicio. No se perdía la suela, pero si la piel de la pantorrilla...» aclara

---

[1] Los santos, seres humildísimos, se acusan de vicios, pecados o imperfecciones que no tienen ya o nunca tuvieron. Ante la presencia del Altísimo se sienten nada y pecado.

Andrés.

«Nos molestaban los dedos y el calcañal... Por eso, ese que viene allí detrás las traía siempre así» dice Pedro señalando a Judas de Keriot.

El camino va subiendo hacia la cresta del monte. Atrás se ve Efraín blanqueado por el sol.

Los apóstoles se unen a las discípulas para ayudarlas a subir la parte más escabrosa, y Bartolomé, que se había quedado atrás, dice a los de Efraín: «Nos mostrasteis un sendero difícil, amigos.»

«Lo es, pero pasado aquella arboleda, hay un camino bueno que en poco tiempo lleva a Silo. Podréis reposar mucho tiempo que no, si hubiéramos tomado otro camino» responde uno.

«Tienes razón. El camino cuanto más fatigoso tanto más lleva a la meta.»

«Tu Maestro lo sabe, por esto lo ha aceptado. ¡Ah... nosotros no podremos olvidar!... Sobre todo que hizo mucho bien en estos últimos días, pese a que como se cuenta algunos de nuestra región lo insultaron injustamente. El sólo es bueno y por eso hace bien a los que lo odian.»

«Vosotros no lo habéis odiado.»

«Nosotros no, como otros muchos. Sin embargo se nos odia sin razón.»

«Haced como El hace, sin miedo y veréis que...»

«¿Por qué vosotros no lo hacéis? Es la misma cosa. Nosotros de esta parte, vosotros de aquella, en medio un monte: que hemos levantado con nuestros errores. Arriba está el Dios de todos. ¿Por qué entonces ni vosotros ni nosotros subimos la cuesta para encontrarnos juntos allá arriba, a los pies de Dios?»

Bartolomé comprende el reproche que es justo porque, aunque tiene mucha virtud, sin embargo se siente muy israelita e inexorable con todo lo que no es Israel. Cambia el discurso sin responder directamente: «No hay necesidad de subir. Dios ha bajado entre nosotros. Basta seguirlo.»

«Seguirlo, sí. Quisiéramos. ¿Pero si entrásemos en Judea con El, no le causaríamos algún mal? Bien sabes de lo que se le acusa, y de lo que se nos acusa: de ser samaritanos, esto es: demonios.»

Bartolomé da un suspiro y los deja plantados, diciendo: «Me hacen señal de que vaya...» y apresura el paso.

Al verlo ir uno de ellos con voz desconsolada murmura: «¡Ah, no es como El! ¡Qué no perderemos al no tenerlo más!»

«¿Supiste, Elías, que ayer por la tarde llevó una gran cantidad de dinero al sinagogo para que la entregara a María de Jacob, y así socorrerla?»

«No. ¿Por qué no se la dio personalmente?»

«Para que la anciana no se lo agradeciese. Todavía no lo sabe. Yo lo sé porque el sinagogo me lo dijo para ponernos de acuerdo si será mejor comprarle los campos de Juan que su hermano quería vender, o darle el dinero poco a poco. Le aconsejé que comprase los campos de Juan, que le producirán trigo, aceite y vino suficientes para vivir sin hambre. Mientras que el dinero...»

«¿Es mucho?» pregunta un tercero.

«Sí. Nuestro sinagogo recibió mucho, y también para los otros pobres de la ciudad y de la campiña. Para que "también ellos puedan celebrar su fiesta en la pascua de los ácimos, para saludar la nueva época" ha dicho el Maestro.»

«Habrá dicho año nuevo.»

«No. Dijo: "La nueva época". Tanto que el sinagogo no empleará ese dinero antes de la fiesta de los ácimos.»

«¿Qué habrá querido decir con ello?» preguntan varios.

«¿Qué será? No lo sé. Ninguno lo sabe, ni siquiera Juan que es su predilecto, ni Simón de Jonás que es el jefe de ellos. Les pregunté y Juan se puso pálido, el otro se quedó pensativo como quien trata de adivinar.»

«¿Y Judas de Keriot? Está mucho con ellos, tal vez más que los otros dos. Se dice que está informado de todo. Lo sabrá. Vamos a preguntarle. Le gusta decir lo que sabe.»

Alcanzan a Judas que va solo por el camino, pues los otros han desaparecido tras una vuelta como tragados por el verde follaje de la pendiente.

«Oye, Judas, el Maestro dice que quiere una gran fiesta para la pascua de ácimos para saludar la nueva época. ¿Qué quiere decir con ello?»

«No lo sé. ¿Vivo acaso en el pensamiento del Maestro? Preguntádselo a El que tanto os ama» y apresura el paso dejándolos desilusionados.

«También él no es el Maestro. No hay nadie que tenga su compasión...» dicen moviendo la cabeza.

«¡Y qué! ¿Acaso venimos en pos de ellos? ¡Es a El a quien seguimos! Y hacemos bien en hacerlo. Vamos. Quien sabe, si antes de que entre en Judea, no se sepa lo que quiso decir.»

Apresuran el paso. Se juntan con los otros que están sentados bajo un bosque de robles seculares. Tienen ante sus ojos uno de los más bellos panoramas de Palestina.

30. En Silo. Los mal aconsejados
(Escrito el 27 de febrero de 1947)

Jesús está hablando en medio de una plaza llena de árboles. El sol que declina esparce sus rayos de color amarillento-verdoso por entre las nuevas hojas de los plátanos gigantescos. Parece como si sobre la extensa plaza se haya puesto un velo sutil y precioso que filtrase la luz solar sin impedirla.

Jesús dice: «Escuchad. Un día un gran rey envió a su hijo a una cierta región donde quería probar su justicia. Le dijo: "Ve, recorre todos los lugares, haz bien en mi nombre, habla de mí, hazme conocer y amar. Tienes todas las facultades y todo lo que hicieres, estará bien hecho".

El hijo, después de haber recibido la bendición paternal, se fue. Le acompañaban un escudero y un amigo. Incansablemente se puso a recorrer aquella región del reino de su padre, la que por diversas circunstancias estaba moralmente dividida, y cada una de las partes levantaba el grito para mostrar que era la mejor, la más fiel, y que los lugares vecinos eran traidores y merecían castigo. El hijo, pues, se encontró frente a ciudadanos cuya actitud variaba según el lugar, pero todos tenían en común dos cosas: la primera que cada lugar se creía mejor que los otros, y la segunda que cada uno de ellos quería destruir el vecino, haciéndolo bajar del concepto que el rey tenía de él. El hijo, hombre justo y sabio, se puso a instruir con mucha misericordia en la justicia todos los lugares de aquella región para que su padre la amase. Lentamente avanzaba el hijo, porque como suele suceder, sólo los rectos de corazón de cada uno de los lugares aceptaban sus consejos. Aun más y justo es decirlo, donde con desprecio se decía que no había sabiduría ni voluntad, allí encontró que con gusto le escuchaban y se hacían prudentes. Entonces los de los lugares cercanos dijeron: "Si nos damos maña de encontrar gracia ante el rey, él la dará a todos éstos. Vamos a hacerles una jugada a esos que odiamos, finjámos que nos hemos convertido, que estamos dispuestos a dejar el odio para que el hijo del rey se sienta honrado".

Y fueron con actitud de amigos por las ciudades del lugar rival. Aconsejaron falsamente lo que tenía que hacerse para honrar mejor al hijo del rey, y por lo tanto a su padre. Pero en realidad no honraban al hijo, sino que lo odiaban hasta hacerlo odioso a los súbditos y al rey mismo. Fueron tan astutos en su buena apariencia, tan sagaces en hacer que sus consejos fuesen acogidos, que muchos del lugar aceptaron por bueno lo que era malo, y dejaron el camino de la justicia que seguían para tomar un extraviado. El hijo del rey comprobó que su misión fallaba en muchos.

Decidme ahora: ¿Ante los ojos del rey quién cometió mayor pecado? ¿Cuál fue el pecado de los que aconsejaban, y el de que aceptaron el consejo? Os pregunto algo más: ¿Con quién se habrá mostrado más severo aquel buen rey? ¿No podéis responderme? Os lo diré.

El que cometió el mayor pecado ante los ojos del rey fue el que instigó al mal a su prójimo *por odio* a él, porque quería sumergirlo en tinieblas más profundas; *por odio* al hijo del rey que quería que apareciese ante los ojos de su padre y de sus súbditos como derrotado en su misión por incapaz; *por odio* hacia el rey mismo, porque el amor tributado al hijo se tributa al padre, y por lo tanto al odiar al hijo, se odiaba al padre.

Así pues el pecado de los que aconsejaban al mal, con pleno conocimiento, era un pecado de odio además del de mentira, de un odio premeditado; y el de los que aceptaron el consejo, creyéndolo bueno, era un pecado de estupidez. Sabéis bien que el que entiende es responsable de sus acciones, mientras quien por enfermedad u otra causa, es un tonto, no lo es en sí, sino que lo son sus familiares en su lugar. Por esto mientras el niño no llega a ser mayor de edad es considerado como irresponsable, y su padre es quien responde de sus acciones. Así pues, el rey, que era bueno, se mostró severo con los malos consejeros, que eran entendidos, y benigno con los engañados, a los que sólo echó en cara haber creído a éste o a aquel súbdito, y no haber preguntado antes directamente al hijo para enterarse de las cosas como eran. Porque sólo el hijo conoce realmente la voluntad de su padre.

Esta es la parábola, ¡oh pueblo de Silo! Aquí muchas veces, en el curso de los siglos, Dios, los hombres, satanás dieron sus consejos, que florecieron en bien cuando fueron buenos, o que fueron rechazados al descubrirse que eran malos, o que produceron el mal cuando no fueron santos [1].

Porque el hombre tiene la grandiosa facultad de poder querer, y de querer libremente el bien o el mal. Tiene otro magnífico don, y es el de la inteligencia con que puede discernir el bien del mal, y por lo tanto no sólo el consejo en sí mismo, sino el modo con que puede acarrear premio o castigo. Si nadie puede prohibir a los malvados de intentar llevar a su prójimo a la ruina, nada puede prohibir a los buenos de rechazar la tentación y permanecer fieles al bien.

El mismo consejo puede hacer daño a diez, y ayudar a otros diez, porque si quien lo sigue, se hace mal; quien no lo sigue, ayuda a su alma. Por esto nadie diga: "Nos dijeron que así hiciéramos". Más bien cada uno con la mano en el pecho diga: "Yo quise hacerlo". Alcanzaréis por lo menos el perdón que se da a los sinceros. Si ignoráis si el consejo es bueno o malo, meditad antes de aceptarlo y ponerlo en práctica. Meditad invocando al Altísimo que no rehusa jamás sus luces a los corazones de buena voluntad. Si vuestra conciencia, iluminada por Dios, descubre un punto, aunque sea pequeñísimo que no puede coexistir con una obra recta, decid entonces: "No haré esto porque es malo".

En verdad os digo que quien emplease bien su inteligencia y su libre albedrío e invocase al Señor para conocer la verdad de las cosas, la tentación no le hará ningún daño porque el Padre de los cielos lo ayudará a hacer el bien contra todas las asechanzas del mundo y de Satanás.

Acordaos de Ana esposa de Elcana y de los hijos de Elí [2]. El ángel bueno aconsejó a Ana prometer al Señor el fruto de su vientre si concebía. El sacerdote aconsejó a sus hijos caminar en el camino de la justicia y no seguir pecando contra el Señor [3]. Y aun cuando al hombre le cuesta menos trabajo oir la voz de otro igual a él, que las palabras espirituales y no sensibles (a los sentidos físicos) del ángel del Señor que habla al corazón, Ana de Elcana siguió el consejo, porque era buena y caminaba ante la presencia de Dios, y dio a luz un profeta; mientras que los hijos de Elí, porque eran malvados y se habían separado de Dios, no acogieron el consejo de su padre y murieron de muerte violenta con la

---

[1] Cfr. Jos. 18-21; Jue. 18-21; 1 Rey. 1-4; 3 Rey. 14, 1-18; Sal. 77, 56-72; Jer. 7, 1-15; 26.
[2] Cfr. 1 Rey. 1.
[3] Cfr. 1 Rey. 2, 23-25.

que Dios los castigó [4].

Los consejos tienen dos valores: el de la fuente de donde proceden, y es grande en sí porque puede tener consecuencias incalculables, y el del corazón a quien se dirigen. El valor que les da el corazón, es no sólo incalculable, sino inmutable. Porque si el corazón es bueno y sigue el consejo bueno le dal el valor de obra justa; y si no lo hace, quita la segunda parte de su valor, sigue siendo un consejo *pero no obra*, esto es, es mérito sólo para el que lo da. Si el consejo es malo, y el corazón bueno no lo acepta, aunque se le trate de intimidarlo con lisonjas o amenazas para que lo ponga en prática, adquiere el valor de una victoria sobre el mal, de martirio por su fidelidad al bien, y por lo tanto un gran tesoro en el Reino de los Cielos.

Cuando vuestro corazón sea tentado, meditad, poniéndoos bajo la luz de Dios, si ello puede ser alguno bueno, y si con la ayuda divina que permite las tentaciones, pero que no vuestra ruina, veis que no es algo bueno, tened fuerzas para deciros a vosotros mismos y a quien os tienta: "No. Sigo fiel a mi Señor. Que esta fidelidad me absuelva de mis anteriores pecados, me lleve no fuera de los puertas del Reino, sino dentro de él, porque también para mí el Altísimo ha enviado a su Hijo, para llevarme a la salvación eterna".

Idos. Si alguien me necesitare, sabe dónde descanso en la noche. Que el Señor os ilumine.»

[4] Cfr. 1 Rey. 2, 12-36; 4,1-18.

31. En Lebona. Los mal aconsejados. Algo más sobre el valor de un consejo
(Escrito el 28 de febrero de 1947)

Están para entrar en Lebona, ciudad que no me parece muy importante ni bella. Rebosa de gente, porque pasan las caravanas que bajan para la pascua a Jerusalén viniendo de la Galilea, Iturea, Gaulanítide, Traconítides, Auranítide y Decápolis. Diría yo que Lebona se encuentra en un cruce de caravanas, mejor dicho, que es el lugar donde se encuentran las que vienen de esos lugares, además de las del Mediterráneo a los montes que están al este de Palestina, y del norte de la misma para reunirse en este gran camino que lleva a Jerusalén. Tal vez se deba que la gente lo prefiera porque está muy bien custodiado por los romanos y por lo tanto la gente se siente más segura de los ladrones. Eso creo yo. Puede ser que se le prefiera porque tiene recuerdos históricos o sagrados. No lo sé.

Las caravanas — dada la posición del sol, diría que a eso de las ocho — se ponen en camino en medio de griterío, rebusnos, cencerros, ruedas.

Mujeres que llaman a sus niños, hombres que gritan a sus animales, vendedores que ofrecen sus mercancías, que hacen contratos con los samaritanos y los otros — a excepción de los hebreos — los de la Decápolis y de otras regiones que son menos intransigentes en su actitud. Pero si se encuentran con quien siente hervir su sangre hebrea, oirán duras injurias [1], es como si se les acercase el demonio en persona, tales son los gritos de anatema que lanzan... provocando reacciones fuertes de parte de los samaritanos ofendidos. Y llegarían fácilmente a las manos si no estuviesen alertas las guardias romanas.

En medio de esta confusión viene Jesús caminando. A su alrededor los apóstoles, detrás las discípulas, y detrás la hilera de los de Efraín, a quienes se agregaron los de Silo.

Un susurro precede al Maestro. Parte de los que lo ven a los que no. Muchos suspenden su marcha, para ver lo que pasa.

Se preguntan: «¿Cómo? ¿Se aleja siempre más de la Judea? ¿Predica ahora en Samaría?»

Una voz timbrada galilea: «Los santos lo echaron afuera, y El se vuelve a los que no lo son para santificarlos, para afrenta de los judíos.»

Otro responde a esto con veneno: «Ha encontrado su nido, y quien escuche su palabra diabólica.»

Otra voz: «¡Callaos, asesinos del Justo! Esto que hacéis en perseguirlo os marcará en los siglos por venir con un nombre horrible. Sois unos corrompidos tres veces más que nosotros los de la Decápolis.»

La voz tajante de un viejo: «Tanto justo que huye del Templo con ocasión de la Fiesta de las Fiestas. ¡Je, je, je!»

Uno de Efraín, rojo de ira: «No es verdad. Mientes, animal. Va a su Pascua.»

Un escriba barbudo con desprecio: «Por el camino del Garizín.»

«No. Del Moria. Vino a bendecirnos porque sabe amar, y luego va a vosotros, malditos, que lo odiáis.»

«¡Cállate, samaritano!»

«¡Cállate tú, demonio!»

«A quien arma motines le tocará la galera. Así lo ha ordenado Poncio Pilatos. Acordaos de ello, y daos prisa» grita un oficial romano dando órdenes a sus soldados que dispersen a esos que ya estaban a punto de sumirse en una de tantas disputas regionales y religiosas, que tan fácilmente surgían en la Palestina de los tiempos de Jesús.

La gente se dispersa, pero nadie avanza. Los asnos vuelven a sus pesebres, o bien se les lleva al por donde se desvió Jesús. Mujeres y niños bajan de la silla, siguen a sus maridos y padres, o bien se quedan donde están porque se les grita que no vayan «a oir hablar al demonio.» Pero los amigos, enemigos, o sencillamente curiosos, corren al lugar a donde ha ido Jesús. Y al correr se echan miradas furibundas, o amistosas.

Jesús se ha detenido en una plaza, junta a la fuente rodeada de árbo-

[1] Cfr. vol. 2°, pág. 12, not. 3.

les. Se ha recargado contra la pared húmeda de la fuente, que cubre una especie de portal abierto por un solo lado. Tal vez se trata más que de una fuente, de un pozo. Se parece el de En Rogel.

Está hablando con una mujer que le presenta su pequeñín que tiene en los brazos. Veo que Jesús dice que sí, que pone su mano sobre la cabeza del pequeñín. Y veo que la madre levanta su pequeñuelo y grita: «Malaquías, Malaquías, ¿dónde estás? Está curado nuestro niño». La mujer lanza en alto sus hosannas, a los que se unen los de la multitud, en medio de los cuales un hombre viene a postrarse ante el Señor.

La gente comenta, las mujeres, casi todas madres, se congratulan con la mujer que recibió el favor. Los que están más lejos alargan su cuello y preguntan: «¿Qué ha pasado?», al oir los «hosannas».

«Un niño jorobado, tan jorobado que apenas si podía ponerse en pie. Medía de veras, os lo aseguro, medía no más que esto. Parecía un niño de tres años, cuando ya tiene siete. ¡Miradlo ahora! Tiene el tamaño de todos los de su edad, está derecho como una palmera. Vedlo como sube por la pared de la fuente para que lo vean y para ver. ¡Qué feliz es!»

Un galileo se vuelve a un cierto personaje, que estoy casi segura que es rabí, de largaos flecos [2], lo apostrofa: «¿Tienes algo que decir? ¿También esto es obra del demonio? Si en realidad el demonio hace que los hombres sean felices — y alabado sea el Señor — ¡habrá que decir que su mejor siervo es él!»

«¡Blasfemo, cállate!»

«No blasfemo, rabí. Comento lo que veo. ¿Por qué vuestra santidad nos echa encima solo desgracias sobre las espaldas, y nos lanza maldiciones en los labios, como pensamientos de hacernos desconfiar del Altísimo, mientras que las obras del Rabí de Nazaret nos dan paz, seguridad de que Dios es bueno?»

El rabí no responde, da media vuelta y se va a hablar con sus amigos. Uno de ellos se separa, se abre paso donde está Jesús al que, sin saludarlo, lo interpela de este modo: «¿Qué te propones hacer?»

«Hablar a los que me piden que les hable» responde Jesús, mirándolo a los ojos, sin desprecio, sin miedo.

«No te es lícito. El Sanedrín no lo quiere.»

«El Altísimo lo quiere, de quien el Sanedrín debería ser siervo.»

«Estás condenado, lo sabes. Cállate, o...»

«Mi nombre es Palabra, y la Palabra habla.»

«La oyen los samaritanos. Si fuese verdad que eres lo que dices ser, no hablarías a los samaritanos.»

«He hablado a ellos, como a los galileos, judíos, porque ante mis ojos no hay ninguna diferencia.»

«Trata de hablar en Judea, si te atreves...»

«Sí que hablaré. Esperadme. ¿No eres tú Eleazar ben Parta? ¿Sí, verdad? Antes de que yo vea a Gamaliel, tú lo verás, y dile en mi nombre que

[2] Cfr. vol. 4°, pág. 268, not. 8.

también a él daré la respuesta que hace veintiún años espera. ¿Entendiste? Acuérdate bien. Después de tantos años también le daré la respuesta. Hasta pronto.»

«¿En dónde? ¿En dónde quieres hablar, y responder al gran Gamaliel? El ha salido ya de Gamala de Judea para entrar en Jerusalén. Pero si todavía estuviese allá, no podrías hablarle.»

«¿Que en dónde? Donde se reunen los escribas y rabinos de Israel.»

«¿En el Templo? ¿Tú, en el Templo? ¿Te atreves...? ¿No sabes?...»

«¿Que me odiáis? Lo sé. Básteme con que mi Padre no me odie. Dentro de poco el Templo se estremecerá con mi palabra.» Y sin preocuparse de su interlocutor abre sus brazos para imponer silencio a la gente que está dividida en dos bandos.

Todo se calma. Jesús empieza a hablar: «En Silo hablé de los malos consejeros y de lo que puede realmente hacerse de bien o mal con un consejo. Ahora a vosotros, habitantes de Lebona o no, os propongo la siguiente parábola. La llameremos: "La parábola de los mal aconsejados".

Escuchad. Una vez existió una familia numerosísima que parecía una tribu. Los hijos se habían casado, y los hijos de éstos al hacer lo mismo se habían reunido al mismo núcleo, de modo que el padre se encontraba al frente de un pequeño reino. Como sucede siempre en las familias, entre los hijos y los hijos de éstos siempre hay temperamentos diversos. Alguien es bueno y justo, otro ambicioso e injusto. Alguien se contenta con su posición, otro no, es envidioso, y le parece que la parte que le tocó es menor que la de su hermano o pariente. Había, pues, junto al peor, el mejor. Y es natural que el padre del que era el mejor lo amase más tiernamente que a todo el resto de la familia. Y como siempre sucede, el malo, y los que se parecían a él, odiaban al bueno, porque era más amado, sin pensar que ellos también lo habrían sido si hubieran sido buenos. El hijo bueno era el de confianzas del padre a quien le revelaba todo lo que tenía que trasmitir a los otros que eran buenos. Sucedió, pues, que con los años, la familia numerosa se dividió en tres partes. La de los buenos y la de los malvados. En medio de ambos estaba la de los inciertos, los cuales se sentían atraídos hacia el hijo bueno, pero temían al hijo malo y a los de su partido. No sabía qué hacer. Dudaba. Balanceaba entre ambas partes. El viejo padre al ver la incertidumbre, dijo a su hijo amado: "Hasta ahora has hablado a los que te aman y a los que no. A los primeros has hablado porque te piden que les hables para que me amen con mayor rectitud, a los segundos para que vuelvan al camino de la justicia. Pero ves que éstos en lugar de volver en sí, tratan de corromper con sus malas palabras a los inciertos. Ve pues a éstos y diles lo que soy, lo que eres, lo que deben hacer para estar conmigo y contigo".

El hijo, siempre obediente, fue a hacer lo que le había ordenado su padre y cada día conquistaba un nuevo corazón. El padre vio, pues, claramente quiénes eran sus verdaderos hijos rebeldes, y los miraba con severidad, pero sin echárselos en cara, porque era, y quería que se acercasen a él con la paciencia, amor y ejemplo de los buenos.

Los malvados al verse solos dijeron: "De este modo se descubre que nosotros somos los rebeldes. Antes nos confundíamos entre los que no eran ni buenos ni malos. Ved ahora que todos van detrás del hijo amado. Hay que hacer algo. Destruir su obra. Vamos. Finjamos que nos hemos arrepentido, vayamos con los que apenas se han convertido, con los más sencillos de los mejores. Esperzamos la voz de que el hijo amado finge servir al padre, pero que en realidad no hace más que conquistar seguidores para rebelarse contra él; o aun más, digamos que el padre tiene intenciones de eliminar al hijo y a sus seguidores, porque por todas partes logran triunfos y ofuscan su gloria de padre y rey, y que para defender a su hijo amado y traicionado, es necesario que se quede entre nosotros, lejos de la casa paterna donde lo espera la traición".

Astutamente fueron a insinuar estas ideas y a esparcirlas de modo que muchos cayeron en la trampa, sobre todo los que hacía poco se habían convertido, a quienes los malos aconsejaban de este modo: "¿No véis cuánto os ha amado? Prefirió venir con vosotros que estarse con su padre, y mucho menos con los hermanos buenos. Tanto ha hecho que ante la faz del mundo os ha levantado de vuestra humillación en que no sabíais lo que queríais y en la que todos se burlaban de todos vosotros. Por este amor, tenéis la obligación de defenderlo, aun más de tenerlo con vosotros; y si las palabras no bastaren, con la fuerza. O bien, proclamadlo vuestro jefe y rey y marchad contra el padre inicuo y contra sus hijos, perversos". Agregaban, al ver titubear a alguien: "El lo desea. Ha querido que fuésemos con él a honrar al padre, y nos ha alcanzado bendiciones y perdón". A otros decían: "¡No creáis! No os ha dicho él toda la verdad, como tampoco el padre os ha mostrado toda la verdad. Se comportó así porque sabe que su padre está para entregarlo y ha querido probar vuestros corazones para saber dónde puede encontrar protección y refugio. Pero tal vez... ¡es muy bueno! tal vez se arrepienta luego de haber dudado del padre y quiera regresar a él. No se lo permitáis". Muchos prometieron: "No se lo permitiremos" y se llenaban de ardor para detener al hijo amado, sin caer en la cuenta que mientras los malos consejeros decían: "Os ayudaremos a salvar al hijo bueno", sus ojos estaban llenos de mentira, de crueldad, y no reparaban en que ellos se fregaban las manos diciendo en voz baja: "Caen en la trampa. ¡Triunfaremos!" cada vez que alguien aceptaba sus palabras mentirosas. Se fueron los malos consejeros a esparcir en otros lugares la voz que pronto verían la traición del hijo amado, que había salido de las tierras del padre para crear un reino, contrario al del padre, reuniendo consigo a los que odiaban al padre o que no lo querían. Los que se encontraban bajo el influjo de los malos consejeros no perdían el tiempo en hacer planes cómo podrían inducir al hijo amado a rebelarse, lo que habría llenado de escándalo al mundo.

Sólo los más perspicaces, los que habían aceptado la palabra del hijo bueno, porque en ellos había prendido su palabra, como terreno propicio, después de haber reflexionado replicaron: "No. Esto no va bien. Esto es algo que va contra el padre, contra el hijo y también contra nosotros. Sabemos cuán rectos sean el uno y el otro. Conocemos su proceder recto aun cuando no lo hubiéramos imitado. No podemos aceptar que los consejos de los que se han rebelado abiertamente contra el padre y el hijo sean más justos de los que nos ha dado el hijo bendito''. Y no los siguieron, sino que cariñosos y llenos de dolor dejaron que el hijo se fuera a donde tenía que ir, limitándose a acompañarlo con señalos de amor hasta los límites de su región y a prometerle: "Te vas. Nosotros nos quedamos. Pero tus palabras quedan con nosotros, y de hoy en adelante haremos lo que tu padre quiere. Vete tranquilo. Nos arrebataste de la posición en que nos encontraste. Ahora, puestos en el buen sendero, lo seguiremos hasta que lleguemos a la casa paterna para que el padre nos bendiga''.

Pero algunos siguieron el consejo de los malos e hicieron mal al tratar de que el hijo cometiera una acción injusta, y al burlarse de él como de un necio, porque no pensaba más que en cumplir con su deber.

Os pregunto ahora: "¿Por qué el mismo consejo realizó efectos diversos? ¿No respondéis? Os lo diré como lo dije a los de Silo. Porque los consejos valen o no, según las personas que los aceptan. Inútilmente alguien puede ser aconsejado a hacer el mal, si no quiere aceptarlo. Y no será castigado por haber sentido las instigaciones de los malos. No será castigado porque Dios es justo y no castiga las faltas no cometidas. Será castigado sólo si después de haber escuchado al malo, pone en práctica lo que éste le aconsejaba, sin haber empleado su inteligencia. No podrá acusarse diciendo: "Creí que era bueno". Bueno es lo que agrada a Dios. ¿Puede acaso Dios aprobar y gustar que se le desobedezca? ¿Puede Dios bendecir alguna cosa que va contra su ley, esto es, contra su Palabra? En verdad os aseguro que no. Os afirmo que es necesario tener valor para morir antes que traspasar la ley divina. En Siquén os hablaré otra vez más para que seáis justos tanto en querer como en no querer practicar los consejos que se os dieren. Podéis iros.»

La gente se va comentando.

«¿Oíste? El sabe lo que nos dijeron. Nos ha llamado al camino de la justicia» dice un samaritano.

«Entendí. ¿Y viste cómo se turbaron los judíos y escribas que estaban presentes?»

«Claro. Ni siquiera esperaron el fin. Se marcharon.»

«¡Víboras! Sin embargo... El dice lo que quiere hacer. No está bien. Podría acarrear algunas dificultades. Los de Ebal y Garizín están entusiastas.»

«Yo... por mi parte no me hice ilusiones. El Rabí es el Rabí. Y dicho está. ¿Puede pecar el Rabí si no sube al Templo de Jerusalén?»

«Encontrará la muerte. ¡Lo verás!... ¡Todo se habrá acabado!»

«¿Para quién? ¿Para El? ¿Para nosotros o... para los judíos?»

«Para El, si muere.»

«Eres un loco. Yo soy de Efraín. Lo conozco bien. Durante dos lunas viví con El, aún más. Siempre hablaba con nosotros. Será una pena... pero no un dolor, ni para El, ni para nosotros. No puede morir, terminar, el Santo de los santos. Ni para nosotros puede terminar todo así. Yo... seré un ignorante, pero presiento que su Reino vendrá cuando los judíos lo habrán creído destruido... Los derrotados serán ellos...»

«¿Crees que los discípulos venguen al Maestro? ¿Que habrá rebelión, destrucción? ¿Y los romanos?...»

«No hay necesidad de que los discípulos o cualesquiera lo venguen. El mismo Altísimo lo vengará. Durante muchos siglos, y por cosa de menor cuantía, nos ha castigado. ¿Quieres que no castigue a ésos por que atormentan a su Enviado?»

«¡Ah, verlos vencidos!»

«Tienes un corazón que al Maestro no agradaría. El ruega por sus enemigos...»

«Mañana le sigo... Quiero oir lo que dirá en Siquén.»

«También yo.»

«Y también yo...»

Muchos de Lebona piensan lo mismo, y fraternizando con los de Efraín y Silo se van a hacer los preparativos del día siguiente.

32. En Siquén
(Escrito el 1º de marzo de 1947)

Siquén se ha adornada y embellecida. Hay muchos samaritanos que se dirigen a su Templo. También hay peregrinos de todas partes que van al Templo de Jerusalén. El sol baña la ciudad, que se extiende por las pendientes orientales del Garizín que la domina por la parte occidental. El verdor del monte contrasta con la blancura de ella. Al noroeste está el Ebal, lleno de bosques, que parece como si la protegiese de los vientos del norte. La región es fértil por la riqueza de aguas que bajan de las vertientes de los montes, en forma de ríos, alimentados por innumerables arroguelos, que se dirigen al Jordán. Son bellos los jardines y los huertos. Todas las casas están adornadas de verdor, de flores, ramas que arrojan sus frutos en miniatura. Si uno vuelve sus ojos por todas partes no notará más que verdor de olivos, viñedos, huertas, y lo pálido de los campos cargados de trigo, que cada vez más ostentan sus espigas maduras que el sol, y el viento, hacen que tomen su color de oro blanquecino. Verdaderamente las espigas parecen «estar rubias» como dice Jesús, después de que «blanquearon» apenas nacidas y que luego se cubrieron de verdor cual preciosa esmeralda. El sol les da fuerzas para resistir a la muerte como les dio para vivir. Son esas espigas llenas de vida que con su alimento darán vida al hombre y que de su muerte surgirá el verdor de una nueva primavera.

Jesús ha hablado de ello cuando entraba en la ciudad, haciendo alusión a su encuentro con la Samaritana y a lo que le dijo hace tiempo. Después dice a sus apóstoles, menos a Juan que siempre acompaña a la Virgen que está muy afligida: «¿No se cumple ahora lo que entonces dije? Entramos ignorados y solos. Sembramos. Ahora: ved qué mies ha nacido de aquella semilla. Seguirá creciendo y vosotros la segaréis. Y otros más que vosotros cosecharán...»

«¿Y Tú no, Señor?» pregunta Felipe.

«Yo he cosechado donde sembró mi Precursor. Luego lo hice para que vosotros cosechaseis y sembraseis con la semilla que os di. Pero así como Juan no cosechó lo que sembró, así tampoco Yo. Somos...»

«¿Que, Señor?» pregunta ansioso Judas de Alfeo.

«Las víctimas, hermano mío. Es necesario el sudor para hacer que sean fértiles los campos. *Es necesario el sacrificio para hacer que los corazones lo sean. Nos levantamos, trabajamos,* morimos. Después de nosotros, vendrá otro, se levantará, trabajará, morirá... Lo que habremos regado con nuestra muerte, otros lo cosecharán.»

«¡Oh, no! ¡No lo digas, Señor mío!» exclama Santiago de Zebedeo.

«¿Tú, que fuiste discípulo de Juan, me lo dices? ¿ No recuerdas las palabras del que fue tu maestro? "Es necesario que El crezca y que yo disminuya". El comprendía *la belleza y razón del morir para dar otros la justicia.* No seré inferior a él.»

«Pero Tú, Maestro, ¡Tú eres Dios! El era un hombre.»

«Soy el Salvador. Como Dios debo ser mas perfecto que el hombre. Si Juan, simple mortal, tuvo valor de empequeñerer para que naciera el verdadero Sol, no debo ofuscar la luz de mi sol con nubes de cobardía. Debo dejaros un recuerdo limpio de Mí, para que sigáis adelante, para que el mundo crezca en la idea que he traído. El Mesías se irá, regresará al lugar de donde vino, y desde allá os amará siguiendoos en vuestro trabajo, preparándoos el lugar que será vuestro premio. Pero mi doctrina se queda, crecerá con mi ida... con la de todos los que, sin apagarse al mundo y a la vida terrena, sabrán como Juan y como Yo, irse... morir para que otros vivan...»

«¿Entonces reconoces que sea justo que se te mate?...» pregunta casi con ansias Iscariote.

«No lo reconozco. *Reconozco justo el morir por lo que traerá mi sacrificio. El homicidio es siempre homicidio para el que lo realiza, aun cuando tenga valor y aspecto diversos para el que muere.*»

«¿Qué quieres decir?»

«Quiero decir que si alguien mata, porque se ve obligado a hacerlo, como es el soldado en batalla, el verdugo que obedece al magistrado, o el que se defiende de un ladrón, no mancha su alma con el homicidio, pero el que sin necesidad y orden de nadie mata a un inocente o coopera a su muerte, irá delante de Dios con la cara horrible de Caín [1].»

---

[1] Cfr. Gén. 4, 1-16.

«¿Pero no podemos hablar de otra cosa? El Maestro sufre con ello; tú pones ojos de atormentado; a nosotros parece que estamos en la agonía; si su Madre lo oye, gemirá. Debajo de su velo está llorando ya. ¡Hay tantas cosas de qué hablar!... ¡Oh, vienen los principales! Esto os hará callar. ¡La paz sea con vosotros! ¡La paz sea con vosotros!» Pedro que se había adelantado y se había vuelto a hablar, se inclina para saludar a un grupo nutrido de siquemitas que majestuosos vienen a ver a Jesús.

«La paz sea contigo, Maestro. Las casas que te hospedaron la otra vez, están dispuestas a hacerlo también hoy, lo mismo que otras, a Ti y a los que vienen contigo. Vendrán a verte a los que has hecho algún favor. Sola una persona no vendrá por que se ha retirado muy lejos para expiar. Así dijo, y yo lo creo, porque cuando una mujer se despoja de todo lo que amaba, rechaza el pecado y da sus bienes a los pobres, señal es que quiere verdaderamente seguir una vida nueva. No sabría decirte dónde está. Desde que dejó Siquén nadie la ha vuelto a ver. A uno de los nuestros le pareció reconocerla bajo un vestido de sierva cerca de Fialé. Otro jura haberla reconocido bajo un vestido pobrísimo en Bersabea. Pero es fácil creer estas cosas. Se le llamó por su nombre y no respondió. Se dice que en un lugar se le llamó Juana, y en otro Agar.»

«No es necesario saber algo más que se ha convertido. Cualquier cosa es inútil, como indiscreto buscarla. Dejad a vuestra conciudadana en su paz secreta, y baste con que no de escándalo. Los ángeles del Señor saben dónde está para darle la única ayuda de que necesita, la única ayuda que no puede dañar el alma... Os ruego llevéis a las mujeres, que están muy cansadas, a vuestros hogares. Mañana os hablaré. Hoy os escucho y espero a los enfermos.»

«¿No te quedas mucho con nosotros? ¿No pasarás el sábado aquí?»

«No. El sábado lo pasaré en otra parte, en oración.»

«Teníamos esperanzas de que estuvieses varios días con nosotros...»

«Apenas si tengo el tiempo de regresar a Judea para la fiesta. Os dejaré a los apóstoles y a las mujeres, si quisieren quedarse, hasta la tarde del sábado. No miréis así. Sabéis muy bien que debo honrar al Señor nuestro Dios más que cualquier otro, porque el ser lo que soy no me dispensa de ser fiel a la ley del Altísimo.»

Se dirigen a las casas donde entran dos discípulas y un apóstol: María de Alfeo y Susana con Santiago de Alfeo, Marta y María con Zelote, Elisa y Nique con Bartolomé, Salomé y Juana con Santiago de Zebedeo. En grupo van a una casa Tomás, Felipe, Judas de Keriot y Mateo, a otra Pedro, Andrés. Jesús con Judas de Alfeo, Juan y la Virgen se hospedan en la casa del que habló en nombre de sus conciudadanos. Los que vinieron de Efraín, Silo y Lebona, además de los peregrinos que se dirigen ya a Jerusalén, y que siguen a Jesús, se dispersan en busca de alojo.

33. El valor que el justo da a los consejos
(Escrito el 2 de marzo de 1947)

La plaza mayor de Siquén está pletórica de gente. Parece que toda la ciudad se hubiera reunido aquí, y que también hubieran venido gente de la campiña y de poblados vecinos. Tal vez los siquemitas se esparcieron al medio día del día siguiente al sábado para dar la noticia, y así han llegado sanos y enfermos, justos y pecadores. La gente ha llenado la plaza y las terrazas, y muchos se han encaramado en los árboles de la plaza.

En primera fila, cerca del lugar dejado a Jesús, junto a una casa que tiene cuatro gradas, están los tres niños que salvó de los ladrones y sus parientes. ¡Qué ansiosos están los pequeñuelos por ver a su Salvador! A cada grito se voltean a buscarlo. Cuando se abre la puerta de la casa y aparece Jesús los tres pequeños vuelan gritando: «¡Jesús, Jesús, Jesús!», sin esperar que baje El a abrazarlos. Se inclina, los abraza levantándolos después: un ramo de flores inocentes, al que besa, y el es besado.

Entre la gente conmovida no hay quien diga: «Fuera de El no hay otro que sepa besar a nuestros inocentes.» Otros dicen: «¿Veis cómo los ama? Los rescató de los ladrones, les dio casa, los vistió, les dio de comer, y ahora los besa como si fueran hijos de sus entrañas.»

Jesús que ha vuelto a poner a los niños en tierra, en el escalón más alto, cerca de sí, dice a manera de respuesta a los comentarios: «En verdad que son más que si fuesen hijos de mis entrañas, porque soy padre de su alma, que es mía, no por un tiempo, sino por la eternidad. ¡Si pudiera afirmar que el hombre alcanza y obtiene la vida de Mí que lo soy! Os invité a ello cuando vine por primera vez aquí, y creisteis que era mucho tiempo para decidiros a hacerlo. Hubo solo alguien que solícita escuchó mi llamada y se puso en el camino de la Vida: la que era la más pecadora entre vosotros. Tal vez porque se sintió muerta, porque *se vio* muerta, podrida en su pecado, tuvo prisa en salir de la muerte. Vosotros no os sentís ni os veis muertos. No tenéis la prisa de ella. Pero, ¿quién es ese enfermo que espera morir para tomar las medicinas? El muerto necesita de sábanas, aromas, de un sepulcro en que se convertirá en polvo. Si por sus altísimos fines, el Eterno de la podredumbre en que se encontraba el cuerpo de Lázaro, lo devolvió a la vida, esto no significa que alguien intente morir espiritualmente diciendo: "El Altísimo me devolverá a la vida del alma". No tentéis al Señor, vuestro Dios. Venid a la Vida. No hay que esperar. La Vida está para ser tomada y suprimida. Preparad vuestro corazón al Vino de la Gracia que se os dará. ¿No hacéis así cuando tenéis que asistir a un banquete? ¿No preparáis el estómago para poder comer y beber, absteniéndoos prudentemente, para que vuestro estómago esté listo a recibir comidas y bebidas? ¿No hace así el viñador cuando prueba el vino nuevo? No bebe nada, para que ese día pueda catarlo. No lo hace porque quiera percibir con precisión las cualidades o defectos para preservar unas o corregir otros y vender su producto. Si el invitado se porta así cuando va a ir a un banquete para gustar con mayor placer de los alimentos y vinos, y de igual modo hace el viñador para poder vender su vino, ¿no debería comportarse así el hombre con su alma y así gustar del cielo, conseguir el tesoro para poder entrar en él?

Escuchad mi consejo. Escuchadlo. Es un buen consejo. Es consejo recto del Justo que en vano se le aconseja mal, y que quiere salvaros de los frutos de los malos consejos que habéis recibido. Sed justos como lo soy. Procurad dar el justo valor a los consejos. Si obráis rectamente, lo haréis.

Escuchad esta parábola, y con ella completo las que dije en Silo y Lebona, y siempre trata sobre los consejos que son dados o recibidos. .

Un rey mandó a su hijo amado a visitar su reino, el cual estaba dividido en muchas provincias. Era extensísimo. Las provincias tenían diverso concepto de su rey. Algunas lo conocían tan bien que se creían las predilectas y se enorgullecían de ello. Pensaban ser las únicas perfectas aun en lo que el rey quería. Otras lo conocían, y sin creerse gran cosa por ello, se industriaban en conocerlo cada vez mejor. Otras lo conocían, lo amaban a su modo. Se habían dado a sí mismas leyes que no eran las del reino. De las de éste escogieron las que les gustaban, y como les acomodaba; les mezclaron otras leyes tomadas de otros reinos, o ellos mismos las hicieron, pero no eran buenas. Otras provincias no conocían a su rey. Sabían sólo que existía. Llegaban hasta imaginar que no era más que una leyenda.

El hijo fue a visitar el reino para dar a conocer a todas las provincias el rey. En una parte corregía a los soberbios, en otra daba ánimos a los abatidos. Arrancaba conceptos equivocados. Purificaba la ley quitándole aquellos elementos que la manchaban. En algunas enseñaba cómo llenar las lagunas que había en la ley, en otras se esforzaba en dar por lo menos el mínimo de conocimiento y fe. El hijo pensó que la primera lección que debía dar a todos era el ejemplo de justicia conforme al código, esto es, que se cumpliese tanto en las cosas grandes como en las pequeñas. Y lo hacía tan perfectamente bien, que la gente de buena voluntad se hacía mejor porque no sólo escuchaba sus palabras sino que imitaba sus acciones, entre las que no encontraba ninguna contradicción.

Los perfectos de las provincias que creían serlo sólo porque conocían a la letra el código, pero no poseían su espíritu, al ver las acciones del hijo, se convencían claramente de que estaban equivocados y de que llevaban una máscara de hipocresía. Entonces pensaron en hacerlo desaparecer de en medio. Para ello emplearon dos medios. Uno contra el hijo mismo, otro contra sus seguidores. Contra el hijo emplearon malos consejos y amenazas. Toda clase de malos consejos. Es malo por ejemplo decir: "No hagas esto que te puede acarrear daño", fingiendo querer su bien. Es cosa mala perseguir para hacer al otro que desista de su misión. Lo es también decir a sus seguidores: "Defendedlo a toda costa", y es mal consejo decirles: "Si lo protegéis, caeréis en nuestra ira".

No hablo ahora de los consejos dados a los seguidores, hablo de los consejos que se dieron al hijo del rey con falsa apariencia de bondad, con odio, o por medio de instrumentos del fin que se proponían.

El hijo del rey oyó los consejos. Tenía orejas, ojos, inteligencia, corazón. No podía menos de oirlos, verlos, comprenderlos, ponderarlos. Tenía además un espíritu recto y a cada consejo, que se le daba a sabiendas o ignorantemente para hacerlo pecar dando mal ejemplo a los súbditos de su padre e infinito dolor al rey, respondía: "No. Yo hago lo que mi padre quiere. Sigo su códice. El ser hijo del rey no me exime de ser el más fiel de sus súbditos en la observancia de la Ley. Vosotros que me odiáis y queréis infundirme miedo, tened en cuenta que ninguna cosa me hará violar su ley. Vosotros que me amáis y me queréis salvar, tened en cuenta que os bendigo por esta buena intención, pero tened también en cuenta que vuestro amor y el amor con que os amo, que me es más fiel que el de los que se dicen 'sabios', no me debe impedir que ame mucho más a mi padre".

Esta es la parábola, hijos míos. Es tan clara que todos la habréis comprendido. En los corazones rectos no puede sino levantarse una voz: "El es realmente justo porque ningún consejo lo puede llevar al camino del error".

Sí, hijos de Siquén. Ninguna cosa me puede inducir al error. ¡Ay de Mí si caminase por él! ¡Ay de Mí y ay de vosotros! En lugar de ser vuestro Salvador, sería vuestro traidor, y tendríais razón en odiarme. Pero no lo haré, no os echaré en cara que hayáis aceptado sugestiones y meditado providencias contra la justicia. No sois culpables porque lo hicisteis con espíritu de amor. Os repito lo que dije al principio: os amo más que si fuerais hijos de mis entrañas porque lo sois de mi espíritu. He llevado vuestro espíritu a la Vida y lo seguiré haciendo. Recordad que os bendigo por vuestra buena intención. Creced en la justicia queriendo sólo lo que honra al Dios verdadero, al que hay que amar con todas las fuerzas. Venid a esta perfección de la que os doy ejemplo, una perfección que pisotea los egoismos, el miedo a los enemigos y a la muerte; aplasta todo para cumplir la voluntad de Dios.

Preparad vuestro corazón. Surge ya el alba de la gracia. El banquete de ella se está preparando. Vuestras almas, las almas de los que quieren venir a la verdad, está en la vigilia de sus nupcias, de su liberación, de su redención. Preparaos rectamente para la fiesta de la Justicia.»

Jesús hace una señal a los parientes de los niños para que entren en casa con El y se retira después de haberlos tomado entre sus brazos.

En la plaza hay varias clases de comentarios. Las personas buenas dicen: «Tiene razón. Esos falsos enviados nos traicionaron.»

Los malos dicen: «No debía lisonjearnos. Nos hace que lo odiemos más. Se ha burlado de nosotros. Es un verdadero judío.»

«No podéis afirmarlo. Nuestros pobres reciben de El ayuda, nuestros enfermos la salud, nuestros huérfanos su protección. No podemos pretender que peque para darnos gusto.»

«Ya pecó porque ha hecho que nos odien...»

«¿Quién?»

«Todos. Se ha burlado de nosotros. Sí que se ha burlado.»

Los diversos pareceres llenan la plaza, llegan hasta el interior de la casa donde está Jesús con los principales, con los niños y con los parientes de éstos.

Una vez más se confirma la palabra profética: «Será piedra de contradicción [1].»

[1] Para comprender esta expresión, cfr. Lc. 2, 34; también Mt.10, 34-36; Lc. 7, 23; 12, 51-53; 1 Pedr. 2, 7-8.

34. Jesús va a Enón
(Escrito el 3 de marzo de 1947)

Jesús solitario medita sentado bajo una gigantesca encina que hay en una de las faldas del monte que domina Siquén. Se divisa la ciudad blanco-rosada a los primeros rayos del sol allá abajo, esparcida sobre las pendientes del monte. Vista desde arriba parece un campo de grandes cubos puestos al revés sobre un fondo verde. Las dos corrientes de agua cerca de las cuales se levanta, forman un semicírculo color plateado. Uno pasa por medio de ella cantando entre sus casas blancas, luego sale hacia lo verde, y se le ve aparecer y desaparecer bajo olivares y árboles frutales hacia el Jordán. La otra es más modesta. Corre por fuera de los muros, a sus pies, y después de regar las hortalizas, da de beber a las ovejas que apacientan en los pastizales que el trébol pinta de color rojizo. El horizonte se abre extenso a los ojos de Jesús. Después de varios montecillos, cada vez más bajos, se ve por una declinación, el verde valle del Jordán y más allá los montes de la Transjordania, que terminan en el noreste con las crestas características de la Auranítide. El sol que ha salido detrás de ellos, se ha puesto a pintar a tres ligeras nubecillas que horizontalmente se mueven por el velo color turquesa del firmamento. Las ha pintado de color rosa-naranja como ciertos preciosos corales. El cielo parece como obstruido de estas hermosísimas nubes. Jesús las mira, esto es, mira absorto en aquella dirección. Tal vez ni vea. Con el codo apoyado sobre las rodillas y su mentón sobre la palma de su mano, mira, piensa, medita. Por encima de El los pajarillos revolotean como si estuvieran apostando a algo.

Jesús baja los ojos sobre Siquén que despierta a los primeros rayos del sol. A los pastores y ganados, que era lo único que se veía, se unen grupos de peregrinos, el retintín de las campanas de los ganados, las sonajas de los asnos, los gritos y el ruido de pasos y palabras. El viento lleva en ondadas hasta Jesús el rumor de la ciudad que ha despertado ya.

Se pone de pie. Con un suspiro deja su tranquilo lugar y rápido baja por un atajo a la ciudad. Entre por en medio de caravanas de hortelanos que se apresuran a descargar sus mercancías, de peregrinos que se disponen a comprar lo necesario para ponerse en camino. En un rincón de la plaza están en su espera los apóstoles, las discípulas y a su alrededor los de Efraín, Silo, Lebona y muchos de Siquén.

Jesús se dirige a ellos. A los de Samaría dice: «Y ahora separémonos. Regresad a vuestros hogares. Acordaos de mis palabras. Creced en la justicia.» Se vuelve a Judas de Keriot: «¿Has distribuido entre los pobres de cada lugar, como te ordené?»

«Sí. Menos a los de Efraín porque ellos ya han recibido.»

«Idos entonces. Haced que cada pobre tenga un alivio.»

«Te bendecimos en su nombre.»

«Bendecid a las discípulas, son las que me dieron el dinero. Idos. La paz sea con vosotros.»

Se van a regañadientes, pero obedecen.

Jesús se queda con los apóstoles y discípulas. Les dice: «Voy a ir a Enón. Quiero saludar el lugar del Bautista. Luego vajaré por el camino del valle. Es más cómodo para las mujeres.»

«¿No sería mejor hacer el camino de Samaría?» pregunta Iscariote.

«No tenemos por qué temer a los ladrones, aun cuando pasemos cerca de sus escondites. Quien quiera venir conmigo que venga, quien no que se quede en Enón hasta el día siguiente al sábado, en que yo iré a Tersa. El que se quede que me alcance en ese lugar.»

«De mi parte... preferiría quedarme. No estoy muy bien... estoy cansado...» dice Iscariote.

«Se ve. Estás como enfermo, de color ceniciento, que se te ve también tu mirada, en tus reacciones, en tu piel. Hace tiempo que te observo...» dice Pedro.

«Pero nadie me pregunta si sufro...»

«¿Te habría gustado? Nunca sé lo que te gusta. Pero si quieres te lo pregunto ahora, estoy dispuesto a quedarme contigo para curarte...» le responde pacientemente Pedro.

«¡No, no! Es solo cansancio. Vete, vete. Me quedo aquí.»

«También me quedo yo. Estoy vieja. Descansaré haciendo el oficio de madre» dice de pronto Elisa.

«¿Te quedas? Habías dicho...» interrumpe Salomé.

«Si todos iban, también yo, para no quedarme aquí sola, pero ya que Judas se queda...»

«Entonces voy. No quiero que te sacrifiques, mujer. Ciertamente vas con gusto a ver el refugio del Bautista...»

«Soy de Betsur y jamás he sentido deseos de ir a Belén a ver la gruta donde nació el Maestro. Lo haré cuando no tenga más al Maestro. Puedes imaginarte si ardo en deseos de ver donde estuvo Juan... Prefiero ejercitar la caridad, segura de que vale más que una peregrinación.»

«¿Reprendes al Maestro, ¿no comprendes?»

«Hablo por mí. El va y hace bien. Es el Maestro. Soy una vieja a quien los dolores arrebataron todo deseo de curiosidad, y a quien el amor por El ha quitado todas ganas que no sean de servirlo.»

«Entonces tu servicio es espiarme.»

«¿Haces cosas reprobables? Se vigila a quien hace cosas malas. Ten en cuenta que jamás he expiado por alguien. No pertenezco a la raza de las sierpes. No traiciono.»

«Tampoco yo.»

«Dios lo quiera por tu bien. Pero no logro comprender por qué llevas tan a mal que me quede aquí para descansar...»

Jesús, que no había dicho ni una palabra, levanta su cabeza y dice: «Basta. El deseo que tienes tú, puede tenerlo una mujer y con mayor razón si está entrada en años. Os quedaréis aquí hasta la aurora del día siguiente al sábado, luego me alcanzaréis. Entre tanto tú ve a comprar cuanto es necesario para estos días. Ve y hazlo bien.»

Judas se va de mala gana a hacer las compras. Andrés quiere seguirlo, pero Jesús lo toma de un brazo diciendo: «No vayas. Lo puede hacer por sí mismo.» Jesús habla con muy severidad.

Elisa lo mira, se le acerca y le ruega: «Perdóname, Maestro, si te he causado algún disgusto.»

«Ninguno, mujer. Antes bien, perdonalo a él, como si fuese tu hijo.»

«Con estos sentimientos estaré cerca de él... aun cuando piense lo contrario... Tú me comprendes...»

«Sí y te bendigo. Hiciste bien al decir que las peregrinaciones a mis lugares se convertirán en algo necesario después que ya no esté entre vosotros... en una necesidad de consuelo para vuestro corazón. Por ahora se trata de secundar los deseos de vuestro Jesús. Has comprendido mi deseo porque te sacrificas para cuidar de un espíritu imprudente...»

Los apóstoles se miran entre sí... también las discípulas. Sólo María que tiene el velo no lo levanta para mirar a los demás. María Magdalena, derecha como una reina que sentenciase, no ha perdido con la mirada a Judas que se abre paso entre los vendedores. En sus ojos se ve el enfado y en las comisuras de sus labios el desprecio. Más que con palabras, habla con su expresión...

Regresa Judas. Da a sus compañeros lo que compró. Se pone otra vez el manto en el que trajo todo, y hace como que quiere entregar la bolsa a Jesús.

Jesús la rechaza con la mano: «No es necesario. Para las limosnas está María. Tu trata de ser bondadoso. Son muchos los mendigos que de todas partes van para ir a Jerusalén en estos días. Da sin discriminación y con caridad, recordando que *todos* somos mendigos de la misericordia de Dios y de su pan... Adiós. Adiós, Elisa. La paz sea con vosotros.» Se vuelve rápidamente y se pone en camino no dando tiempo a Judas de despedirse...

Todos lo siguen a Jesús en silencio... Salen de la ciudad, y se dirigen hacia el noreste a través de la bellísima campiña.

35. En Enón. El jovenzuelo Benjamín
(Escrito el 4 de marzo de 1947)

Enón, más arriba, hacia el norte, es un puñado de casas. En este lugar estuvo el Bautista, en una gruta rodeada de una espesa vegetación. Riachuelos parlachines nacen del manantial, y juntándose después forman un arroyo que va al Jordán.

Jesús está sentado fuera de la gruta, donde se despidió de su primo. Está solo. La aurora apenas tiñe de rosa el oriente y la floresta despierta al canto de los pajarillos. De Enón llegan los balidos. Un rebuzno rompe el aire quieto. El golpear de pezuñas por el sendero. Pasa un ganado de ovejas que guía un jovenzuelo, que por un instante se detiene a ver a Jesús. Luego se va, pero poco después regresa porque una cabra se ha quedado allí a mirar al extraño que nunca había visto y que con su larga mano le extiende una ramita de mejorana, y le acaricia la cabeza. El pastorcillo no sabe qué hacer: si alejar la cabra o dejar que Jesús sonriente la acaricie, como si estuviese contento de que hubiese venido a reclinarse a sus pies, recostando su cabeza sobre sus rodillas. Las otras cabras regresan comiendo hierba.

El pastorcillo pregunta: «¿Quieres leche? No he ordeñado dos que si no están llenas topan a quien trate de hacerlo. Iguales que su patrón, que si no se llena de ganancias, nos pega con el bastón.»

«¿Eres un pastor que trabaja para otro?»

«Soy huérfano. Soy sólo, y soy siervo. Es pariente mío porque está casado con la tía de mi madre. Mientras vivió Raquel... hace unos cuantos meses que murió... y yo soy muy infeliz... Llévame contigo. Estoy acostumbrado a vivir de nada... Seré tu siervo... por paga me basta un poco de pan. Aquí también no tengo nada... Si me pagara, me iría, pero dice: "Esto es dinero tuyo, pero me quedo con él porque te visto y te doy de comer". ¡Me viste!... ¿Lo ves? ¡Me da de comer!... Mírame... Estos son golpes recibidos... Este es mi pan de ayer...» y le enseña los cardenales que tiene en los brazos y en sus flaquísimas espaldas.

«¿Qué hiciste?»

«Nada. Tus compañeros, quiero decir los discípulos, hablaban del Reino de los cielos y me puse a escucharlos... Era sábado... Aun cuando no trabajaba, no estaba de ocioso porque era sábado. Me pegó fuerte tanto... que no quiero estar más con él. Tómame contigo, o me escapo. Vine aquí a propósito, esta mañana. Tenía miedo de hablar. Pero Tú eres bueno. Hablo.»

«¿Y el ganado? No vas a querer irte con él...»

«... Lo llevaré al redil... Mi patrón dentro de poco irá al bosque a cortar leña... Se lo devuelvo y me voy. ¡Oh, tómame contigo!»

«¿Sabes quién soy Yo?»

«¡Eres el Mesías! El Rey del Reino de los cielos. Quien te sigue es feliz en la otra vida. No he gozado jamás aquí... pero no me rechaces... que lo sea en el más allá...» llora a los pies de Jesús, cerca de la cabra.

«¿Cómo me conoces tan bien? ¿Me has oído hablar alguna vez?»

«No. Desde ayer supe que estabas donde el Bautista estuvo, pero algunas veces pasan por Enón discípulos tuyos. Los oi hablar. Se llaman Matías, Juan, Simeón y venían frecuentemente aquí, porque su maestro antes de Ti vivió aquí. Y luego Isaac... En éste he encontrado de nuevo a mi padre y madre. Quiso obtener mi libertad del patrón y dio dinero. Lo acepto, sí, burlándose de tu discípulo.»

«Sabes muchas cosas. ¿Sabes a dónde me dirijo?»

«A Jerusalén. Pero en mi cara no llevo escrito que soy de Enón.»

«Voy más lejos. Pronto me iré. No te puedo llevar conmigo.»

«Tómame aunque sea por poco tiempo.»

«¿Y luego?»

«Y luego... lloraré con los de Juan, que fueron los primeros en haberme dicho que la alegría que los hombres no proporcionan en la tierra, la da Dios en el cielo a quien haya tenido buena voluntad. Para tenerla he recibido tantos golpes, y he pasado mucha hambre, pidiendo a Dios que me diese esta paz. Ves que he tenido buena voluntad... Si me rechazas ahora... no tendré más esperanzas...» Llora sin hacer ruido, suplicando a Jesús con sus ojos, más que con sus labios.

«No tengo dinero para rescatarte. Ni siquiera sé si tu patrón quisiera aceptarlo.»

«Si ya pagaron por mí. Hay testigos. Elí, Leví y Jonás lo vieron y echaron en cara a mi patrón su acción. Son los más principales de Enón, ¿sabes?»

«Si es así... Vamos. Levántate.»

«¿A dónde?»

«A ver a tu patrón.»

«¡Tengo miedo! Ve tú solo. Está allá en aquel monte, entre los árboles que está cortando. Yo espero aquí.»

«No tengas miedo. Mira, ahí vienen mis discípulos. Seremos muchos contra uno. No te hará ningún mal. Levántate. Vamos a Enón a buscar los tres testigos y luego iremos a verlo. Dame la mano. Luego te dejaré con los discípulos que conoces. ¿Cómo te llamas?»

«Benjamín.»

«Tengo otros dos pequeños amigos que tienen el mismo nombre. Serás el tercero.»

«¿Amigo? ¡Demasiado! Soy siervo.»

«Del Señor Altísimo. De Jesús de Nazaret eres amigo. Ven. Reúne el ganado y vámonos.»

Jesús se levanta y mientras el pastorcillo junta y arrea las cabras reacias, hace señal a los apóstoles, que vengan donde está, y más aprisa. Aprietan el paso. El ganado ha tomado ya el camino y Jesús con el pastorcillo de la mano se les acerca...

«Señor, ¿te has hecho pastor de cabras? Verdaderamente Samaría puede ser apodada la cabra... Pero Tú...»

«Yo soy el Buen Pastor y cambio también los cabros en corderos. Los niños son todo corderos, y éste es un poco más que niño.»

«¿No es acaso el muchacho que ayer aquel hombre se llevó de mala manera?» pregunta Mateo mirándolo fijamente.

«Creo que sí. ¿Eras tú?»

«Sí.»

«¡Pobre muchacho! ¡Tu padre no te quiere, que digamos!» dice Pedro.

«Es mi patrón. No tengo otro padre más que a Dios.»

«Así es. Los discípulos de Juan lo instruyeron, consolaron su corazón, y a la hora precisa el Padre de todos quiso que nos encontráramos. Vamos a Enón a tomar con nosotros los tres testigos, y luego vamos donde su patrón...» propone Jesús.

«¿Para que nos entregue al muchacho? ¿Dónde está el dinero? María distribuyó entre los pobres lo último que traía...» observa Pedro.

«No necesitamos dinero. No es esclavo y a su patrón ya se le dio dinero para libertarlo. Isaac pagó por el niño.»

«¿Y por qué no se lo entregó?»

«Porque hay muchos que se burlan de Dios y de su prójimo. Ahí viene mi Madre con las mujeres. Id a decirles que no sigan hasta acá.»

Santiago de Zebedeo y Andrés corren ligeros como cervatillos. Jesús aprieta el paso para ir a donde está su Madre y las discípulas y las alcanza cuando ya saben y observan, llenas de piedad, el jovencito. Todos van a Enón. Entran. Van a la casa de Elí, guiados por el muchacho. Es un viejo de ojos nublados por los años, pero todavía vigoroso. Cuando fue joven tal vez habrá sido robusto como una de esas encinas.

«Elí, el Rabí de Nazaret me toma consigo si...»

«¿Te toma? No podría hacer otra cosa mejor. Aquí terminarías por ser un malo. El corazón se endurece cuando la injusticia es demasiada. *Y es muy dura.* ¿Lo encontraste? El Altísimo ha escuchado tu llanto, aun cuando eres un samaritano. Dichoso de ti, que a tus años, libre de toda cadena, puedes seguir la Verdad sin que nada te lo impida, ni siquiera la voluntad de tus padres. Hoy se ve que es una providencia, lo que muchos años pareció castigo. Dios es bueno. ¿Pero qué se te ofrece? ¿Mi bendición? Te la doy como el Anciano del lugar.»

«Quiero tu bendición, porque eres bueno. Vine también para que tú, Leví y Jonás fueseis juntos con el Rabí, a ver mi patrón para que no pida más dinero.»

«¿Dónde está el Rabí? Ya estoy viejo y no veo sino poco. No puedo distinguir bien a los que no he tratado mucho. No conozco al Rabí.»

«Está aquí. Delante de ti.»

«¿Aquí? ¡Poder eterno!» El viejo se levanta, se inclina ante Jesús diciendo: «Perdona al viejo de ojos empañados. Te saludo porque hay un solo justo en todo Israel. Y ese eres Tú. Vamos. Leví está en su huerto y trabaja en su lagar y Jonás en sus quesos.» El viejo se levanta — es alto como Jesús no obstante que la edad lo ha encurvado — y empieza a caminar tentando las paredes, evitando con la ayuda de su bastón las piedras del camino.

Jesús que lo saludó deseándole la paz, lo ayuda en un lugar donde tres escalones en mal estado son peligrosos para un semiciego. Antes de haberse encaminado, Jesús había dicho a las discípulas que lo esperasen. Benjamín va al redil.

El viejo dice: «Eres bueno. Pero Alejandro es una bestia. Un lobo. No sé si... Yo soy rico y puedo darte el dinero suficiente en caso de que Alejandro quisiera más. Mis hijos no tienen necesidad de mi dinero. Casi voy a cumplir cien años y el dinero no sirve para la otra vida. Un acción buena sí que tiene valor...»

«¿Por qué no la hiciste antes?»

«No me lo reproches, Rabí. Yo daba de comer al muchacho y lo consolaba, para que no se hiciese malo. Alejandro es de tal carácter que puede hacer feroz a una paloma. Pero no podía, ninguno podía quitarle el muchacho. Tú... te vas lejos. Pero nosotros... nos quedamos aquí, y todos tienen miedo a sus venganzas. Un día, uno de Enón se interpuso porque borracho le pegaba al niño, y él, no sé cómo, logró envenenar su ganado.»

«¿No es un prejuicio?»

«No. Esperó muchos meses. A que llegase el invierno. Cuando las ovejas estaban en el redil envenenó el agua del depósito. Bebieron. Se hincharon. Se murieron. Todas. Todos aquí somos pastores y compredimos... Para asegurarnos de lo que había pasado, dimos de comer unos pedazos de carne a un perro, y éste también se murió. Hubo quien vio a Alejandro que a escondidas había entrado en el redil... ¡Oh, es muy malo! Le tenemos miedo... Cruel. Siempre está borracho en la noche. Es despiadado con todos los suyos. Ahora que todos ya murieron, tortura al muchacho.»

«Entonces no vengas si...»

«¡No! Voy. La verdad hay que decirla. Un momento. Oigo el golpear del martillo. Es Leví.» Grita cerca de una valla: «¡Leví, Leví!»

Un hombre menos viejo se acerca con su vestido arremangado, y un martillo en la mano. Saluda a Elí, le pregunta: «¿Qué se te ofrece, amigo?»

«A mi lado está el Rabí de Galilea. Vino a llevarse a Benjamín. Ven. Alejandro está en el bosque. Ven a dar testimonio de que él recibió ya el dinero de manos de aquel discípulo.»

«Voy. Siempre me han dicho que el Rabí es bueno, ahora lo creo. ¡La paz sea contigo!» Deja el martillo, grita no sé a quién para que lo espere y se va con Elí y Jesús.

Pronto llegan al redil de Jonás. Lo llaman, le explican... Se seca las manos en un trapo y después de haber devuelto el saludo a Jesús se va con todos.

Jesús entre tanto habla con el anciano. Le dice: «Eres un hombre justo. Dios te dará su paz.»

«Así lo espero. ¡El Señor es justo! No tengo culpa de haber nacido en Samaría...»

«No la tienes. En la otra vida no hay confines para los justos. Sólo la culpa es la barrera entre el cielo y el abismo.»

«Tienes razón. ¡Con qué gusto te vería! Tu voz es dulce, y suave es tu mano que guía a un viejo ciego. Suave y fuerte. Se parece a la de mi hijo predilecto que se llama como yo. Si tu aspecto es como tu mano, feliz quien te vea.»

«Es mejor oirme que verme. Hace que el espíritu sea más santo.»

«Es verdad. He oído a los que hablan de Ti. Pasan raramente... ¿Pero no es eso un ruido de sierras?»

«Sí.»

«Entonces... Alejandro no está lejos... Llamalo.»

«Bueno. Estaos aquí. Si puedo hacerlo por Mí mismo no os llamaré. No os dejéis ver si no os llamo.» Se adelanta y con voz fuerte lo llama.

«¿Qué cosa? ¿Quién eres?» grita un anciano, robustísimo, de duro perfil, con tórax y musculatura de luchador. Un golpe que de, debe ser como el de una porra: brutal.

«Soy Yo. Un desconocido que te conoce. Vengo a tomar lo que es mío.»

«¿Lo tuyo? ¡Ja, ja! ¿Qué tienes en este bosque mío?»

«Aquí nada. Benjamín que está en tu casa es mío.»

«¡Estás loco! Benjamín es mi siervo!»

«Y pariente tuyo. Eres su verdugo. Un enviado mío te dio el dinero que le pediste por el muchacho. Te quedaste con él y no lo dejaste ir. Mi enviado, hombre de paz, no hizo nada. He venido para que se haga justicia.»

«Tu enviado se habrá bebido el dinero. Yo no he recibido nada. Me quedo con Benjamín. Lo quiero mucho.»

«No es verdad. Lo odias. Te quedas con la recompensa que es suya. No mientas. Dios castiga a los mentirosos.»

«Que no he recibido nada de dinero. Si hablaste con mi siervo, ten en cuenta que es un astuto mentiroso. Lo castigaré porque me ha calumniado. ¡Adiós!» Le voltea la espalda como para irse.

«Cuidado, Alejandro, que Dios está presente. No desafíes su bondad.»

«¡Dios! ¿Acaso es el encargado de cuidar mis bienes? Soy yo quien los cuido y guardo.»

«¡Ten cuidado!»

«¿Quién eres, miserable galileo? ¿Cómo te permites regañarme? No te conozco.»

«Me conoces. Soy el Rabí de Galilea y...»

«¡Ah, sí! ¿Y crees infundirme miedo? No temo ni a Dios ni a Belzebú. ¿Y quieres que te tema? ¿Que tema a un loco? ¡Vete, vete! Déjame en paz. Vete, te lo digo. No me mires. ¿Crees que tus ojos puedan meterme miedo? ¿Qué quieres ver?»

«No tus delitos, porque los conozco *todos*. *Todos*. Aun los que nadie conoce [1]. Pero quiero ver si comprendes que ésta es la última hora que

[1] Cfr. pág. 190, not. 8.

240

Dios te concede para que te arrepientas. Quiero ver si el remordimiento no es capaz de hendir tu corazón de piedra, si...»

Alejandro, que tiene en la mano un hacha, la lanza contra Jesús, que rápido se inclina. El hacha hace un arco sobre su cabeza y va a clavarse en una joven carrasca que cae al suelo metiendo ruido y espantando a los pajarillos.

Los tres que estaban escondidos un poco lejos, salen fuera gritando, temerosos de que Jesús haya sido también golpeado. El que no ve grita: «¡Quisiera ver! ¡Ver si realmente no está herido! Para esto sólo, concédeme ver, ¡Dios eterno!» Y sordo a que los otros le aseguran que no, se adelante trompicando, porque ha perdido su bastón, y quiere tocar a Jesús para convencerse a que no mana sangre. Llora: «Un rayo de luz, y luego las tinieblas. Pero ver, ver, sin esta neblina que apenas me deja adivinar los obstáculos...»

«No me pasó nada, padre» consuela Jesús tocándolo y haciendo que lo toque.

Los otros dos han empezado a reprochar a Alejandro su modo violento, sus injusticias, sus mentiras. En lugar del hacha saca ahora un cuchillo y se arroja a herirlos, blasfemando de Dios, burlándose del ciego, amenazando a los otros, cual bestia enfurecida. Pero tropieza, se detiene, deja caer el puñal, se frota los ojos, los abre, los cierra, y luego lanza un horrible grito: «¡No veo! ¡Auxilio! ¡Mis ojos!... ¡Oscuridad!... ¿Quién me salva?»

También los otros gritan de admiración, hasta se burlan de él diciendo: «¡Dios te ha escuchado!»

De hecho de las blasfemias que dijo, unas eran éstas: «¡Que Dios me ciegue si miento y si he pecado! ¡Que me ciegue antes que adorar a ese loco nazareno! En cuanto a vosotros, me vengaré... despedazaré a Benjamín como a esa planta...»

Se burlan de él diciéndole: «¡Véngate ahora!»

«No seáis como él. No odiéis» aconseja Jesús, y acaricia al viejo que no se preocupa de otra cosa que de asegurarse de que no está herido. Jesús para convencerlo le dice: «¡Levanta la cara! ¡Mira!»

El milagro se realiza. Alejandro vive ahora la oscuridad; este hombre justo, la luz. Y un grito fuerte, lleno de felicidad se escucha: «¡Veo! ¡Mis ojos! ¡La luz! ¡Bendito seas!» y el viejo mira a Jesús con ojos brillantes de nueva vida y se postra a besarle los pies.

«Nosotros dos nos vamos. Vosotros llevad a ese pobre a Enón. Tenedle piedad porque Dios lo ha castigado. Y es suficiente. Sea el hombre bueno en todo infortunio.»

«Llévate al muchacho, las ovejas. Tómate el bosque, mi casa, mi dinero, pero devuélveme la vista. No puede vivir así.»

«No puedo [2]. Te dejo todo con lo que te hiciste malvado. Me llevo al inocente. Le hiciste padecer ya un martirio. Que en la oscuridad tu alma

[2] Cfr. pág. 56, not. 10.

pueda abrirse a la luz.»

Jesús se despide de Leví y Jonás. Ligero baja con el viejo que parece haber rejuvenecido, y cuando llega a las primeras casas, lanza gritos de alegría. Toda Enón sale fuera de sí...

Jesús va adonde está Benjamín, cerca de los apóstoles, y lo invita: «Ven. Vamos a Tersa que nos esperan.»

«¿Estoy libre? ¿Libre? ¿Contigo? ¡Oh, no lo creía! Gracias, Elí. ¿Y los demás?» El muchacho está que no cabe en sí...

Elí lo besa y le dice: «Perdona al infeliz.»

«¿Por qué? Perdonar sí, pero ¿porqué lo llamas infeliz?»

«Porque blasfemó del Señor y la luz se apagó en sus ojos. Nadie más le tendrá miedo. Está ciego e impotente. ¡Terrible poder de Dios!...» Parece el anciano un profeta inspirado con los brazos en alto, la cara al cielo, pensativo por lo que presenció.

Jesús se despide, se abre paso por entre la pequeña multitud. Le siguen sus apóstoles, las discípulas y Benjamín a quien las mujeres le dan algo como un recuerdo de que el Señor lo ha amado tanto: unas frutas, una bolsa, pan, un vestido, lo que encuentran a la mano. Y él, feliz, se despide, les da las gracias: «¡Siempre habéis sido buenas conmigo! Lo tendré presente. Oraré por vosotras. Mandad vuestros hijos al Señor. ¡Es hermoso estar con El! El es la Vida. ¡Adiós, adiós!»

Salen de Enón. Bajan hacia el Jordán, hacia la llanura, al encuentro de nuevos sucesos, desconocidos todavía...

Benjamín no vuelve la cara atrás. No dice nada. No piensa. No suspira. Sonríe. Mira a Jesús que va allá delante de todos, como el verdadero Pastor a quien sigue su grey, a la que él ya partenece... y de improviso se pone a cantar con todas sus fuerzas...

Los apóstoles ríen diciendo: «El muchacho está feliz.»

Ríen también las mujeres: «El pajarillo prisionero ha vuelto a encontrar libertad y nido.»

Sonríe Jesús, volviéndose a mirarlo, y su sonrisa, como siempre, parece iluminar todo. Lo llama: «Ven aquí, corderito de Dios. Quiero enseñarte un hermoso canto.» Y canta seguido de los otros el salmo: «El Señor es mi Pastor no me faltará nada. Me ha puesto en lugares en que hay mucho pasto», etc. [3]. La hermosísima voz de Jesús se esparece por la campiña exhuberante, sobresale entre todas, aun entre la voz de las mejores.

«Tu Hijo se siente feliz, María» dice María de Alfeo.

«Sí. Está feliz. Algo lo ha hecho...»

«Ningún viaje se queda sin fruto. Pasa derramando gracias y siempre hay alguien quien encuentra al Salvador. ¿Te acuerdas de aquella noche en Bélén de Galilea?» pregunta María Magdalena.

«Sí. Pero no quisiera acordarme de aquellos leprosos y de este ciego...»

---

[3] Cfr. Sal. 22; también vol. 4°, pág. 554, not. 1.

«Siempre perdonas. ¡Eres muy buena! ¡Pero también es necesaria la justicia» replica María Magdalena.

«Tú puedes decirlo. Pero María...» interviene Juana.

«María no quiere sino el perdón, aun cuando Ella no tiene necesidad de él. ¿No es verdad, María?» pregunta Susana.

«No querría sino el perdón. Sí, esto solo. Ser malo ha de ser ya un terrible sufrimiento...» y suspira al decirlo.

«¿Perdonarías a todos? ¿De veras a todos? ¿Sería justo, por otra parte, hacerlo? Hay obstinados en el mal que son indignos del perdón, pues se burlan de él como si fuera debilidad [4]» dice Marta.

«Yo perdonaría. No por necedad sino porque considero cada alma como un infante más o menos, como a un hijo... Una madre siempre perdona... aun cuando diga: "La justicia exige un adecuado castigo" ¡Oh, si una madre pudiera morir para engendrar un corazón nuevo, bueno en su hijo malvado, ¿créeis que no lo haría? Pero no se puede. Hay corazones que rechazan todo auxilio. Y creo que también a ellos la piedad ha de conceder su perdón, porque el peso que tienen en su corazón es ya demasiado: el peso de sus pecados, del rigor de Dios... Perdonemos, perdonemos a los culpables... Ojalá Dios aceptase nuestro [5] absoluto perdón para disminuir la deuda de ellos...»

«Pero, ¿por qué lloras siempre, María? ¿Aun ahora que tu Hijo se ve feliz?» le pregunta María de Alfeo.

«No todo ha sido alegría, porque el culpable no se arrepintió. Jesús está realmente feliz, cuando puede redimir...»

No sé por qué, pero Nique, que ha tenido la boca cerrada, dice de improviso: «Dentro de poco nos volveremos a encontrar con Judas de Keriot.»

Las mujeres se miran como si las sencillas palabras fuesen una gran revelación, como si detrás de ellas se ocultase algo. Pero nadie las comenta.

Jesús se ha detenido en un bellísimo olivar. Todos siguen su ejemplo. Bendice, parte el pan y lo distribuye.

Benjamín mira, pone en orden lo que le regalaron: vestidos demasiado largos o demasiado anchos, sandalias que no le van, almendras dentro de su cáscara verde, nueces, un queso, una que otra manzana arrugada, un cuchillo. Está feliz con su tesoro. Quisiere ofrecer parte de sus alimentos. Dobla sus vestidos diciendo: «Guardaré el mejor para pascua.»

María de Alfeo le dice: «En Betania te los compondré. Deja ésta afuera. En Tersa habrá agua para lavarla y hilo para ajustártela. No sé cómo te arreglarías... las sandalias.»

«Que las de al primer pobre que encuentre y que le vengan, y en Tersa

---

[4] Cfr. vol. 1°, pág. 672, not. 3; pág. 786, not. 9; pág. 789, not. 10; vol. 2°, pág. 310, not. 6.

[5] Al llegar al fin de esta Obra, el lector encontrará que la Virgen María es «la mártir del perdón». De hecho con un corazón sobrenatural y heroicamente materno, ha perdonado a *todos sus maldades*, hasta al mismo Judas Iscariote perdonó su horrible crimen de haber sido el traidor para que su Hijo, según la carne, fuese llevado al patíbulo de la cruz.

se le compran unas nuevas» dice María Magdalena tranquilamente.

«¿Con qué dinero, hermana?» le pregunta Marta.

«¡Ah, es verdad! No tenemos ni un céntimo... Pero Judas tiene dinero... Benjamín tendrá sus sandalias. ¡Pobre muchacho! Su alma está feliz. También debe serlo en su cuerpo... Hay cosas que agradan a uno.»

Susana, joven y alegre, sonriendo dice: «Hablas como si supieras por experiencia que un par de sandalias nuevas llenan de alegría al que jamás las ha tenido.»

«Tienes razón. Sé el placer que se siente en tener un vestido seco, cuando una está empapada y lo que se siente cuando no se tiene nada. Recuerdo...» e inclina su cabeza sobre la espalda de la Virgen, diciendo: «¿Te acuerdas, Madre?» y la besa con ternura.

Jesús da la orden de ponerse en camino para llegar a Tersa a las primeras del atardecer: «Han de estar preocupados los dos que no saben...»

«¿Quieres que nos adelantemos para decirles que llegas?» propone Santiago de Alfeo.

«Sí. Podéis ir todos, menos Santiago y mi hermano Judas. Tersa no está lejos... Id. Buscad a Judas y a Elisa y preparad dónde se pueda descansar, sobre todo las mujeres... Os seguiremos. Procurad que os encontremos en las primeras casas...»

Los ocho apóstoles parten ligeros y Jesús lentamente los sigue.

36. Los samaritanos no aceptan a Jesús [1]
(Escrito el 5 de marzo de 1947)

Tersa está rodeada de tal modo de olivares lozanos que hay que acercarse mucho para saber que existe. Una valla de hortalizas fertilísimas sirve como de mampara a las casas. En los huertos se ven achicorias, lechugas, legumbres, pequeñas hojas de calabazas, árboles frutales, emparrados, y todos ellos cual si compitiesen prometen dar sus mejores frutos, que serán delicia al paladar. Las florecitas de las vides y de los olivos, caen en forma de lluvia al sentir la carica de un vientecillo, y cubren el suelo de color blanco-verduno.

De detrás de una especie de vallado de cañas y sauces que han crecido cerca de un canal en que no hay agua, pero húmedo, al oir los pasos de los que llegan, se asoman los ocho apóstoles que se habían adelantado. Se les nota que están agitados y afligidos. Hacen señales de que se detengan, y entre tanto ligeros van a ellos. Cuando les están cerca, les dicen de modo que los oigan, pero sin gritar: «¡Atrás, atrás, a la campiña! No se puede entrar en la población. Por poco nos lapidan. Idos. Hablaremos en aquel bosquecillo...» Empujan a Jesús, a los tres apóstoles, al muchacho,

---

[1] Cfr. Lc. 9, 51-56.

a las mujeres, procurando no ser vistos. Dicen: «Que no nos vean aquí. ¡Vámonos, vámonos!»

Inútilmente Jesús, Judas, y los dos hijos de Zebedeo tratan de saber lo que ha pasado. Inútilmente preguntan: «¿Judas de Simón? ¿Elisa?»

Los ocho no hacen caso. Caminando entre lo tupido de tallos y de plantas acuáticas, impedidos por las espadañas, heridos en las caras por las ramas de sauces y por las hojas de las cañas, resbalando en el lodo, asiéndose a las hierbas, apoyándose en los bordes se alejan, y los otros ocho los empujan, volviendo de vez en vez sus caras para ver si sale alguien de Tersa a perseguirlos. En el camino no hay más que el sol que empieza a meterse y uno que otro perro flaco.

Llegan a un montón de zarzas que sirven de límite a una propiedad. Detrás del matorral un campo de lino mueve al impulso del viento sus largos tallos que se cubren de primerizas flores.

«Aquí, aquí dentro. Sentados nadie nos verá y cuando oscurezca nos iremos...» dice Pedro secándose el sudor...

«¿A dónde? Con nosotros vienen las mujeres.»

«A algún lugar. Los prados están llenos de heno segado. Les servirá de lecho. Con nuestros mantos haremos tiendas para que ellas duerman y nosotros vigilaremos.»

«Está bien. Basta con que no nos vean y cuando amanezca bajamos al Jordán. Tenías razón, Maestro, de no haber querido seguir el camino de Samaría. Son mejores los ladrones con nosotros los pobres que los samaritanos...» dice Bartolomé todavía jadeante.

«En una palabra, ¿qué ha sucedido? ¿Hizo Judas algo?...» pregunta Tadeo.

Tomás lo interrumpe: «Judas se las habrá llevado. Me desagrada por Elisa...»

«¿Viste a Judas?»

«Yo no, pero es fácil preveer lo que le pasó. Dijo ser tu apóstol y no cabe duda que le pegaron. Maestro, no te quieren.»

«Todos están contra Ti.»

«Verdaderos samaritanos.»

Todos hablan al mismo tiempo. Jesús impone silencio y dice: «Que hable uno solo. Habla tú, Simón Zelote, que eres más controlado.»

«Señor, entramos en la población. Nadie nos hizo mal alguno hasta que supieron lo que somos, mientras no nos tomaron por peregrinos de paso. Cuando preguntamos — debíamos hacerlo — si un joven, alto, moreno, vestido de rojo, con talet de líneas rojas y blancas, y una mujer de edad, delgada, de cabellos más bien blancos que negros, de vestido gris oscuro, habían llegado allí y que buscaban al Maestro galileo y compañeros, entonces se alarmaron... Tal vez no debíamos haberte mencionado. Nos equivocamos... En los otros lugares habíamos sido recibidos siempre bien... ¡No se entiende lo que sucedió!... ¡Parecen víboras los que sólo hace unos cuantos días eran tus defensores!...»

Lo interrumpe Tadeo: «Obra de los judíos...»

«No lo creo. Y no lo creo por las cosas que nos dijeron y por sus amenazas. Creo más bien... estamos seguros que la causa de su ira es que Jesús no aceptó su protección. Gritaban: "¡Largaos, largaos, vosotros y vuestro Maestro! Quiere ir a adorar en el monte Moria. Que se vaya, que mueran El y los suyos. No tenemos lugar para los que no nos consideran amigos, sino siervos. No queremos más molestias, sino hay recompensa alguna. Piedras y no pan para el Galileo. Los perros se le echarán encima". Más o menos gritaban así. Y como insistíamos en saber el paradero de Judas, tomaron piedras para arrojárnoslas, y en serio que nos echaron encima los perros. Gritaban: "Vamos a estarnos en las entradas. Si viene, nos las pagará". Huimos. Una mujer — siempre hay alguien bueno entre los malos — nos llevó a su huerto, de allí nos condujo por una vereda entre huertos hasta el canal que no tiene agua porque se le empleó antes del sábado. Nos escondió allí. Prometió que nos haría saber el paradero de Judas. Pero no llegó. Esperémosla, pues dijo que si nos encontraba en el canal, vendría aquí.»

Los comentarios abundan. Algunos continúan acusando a los judíos, otros hacen un pequeño reproche a Jesús, reproche indirecto: «Hablaste muy claramente en Siquén, y luego te fuiste. En estos tres días han decidido que es inútil seguirse engañando y sufrir daños de parte de uno que no les da por su lado... y ahora te echan afuera...»

Jesús responde: «No me arrepiento de haber dicho la verdad y de haber cumplido con mi debere. Ahora no lo comprenden, pero dentro de poco comprenderán mi rectitud y me venerarán más que si no me hubiesen arrojado, y con un gran amor.»

«Allí viene la mujer. Tiene valor...» dice Andrés.

«¡No nos vaya a traicionar!» sugíere Bartolomé.

«Viene sola.»

«Puede venir gente escondida en el canal, detrás de ella...»

La mujer sigue su camino con un cesto en la cabeza por entre los campos de lino, pasa el lugar donde están Jesús y los apóstoles esperándola, toma un atajo, desaparece... para volver a verse de improviso a las espaldas de los que esperaban, que se vuelven casi asustados sintiendo el rumor de los pasos.

La mujer se dirige a los ocho que ha visto: «Perdonadme que os haya hecho esperar... No quería que me siguieran. Dije que iba a la casa de mi madre... Sé... Os he traído esto. ¿Quién es el Maestro? Quisiera venerarlo.»

«Es ese.»

La mujer, que había puesto en el suelo su cesto, se postra diciendo: «Perdona el pecado de mis conciudadanos. Si no hubiera estado quien los provocó... Muchos trabajaron para echarte fuera...»

«No les guardo rencor, mujer. Levántate y habla. ¿Sabes algo de mi apóstol y de la mujer que estaba con él?»

«Sí. Fueron arrojados como perros al otro lado de la ciudad, esperando que llegue la noche. Querían regresar e ir a Enón para buscarte.

Querían venir aquí porque supieron que estaban sus compañeros. Les dije que no lo hicieran, que se estuviesen quietos, que os llevaría a ellos. Lo haré tan pronto anochezca. Por suerte mía, mi esposo está ausente, puedo estar fuera de casa. Os llevará a casa de una hermana mía casada que vive en la llanura. Allí dormiréis, sin decir quiénes sois, no por Merod sino por los hombres que viven allí. No son samaritanos, sino de la Decápolis que se han establecido acá...»

«Dios te lo pague. ¿Les pasó a los dos discípulos?»

«Algo al hombre, a la mujer nada. El Altísimo debío protegerla porque valerosa, protegió a su hijo cuando los de la ciudad echaron manos a las piedras. ¡Oh, qué mujer tan valiente! Gritaba: "¿Apedreáis así a uno que no ha hecho nada? ¿No me respetáis a mí, que soy su madre?¿No tenéis también vosotros madre? ¿No respetáis a la que os engendró? ¿Habéis nacido de una loba o habéis sido hechos del fango o de la suciedad?" y miraba a los que los atacaban con el manto desplegado para defender al hombre, mientras retrocedía... Todavía ahora lo consuela diciéndole: "Quiera el Altísimo, Judas, que esta sangre tuya derramada por el Maestro se convierta en bálsamo de tu corazón". La herida no es grande que digamos. Tal vez está más bien espantado. Bueno, tomad y comed. Aquí hay leche fresca y es para las mujeres. También pan, queso y frutas. No he podido cocer carne, me hubiera llevado mucho tiempo. Aquí hay vino para los hombres. Comed entre tanto baja el sol. Luego nos iremos a Merod por caminos que conozco.»

«Dios te lo pague» dice Jesús, y ofrece, reparte y aparta las porciones para los dos que no están.

«No. No. Ya les llevé huevos y pan; también vino y aceite para las heridas. Esto es para vosotros. Comed, que yo vigilio el camino...»

Comen, pero la inquietud corroe a los hombres y el abatimiento hace que las mujeres, fuera de María Magdalena para quien lo que a otros causa miedo o espanto a ella le da fuerza y valor, no tengan hambre. Sus ojos relampaguean contra la ciudad hostil. La presencia de Jesús que ha dicho que no se tenga rencor, le impide lanzar palabras duras. Y no pudiéndose controlar, descarga su ira contra el pan, de modo que Zelote al verla no puede menos de decir sonriente: «¡Felices los de Tersa que no pueden caer entre tus manos! ¡Pareces, María, una fiera encadenada!»

«Lo soy. Dices bien. A los ojos de Dios vale más que me controle de no ir allá, que todo lo que hasta ahora he expiado.»

«Está bien, María, pero Dios te ha perdonado culpas mayores que las suyas.»

«Es verdad. Ellos te ofendieron a Ti, Dios mío, una vez, y porque otros los empujaron a ello. Yo... muchas veces... y por mi propia voluntad... No puedo ser intransigente ni soberbia...» Baja los ojos al pan y dos lágrimas caen sobre él.

Marta le toca la mano en la rodilla y murmura: «Dios te ha perdonado. No te humilles más... Recuerdalo que ganaste: a nuestro Lázaro...»

«No es humillación, es reconocimiento, es emoción... Reconozco que

me falta esa misericordia de que yo tanta recibí... ¡Perdóname, Raboni!»
dice levantando sus ojos que la humildad hace muy dulces.

«Nunca se niega, María, el perdón al humilde de corazón.»

La tarde viene declinando envuelta en un olor a violetas. Poco a poco
las cosas pierden su propia figura, los mismos tallos de lino parecen formar una masa oscura. Los pájaros en los árboles dejan de cantar. La primera estrella enciende su luz. El grillo entre la hierba entona su melodía
nocturna.

«Podemos ir ahora. No nos verán. No os traiciono, no temáis. No lo hago porque se me de algo, pido sólo que el cielo tenga piedad de mí, pues
todos tenemos necesidad de ella» dice la mujer suspirando.

Se levantan. La siguen. Pasan por fuera de Tersa entre campos y hortalizas entre los que se pueden vislumbrar figuras humanas y cosas.

«Están aguardándonos...» dice Mateo.

«¡Malditos!» balbucea entre dientes Felipe.

Pedro no habla, pero levanta su puño en alto en señal de invocación o
de protesta.

Santiago y Juan de Zebedeo, que vienen hablando animosamente entre
sí, se vuelven a Jesús y le dicen: «Maestro, si tu perfección de amor no
quiere recurrir al castigo, ¿nos permites que lo hagamos? ¿Quieres que
ordenemos al fuego del cielo que baje y que acabe con esos pecadores [2]?
Nos has dicho que todo lo que pidamos con fe, lo obtendremos...»

Jesús que caminaba un poco inclinado, como cansado, se endereza de
pronto y los fulmina con su mirada que parecen ofuscar la luz de la luna.
Los dos se quedan espantados al sentir su mirada. Jesús sin dejar de
verlos les dice: «No conocéis el espíritu al que pertenecéis. El Hijo del
hombre no ha venido a acabar con las almas, sino a salvarlas. ¿No recordáis lo que os he dicho? En la parábola del trigo y de la zizaña he dicho:
"Dejad que por ahora el trigo y la zizaña crezcan juntamente. Si
quisierais separarlos ahora podríais arrancar el trigo con la zizaña. Dejadlos hasta que llegue el tiempo de la cosecha. Entonces diré a los co-
sechadores: recoged la zizaña, amarradla en manojos para quemarla y
poned el trigo en mi granero".» Jesús ha mitigado ya su ira para con los
dos que, si habían pedido que los de Tersa fueran castigados, lo habían
hecho por amor a El. Toma a uno a la derecha y al otro a la izquierda por
los codos, y se va caminando y hablando a todos, que se le han reunido.
«En verdad os digo que el tiempo de la cosecha está cercano. La primera
será la mía, y para muchos no habrá otra. Pero — demos alabanza al
Altísimo — el que en mi tiempo no se convierta en buena espiga después
de la purificación del sacrificio pascual, volverá a nacer con un alma
nueva. Hasta aquel día no castigaré a nadie... Después será la justicia...»

«¿Después de la pascua?» pregunta Pedro.

«No. Después del tiempo. No hablo de los hombres de ahora. Miro los
siglos futuros. El hombre siempre se renueva como las mieses en los

---

[2] Alusión a lo que se refiere en 4 Rey. 1.

campos, y siempre hay cosechas. Dejaré lo que los hombres del futuro necesitan para convertirse en buen trigo. Si no quisieren, al fin del mundo mis ángeles separarán la zizaña del trigo. Entonces vendrá el día eterno de Dios [3]. Por ahora en el mundo el día es de Dios y de Satanás. Dios siembra el bien, el demonio arroja entre las semillas de Dios su zizaña, sus escándalos, sus maldades. Porque habrá siempre quienes inciten a otros contra Dios, como ha sucedido aquí que otros los han incitado, pero son menos culpables que ellos.»

«Maestro, cada año nos purificamos en la pascua de ázimos, y siempre quedamos lo que somos. ¿Será diverso acaso este año?» pregunta Mateo.

«Muy diverso.»

«¿Por qué? Explícate.»

«Os lo diré... mañana cuando vayamos por el camino y cuando esté Judas de Simón...»

«¡Oh, sí! Nos lo dirás y seremos mejores... Perdónanos, Jesús» dice Juan.

«Buen nombre os he puesto. El trueno no hace mal. Pero la flecha sí puede matar. El trueno muchas veces es mensajero de los rayos. *Lo mismo sucede con quien no arranca de su corazón cualquier cosa que es contra el amor. Hoy piensa en que puede castigar, mañana lo hará sin preguntar, y pasado mañana contra razón. Es fácil el descenso... Por esto os digo que os despojéis de toda dureza contra vuestro prójimo.* Haced como Yo hago y estaréis seguros de no equivocaros jamás. ¿Habéis visto que me vengue de quien me ha hecho algún daño?»

«No, Maestro. Tú...»

«¡Maestro, Maestro! Henos aquí. A mí y a Elisa. ¡Oh, Maestro, cuánto pensamos en Ti! Cuánto miedo de morir...» dice Judas de Keriot que sale de entre hileras de vides y corre a Jesús. Trae una benda en la frente. Elisa más tranquila lo sigue.

«¿Te pasó algo? ¿Tuviste miedo de morir? ¿Tánto amas la vida?» pregunta Jesús separándose de Judas que lo abraza y llora.

«No tenía miedo por la vida, sino que tenía miedo de Dios. Morir sin tu perdón... Yo siempre te ofendo. A Ti, a todos. A ésta... Ha sido para mí una verdadera madre. Me sentía culpable y me daba miedo morir.»

«¡Un temor saludable si te puede hacer santo! Yo siempre te perdono, lo sabes muy bien, con tal de que tengas voluntad de arrepentirte [4]. ¿Tú, Elisa, has perdonado?»

«Es un muchacho desconsiderado. Sé cómo compadecerlo.»

«Has sido valiente, Elisa. Lo sé.»

«¡Si no hubiera estado ella, no te habría vuelto a ver, Maestro!»

«Comprendes ahora que no por odio sino por amor se quedó contigo... ¿Te hirieron, Elisa?»

---

[3] «Del día de Dios» se habla frecuentemente en la Biblia. Cfr. Is. 2, 6, 22; 13; 34. Jer. 4, 5-31; Ez. 32, 1-16; Dan. 9-12; Jl. 2, 1-11; 2, 28-32; 3, 15-17; Am. 5, 18-20; 8, 4-10; Hab. 3, 1-6; Sof. 1, 12-18; Mac. 1; Mt. 24; Mc. 13; Lc. 17, 20-37; 21, 5-36; Ap. 6, 12-17.

[4] Cfr. vol. 2°, pág. 310, not. 6 y las notas allí anotadas.

«No, Maestro. Me llovían piedras pero no me hicieron ningún daño. Yo estaba preocupadísima por Ti.»

«Todo ha terminado. Sigamos a la mujer que nos quiere llevar a un lugar seguro.»

Continúan su camino por una vereda que la luna ilumina.

Jesús toma del brazo a Iscariote y camina delante con él. Le habla con dulzura, trata de aprovecharse de lo que poco ha le pasó, de su temor del juicio de Dios: «Ves, Judas, cómo se puede morir tan fácilmente. La muerte siempre está a nuestro lado. *Ves ahora cómo lo que nos parece sin importancia cuando las fuerzas nos sonríen, se convierta en algo horriblemente espantoso cuando la muerte se deja ver. Pero, ¿por qué tener esos temores al morir, cuando pueden desaparecer llevando una vida santa? ¿No te parece que es mejor si vives como un hombre justo para que encuentres una muerte plácida?* Judas, amigo mío, la divina y paternal misericordia permitió esto como un llamado a tu corazón. Estás todavía a tiempo... ¿Por qué no quieres dar a tu Maestro que está por morir, la grande, la grandísima alegría de saber que has vuelto al bien?»

«¿Pero puedes perdonarme aún, Jesús?»

«Si no lo pudiese, no te hablaría de este modo. Cuán poco me conoces. Yo te conozco. *Sé que estás prendido como de un pulpo. Que sufrirías si te arrancases de ti esas cadenas que te muerden y envenenan. Pero después, ¡qué alegría tendrás!* ¿Tienes miedo de no poder reaccionar contra lo que te tiene avasallado? Puedo absolverte de antemano del pecado de transgresión del rito pascual... Eres un enfermo. La pascua no obliga a los que están mal. Eres como un leproso. Y los leprosos no suben a Jerusalén, mientras lo son. *Ten en cuenta, Judas, que comparecer ante el Señor con el corazón manchado, como lo tienes, no es honrarlo, sino ofenderlo.* Hay que...»

«¿Por qué entonces no me purificas y me curas?» pregunta con un poco de rabia Judas.

«¡Que no te curo! Cuando alguien está enfermo por sí busca la curación, a no ser que sea un niño o un loco...»

«Trátame como si lo fuese, como si fuese un loco.»

«No sería justicia, *porque tú puedes querer.* Conoces el bien y el mal. De nada serviría que te curase *si no tienes la voluntad de permanecer curado.*»

«Dámela también.»

«¿Dártela? ¿Darte una voluntad buena? ¿Y tu libre albedrío? ¿Qué diría entonces? ¿Qué sucedería de tu personalidad humana, que es libre! ¿Sería un juguete?»

«Como lo soy de Satanás, podría serlo de Dios.»

«¡Mira, Judas, que me ofendes! ¡Que me taladras el corazón! Te perdono... Dijiste que eres juguete de Satanás. No quería Yo decir semejante cosa...»

«Pero la pensabas, porque es la realidad y porque la conoces, si es verdad que lees los corazones humanos. Si esto es así, bien sabes que no soy más libre... El se ha apoderado de mí y...»

«No es cierto. Se te ha acercado, te ha estado tentando, poniéndote asechanzas, y tú le has dicho que sí. No hay posesión, *si desde el principio no se consiente en la tentación diabólica* [5]. La serpiente se puede asomar a los barrotes de los corazones, y no entrará si el hombre no le deja lugar para ver su apariencia seductora, para escucharla, para seguirla... Sólo entonces el hombre se convierte en juguete, es un poseído, y eso porque lo quiere. También Dios envía del cielo sus luces dulcísimas de un amor paternal, y penetran en nosotros. Mejor: Dios, para quien todo es posible, desciende en el corazón de los hombres. Le pertenecen por derecho. ¿Por qué entonces el hombre, que sabe convertirse en esclavo, y juguete del Horrible, no se hace siervo de Dios, aun más, hijo suyo? ¿No me respondes? ¿No me dices por qué has preferido a Satanás y no a Dios? Todavía estás a tiempo de salvarte. Sabes que voy a morir. Nadie como tú lo sabe... No rehuso el morir... Camino hacia él. Y camino derecho porque mi muerte será vida para muchos. ¿Por qué no quieres estar entre estos? ¿Sólo mi muerte será inútil para ti, amigo mío, mi pobre amigo?»

«Será inútil para muchos, no te hagas ilusiones. Sería mejor que huyeses de acá, que gozases de la vida, que enseñases tu doctrina que es buena, pero que no te sacrificaras.»

«¡Enseñar mi doctrina! ¿Y qué cosa podría enseñar, si no hago lo que digo? ¿Qué Maestro sería Yo si predicase que debe obedecerse a Dios y no lo hiciera? ¿que se amase a los hombres y no los amase? ¿que renunciase a la carne, al mundo, a sus honores, y luego hiciese todo lo contrario escandalizando no sólo a los hombres, sino a los ángeles? Satanás está hablando a través de ti en estos momentos, como habló en Efraín, como tantas vece ha hablado y obrado por tu medio, para causarme daño. He comprendido todas estas acciones de Satanás, realizadas por tu medio, y no te he odiado, no he sentido cansancio de ti, sino sólo una pena, y pena infinita. Como una madre mira con dolor que avanza la enfermedad de su hijo, así también Yo de ti. Como un padre que no deja nada por buscar la medicina que cure a su hijo, así también Yo no he dejado nada por salvarte, y me he sobrepuesto a las repugnancias, corajes, amarguras, desconsuelos... Como un padre y madre vuelven sus ojos al cielo en busca de algo que salve su hijo, así también Yo he llorado, y sigo implorando un milagro que te salve, te salve del abismo a cuyo borde te encuentras. ¡Judas, mírame! Dentro de poco derramaré toda mi sangre, no me quedará ni una gota. La beberán los terrones, las piedras, las hierbas, empapará las vestiduras de los que me persiguen como las mías... los palos, el hierro, las sogas, las espinas del nabacá... la beberán los corazones que esperan ser salvados... ¿Eres tú el único que no quieres beber de ella? Sólo por ti, daría toda mi sangre. Eres mi amigo. ¡Con qué placer se muere por el amigo! ¡Para salvarlo! Se dice: "Muero, pero se-

[5] Cfr. vol. 4°, pág. 419, not. 6 y las notas allí alegadas.

guiré viviendo en mi amigo por quien di mi vida''. Como una madre, como un padre que continúan viviendo en el hijo aun después de muertos. ¡Judas, por favor! No pido otra cosa en los días que preceden mi muerte. Los jueces, los enemigos mismos conceden al sentenciado a muerte una última gracia, escuchan su último deseo. Yo te pido que no te condenes. No lo pido al cielo, sino a ti, a tu voluntad... Piensa, Judas, en tu madre. ¿Que le pasará a ella? ¿Qué será del nombre de tu familia? Ten en cuenta esto que es un sentimiento muy profundo para ti. No te deshonres, Judas. Piensa. Pasarán los años, los siglos, caerán reinos e imperios, se apagarán las estrellas, cambiará la configuración de la tierra, y tú serás siempre Judas, como Caín siempre es Caín [6], si es que persistes en tu pecado. Se acabarán los siglos. Quedarán sólo Paraíso e Infierno, y tú, Judas, estarás en el lugar en que para siempre serás maldito, como el mayor criminal, si no te arrepientes. Descenderé a libertar las almas del Limbo [7], sacaré almas del Purgatorio [8], y a ti... no te podré llevar donde estoy... Judas, voy a morir, y contento, porque ha llegado la hora que millares de años esperaban, la hora [9] de reunir los hombres con su Padre, pero no lo lograré con muchos. Sin embargo el número de los que salven me consolará de las angustias que padeceré por los que por inútilmente muero. Te aseguro que será muy horrible no verte entre los salvados, a ti, que eres mi apóstol, mi amigo. ¡No me des este dolor tan cruel!... Quiero salvarte, Judas. Salvarte. Mira. Descendemos hacia el río. Mañana, cuando amanezca, nosotros dos lo pasaremos y tu irás a Bozra, o a Arbela, o a Aera, a donde quieras. Conoces las casas de los discípulos. En Bozra puedes preguntar por Joaquín y por María, la leprosa a quien curé. Te daré un escrito para ellos. Diré que porque te sientes mal, necesitas de un lugar tranquilo y de aire puro. Es la verdad, porque estás enfermo y porque el aire de Jerusalén acabaría contigo. Ellos pensarán que estás enfermo en el cuerpo. Estarás allí hasta que no vaya a traerte. Yo pensaré en lo que digan tus compañeros... Pero no vengas a Jerusalén. ¿Ves? No he querido que vengan las mujeres, sino sólo las más fuertes, y aquellas que por derecho de madres deben estar junto a sus hijos.»

«¿Tampoco la mía?»

«No. María tu madre no vendrá a Jerusalén...»

«También ella es madre de un apóstol y siempre te ha respetado.»

«Tienes razón que tendría derecho de estar cerca de Mí, pues me ama como debe ser, pero precisamente por esto no irá a Jerusalén. Se lo prohibí y ella sabe obedecer.»

«¿Por qué? ¿Qué cosa no tiene que tenga la madre de tus hermano y la de los hijos de Zebedeo?»

«Tú sabes por qué digo esto. Pero si me escuchas, si vas a Bozra, mandaré a avisar a tu madre que te haga compañía, para que ella, que es

[6] Cfr. Gén. 4, 1-16; Sab. 10, 1-3; 1 Ju. 3, 11-12.
[7] Cfr. Mt. 27, 50-54; 1 Pe. 3, 18-22.
[8] Cfr. vol. 2°, pág. 533, not. 2.
[9] Cfr. vol. 4°, pág. 213, not. 7.

muy buena, te ayude a curarte. Créemelo: somos los únicos que te amamos sin medida. Tres son los que te aman en el cielo: el Padre, el Hijo, el Espíritu Santo que no han dejado de mirarte y que esperan que quieras para que te hagan el joyel de la redención, la presa más grande arrebatada al abismo. Y tres hay en la tierra: Yo, tu madre y mi Madre. ¡Haznos felices, Judas!, a los del cielo, a los de la tierra, que te amamos con verdadero amor.»

«Lo has dicho. Tres son los que me aman; los otros... no.»

«No como nosotros, pero también te aman. Elisa te defendió, los demás estaban preocupados por ti. Cuando te has separado todos piensan en ti, y tu nombre está en sus labios. No conoces el amor que te rodea. Tu opresor [10] te lo esconde. Pero créeme a Mí.»

«Te creo, y trataré de contentarte. Pero quiero hacerlo por mí mismo. Yo soy el que me equivoqué, soy quien debo curarme de mi mal.»

«Solamente Dios puede hacer todo por Sí. Tu pensamiento es de soberbia. En él está escondido Satanás. Sé humilde, Judas. Toma fuertemente esta mano amiga. Refúgiate en este corazón que siempre te lo tienes abierto. Conmigo Satanás no podrá hacerte ningún mal.»

«He tratado de estar contigo... Y siempre he descendido más... ¡Es inútil!»

«¡No digas eso! ¡No lo digas! Rechazas la ayuda. Dios lo puede todos. Acógete a Dios, ¡Judas, Judas!»

«No tan alto, que los otros nos pueden oir...»

«¿Te preocupas de los otros y no de tu alma? ¡Pobre Judas!...»

Jesús no dice más, pero sigue al lado de su apóstol hasta que la mujer, que iba unos cuantos metros delante, entra en una casa que hay en medio de un espeso olivar. Jesús dice a Judas: «No dormiré esta noche. Rogaré por ti y te esperaré... Que Dios hable a tu corazón. Escúchalo... Me quedaré aquí, donde estoy, a orar. Hasta el amanecer... Tenlo presente.»

Judas no responde. Llegan todos, se detienen un poco en espera de que regrese la mujer, la cual vuelve acompañada de otra mujer parecida a ella, que los saluda: «No tengo muchas habitaciones porque están en ellas los segadores que por ahora trabajan en los olivos, pero tengo el granero y hay mucha paja. Para las mujeres tengo lugar. Venid.»

«¡Id! Yo me quedo a orar. La paz sea con todos vosotros» dice Jesús, y mientras los otros se van, llama a su Madre diciéndole: «Me quedo a orar por Judas. Ayúdame también tú, Madre mía...»

«Sí, Hijo. ¿Nace en él algún deseo?»

«No, Madre. Pero nosotros debemos obrar como si... El cielo puede todo, Madre.»

«Sí. Puedo todavía engañarme. Peró Tú, no, Hijo mío. ¡Tú sabes, santo Hijo mío! Mas siempre te imitaré. Tranquilízate, y aún cuando no puedas hablarle, porque te huirá, trataré de llevártelo. ¡Que el Padre Santísimo escuche mi dolor!... ¿Me permites que me quede contigo, Je-

---

[10] Cfr. vol. 4°, pág. 419, not. 6 y las notas allí alegadas.

sús? Oraremos juntos... y serán horas en que estemos juntos...»

«Quédate, Madre. Te espero aquí.»

María se va ligera, y poco después regresa. Se sientan sobre sus alforjas, a los pies de los olivos. En el silencio profundo de la noche se oye, no muy lejos, el rumor del arroyo, y el canto de los grillos resuena más fuerte. Cantan los ruiseñores. Una lechuza lanza su grito. Las estrellas en el cielo lentamente se mueven. Nadie las opaca porque la luna se ha metido ya. Después, un gallo rompe el aire tranquilo con su qui-qui-ri-quí. Otro gallo por allá le responde. Luego el gotear del agua que cae de los tejados sobre los sauces. Un ruido entre las ramas, los pájarillos que empiezan a despertarse, y poco después el cielo que despierta a la luz que lo ilumina. Ha amanecido, pero Judas no ha venido...

Jesús mira a su Madre, blanca cual lirio, apoyada sobre el tronco de un olivo, y le dice: «Hemos orado, Madre. Dios aprovechará nuestra plegaria [11]...»

«Sí, Hijo mío. Estás pálido como un cadáver. Tus fuerzas se han agotado en la noche llamando a las puertas del cielo y a los decretos de Dios.»

«También tú estás pálida, Madre. Te has cansado mucho.»

«Mi dolor aumenta con el tuyo.»

La puerta de la casa se abre cautamente... Jesús se estremece, pero se trata de la mujer que los trajo, que sale sin hacer ruido. Jesús suspira: «Esperé pensando no poder equivocarme [12].»

La mujer llega con su cesto vacío, mira a Jesús, lo saluda y quiere seguir adelante. El la llama y le dice: «Que el Señor te pague por todo. Yo también lo quisiera, pero no tengo nada.»

«No quiero nada, Rabí. No quiero dinero. Sólo quiero algo y puedes dármelo.»

«¿Cuál es, mujer?»

«Que mi marido cambie de corazón. Puedes hacerlo porque eres verdaderamente el Santo de Dios [13].»

«Vete en paz. Se hará como lo has pedido. Adiós.»

La mujer se va rápida a su hogar que debe ser muy triste. María comenta: «Otra infeliz. ¡Por esto es buena!...»

Por el granero asoma Pedro su cabeza despeinada, luego la radiante de Juan, después la enérgica de Tadeo y la requemada de Zelote y la delgada del jovenzuelo Benjamín... Todos se han despertado. De la casa, la primera en salir es María Magdalena, le sigue Nique y luego las demás. Cuando todos ya se han reunido y la mujer que los hospedó les ha traído una vasija con leche espumante, se deja ver Iscariote. No trae la benda, pero se ve todavía rojo donde su recibió el golpe; y también su ojo mora-

[11] El linaje humano, y mucho más perfectamente, la Iglesia es una familia, un cuerpo: la oración que no sirve a un miembro, que resiste al Espíritu Santo, sirve a otro y ciertamente aprovecha a toda la familia, a todo el cuerpo.

[12] No raramente ocultaba Jesús su divinidad omnisciente y omnipotente bajo expresiones y actitudes de una limitación y debilidad humanas. Cfr. por ej.: Ju. 11, 32-44.

[13] Igual expresión en Mc. 1, 23-28; Lc. 1, 35; 4, 33-37; Ju.6, 67-71; Hech. 2, 22-28; 3, 11-16.

254

do. Jesús y Judas se miran mutuamente, pero Judas vuelve la cabeza a otra parte.

Jesús le dice: «Compra de la mujer todo cuanto puede vender. Nos adelantamos. Luego nos alcanzas.»

Después de haberse despedido de la mujer, Jesús y todos los demás se ponen en marcha.

37. El encuentro con el joven rico [1]
(Escrito el 7 de marzo de 1947)

Es una mañana bellísima del mes de abril. La tierra y el cielo despliegan toda su belleza. Se respira luz, canto, perfume. Por la noche debió haber llovido un poco, porque en el camino no hay polvo, pero tampoco lodo. Las hierbas, las hojas limpias y puras se balancean a la caricia de una brisa que baja de los montes hacia la fértil llanura precursora de Jericó. De las riberas del Jordán sube continuamente gente que las atravesaron, o bien han seguido el camino que va a lo largo de él y que según las señales que hay lleva a Jericó y a Doco. Pastores y más pastores con sus corderos que llevan para el sacrificio se mezclan con muchos israelitas que de todas partes vienen a Jerusalén para la fiesta, y con mercaderes.

Muchos al reconocer a Jesús le saludan. Son hebreos de la Perea, Decápolis y de lugares no muy lejanos. Viene un grupo de Cesarea Paneade. Hay pastores que como siempre llevan una vida nómade por sus rebaños, han conocido al Maestro o supieron de El por medio de los discípulos.

Uno se postra y le dice: «¿Puedo ofrecerte el cordero?»

«No te prives de él. Es tu recompensa.»

«¡Mi agradecimiento! No te acuerdas de mí, yo sí. Soy uno que curaste entre muchos. Me soldaste el hueso del muslo que nadie me había podido curar. Te doy con gusto el cordero. Es el más hermoso. Te lo doy para el banquete de alegría. Sé que estás obligado a gastar para el holocausto. Es para el banquete de alegría... tómalo, Maestro.»

«Sí, tómalo. Ahorraremos. O mejor: podríamos comérnoslo porque con todas tus prodigalidades, no tengo más dinero» propone Iscariote.

«¿Prodigalidades? ¡Si desde Siquén no se ha gastado ni un céntimo!» protesta Mateo.

«En resumidas cuentas, no tengo más dinero. Los último lo di a Merode.»

«Escucha» dice Jesús al pastor para hacer que Judas se calle, «por ahora no voy a Jerusalén y no puedo llevar conmigo el cordero. De otro modo lo aceptaría con gusto.»

[1] Cfr. Mt. 19, 16-30; Mc. 10, 17-31; Lc. 18, 18-30.

«Pero después irás, ¿no? Te quedarás a las fiestas. Tendrás un lugar donde quedarte. Dímelo y lo entregaré a tus amigos...»

«No tengo nada de esto... Pero en Nobe tengo un amigo pobre y viejo. Escúchame bien: al día siguiente del sábado pascual, al amanecer, irás a Nobe y dirás a Juan, el anciano de allí — todos te indicarán dónde vive —: "Este cordero te lo manda Jesús de Nazaret, tu amigo, para que te prepares un banquete de alegría, porque mayor alegría no puede haber para los amigos del Mesías". ¿Lo harás?»

«Sí así quieres, lo haré.»

«Y me sentiré feliz. No antes del día siguiente al sábado. Acuérdate bien. Y acuérdate de mis palabras. Ahora vete, y la paz sea contigo. Conserva tu corazón firme en la paz en los días que están por venir. Esto también recuérdalo y sigue creyendo en mi Verdad. Adiós.»

La gente que se había acercado a oir se dispersa cuando el pastor volviendo a guiar su rebaño, hace que se disperse. Jesús lo sigue, aprovechando el espacio abierto.

La gente comenta: «¡Pero va a Jerusalén? ¿No sabe que hay un bando contra El?»

«¡Eh! pero nadie puede prohibir a un hijo de la ley que se presente ante Señor para la pascua. ¿Es acaso culpable de algún delito público? No. Si lo fuera, Pilato ya lo hubiera hecho aprisionar como a Barrabás.»

Y otros: «¿Oíste? No tiene refugio, ni amigos en Jerusalén. ¿Que todos lo han abandonado? ¿Hasta el resucitado? ¡Valiente gratitud!»

«Cállate. Aquellas dos son las hermanas de Lázaro. Soy de la campiña de Mágdala y las conozco bien. Si están con El, señal es que toda la familia le sigue siendo fiel.»

«Tal vez no se atreve a entrar en la ciudad.»

«Tiene razón.»

«Dios lo perdonará si se queda afuera.»

«Es muy prudente. Si fuese aprehendido, terminaría todo antes de su hora.»

«Claro. Porque todavía no está preparado para ser proclamado rey nuestro, y El no quiere ser aprehendido.»

«Se dice que mientras todos creían que estaba en Efraín, se fue a todas partes, hasta las tribus nómadas, para asegurarse seguidores, soldados y protección.»

«¿Quién te lo ha dicho?»

«Son las acostumbradas mentiras. Es el Rey santo y no el rey de ejércitos.»

«Tal vez celebrará la pascua sumplementaria [2]. Así es más fácil que pase sin ser observado. El Sanedrín se disuelve después de las fiestas, y todos los sinedristas vuelven a sus hogares para la cosecha. No vuelve a reunirse sino hasta Pentecostés [3].»

---

[2] Cfr. pág. 189, not. 6.
[3] Cfr. vol. 3°, pág. 661, not. 1.

«Cuando los sanedristas no estén ya, ¿quién quieres que le haga mal alguno? Son ellos los chacales.»

«¡Que si es prudente! Lo es más que cualquiera. Pero no es un cobarde.»

«¿Cobarde? ¿Por qué? Nadie puede tachar de cobarde a quien se cuida para llevar a cabo su misión.»

«Es siempre un cobarde, porque cualquiera misión que se le haye encomendado es inferior a Dios. Por esto el culto a Dios es superior a todo.»

Palabras y comentarios semejantes van de boca en boca. Jesús simula no oir.

Judas de Alfeo se detiene para esperar a las mujeres, y llegadas — venían con Benjamín unos treinta pasos detrás — dice a Nique: «Repartisteis mucho en Siquén después que partimos.»

«¿Por qué?»

«Porque Judas no tiene ni un céntimo. No tendrás sandalias, Benjamín. Mala suerte. No se pudo entrar en Tersa, y aunque hubiéramos podido, no habría habido dinero... Tendrás que entrar en Jerusalén así...»

«Antes está Betania» dice Marta con una sonrisa.

«Y antes Jericó y mi casa» dice Nique, sonriendo.

«Y antes de todo estoy yo. Lo prometí y lo haré. Este es un viaje de experiencias. He visto lo que significa no tener ni un didracma [4]. Y ahora veré lo que es vender algo por necesidad» interviene María Magdalena.

«¿Y qué quieres vender, sino traes tus joyeles?» le pregunta Marta.

«Traigo muchas orquillas de plata. Para sujetarme el cabello bastan de hierro. Las venderé. Jericó está lleno de gente que compra estas cosas. Hoy es día de mercado, también mañana y así varios días, por las fiestas.»

«¡Pero, hermana!»

«¿Qué? ¿Te escandalizas de que vayan a pensar que soy tan pobre que venda hasta las horquillas de plata? ¡Hubiera querido haberte dado siempre esta clase de escándalos! Peor era cuando sin necesidad me vendía al vicio a otros y a mí misma.»

«¡Silencio, que Benjamín no sabe nada!»

«Todavía no. Y tal vez ignora que fui pecadora. Pero mañana lo sabría de labios de quien me odia porque ya no lo soy, y con ciertos detalles que no existieron. Es mejor que lo sepa de mí misma y vea cuánto puede el Señor que lo recogió. De una pecadora hizo una arrepentida; de un muerto un resucitado. A mí me resucitó en el espíritu, a Lázaro en su cuerpo. Somos dos seres que vivimos. Esto nos lo hizo el Rabí, Benjamín. Recuérdalo siempre y ámalo con todas tus fuerzas porque verdaderamente es el Hijo de Dios.»

Algo que no deja avanzar hace que las mujeres alcancen a Jesús y a los apóstoles. Jesús ordena: «Seguid hasta Jericó y entrad si queréis. Voy a

---

[4] Acerca de esta moneda ática de plata, cfr. Mt. 17, 24.

Doco. Al anochecer estaré con vosotros.»

«¿Por qué nos dejas? No estamos cansadas» protestan todas.

«Porque quisiera que por lo menos algunas de vosotros avisaseis a los discípulos que mañana estoy en casa de Nique.»

«Si es así, vamos. Venid Elisa, Juana, Susana, Marta. Prepararemos todo» habla Nique.

«Yo y Benjamín. Haremos nuestras compras. Bendícenos, Maestro, y regresa pronto. ¿Te quedas, Madre?»

«Sí, con mi Hijo.»

Se separan. Con Jesús se quedan las tres Marías: su Madre, su cuñada María Cleofás y María Salomé.

Jesús deja el camino de Jericó, y toma el que va a Doco. Ha poco caminado cuando he aquí una rica caravana, que debe venir de lejos porque las mujeres vienen montadas en camellos, encerradas dentro de sus movibles tiendas. Hombres de guardia sobre fogosos caballos. Se separa un joven y haciendo arrodillar su camello baja de su silla y se dirige a Jesús. Un siervo corre a tener de las riendas al animal.

El joven se postra ante Jesús y después de una profunda inclinación le dice: «Soy Felipe de Canata, hijo de verdaderos israelitas y tal he sido. Discípulo de Gamaliel hasta que la muerte de mi padre me obligó a hacerme cargo de sus negocios. Varias veces te he escuchado. Conozco tus acciones. Aspiro a una vida mejor para alcanzar la vida eterna que prometes a quien crea en sí tu Reino. Dime, pues, Maestro bueno, ¿qué deberé hacer para obtener la vida eterna?»

«¿Por qué me llamas bueno? Sólo Dios lo es.»

«Tú eres el Hijo de Dios, bueno como tu Padre. ¡Oh! ¿dime qué debo hacer?»

«Para entrar en la vida eterna observa los mandamientos.»

«¿Cuáles, Señor mío? ¿Los antiguos o los tuyos?»

«En los antiguos están ya los míos, pues no los cambian [5]. Siempre son: adorar amorosamente al Dios Verdadero y Unico, respetar las leyes de su culto, no matar, no robar, no cometer adulterio, no ser testigo falso, honrar a tu padre y madre, no hacer mal al prójimo, sino amarlo como a ti mismo. Si haces así, alcanzarás la vida eterna.»

«Maestro, desde mi niñez he observado todas estas cosas.»

Jesús lo mira con ojos amorosos y dulcemente le pregunta: «¿Y no te parece aun suficiente?»

«No, Maestro. El Reino de Dios en nosotros y en la otra vida es una cosa grande. Dios que se nos da es un don infinito. Pienso que respecto al Absoluto, al Infinito, al Perfecto, todo que se debe hacer es poco, y creo que se debe conseguir con cosas mayores que las que se nos mandan, para mostrarle nuestra gratitud.»

«Dices bien. Para ser pefecto te falta una cosa. Si quieres ser perfecto como quiere nuestro Padre celestial, ve a tu casa y vende cuanto posees,

---

[5] Cfr. Ex. 20, 1-17; Deut. 5, 1-22; Mt. 5, 17-19.

dalo a los pobres y tendrás un tesoro en el cielo, donde el Padre, que ha dado su tesoro a los pobres de la tierra, te amará. Luego ven y sígueme.»

El joven se entristece, piensa. Se pone de pie, dice: «Tendré presente tu consejo...» y se aleja con tristeza.

Judas irónicamente se sonríe y murmura: «¡No soy el único que ame el dinero!»

Jesús se vuelve, lo mira... luego mira a los otros once que le rodean, suspira: «Cuán difícilmente un rico entrará en el Reino de los cielos cuya puerta es estrecha, y el camino áspero. No pueden caminar por él, no pueden entrar en ella los que vienen cargando grandes fardos de riquezas. Para entrar allá arriba no hacen falta sino tesoros de virtudes, y saber separarse de todo que es apego a las cosas del mundo y vanidad.» Jesús está muy triste...

Los apóstoles se miran de soslayo entre sí...

Jesús al ver la caravana del joven rico que se aleja, añade: «En verdad os digo que es más fácil que un camello pase por el agujero de una aguja, que no lo es para el rico entrar en el Reino de Dios.»

«¿Entonces, quién podrá salvarse? La miseria frecuentemente empuja al pecado porque se tiene envidia o no se respeta lo que es del otro, o se desconfía de la Providencia... La riqueza sirve de obstáculo para la perfección... ¿Entonces quién podrá salvarse?»

Jesús los mira y les dice: «Lo que es imposible para los hombres, es posible para Dios porque El todo lo puede. Basta con que el hombre ayude a su Señor con su buena voluntad, que se manifesta en aceptar el consejo que se recibe y en esforzarse por llegar a desprenderse de las riquezas. *En ser libre, para seguir a Dios*, pues la verdad libertad del hombre consiste en: *seguir la voz que Dios susura en el corazón y sus mandamientos, no ser esclavo de sí mismo, ni del mundo, ni del respeto humano, y por lo tanto de Satanás. Usar la gran libertad de arbitrio que Dios ha dado al hombre para querer libre y solamente el bien y conseguir así la vida eterna, que es luz, libertad, bienaventuranza.* No hay que ser esclavos ni siquiera de la propia vida, si por conservarla el hombre se opone a Dios. Os lo he dicho: "El que pierda su vida por amor a Mí y por servir a Dios, la salvará en la eternidad".»

«¡Bueno! Nosotros hemos dejado todo por seguirte, aun lo que se nos permitía. ¿Qué sacaremos de ello? ¿Entraremos en tu Reino?» pregunta Pedro.

«En verdad, en verdad os digo que los que así me hubieran seguido, y me siguieren — pues siempre hay tiempo de reparar las debilidades y culpas hasta el presente cometidas, y siempre lo hay mientras se vive en la tierra — tales estarán conmigo en mi Reino. En verdad os digo que los que me habéis seguido en la nueva era que llegará os sentaréis sobre tronos a juzgar las naciones de la tierra junto con el Hijo del hombre que estará sentado en su trono de gloria. En verdad os digo también que cualquiera que, por amor a Mí, haya dejado casa, campos, padre, madre, hermanos, esposa, hijos y hermanas, para esparcir la Buena nueva y continuarme, recibirá el ciento por uno en este tiempo y la vida eterna en la edad que está por venir.»

«Si perdemos todo, ¿cómo podemos centuplicar nuestros bienes?» pregunta Judas de Keriot.

«Repito: lo que es imposible a los hombres, es posible a Dios. Dios dará el ciento de gozo espiritual a los quisieron hacerse hijos suyos, esto es, de seres netamente humanos, se hicieron espirituales. Poseerán un gozo acá en la tierra y en el más allá. Os digo también que no todos los que parecen ser últimos, o menos que ello, por no ser aparentemente mis discípulos, y ni siquiera del Pueblo elegido, lo serán. En verdad os digo que muchos que eran los primeros serán los últimos; y que muchos de estos serán los primeros... Bien, ved allá Doco. Adelantaos todos menos Judas de Keriot y Simón Zelote. Id a anunciarme a quienes puedan tener necesidad de Mí.»

Jesús espera con los otros dos a que los alcancen las tres Marías que los siguen a pocos metros de distancia.

38. Tercera predicción de la pasión. María de Zebedeo y sus hijos [1]
(Escrito el 8 de marzo de 1947)

Cuando Jesús sale de Doco que duerme apenas si el cielo tiene algo de luz y el camino es un poco difícil. Nadie oye las pisadas porque caminan con cautela y las casas están cerradas. Nadie habla sino hasta que salen fuera de la ciudad, a la campiña que se despierta otra vez, lavada con el rocío matinal.

Iscariote dice: «Camino inútil y descanso perdido. Hubiera sido mejor no haber venid hasta acá.»

«No nos trataron mal los pocos que encontramos. Pasaron la noche sin dormir por escucharnos y para ir a traer a los enfermos de los alrededores. Estuvo muy bien haber venido. Porque los que, por enfermedad o por otra razón, no tenían ya esperanzas de ver al Señor en Jerusalén, lo vieron aquí y han recibido consolación en su cuerpo y en su alma. Los otros ya partieron para la ciudad... Estamos acostumbrados, si se puede, a ir unos días antes a la fiesta» dice Santiago de Alfeo con dulzura, porque es así su carácter, todo lo contrario de Judas de Keriot que aun en los momentos buenos es violento e imperioso.

«Precisamente porque también vamos a Jerusalén era inútil haber venido aquí. Nos habrían oído y visto allá...»

«Pero no las mujeres y los enfermos» le replica Bartolomé, interrumpiéndolo.

Judas finge de no haber oído y añade: «Espero al menos que vayamos a

[1] Cfr. Mt. 20, 17-28; Mc.10, 32-45; Lc. 18, 31-34; 22, 25-27.

Jerusalén, porque ahora lo dudo después de lo que dijo Jesús a aquel pastor...»

«¿Y a dónde quieres que vayamos sino a allá?» pregunta Pedro.

«¡Bueno! No lo sé. Lo que hacemos es tan irreal desde hace algunos meses, tan contrario a lo previsible, al buen sentido, aun a la justicia, que...»

«¡Oye, aunque te vi beber leche en Doco, estas hablando como un ebrio! ¿Dónde encuentras las cosas contrarias a la justicia?» pregunta Santiago de Zebedeo con ojos amenazadores. Le grita: «¡Basta de reprochar al Justo! ¿Lo has comprendido? No tienes ningún derecho de reprocharle nada. Nadie lo tiene porque es perfecto, y nosotros... ninguno de nosotros lo es, y tú menos que nadie.»

«¡Cierto! Si estás enfermo cúrate, pero deja de fastidiarnos con tus quejas. Si eres lunático, allí está el Maestro. Dile que te cure y ten paz» exclama Tomás que ha perdido la paciencia.

De hecho Jesús viene detrás con Judas de Alfeo y Juan ayudando a las mujeres a caminar por el sendero que no es bueno, y todavía está oscuro por encontrarse en medio de un bosque de olivos. Jesús viene hablando animadamente con las mujeres sin poner atención a lo que delante de El se dice. Aunque las palabras no se entienden bien, pero sí el tono deja a entender que se ha trabado alguna disputa. Los dos apóstoles, Tadeo y Juan se miran... pero no hablan. Miran a Jesús y a María. Esta viene tan envuelta en su manto que apenas si se ve su rostro y Jesús parece no haber oído. Terminado lo que venían diciendo — hablaban de Benjamín, y de su futuro, de Sara la viuda de Afec, que ha ido a establecerse en Cafarnaúm y es una madre amorosa no sólo con el niño de Giscala, sino con los pequeñuelos de la mujer de Cafarnaúm, que, casada otra vez, no amaba más a sus primeros hijos y que murió «en tal forma que no cabe duda que la mano de Dios se dejó sentir en su muerte» dice Salomé — Jesús se adelanta con Judas Tadeo y se une a los discípulos, diciendo antes a Juan: «Quédate con ellas, si quieres. Voy a responder a Judas, que está irritado y a poner paz.»

Juan, después de haber dado unos cuantos pasos más y al notar que el sendero no está oscuro, de prisa va donde Jesús que está diciendo: «Tranquilízate, pues, Judas. No haremos nada de irreal, como nunca lo hemos hecho. Tampoco ahora estamos haciendo algo imprevisible. Todos saben que cualquier verdadero israelita, que no está enfermo o impedido por causas muy graves, sube al Templo. Y nosotros iremos.»

«No todos. Marziam, según he sabido, no vendrá. ¿Está acaso enfermo? ¿Por qué no viene? ¿Quieres sustituirlo por el samaritano?» El tono de Judas es insoportable...

Pedro dice entre dientes: «¡Oh Prudencia, amárrame la lengua!» y aprieta sus labios para no agregar más. Sus ojos, un poco bovinos, despiden una mirada conmovedora, por el esfuerzo que hace por refrenar su ira y su aflicción.

La presencia de Jesús hace que nadie hable, pero El sí lo hace con una calma verdaderamente divina: «Venid adelante un poco, para que no oigan las mujeres. Desde hace días quería deciros algo. Os lo prometí en la campiña de Tersa. Quería que todos estuvieseis presentes. Vosotros. No las mujeres. Dejémoslas tranquilas... Dentro de lo que os diré está la razón por la cual Marziam no estará con nosotros, ni tu madre, Judas de Keriot, ni tus hijas, Felipe, ni las discípulas de Galilea con la jovencita. Hay cosas que no todos pueden soportar. Yo como Maestro sé qué cosa es buena para mis discípulos y cuánto pueden o no pueden soportar. Tampoco vosotros sois fuertes para soportar la prueba, y sería una gracia que os vieseis libres de ella. Pero vosotros debéis continuarme, y debéis saber cuán débiles sois para que seáis misericordiosos con los débiles. Por esto no podéis ser excluídos de esta terrible prueba que os dará la medida de lo que sois, de lo que habéis hecho durante estos tres años en que habéis estado conmigo. Sois doce. Venisteis a Mí casi al mismo tiempo. No habían pasado muchos días que nos habíamos encontrado Santiago, Juan y Andrés, en que fuiste recibido, Judas de Keriot, como también tú, Santiago, hermano mío, y tú, Mateo para que pueda justificarse tanta diferencia de formación vuestra. Todos vosotros, incluído tú, docto Bartolomé, no teníais ninguna formación en mi doctrina. Aun más, vuestra formación mejor que la de muchos del viejo Israel era un obstáculo para aceptar la mía. El camino que se os mostró era suficiente para llevaros todos a un mismo punto. Sin embargo, uno ha llegado a él, otros están cerca, otros no tanto, otros muy atrás, otros... debo añadirlo, en lugar de adelantar han retrocedido. ¡No os miréis! No busquéis quién sea el primero o el último entre vosotros. El que tal vez se crea el primero y así lo creen los demás, tiene todavía que probarse a sí mismo. El que se cree el último está para brillar con su formación como una estrella del cielo. Por esto una vez más os digo: no juzguéis. Los hechos hablarán muy claro. Por ahora no podéis comprender, pero pronto, muy pronto os acordaréis de mis palabras y las comprenderéis.»

«¿Cuándo? Nos has prometido que nos dirías, que nos darías una explicación de por qué la purificación pascual será distinta este año, y no lo has hecho» se lamenta Andrés.

«De esto es de lo que quiero hablaros, porque lo que antes os dije, con esto, constituyen una sola cosa, pues tienen una sola raíz. Ved, subimos a Jerusalén para la Pascua, y allí se cumplirán todas las cosas que dijeron los profetas respecto al Hijo del hombre [2]. En verdad, así como vieron los profetas, como se predijo en la orden dada a los hebreos al salir de Egipto, como se ordenó a Moisés en el desierto, el Cordero de Dios está para ser inmolado y su sangre bañará los pilares de los corazones, el ángel de Dios pasará sin hacer daño a los que tuvieren consigo y amasen la Sangre del Cordero inmolado, que pronto será levantado como la serpiente de metal en el palo transversal, para que sea señal para los que la serpiente infernal hirió, para que sea salvación de los que lo miraren

[2] Cfr. vol. 3°, pág. 32, not. 4.

con amor [3]. El Hijo del Hombre, vuestro Maestro Jesús, pronto será entregado en las manos de los príncipes de los sacerdotes, de los escribas y de los ancianos que lo condenarán a muerte y lo entregarán a los gentiles para que sea escarnecido. Será abofetado, herido, escupido, arrastrado por las calles como un harapo inmundo y los gentiles, después de haberlo flagelado y coronado de espinas, lo condenarán a morir en una cruz, en la que mueren los malhechores. El pueblo hebreo, reunido en Jerusalén, pedirá su muerte en lugar de la de un ladrón, y el Hijo del hombre así será matado. Pero así como está escrito en las profecías, después de tres días resucitará. Esta es la prueba que os espera, y que demostrará vuestra formación. En verdad os digo a todos vosotros, que os creéis perfectos que despreciáis a los que no son de Israel, y aun a muchos de nuestro pueblo, en verdad os digo que vosotros, el grupo selecto de mi grey, seréis presa del miedo y os desbandaréis huyendo como si los lobos, que por todas partes os atacarán, os fuesen a desgarrar. Pero os lo digo de antemano: no temáis. No os quitarán ni un solo cabello. Bastaré para saciar a los lobos feroces...»

Conforme Jesús va hablando, los apóstoles parecen estar bajo una lluvia de piedras y se van cada vez más encurvando. Al terminar dice: «Esto que os acabo de decir está ya muy cerca. No es como las otras veces, que todavía faltaba tiempo. Ha llegado la hora. Voy para ser entregado a mis enemigos e inmolado para la salvación de todos. Esta flor todavía conservará algunos de sus pétalos cuando habré ya muerto» algunos se llevan las manos a la cara, otros lloran como si hubiesen sido heridos. Iscariote está lívido, literalmente lívido...

El primero que se sobrepone es Tomás que promete: «Esto no te sucederá, porque te defenderemos o moriremos juntos contigo, y así habremos demostrado que habíamos alcanzado tu perfección, que éramos perfectos en el amor a Ti.»

Jesús lo mira sin responder.

Después de unos momentos el pensativo Bartolomé dice: «Dijiste que serás entregado... ¿Pero quién puede entregarte a tus enemigos? Eso no está escrito en las profecías. No. No está dicho. Sería cosa horrible que un amigo tuyo, discípulo o seguidor, aunque fuese el último de todos, te entregase en manos de los que te odian. ¡No! Quien te ha oído con amor, aunque haya sido una sola vez, no puede cometer semejante crimen. No son bestias feroces, ni satanás. Son hombres... ¡No, Señor mío! Ni siquiera los que te odian lo podrán... Tienen miedo del pueblo y ¡el pueblo estará todo a tu alrededor!»

Jesús mira también a Natanael, mas no le contesta.

Pedro y Zelote están hablando animadamente entre sí. Santiago de Zebedeo regaña a su hermano porque lo ve tranquilo, que le responde: «Es que ya hace tres meses que lo sé» y dos lágrimas caen por su rostro.

Los hijos de Alfeo hablan con Mateo que sacude la cabeza desconsola-

---

[3] Cfr. Núm. 21, 4-9; 4 Rey. 18, 1-4; Sab. 16, 5-7; Ju. 3, 14-15.

do.

Andrés se vuelve a Iscariote: «Tú que tienes tantos amigos en el Templo...»

«Juan mismo conoce Anás» rebate Judas y añade: «¿Qué quieres que se haga? ¿Que puede valer la palabra del hombre, si así está sellado?»

«¿Lo crees en verdad?» le preguntan simultáneamente Tomás y Andrés.

«No. Yo no creo nada. Son alarmas inútiles. Ha dicho bien Bartolomé. Todo el pueblo estará con Jesús. Se ve ya por los que nos encuentran. Será un triunfo. Veréis que será así» responde Judas de Keriot.

«Entonces, ¿por qué El?...» pregunta André señalando a Jesús que se ha quedado a esperar a las mujeres.

«¿Que por qué lo dice? Porque está sugestionado... porque nos quiere probar. Pero no sucederá nada. Yo iré por mi parte...»

«¡Oh, sí! Ve a sentir» suplica Andrés.

Dejan de hablar porque Jesús los sigue en medio de su Madre y María de Alfeo.

La Virgen sonríe un instante al mostrarle su cuñada unas semillas, que no se de dónde tomó, y le dice que las sembrará en Nazaret después de la pascua, cerca la gruta que tanto ama: «Te recuerdo siempre de cuando eras niña con estas flores en tus manitas. Las llamabas flores de cuando naciste, porque cuando viste la luz del mundo, tu huerto estaba lleno de ellas. Aquella tarde, cuando toda Nazaret se volcó para ver a la hija de Joaquín, estas florecillas eran todo un diamante al contacto del agua que las bañaba y por los últimos rayos del sol poniente. Como te llamabas *"Estrella"*, todos decían al ver las brillantes estrellitas: "Las flores se han adornado para festejar a la flor de Joaquín, y las estrellas han dejado el cielo para venir a ver a la Estrella", y todos sonreían de felicitad por el presagio y por la alegría de tu padre. José [4], hermano de mi esposo, dijo: "Estrellas y gotitas, eso es verdaderamente María!" ¿Quién iba a decirlo entonces que ibas a convertirte en su estrella? Cuando regresó de Jerusalén como tu esposo elegido, toda Nazaret quería festejarlo, por la gloria recibida del cielo al casarse contigo, hija de Joaquín y Ana. Todos querían hacerle fiesta, mas él firme y suavemente no la aceptó asombrando a todos porque, ¿quién es ese hombre que el cielo destina a unas nupcias honestas, que no festeje su dicha con todo su ser? El decía: "Una elección grande necesita una preparación mayor". Hombre continente en sus palabras, hombre parco en el comer siempre lo había sido, y pasó todo aquel tiempo trabajando y orando, porque pienso que cada golpe de su martillo, cada rasgo de su escoplo se convertían en oración, si se puede orar con el trabajo. Su cara era como la de un extático. Iba yo a arreglar la casa, a blanquear las sábanas y otras cosas que dejó tu madre. Con el tiempo se habían puesto amarillas. Yo hablaba a José y

---

[4] Hermoso elogio de María de Alfeo en honor de José, esposo de la Virgen. Cfr. vol. 1°, pág. 82, not. 1

lo miraba mientras trabajaba en el huerto y dentro... pero parecía como absorto. Sonreía, pero no a mí o a otros, sino a algo que llevaba dentro, y que no era lo que el hombre próximo a casarse piensa... con esa sonrisa maliciosa y carnal. Parecía como absorto. Parecía como si sonriera a los ángeles de Dios y que con ellos hablase y se aconsejase... ¡Oh, estoy segura que ellos lo instruyeron cómo debería tratarte! Nazaret se llevó también otro chasco, porque José, con enojo de mi Alfeo, dijo que no celebraría pronto las bodas, y nunca se comprendió por qué después como de improviso decidió celebrarlas antes del tiempo fijado. Y como se sorprendió a Nazaret de su gozo absorto cuando se supo que ibas a ser madre... También mi Santiago es un poco así y siempre más. Ahora que lo miro bien — no sé por qué, pero desde que salimos de Efraín me parece todo cambiado — me parece que veo a... José. Míralo ahora, María, o cuando se voltea a mirarnos. ¿No tiene acaso el aspecto absorto como lo tenía tu esposo José? Se sonríe en tal forma que no sé si es una sonrisa triste o lejana. Mira, su mirada está lejos, como sucedía a José. ¿Te acuerdas como lo molestaba Alfeo? Le decía: "Hermano ¿todavía estás viendo las pirámides?" El sacudía la cabeza sin responder, paciente y siempre acariciando sus pensamientos. Nunca fue un parlanchín. ¡Y cuando regresasteis de Hebrón! No fue más solo la fuente como antes y como todos lo hacen. O contigo o a su trabajo. Fuera del sábado cuando iba a la sinagoga o cuando iba a otras partes por razón de sus trabajos, nadie puede afirmar haber visto a José de callejero. Luego os fuisteis... ¡Cuán afligidos estuvimos cuando no recibimos ninguna noticia vuestra después de la matanza! Alfeo fue hasta Belén... Le dijeron: "Partieron". Pero, ¿cómo se podía creer si os odiaban a muerte en la ciudad donde todavía se veían las manchas de sangre inocente y de las ruinas salía humo, y se os acusaba de que aquella sangre había sido derramada por causa vuestra? Fue a Hebrón, luego al Templo, porque era el turno de Zacarías. Isabel trató de consolarlo con sus lágrimas, y Zacarías con palabras de consuelo. Ambos estaban angustiados por Juan, temiendo nuevas represalias, y lo habían escondido. De vosotros no sabían nada. Zacarías dijo a Alfeo: "Si murieron, su sangre cae sobre mí, porque yo fui quien los persuadí a que se quedasen en Belén". ¡Mi María! ¡Mi Jesús tan hermoso en la pascua que siguió a su natividad! ¡Y no saber nada! ¡Durante tanto tiempo! ¿Por qué nunca nos enviasteis una noticia?...»

«Porque no podíamos hacerlo. Donde estábamos había muchas Marías y muchos Josés, y nos convenía pasar como un pareja cualquiera de esposos» responde calmadamente la Virgen y suspira: «Esos días, aunque tristes, todavía estaban envueltos en felicidad. ¡El mal estaba muy lejos! Si mucho era lo que nos faltaba en nuestra casa, nuestro corazón se saciaba con la alegría de tenerte, Hijo mío.»

«Todavía tienes a tu Hijo, María. Es verdad que falta José, pero Jesús está aquí y te ama a ti» observa María de Alfeo.

María levanta su cabeza para mirar a Jesús. Se ve en su mirada la angustia, aun cuando en su boca se dibuja una leve sonrisa. No replica.

Los apóstoles se han detenido a esperarlos. Se reunen todos. También Santiago y Juan que venían atrás con su madre. Mientras descansan de la caminata y algunos comen un poco de pan, la madre de los dos hermanos se acerca a Jesús, se postra ante El, que no parece estar sentado, por la prisa que tiene de volver a emprender el viaje.

Jesús al ver que ella quiere decirle algo le pregunta: «¿Qué quieres, Salomé?»

«Un favor, antes de que te vayas, como dices.»

«¿Cuál es?»

«La de ordenar que estos dos hijos míos, que por Ti han dejado todo, se sienten, uno a la derecha y el otro a tu izquierda cuando hayas entrado en tu Reino y te hayas sentado en tu trono.»

Jesús mira a Salomé y luego a los dos apóstoles y dice: «Vosotros habéis sugerido estas cosas a vuestra madre, interpretando muy mal mis promesas de ayer. No conseguiréis en un reino terrenal el céntuplo por lo que habéis dejado. ¿También vosotros sois rapaces y necios? Pero no tenéis la culpa, es el crepúsculo mefítico de las tinieblas [5] que avanza, el aire corrompido de Jerusalén que se aproxima, os corrompe os ciega... Yo os digo que no sabéis los que pedís. ¿Podéis acaso beber del cáliz que voy a beber?»

«Lo podemos, Señor.»

«¿Cómo podéis afirmarlo, si todavía ignoráis su amargura? No sólo será la amargura de la que ayer os hablé, mi amargura de Hombre fustigado de dolor. Sufriré torturas que aun cuando os las describiese, no seríais capaces de comprenderlas... Sin embargo, aun cuando os parecéis a dos niños que no saben lo que piden, porque sois dos corazones buenos y que me amáis, ciertamente que beberéis *de* mi cáliz, pero que os sentéis a mi derecha o a mi izquiera no me toca a Mí concedérlos. Ello a sido concedido sino a quienes haya destinado mi Padre.»

Mientras Jesús está hablando, los demás apóstoles no dejan de mostrar su disgusto por la petición de los hijos de Zebedeo y de su madre. Pedro dice a Juan: «¡Y eso tú! ¡No puedo reconocerte!»

Iscariote con su sonrisa de demonio: «¡Verdaderamente que los primeros son los últimos! Tiempo de sorpresas y de noticias...» ¡Qué feo es al reirse!

«¿Acaso hemos seguido al Maestro por honores?» los interpela Felipe.

Tomás en vez que a los dos hermanos, se vuelve a Salomé: «¿Por qué mortificar a tus hijos? Deberías haber reflexionado antes de haberlo hecho.»

«Es verdad. Nuestra madre no lo hubiera hecho» dice Tadeo.

Bartolomé no habla, pero en su cara está pintado el descontento.

Simón Zelote para calmar los ánimos dice: «Todos podemos equivocarnos...»

Mateo, Andrés, Santiago de Alfeo no hablan, pero se ve que sufren por

---

[5] Cfr. vol. 3°, pág. 314, not. 3; vol. 4°. pág. 448, not. 1.

que se ha manchado la bella perfección de Juan.

Jesús hace señal de que se callen. Dice: «¿Y qué? ¿De un error cometido tienen que nacer otros? Vosotros que airados los reprocháis ¿no estáis viendo que también vosotros cometéis pecado? Dejad en paz a estos hermanos vuestros. Mi regaño fue suficiente. Estáis viendo su humillación. Su arrepentimiento es humilde y sincero. Debéis amaros, sosteneros mutuamente. Porque os digo en verdad que ninguno de vosotros es todavía perfecto. No debéis imitar al mundo y a los hombres que lo siguen. Sabéis que en el mundo los reyes de las naciones son los que mandan y que los principales ejercen en ellas el poder en nombre de los reyes. Pero entre vosotros no debe ser así. No debe de haber en vosotros la manìa de querer mandar sobre los otros, ni sobre los compañeros. Más bien, quien de entre vosotros quiera ser el mayor, hágase vuestro siervo, y quien quiera ser el primero, hágase vuestro criado. Así como lo ha hecho vuestro Maestro. ¿Vine acaso a dominar a otros, a ser servido? ¿Verdad que no? Todo al contrario a servir. Y así como el Hijo del hombre no ha venido para que le sirvan, sino para servir y para dar su vida para que muchos sean redimidos, así debéis comportaros, si queréis ser como Yo, y para que estéis dónde estoy Yo. Ahora, idos en paz mutua. También yo estoy en paz con vosotros.»

Me dice Jesús:
«Señala mucho el punto: "...vosotros ciertamente beberéis *de* mi caliz". En las traducciones se lee: "mi caliz". He dicho: "*de mi*", no "mi". Ningun hombre habría podido beber mi caliz. Solamente Yo, Redentor, he debido beber todo mi caliz. A mis discípulos, a mis imitadores y amantes, ciertamente he concedido beber *de aquel caliz* donde Yo bebí, por aquella gota, aquel sorbo, o aquellos sorbos, que la predileccion de Dios concede a ellos de beber. Pero ninguno jamás beberá todo el caliz como Yo lo bebí. Por tanto es justo decir "*de mi caliz*" y no "mi caliz".»

39. En Jericó antes de dirigirse a Betania
(Escrito el 11 de marzo de 1947)

Ya las paredes blancas de las casas de Jericó y sus palmeras se recortan en un cielo de intenso color azul, cuando, cerca de un bosquecillo de tamariscos enmarañados, de mimosas y de otras plantas espinosas, que parecen haber caído rodando de lo alto del monte que está a las espaldas de Jericó, Jesús se encuentra con un buen grupo de discípulos capitaneados por Mannaén. Parece como si lo estuvieran esperando, y de hecho lo dicen después de haberlo saludado. Añaden que otros fueron a esperarlo por otros caminos, porque el retardo de una noche los había inquietado.

«He venido con éstos, y no te dejaré hasta que no te vea a salvo en casa de Lázaro» promete Mannaén.

«¿Por qué? ¿Hay algún peligro?...» pregunta Judas Tadeo.

«Estáis en Judea... Sabéis lo del decreto, y que lo odian. Todo puede temerse» responde Mannaén y volviéndose a Jesús: «He tomado conmigo a los más valerosos porque era de suponerse que, si no te habían aprehendido, tendrías que pasar por aquí. Nuestro arrojo varonil unido al de discípulo, impresionará — como creemos — y te hará respetar.»

Efectivamente con él están los ex discípulos de Gamaliel, Juan el sacerdote, Nicolás de Antioquía, Juan de Efeso [1] y otros vigorosos hombres en la flor de la edad, de aspecto señoril, que no conozco. Mannaén presenta rápidamente a algunos de ellos. Hay de todas las regiones palestinenses, dos de la corte de Herodes Felipo. Nombres de las más antiguas familias resuenan en el bosquecillo enmarañado en que el viento hace temblar las hojillas de la mimosa.

«Vámonos. ¿No hay nadie con las mujeres en la casa de Nique?» pregunta Jesús.

«Los pastores. Jonatás no está porque espera a Juana en el palacio de Jerusalén. Tus discípulos han aumentado muchísimo. Ayer había unos quinientos esperándote en Jericó, tanto que los siervos de Herodes al saberlo se lo comunicaron. El no supo qué hacer, si temblar de miedo o de tomar partido contra Ti. El recuerdo de Juan lo obsesiona, y no se atreve más a alzar la mano contra algún profeta...»

«¡Esto está bien! ¡El no te hará nada!» exclama Pedro frotándose las manos de contento.

«Pero es el que menos vale. Es un ídolo que cualquiera puede mover a su antojo, y quien lo tiene en su mano sabe manejarlo.»

«¿Y quién lo tiene? ¿Acaso Pilato?» pregunta Bartolomé.

«Pilato, para hacer alguna cosa, no tiene necesidad de Herodes. Este no es más que un siervo, y los poderosos no piden ayuda a sus criados» responde Mannaén.

«¿Entonces, quién?» interroga otra vez.

«El Templo» responde con aplomo uno de los de Mannaén.

«Pero a los ojos del Templo Herodes es anatema. Su pecado...»

«Eres muy ingenuo pese a tu saber y a tus años, ¡oh Bartolomé! ¿No sabes que el Templo sabe pasar por alto muchas cosas con tal de conseguir sus objetivos? Por esto no es digno de que siga existiendo» replica con desprecio Mannaén.

«Tú eres israelita. No debes hablar así. El Templo es siempre nuestro templo» advierte Bartolomé.

«No. Es el cadáver de lo que fue. Y un cadáver se convierte en carroña insoportable cuando hace días que murió. Por esto Dios ha mandado al Templo vivo, para que pudiéramos postrarnos ante el Señor sin ser una pantomima inmunda.»

«¡Cállate!» murmura a Mannaén uno de los suyos, pues es muy franco. Es uno de los que no fue presentado y que está todo cubierto.

«¿Y por qué debo callarme, si así habla mi corazón? ¿Piensas que mis

---

[1] Cfr. vol. 4°, pág. 661, la parte segunda de la not. 32.

palabras puedan causar daño al Maestro? Si así fuere, me callaría. No por otra razón. Aun cuando me condenaren, tendré valor para decir: "Esto es lo que pienso y no castiguéis a otros sino a mí."»

«Mannaén tiene razón. No hay que seguir callando por miedo. Es hora que cada uno tome su lugar en pro o en contra y que diga lo que tiene en su corazón. Yo pienso como tú, hermano en Jesús. Y si esto pudiere acarrearnos la muerte, moriremos juntos confesando una vez más la verdad» exclama Esteban con ímpetu.

«¡Sed prudentes! ¡Sedlo!» exhorta Bartolomé. «El templo es siempre el templo. Tendrá deficiencias, pues no es perfecto, pero es... es... Después de Dios no hay personas más dignas, ni fuerza mayor que la del sumo sacerdote y del Sanedrín... Representan a Dios. Debemos ver lo que representan, no lo que son. ¿Me equivoco acaso, Maestro?»

«No te equivocas. En cada institución hay que reconocer su origen. En este caso es eterno Padre, quien ha establecido el Templo y las jerarquías, los ritos y la autoridad de los hombres destinados a representarlo [2]. Es necesario dejar que el Padre sentencie. El sabe como y cuando intervenir, cómo proveer para que la corrupción que se va extendiendo, no corrompa a todos y haga que duden de El... En este punto Mannaén ha sabido ver lo justo, al comprender la razón de por qué he venido a esta hora. Es necesario, Bartolomé, templar tu estatismo con el espíritu innovador de Mannaén, para que las providencias que se tomen sean justas, y el modo de pensar sea perfecto. Todo exceso es siempre dañoso, tanto para el que lo realiza, como para el que tiene que soportarlo, o para el que lo ve, y se escandaliza de ello, y si no es un alma honrada, lo emplea para denunciar a sus hermanos. Pero esto es algo que sabe a Caín [3]. Las denuncias no las harán los hijos de la luz, porque es obra de las tinieblas.»

El que estaba envuelto en su manto, de modo que apenas se le veían sus vivísimos ojos negros, el que había dicho a Mannaén de que no hablase demasiado, se arrodilla y toma la mano de Jesús diciendo: «Eres bueno, Maestro. Demasiado tarde te he conocido, ¡oh Palabra de Dios! Pero todavía hay tiempo para amarte como mereces, aunque no para servirte como habría deseado, como *ahora* lo querría.»

«Nunca es tarde para la hora de Dios. Llega al momento justo, y da tiempo de servir a la Verdad, cuanto la voluntad quiere.»

«¿Quién es?» murmuran entre sí los apóstoles, y preguntan a los discípulos. Pero inútil, o no lo saben, o no quieren decirlo.

«¿Quién es, Maestro?» pregunta Pedro cuando logra acercarse a Jesús que camina en el centro del grupo. Detrás vienen las mujeres, delante los discípulos, a los lados sus primos con los apóstoles.

«Un alma, Simón. No más que eso.»

«Pero... ¿te fías aun cuando no sepas quién es?»

[2] Cfr. vol. 2°, pág. 69, not. 2.
[3] Cfr. Gén. 4, 1-16.

«Sé quién es. Y conozco su corazón.»

«¡Ah, comprendido! Es como el caso de la Velada de Aguas Hermosas... No preguntaré más...» y Pedro está feliz porque Jesús, separándose de Santiago, lo lleva junto a Sí.

Han llegado a Jericó. Por las puertas de los muros se desborda la gente que grita hosannas a Jesús, el cual fatigosamente logra atravesar la ciudad para ir a casa de Nique, que se encuentra en el lado opuesto. Le suplican que hable. Le presentan los niños como para hacer con ellos una valla, pues conocen que Jesús mucho los ama. Se oyen gritos de: «Puedes hablar. Aquél ya escapó a Jerusalén» y señalan hacia el espléndido palacio de Herodes que está cerrado.

Mannaén dice: «Es verdad. Se fue por la noche, a escondidas. Tiene miedo.»

Pero nada detiene a Jesús. Sigue diciendo: «¡Paz, paz! Quien tenga penas o esté enfermo que vaya a la casa de Nique. Quien me quiera oir que vaya a Jerusalén. Aquí soy peregrino, como todos vosotros. Hablaré en la casa del Padre. ¡Paz! ¡Paz y bendición! ¡Paz!»

Es ya un pequeño triunfo, preludio de su entrada ya próxima en Jerusalén.

Me sorprendía no ver a Zaqueo, pero lo veo ahora de pie en los límites de la quinta de Nique en medio de sus amigos y con los pastores y discípulas. Todos corren al encuentro de Jesús, se postran, le abren paso mientras pasa bendiciendo en dirección de la casa hospitalaria.

40. Jesús habla a discípulos desconocidos
(Escrito el 15 de marzo de 1947)

Mucha gente se ha apiñado en los prados de Nique donde se seca el heno al sol. Dos carruajes grandes y cubiertos, cerca de ellos, están esperando. Comprendo la razón cuando veo que suben a ellos todas las discípulas, después que el Maestro las ha despedido y bendecido. También la Virgen se va, y el jovencillo de Enón. Muchos discípulos se colocan al lado de los carruajes y cuando estos empiezan a caminar, también ellos. En los prados se quedan los apóstoles, Zaqueo y sus amigos y un grupo de personajes muy envueltos en sus mantos, como si temiesen ser reconocidos.

Jesús vuelve lentamente sobre sus pasos al centro del prado, se sienta sobre un montón de heno, semiseco, que pronto llevarán al pajar, se absorbe en Sí mismo, cosa que nadie de los tres grupos perturba, y que están separados entre sí.

Jesús sigue absorto en Sí mismo. La espera se alarga. El sol calienta cada vez más. El olor del heno es más fuerte. Los que estaban esperando, se van a los lados de los prados donde hay sombra.

Jesús se queda solo, solo bajo el fuerte sol, con su blanco vestido de lino y su capucho ligero flota al contacto del céfiro. El capucho ha de ser el que le envió Síntica. De un establo cercano se oye el mugir de vacas, se oye que de las ramas viene un piar de pajarillos, y de los gallineros el de pollitos. Es la vida que en cada primavera se renueva. Los palomos vuelan en alto, describen figuras, y luego de picada vienen a sus nidos que están bajo los aleros del tejado. No sé si en la casa cercana a la de Nique, o de alguna otra parte, se alza la voz de una mujer que arrulla a su pequeñuelo, y se oye también la voz chillona del pequeñuelo, que poco a poco va apagándose, hasta que desaparece.

Jesús sigue en su posición. Piensa. Piensa, insensible al sol. Muchas veces he notado su resistencia sin igual al rigor de las estaciones. Nunca he podido saber si siente mucho el calor o el frío. Los soporta sin quejarse por espíritu de mortificación, o bien si como mandaba sobre las fuerzas de la naturaleza, de igual modo sobre el frío o calor excesivos. No lo sé. Lo que sí decir es que pese que esté empapado de agua, o bien sudado del sol, nunca he visto que se prevenga del mucho sol o del mucho frío, como solemos hacer los demás.

Un día se me dijo que en Palestina nunca se camina con la cabeza descubierta, y que por lo tanto me equivocaba al afirmar que la cabeza rubia de Jesús brilla bajo el sol. Puede ser que así sea. Nunca he estado allí. Lo que sé es que Jesús de costumbre camina sin cubrirse la cabeza. Si al principio de la caminata se pone el capucho, pronto se lo quita, como si le estorbase, y se lo lleva en la mano para limpiarse el rostro del polvo y sudor. Si llueve se cubre con la extremidad del manto la cabeza. Si hay sol, sobre todo si va de camino, busca la sombra, aunque intermitente, para defenderse de los rayos solares. Pero no suele, como hoy, ponerse ni siquiera un velo ligero.

Esta es una observación que a alguien parecerá inútil, pero como forma parte de lo que veo, la digo entre tanto que Jesús sigue pensando...

«¡Le va a ser mal seguir así!» advierte uno del grupo que no es del apostólico, ni del Zaqueo.

«Vamos a decirlo a sus discípulos... Por otra parte... yo quisiera... Quisiera no tardarme mucho» dice otro.

«¡Eh, sí! Los montes Adomín son poco seguros en la noche...» Van a donde están los apóstoles y hablan con ellos.

«Está bien. Iré a decir que os queréis ir» responde Iscariote.

«No. No de este modo. Quisiéramos estar por lo menos en Ensemes antes de que caiga la noche.»

Judas se va, sonriendo irónicamente. Se inclina al Maestro: «Dicen que es porque te puede hacer mal el sol — pero la verdad es que a ellos les puede acarrear daño ser vistos — los judíos quieren despedirse de Ti.»

«Voy... Pensaba... Tienen razón.» Jesús se levanta.

«Todos, menos que yo...» rezonga Iscariote.

Jesús lo mira y no dice nada. Van a donde están los hombres que Iscariote ha llamado judíos.

«Ya os había dicho que os podíais ir. No hablaré sino en Jerusalén...»

«Es verdad, pero queríamos hablarte... en privado, ¿es posible?»

«Dales gusto. Tienen miedo de nosotros o de mí, para ser francos» amonesta Judas de Keriot con su sonrisa viperina.

«No tenemos miedo de nadie. Si lo hubiéramos tenido, hubiéramos buscado otros medios. No todos los que viven en Palestina son unos cobardes. Somos descendientes de los héroes de David, y si todavía no eres un esclavo o un vil, debes respetar de dónde procedemos. Fueron nuestros antepasados quienes estuvieron al lado del rey santo [1], luego al de los Macabeos [2], y ahora, nosotros sus descendientes, somos los primeros cuando se trata de honrar al Hijo de David, y darle consejo. Porque El es grande. Con todo, cualquier hombre por grande que sea, puede tener necesidad de un amigo en las horas decisivas de su vida» habla con vehemencia uno cuyo vestido y aun el capucho son de lino, y que poco deja descubierta su adusta cara.

«Somos nosotros sus amigos. Lo somos desde hace tres años, cuando vosotros...»

«No lo conocíamos. Muchas veces hemos sido engañados con falsos Mesías para que dar crédito a cualquier cuento. Pero los últimos sucesos han sido luz para nosotros. Sus obras son de Dios y afirmamos que El es Hijo de Dios.»

«¿Y pensáis que tenga necesidad de vosotros?»

«Como Hijo de Dios, no; pero como Hombre, sí. El ha venido para ser el Hombre. Y el Hombre tiene siempre necesidad de los hombres, sus hermanos. Por otra parte: ¿por qué tienes miedo? ¿no quieres que nos hable? Te lo preguntamos.»

«¿Yo? Hablad. Hablad. El escucha con más gusto los pecadores que los justos.»

«¡Judas! Creía que tales palabras deberían parecerte fuego en tus labios. ¿Cómo te atreves a juzgar cuando tu Maestro no lo hace? Está dicho: "Si vuestros pecados fuesen como la púrpura, quedarán blancos como la nieve, y si fuesen rojos como la púrpura, vendrán a ser blancos como la lana" [3].»

«Pero Tú ignoras que entre éstos...»

«¡Cállate! Hablad vosotros.»

«Señor, lo sabemos. La acusación contra Ti está lanzada. Se te acusa de violar la ley y el sábado, de amar más a los de Samaría que a nosotros, de defender a publicanos y prostitutas, de recurrir a Belzebú, y a otras fuerzas misteriosas como la de la magia [4] negra, de odiar al Templo y de querer su destrucción, de...»

«Basta. Cualquiera puede acusar, pero probar la acusación es difícil.»

«Sin embargo ellos tienen quien las sostiene. ¿Crees que haya algunos rectos en el Templo?»

---

[1] Cfr. 1 Rey. 16-31; 2 Rey. 2, 20; 1 Par. 11-20.
[2] Cfr. 1 y 2 Mac. en muchos lugares.
[3] Cfr. Is. 1, 18.
[4] Cfr. vol. 2°, pág. 287, not. 1.

«Os respondaré con las palabras de Job, que fue un símbolo del hombre que padece como Yo: "Lejos de mí que piense que todos sois rectos. Pero hasta el último momento sostendré que soy inocente, no renunciaré a mi derecho de justificarme, como lo he estado haciendo, porque mi corazón no me reprocha nada de lo yo haya hecho" [5]. Ved: todo Israel puede testimoniar que Yo he enseñado siempre el respeto a la Ley, aun más: he perfeccionado la obediencia a la Ley, y los sabados no han sido violados por Mí... ¿Qué quieres decir? Habla. Has hecho un gesto y después te has retenido. ¡Habla!»

Un cierto tipo misterioso del grupo dice: «Señor, en la última reunión del Sanedrín se leyó una acusación contra Ti. Llegó de Samaría, de Efraín donde estabas, y decía que cada vez más se comprobaba que violabas el sábado y...»

«Una vez más te respondo con Job: "¿Y qué esperanza tiene el hipócrita si roba por avaricia, y Dios no libra su alma [6]?" Este infeliz que finge externamente una cara, y por debajo, en su corazón, lleva otra y quiere cometer el mayor robo aprovechándose de mis bienes, camina ya por el sendero del infierno y en vano esperará dinero, honras; en vano creerá subir donde Yo quise para no traicionar el decreto santo. ¿Qué otra cosa haremos por él, sino rogar?»

«Sin embargo el Sanedrín se burló de Ti diciendo: "¡Este es el amor que le tienen los samaritanos! Lo acusan para congraciarse con nosotros".»

«¿Estáis seguros que fue una mano samaritana quién escribió esas palabras?»

«No. Pero Samaría se portó dura contigo hace poco...»

«Porque los enviados del Sanedrín la soliviantaron y azuzaron con falsos consejos, suscitando esperanzas necias que he debido tronchar. Por otra parte se puede decir de Efraín, como de Judá, y de cualquier otro lugar, lo que se dice del corazón del hombre que olvida los beneficios y se doblega ante las amenazas: "Vuestra rectitud es como la nube matinal, como el rocío que desaparece a los rayos solares" [7]. Pero esto no prueba que los samaritanos hayan sido los acusadores del Inocente. Un amor equivocado los hizo enfurecer contra Mí, es amor de quien delira. ¿Qué otra cosa prueba la preferencia por los samaritanos?»

«Se te acusa que los amas tanto que dice: "Escucha, Israel" en lugar de decir: "Escucha, Judá". Y que no puedes reprender a Judá...»

«¿De veras? ¿La sabiduría de los rabinos es así vana? ¿No soy acaso el Retoño de justicia salido de David, por el que, como dice Jeremías [8], Judá será salvado? El profeta prevé que Judá, sobre todo Judá, tendrá necesidad de salvación. Y este Retoño, dice el Profeta, será llamado: el Señor, el nuestro Justo "porque, dice el Señor, no faltará a David jamás

[5] Cfr. Jb. 27, 5-6.
[6] Cfr. Jb. 27, 8. (N.B. La cita de Job es según la Vulgata. N.T.)
[7] Cfr. Os. 6, 4; 13, 3.
[8] Cfr. Jer. 33, 15-17.

un descendiente que se siente sobre el trono de la casa de Israel''. Y bien, ¿se equivocó el profeta? ¿Estaba ebrio? ¿De qué cosa? No de otra cosa más que de penitencia. Porque para acusarme a Mí, alguien tendrá que sostener que Jeremías era un hombre dado a la bebida. Y sin embargo él dice que el Retoño de David salvará a Judá y se sentará sobre el trono de Israel. Se diría pues, que el profeta por sus propias luces vio que Israel más que Judá será elegido, que el Rey irá a Israel y que ya será un gran favor que Judá sea salvado. ¿Será, pues, llamado reino de Israel? No. Del Mesías. Del que une ambas partes y reconstruye en el Señor después de haber, según el Profeta [9], ¿en un mes — ¿qué digo en un mes? — en menos de un día juzgado y condenado a los tres falsos pastores; de haber cerrado mi alma a ellos porque no me abrieron la suya, y aunque me buscaron en figura no pudieron amarme en la realidad. Así pues El que me ha enviado, y me ha dado las dos varas, despezará ambas para que los crueles no alcancen gracia, para que el flagelo no venga del cielo sino del mundo. *Y no hay flagelo más duro que los hombres mismos.* Así sucederá. ¡Oh, así! *Yo seré golpeado y los dos tercios de ovejas serán dispersos. Sólo un tercio, siempre sólo un tercio, se salvará y perseverará hasta el fin. Este tercero grupo pasará por el fuego, por el que atravesé primero, y se purificará y será probado como se acrisolan la plata y el oro, y se le dirá: "Tú eres mi pueblo" y él me dirá: "Tú eres mi Señor"* [10]. Y habrá quien haya puesto en la balanza para ver que había treinta monedas, que eran el precio de la víctima, un precio vergonzoso. Esos treinta monedas no podrán regresar de donde salieron porque hasta las mismas piedras gritarán aterrorizadas al verlas, al verlas empapadas de la sangre del Inocente, del sudor que derramará el que se sentirá presa de una horrible desesperación, monedas que servirán, como está escrito [11], para comprar de los esclavos de Babilonia, el campo para los extranjeros. ¡El campo para los extranjeros! ¿Sabéis quiénes son? Los de Judea e Israel, quienes pronto, en los siglos y siglos, carecerán de patria, y ni siquiera el suelo que antes los cobijó, los acogerá. Los vomitará, aun cuando estén muertos, porque ellos rechazaron la Vida. ¡Horror infinito!...»

Jesús se calla como oprimido, con la cabeza inclinada. Después la levanta, mira a su alrededor, mira los presentes, esto es, a los apóstoles, a los discípulos ocultos, a Zaqueo con los suyos, suspira como si despertase de una pesadilla. Pregunta: «¿Qué otra cosa decíais? ¿Que compadezco a publicanos y meretrices? Es verdad. Son unos enfermos, unos agonizantes. Yo: la Vida, me entrego a ellos como vida. Venid, a quienes he libertado» ordena a Zaqueo y a los suyos. «Venid y escuchad lo que os voy a decir, lo que dije a muchos más que eran mejores: "No vayáis a Jerusalén". A vosotros os digo: "Venid". Parecerá esto una injusticia...»

«De hecho, lo es» interrumpe Iscariote.

Jesús hace como si no hubiera oído. Sigue hablando a Zaqueo y

[9] Cfr. Zac. 11, 4-17.
[10] Cfr. Os. 1-3; Rom. 9, 25-26; 1 Pe. 2, 9-10.
[11] Cfr. Jer. 32, 1-15; Zac. 11, 12-13.

compañeros: «Os digo: venid, porque sois los más necesitados de otra lluvia. Llorasteis, para que vuestra buena voluntad la ayude el Poderoso y podáis crecer libremente en su gracia. De las otras cosas... el mismo cielo responderá con señales inconfundibles. Es verdad que el Templo vivo puede ser destruido, y que en tres días será reedificado y para siempre. Pero el templo muerto, que tan sólo se sacudirá y que creerá ser vencedor, para siempre quedará derribado. ¡Idos! No tengáis miedo. Esperad en la penitencia mi día y su aurora que os llevará definitivamente a la luz» dice, dirigiéndose a los embozados. Luego a Zaqueo: «Id también vosotros, pero no ahora. Estad en Jerusalén cuando llegue la aurora del día siguiente al sábado. Quiero que estén los resucitados al lado de los justos, porque en el reino del Mesías hay infinitos lugares, cuantos hombres hay de buena voluntad.» Se dirige a la casa de Nique atravesando el arboleado huerto sombrío.

En una verda se ve una cinta amarillenta entre el verdor del suelo y una gallina que pasa por ella seguida de sus pulluelos de color de oro. Pasa delante de los desconocidos, temerosa, luego se acorruca, extiende sus alas en señal de protección, cacareando más fuerte, como si temiese que algo fuese a pasar a sus pollitos, los cuales con un piar que pronto se esfuma, corren, se esconden bajo sus alas maternas, y parece como si hubieran desaparecido de la tierra...

Jesús se detiene a mirarla... y lágrimas le caen de sus ojos.

«¡Llora! ¿Por qué?» preguntan todos. Pedro dice a Juan: «Pregúntale por qué llora...»

Juan con su acostumbrada posición de tener inclinado un poco su cuerpo, y de levantar su cara, pregunta: «¿Por qué lloras, Señor mío? ¿Acaso por lo que te dijeron y dijiste?»

Jesús mueve su cabeza. Una sonrisa de tristeza le corre por su rostro. Señala a la gallina que amorosamente continúa defendiendo sus pollue-los, responde: «Yo también, Uno con mi Padre, vi a Jerusalén, como Eze-quiel dijo [12], desnuda y llena de vergüenza. La vi y pasé cerca de ella. Lle-gó el tiempo, el tiempo de mi amor, extendí mi manto sobre ella y cubrí su desnudez. Quise que fuera reina, después de haberle sido padre, y quise protegerla, como la gallina protege sus polluelos... Pero entre tan-to que los pollitos reconocen las ansias de su madre y se refugian bajo sus alas, Jerusalén ha rechazado mi protección... Pero Yo mantendré mi diseño de amor... Yo... Mi Padre hará después según Le plazca.» Jesús baja por entre la hierba para no perturbar a la gallina. Pasa. Lágrimas le caen por su rostro afligido y pálido.

Todos lo siguen hasta los límites de la casa de Nique. Entra con sus discípulos. Los demás continúan su camino...

[12] Cfr. Ez. 16, 1-14.

41. Los dos ciegos de Jericó [1]

(Escrito el 17 de marzo de 1947)

Es un amanecer cuya blanquecina luz juguetea con el color de rosa. El silencio fresco de la campiña lo interrumpen los triños de los pajarillos que han despertado.

Jesús es el primero en salir de la casa de Nique, abre silenciosamente la puerta, se dirige al verde huerto donde desgranan sus límpidas notas las currucas, y cantan los mirlos sus canciones.

Todavía no entra cuando le salen al encuentro cuatro sujetos, de los que estuvieron en el grupo de los desconocidos, y que no se levantaron jamás el velo. Se postran en tierra. Jesús los saluda: «La paz sea con vosotros. ¿Para qué me queréis?» Se levantan, echan atrás sus mantos y capuchos de lino.

Reconozco la cara pálida y flaca del escriba Yoel de Abia, que ví cuando lo de Sabea [2]. No sé el nombre de los otros sino hasta cuando ellos dicen: «Yo soy Judas de Beterón, el último de los verdaderos asideos, amigos de Matatías Asmoneo.» «Yo soy Eliel y mi hermano Elcana de Belén de Judá, hermanos de Juana, tu discípula, y para nosotros no hay título mayor que este. No estuvimos contigo cuando todo podías, pero sí ahora que eres un perseguido.» «Yo, Yoel de Abia, que por tanto tiempo tuve los ojos cegados, pero ahora abiertos a la Luz.»

«Os había dicho que os fuerais. ¿Qué se os ofrece?»

«Queríamos decirte que... si estuvimos cubiertos no era por Ti, sino...» dice Eliel.

«¡Ea, hablad!»

«Bien... Tú, Yoel, habla, porque tú eres el que sabes más de todos...»

«Señor... Lo que sé es esto... ¡horrible!... Quisiera que nadie, nadie supiese ni oyese lo que voy a decirte...»

«No te preocupes. Sé lo que vas a decir. Pero habla. Da lo mismo...»

«Si lo sabes, permite que mis labios no se estremezcan al hablar de una cosa tan horrible. No quiero insinuar que mientas porque dices saber todo, y que quieres que lo diga para cerciorarte, sino sólo porque...»

«Sí. Porque es algo que grita al Señor. Pero te lo diré para que te convenzas de que conozco el corazón de los hombres [3]. Tú, miembro del Sanedrín, conquistado para la Verdad, has descubierto cosas que tú sólo no puedes sobrellevar, porque son demasiado grande y fuiste a ver a éstos, hombres de buen corazón, a pedirles su parecer. Hiciste bien, aun cuando no era necesario. El último de los asideos estaría pronto a hacer lo mismo que sus padres [4] para servir al verdadero Libertador. Y no está

---

[1] Cfr. Mt. 20, 29-34; Mc. 10, 46-52; Lc. 18, 35-43.

[2] Cfr. vol. 4°, cap. 222.

[3] Cfr. vol. 3°, pág. 31, not. 1.

[4] Los Asideos fueron unos judíos fieles, hombres piadosos y verdaderos servidores de Dios, en contraposición a los judíos infieles, impíos, adversarios o transgresores de la Ley.

solo. También su pariente Barzelai y con él otros muchos. Los hermanos de Juana por amor a Mí y a ella, además del amor por su patria, estarían con él. Pero no voy a vencer a fuerza de lanzas o espadas. Entrad sin temor en el camino de la verdad. Triunfaré con una victoria celestial. Tú, que estás más palido de lo habitual, sabes quien es que ha presentado los textos de acusacion contra Mí, testigos que son falsos en su corazón, son verídicos en lo que se refiere a la realidad, porque en verdad Yo violé el sábado cuando tuve que huir, pues todavía no llegaba mi hora, y cuando arranqué a los dos inocentes de los ladrones, y podría decir que la necesidad justifica mis acciones, así como la necesidad justificó a David el haber comido de los panes de la proposición [5]. Es verdad que me refugié en Samaría, pero cuando los samaritanos me proposieron que fuese su Pontífice, rehusé tal honor y su protección por permanecer fiel a la Ley [6], pese a que esto significa el ser entregado en manos de mis enemigos. Es verdad que amo a pecadores y pecadoras para arrebatarlos del pecado. Es verdad que he predicho la ruina del Templo, aun cuando si estas palabras mías no hacen más que confirmar las palabras de sus profetas. Aun cuando el que se aprovecha de éstas y otras acusaciones, y aun mis milagros los hace objeto de acusación, y de cualquier otra cosa de la Tierra se ha servido de ello para intentar acusarme de pecado y poder unir las otras acusaciones, es un amigo mío. Esto también lo dijo el rey profeta de quien, por mi Madre, desciendo: "Hasta mi amigo íntimo en quien yo confiaba, el que mi pan comía, levanta contra mí su calcañar" [7]. Lo sé. De buena gana moriría dos veces si pudiera impedir que no cometiese tal crimen... pero su voluntad se ha entregado a la muerte y Dios no fuerza la libertad del hombre... Mas... ojalá lo horroroso de su crimen lo arrojase arrepentido a los pies de Dios... Por esto tú, Judas de Beterón, decías ayer a Mannaén que se callase. Porque la serpiente [8] estaba cerca y podía hacerle daño tanto a el como a Mí. No. Sólo Yo sufriré las consecuencias. No tengáis miedo. No seré el causante de vuestras penas y desgracias. Pero *todos* participaréis de lo que dijeron los profetas [9] por el crimen de todo un pueblo. ¡Desgraciada, sí, desgraciada será la patria mía! ¡Desgraciada tierra que saboreará el castigo de Dios! Desgraciados los habitantes y niños que bendigo y que quisiera se salvasen, y que sin embargo, saborearán la amargura de la más grande de las desgracias. Mirad esta tierra vuestra llena de flores, bella, como una alfombra, fértil como un Edén... Grabaos en vuestro co-

Cfr. Sal. 39, 5; 49, 5; 148, 14; 149, 1-5; Pro. 2, 7-9; especialmente: 1 Mac. 1, 11-16; 2, 39-48; 3, 1-26; 7, 1-25; 9, 23-31; 2 Mac. 14, 1-14.

[5] Cfr. 1 Rey. 21, 1-6.

[6] Cfr. vol. 2°, pág. 12, not. 3; y Ex. 34, 10-16; Deut. 7,1-6.

[7] Cfr. Ju. 13, 18 y Sal. 41, 10.

[8] Esto es, Judas de Keriot, cfr, vol. 4°, pág. 419, not. 6.

[9] Cfr. por ej. Sal. 136; Is. 29, 1-10; Jer. 52; Ez. 4-5; Os. 14-1; Na. 3, 8-11. En todos estos textos que profetizan o recuerdan la destrucción anterior de Jerusalén (587 a.C.) se encuentran expresiones que hay en Lc. 19, 41-44, donde se lee la profecía de Jesús respecto a la destrucción de Jerusalén en el a. 70 de nuestra era. Cfr. también: vol. 4°, pág. 418, not. 3.

razón su belleza, y luego... cuando vuelva Yo de donde vine... huid. Huid hasta donde podáis, antes de que la destrucción cual ave de rapiña se deje caer sobre vosotros, os destruya, os deje estériles, os queme más que lo que hizo en Gomorra o Sodoma [10]... Sí, más que allá donde la muerte fue casi instantánea. Aqui... Yoel, ¿te acuerdas de Sabea? Profetizó una vez más el futuro del Pueblo de Dios que no aceptó al Hijo de Dios.»

Los que le oyen no saben qué responder. El terror del porvenir los enmudece. Eliel pregunta: «¿Nos aconsejas?...»

«Sí. A que os vayáis. No habrá acá cosa alguna que pueda detener a los hijos del pueblo de Abraham. Por otra parte, vosotros que sois de los principales, no se os permitiría... Los que de entre los principales fueren hechos prisioneros, serán para adornar al triunfo del vencedor. El Templo nuevo e inmortal llenará por sí la tierra y cualquiera que me buscare me tendrá porque estaré dondequiera me ame un corazón... Vosotros me ofrecéis el modo de salvarme y ayuda. Yo os aconsejo lo mismo y os ayudo con este consejo... No lo echéis en manga rota.»

«Pero... ¿qué puede hacernos Roma? Nos ha dominado. Sus leyes son duras, mas ha reedificado nuestras casas y la ciudad y...»

«Será así, pero tened presente que ni una piedra de Jerusalén quedará intacta. El fuego, el ariete, la honda, la javalina quemarán, destruiran, acabarán con todas las casas, y la Ciudad santa se convertirá en una cueva, y no sólo ella. Esa nuestra patria será pastizal de asnos salvajes, de monstruos o chacales [11] como dicen los profetas. Y esto no por un año o más, ni por siglos, *sino para siempre* [12]. El desierto, la aridez, la esterilidad... ¡Esta es la suerte destinada a estas tierras! Campo de batalla, lugar de torturas, sueño de reconstrucción que destruirá siempre una condenación inexorable, tentativas de volverse a levantar, y que al nacer serán destruídas. Tal será la suerte de la tierra que rechazó al Salvador y pidió un rocío que es fuego sobre los culpables.»

«¿No... no habrá pues posibilidad de que exista un Reino de Israel? ¿No seremos lo que soñamos?» preguntan con ansia los tres judíos principales. Yoel el escriba llora...

«¿Habéis visto alguna vez una añosa planta que dentro tiene carcomido su meollo? A duras penas por años vegeta sin flores y sin frutos. Alguna que otra hoja verde en sus ramas son señal de que un poco de linfa corre todavía... Llega un abril, y empieza a florecer milagrosamente, a cubrirse de hojas, el patrón, que por tanto tiempo la cuidó, se alegra pensando que la planta está ya bien. Pero... ¡oh, engaño! Después de una exhuberante muestra de vida, veis que cae, que se seca. Las flores, las hojas, los frutillos que cuajaban en las ramas, pronósticos de buena co-

---

[10] Cfr. Gén. 18-19.

[11] En la Biblia se habla de los asnos salvajes y de chacales en contexto con lugares desérticos por naturaleza o castigo. Cfr. por ej.: Job. 24, 5; 39, 5-8; Eccli. 13, 23; Is. 32, 14; 34, 14; Jer. 2, 23-24; 14, 6; Lam. 4, 3; Dan. 5, 21; Os. 8, 9.

[12] Entiéndase la expresión según la mentalidad oriental. (N. T.)

secha, caen, y con un crujido asombroso la planta se desploma sobre el suelo marchita en su tronco. Así pasará a Israel. Después de siglos de un vegetar estéril, se apilará al vetusto tronco y dará muestras de reconstrucción. Al fín el Pueblo disperso se habrá reunido. Reunido y perdonado. Sí. *Dios esperará esa hora para romper los siglos.* No habrá más siglos, sino la eternidad. Bienaventurados los que, perdonados, serán el florecimiento fugaz del último Israel, que después de muchos siglos, pasará a ser mío, y morirán redimidos junto con todos los pueblos de la tierra; bienaventurados con los que no sólo supieron de mi existencia, sino que abrazaron mi ley como ley de salvación y vida. Oigo las voces de mis apóstoles. Idos antes de que vengan...»

«Señor, no queremos darnos a conocer, y eso, no por cobardía, sino para servirte, para poder servirte. Si se supiese que nosotros, sobre todo que yo, hemos venido a verte, se nos excluiría de las deliberaciones...» dice Yoel.

«Comprendo. Pero cuidaos que la serpiente es astuta. Yoel, procura cuidarte...»

«¡Preferiría mi muerte a la tuya! ¡Y no ver los días de que has hablado! Bendíceme, Señor, para robustecerme...»

«Os bendigo a todos en el nombre de Dios Uno y Trino y en el nombre del Verbo que se encarnó para salvar a los hombres de buena voluntad.» Los bendice haciendo una señal larga, luego pone sobre la cabeza de cada uno de ellos su mano [13].

Se ponen de pie, se cubren las caras y se internan entre los árboles y los cercados de moras que dividen los perales de los manzanos y estos de otros árboles, cuando en grupo salen de la casa los doce apóstoles en busca del Maestro para ponerse en camino.

Pedro dice: «Ante la casa hay una gran multitud que apenas si hemos logrado detenerla para que pudieses orar. Quieren seguirte. A los que djiste que se fuesen, ninguno de ellos se ha ido, antes bien muchos han regresado, y otros se han juntado. Les hemos gritado hasta...»

«¿Por qué? ¡Dejadlos que me sigan! ¡Así fueran todos! ¡Vamonos!» Jesús, poniéndose el manto que Juan le presenta, se pone a la cabeza de los suyos, llega a la casa, le da vuelta, y toma el camino que va a Betania entonando con fuerte voz un salmo.

Una verdadera multitud compuesta de hombres, mujeres y niños lo siguen cantando.

Se queda atrás la ciudad entre sus vallados de verdor. Por el camino van muchos peregrinos. A sus veredas muchos mendigos levantan sus gritos para que la gente los socorra. Hay paralíticos, mancos, ciegos... La acostumbrada miseria que por todas partes y en todos los tiempos suele reunirse donde hay alguna fiesta.

Si los ciegos no ven, que no lo son sí, y conociendo la bondad del Maestro para con los pobres, levantan sus gritos, más fuerte de lo acos-

---

[13] Cfr. vol. 4°, pág. 680, not. 3.

tumbrado, para llamar la atención de Jesús, pero no le piden que los cure. Piden sólo una limosna, y Judas la da.

Una mujer de condición social acomodada, detiene su borrico, sobre el que viene sentada, junto a un gran árbol que da sombra en el cruce y espera a Jesús. Cuando está cerca, baja de su animal, se postra fatigosamente, porque tiene entre sus brazos un niño casi inerte. Lo levanta sin decir una palabra. Sus ojos son una súplica. Jesús, que viene rodeado de tanta gente, no ve a la pobre madre arrodillada a la vera del camino, a la que un hombre y una mujer acompañan. El hombre sacudiendo la cabeza dice: «No hay nada para nosotros.» La mujer: «Patrona, no te ha visto. Llámalo con fe y te escuchará.»

La madre hace caso y se pone a gritar lo más fuerte posible para dejarse oir sobre las voces que cantan y el rumor de los pasos: «¡Señor, piedad de mí!»

Jesús, que va adelante algunos metros, se detiene, se vuelve. La sirvienta dice: "Ama, te busca. Levántate, ve a El y Fabia será curada.» La ayuda a levantarse llevándola al Señor que dice: «Quien me invocó que se acerque. Es tiempo de misericordia para quien sabe esperar en ella.»

Las dos mujeres se abren paso. Primero la sirvienta, detrás de ella la madre. Están ya para llegar a Jesús cuando se oye uno que grita: «¡Mi brazo perdido! ¡Mirad! ¡Bendito sea el Hijo de David! Siempre poderoso, siempre santo nuestro verdadero Mesías.»

La multitud se agolpa. Todos quieren ver, saber... Preguntan a un viejecito que agita su brazo derecho como si fuera una bandera y que responde: «El se detuvo. Yo logré tocar la extremidad de su manto y ponérmela encima, y como un fuego me corrió por el brazo muerto. Ved que el derecho es como el izquierdo, sólo porque me tocó su manto [14].»

Entre tanto Jesús llama a la mujer: «¿Qué quieres?»

La mujer presenta su hijita y dice: «También ella tiene derecho a la vida. Esta inocente. No pidió ella pertenecer a un lugar o a otro; a esta raza o a aquella. Yo soy la culpable. Que se me castigue a mí, no a ella.»

«¿Crees que la misericordia de Dios sea mayor que la de los hombres?»

«Creo, Señor. La espero para ella y para mí. Espero que la hagas vivir, Tú que eres la Vida...» Llora.

«Yo soy la Vida. Quien cree en Mí tendrá vida en su espíritu y en sus miembros. ¡Lo quiero!» Jesús ha dicho estas palabras con voz muy fuerte. Pone su mano sobre la niña inerte que da un salto, sonríe, grita: «¡Mamá!»

«¡Se mueve! ¡Sonríe! ¡Habla! ¡Fabio! ¡Patrona!» Las dos mujeres han seguido las fases del milagro y las han anunciado. El padre se abre paso entre la gente. Se acerca a las mujeres que están ya a los pies de Jesús llorando, y mientras la sirvienta dice a la madre: «¡Te lo había dicho que tiene piedad de todos!», esta se dirige a Jesús pidiéndole: «Perdóname

---

[14] Como en Mt. 9, 20-22; 14, 34-36; Mc. 5, 25-34; 6, 53-56; Lc. 6, 17-19; 8, 43-48.

también mi pecado.»

«¿No te lo está diciendo el cielo al haberte hecho este favor? Levántate y camina en el camino nuevo con tu hija y con el hombre que escogiste. Vete. La paz sea contigo [15] y contigo, pequeñina. Contigo, fiel israelita. Abundante sea la paz contigo, por tu fidelidad para con Dios y para con la hija de la familia a la que serviste, y a la que con tu comportamiento has tenido cercana a la ley. También contigo sea la paz, que has sido más respetuoso para con el Hijo del Hombre, que muchos de Israel.»

Se despide de ellos, mientras la multitud, que no se preocupa más del viejecito, sino de la niña recién curada, que estaba paralítica e idiota debido tal vez a una meningitis, que ahora salta feliz, diciendo las únicas palabras que aprendió acaso antes de enfermarse: «Padre, mamá, Elisa. Sol hermoso, flores...»

Jesús va a dar un paso, cuando del cruce, y cerca de los dos asnos que los que recibieron el milagro habían dejado allí, se escuchan otros dos gritos de lamento, con el característico tono hebreo: «¡Jesús, Señor, Hijo de David, ten piedad de mí!» Y de nuevo, más fuerte, para hacerse oir sobre los gritos de la multitud que dice: «Callaos. Dejad en paz al Maestro. Tiene mucho que caminar. El sol es fuerte. Que llegue a las primeras colinas antes de que se haga insoportable», gritan de nuevo: «Jesús, Señor, Hijo de David, ten piedad de mí.»

Jesús se detiene nuevamente y ordena: «Id a traerlos.»

Algunos que se prestan van a donde están los dos ciegos: «Venid. Os compadece. Levantaos que os quiere escuchar. Nos mandó llevaros» lo que tratan de hacer.

Uno se deja llevar, el otro, más joven, y tal vez que tiene más fe, se adelanta y por sí mismo se abre con su bastón en alto, con la característica sonrisa y gesto de los ciegos cuando levantan su cara para buscar la luz... y parece como si su ángel lo guiase por lo ligero y seuro que camina. Si no tuviese los ojos blancos, no parecería ciego. Es el primero en llegar ante Jesús, que le pregunta: «¿Que quieres de Mí?»

«Que vea, Maestro. Haz, Señor, que mis ojos y los de mi compañero se abran.» Llega el otro ciego a quien hacen arrodillar junto a su compañero.

Jesús pone sus manos sobre sus caras levantadas, responde: «Se haga como queréis. ¡Id, vuestra fe os ha salvado!»

Quita sus manos y dos gritos se escapan de los ciegos: «¡Veo, Uriel!»; «¡Veo, Bartimeo!» y luego, juntamente: «¡Bendito el que viene en el nombre del Señor! ¡Bendito quen lo envió! ¡Gloria sea dada a Dios! ¡Hosanna al Hijo de David!» Se inclinan a besar los pies de Jesús, después se yerguen. Uriel dice: «Voy a ver a mis padres y luego regreso a seguirte, Señor.» Bartimeo dice: «No te dejo. Mandaré a decírselo. ¡Qué alegría para ellos! Pero separarme de Ti, no. Me has devuelto la vista. Te la consagro para siempre. Acepta la buena voluntad de tu más humilde

---

[15] Cfr. vol. 4°, pág. 410, not. 3.

siervo.»

«Ven. Sígueme. La buena voluntad hace pareja cualquier condición. Sólo es grande aquel que mejor sirve al Señor.»

Jesús continúa su camino entre los vítores de la multitud en la que se mezcla Bartimeo, vitoreando como los otros, y diciendo: «Había venido por un pedazo de pan y encontraré al Señor. Era pobre, y ahora soy servidor del Rey santo. Gloria al Señor y su Mesías»...

42. Jesús llega a Betania
(Escrito el 18 de marzo de 1947)

Deben haberse quedado a la mitad del camino entre Jericó y Betania, porque llegan a las primeras casas cuando el rocío desaparece de las hojas y pétalos, y el sol empieza su acostumbrado camino.

Los agricultores del lugar hacen a un lado sus utensilios y corren al encuentro de Jesús. Le piden insistentemente que los bendiga y bendiga sus plantas. Mujeres y niños corren llevando en las manos los primeros almendros todavía envueltos en su ligera felpa verde-plata, y con las flores de plantas que son las últimas en florecer. Veo que aquí, en el área de Jerusalén, debido tal vez a la altura, tal vez a los aires que soplan de las cimas de la Judea, o por otra causa que no comprendo, probablemente a que las plantas son diversas, que muchos árboles frutales todavía están en flor, y sus flores parecen nubecillas ligeras sobre verdes prados. En los troncos tímidamente se mueven las tiernas hojas de las vides, como si fuesen gigantescas mariposas de color esmeralda unidas con un hilo a los toscos sarmientos.

Mientras Jesús se detiene en la fuente que es donde la campiña se convierte en poblado, y recibe allí los hominajes de casi toda Betania, acuden Lázaro y sus hermanas que se postran ante El. Aunque hace poco menos de dos días que María se ha separado de su Maestro, parece como si fueran siglos que no lo ve. Tanta es el ansia con que besa sus pies polvorientos.

«Ven, Señor mío. Mi casa te espera para alegrarse con tu presencia» dice Lázaro, poniéndose al lado de Jesús mientras avanzan lentamente, conforme lo permite la multitud, que remolinea, y los niños que se pegan a los vestidos de Jesús, caminando delante El, con la cabecita levantada de modo que tropiezan y hacen tropezar a los demás, y así Jesús como Lázaro y los apóstoles toman en brazos a los más pequeñuelos para poder caminar más ligeros.

Donde el sendero se divide y uno de ellos conduce a la casa de Simón Zelote, está la Virgen con su cuñada, Salomé y Susana. Jesús se detiene a saludar a su Madre, luego continúa hasta el cancel grande que está abierto donde están Maximino, Sara, Marcela, los numerosos siervos de la casa, incluídos los campesinos. Todos están en orden, todos están felices. Apenas si pueden contener su alegría y prorrumpen en hosannas, en un agitar de capuchos, de velos, arrojando flores, hojas de mirto, laurel, rosas, jasmines que brillan a los rayos del sol con sus hermosas corolas, o quedan esparcidas como blancas estrellas en el negruzco suelo. Y de él se desprende el aroma de flores deshojadas, de flores pisadas. Jesús pasa por encima de esa alfombra de fragancias.

María Magdalena que lo sigue, mirando al suelo, se inclina paso tras paso, como si fuera una recogedora de espigas que va tras del que ata las gavillas, recoge hojas y corolas y hasta pétalos que los pies de Jesús aplastaron.

Maximino, para poder cerrar el cancel y para que estén tranquilos los huéspedes, ordena que a los niños se den dulces ya preparados. Un modo práctico para que los pequeñuelos dejen en paz al Señor y para que no lloren. Los criados ejecutan sus órdenes llevándolos fuera. Sobre los regalos se ve un almendro color blanco-negruzco.

Mientras los pequeñuelos se apiñan allí, los otros criados empujan a los adultos, entre los que está todavía Zaqueo y los cuatro: Yoel, Judas, Eliel y Elcana, con otros que no se quiénes sean porque, además del polvo que levanta el camino, y por el sol que calienta fuertemente, todos traen su velo.

Jesús que va ya adelante, se vuelve y ordena: «¡Esperad! Debo decir una palabra a alguien.» Se dirige a los hermanos de Juana, los saca a un lado y les dice: «Os ruego que vayáis a casa de Juana a decirle que venga a verme con las mujeres que están con ella, y con Analia la discípula de Ofel. Que venga mañana, porque mañana empieza el sábado y quiero celebrarlo con mis amigos de Betania. Id en paz.»

«Se lo comunicaremos, Señor, y Juana vendrá.»

Jesús los despide. Dice a Yoel: «Avisa a José y Nicodemo que he llegado y que el día siguiente al sábado entraré en la ciudad.»

«¡Oh, ten cuidado, Señor!» dice ansioso el escriba bueno.

«Ve y ten valor. El que sigue la justicia y cree en mi verdad, no debe temblar, sino alegrarse, porque va a realizarse la Promesa que fue hecha desde antaño.»

«¡Ah, huiré de Jerusalén, Señor! Soy hombre de constitución débil, lo ves, lo sabes, y por eso me hacen burla. No podría ver la... las...»

«Tu ángel te guiará. Ve en paz.»

«Te... ¿Te volveré a ver, Señor?»

«Cierto que me volverás a ver. Pero, entre tanto, recuerda que tu amor me ha proporcionado una gran alegría cuando Yo sufría.»

Yoel toma la mano de Jesús que le había puesto sobre la espalda, la oprime contra sus labios, a través del sutil velo del capucho, la besa con sus lágrimas que le corren. Luego se va. Jesús pregunta a Zaqueo: «¿Dónde están los tuyos?»

«Se quedaron en la fuente, Señor. Así lo ordené.»

«Vete con ellos a Betfaghé donde están mis discípulos más antiguos y que me son más fieles. Di a Isaac, que es su jefe [1], que se desparramen por la ciudad para que avisen a todos los grupos de los discípulos que la mañana siguiente al sábado, a eso de la hora de tercia, entraré, pasando por Betfaghé, en Jerusalén y subiré solemnemente al Templo. Dirás a Isaac que es aviso para *sólo los discípulos*. El comprenderá lo que quiero decir.»

«También yo lo comprendo, Maestro. Quieres sorprender a los judíos para que no obstaculicen tu entrada.»

«Es así. Haz lo que te dije. Recuerda que es una misión de confianza que te confío. Me sirvo de ti, y no de Lázaro.»

«Y esto me muestra tu bondad que no tiene límites para mí. Te lo agradezco, Señor.» Besa la mano de su Maestro y se va.

Jesús quiere regresar a donde están los otros huéspedes, pero del cancel por donde los criados están haciendo salir a todos, un joven se separa y corre a arrojarse a sus pies, gritando: «¡Una bendición, Maestro! ¿Te acuerdas de mí?» Levanta su cara sin el velo.

«Sí. Eres José, llamado Bernabé, discípulo de Gamaliel, que encontré cerca de Giscala.»

«Hace días que vengo siguiéndote. Estuve en Silo. Había venido de Giscala a donde había ido con el rabí en estos días en que has estado ausente, y donde estuve estudiando los rollos hasta la luna de nisán. Te oí hablar en Silo, y te he seguido hasta Lebona, Siquén. Te he esperado en Jericó porque me dijeron que...» Se interrumpe como si se acordara que no tenía que decir algo.

Jesús dulcemente le sonríe: «La verdad sale impetuosa de los labios veraces, y muchas veces salta los diques que la prudencia pone ante la boca. Concluiré lo que querías decir... "porque te había dicho Judas de Keriot, que se había quedado en Siquén, que venía a Jericó para reunirme con los discípulos y darles mis instrucciones". Tú fuiste allá a esperarme sin preocuparte de que te vieran, de que perdieras tiempo, y de que no estuvieses al lado de tu maestro Gamaliel.»

«No me dirá nada cuando sepa que me he tardado porque te he seguido. Le llevaré en regalo tus palabras...»

«El rabí Gamaliel no tiene necesidad de palabras. ¡Es el rabí sabio de Israel!»

«Es verdad. Ningún otro rabí puede enseñarle algo de la antiguedad, porque lo sabe. Pero Tú sí. Porque tienes palabras nuevas, frescas como todo lo que es nuevo [2]. Son como una linfa de primavera. Rabí Gamaliel lo ha dicho, y ha añadido que la sabiduría cubierta con el polvo de los siglos, y por lo tanto seca y opacada, torna a ser viva y luminosa cuando la explicas. Le llevaré tus palabras.»

«Y mi saludo. Dile que abra su corazón, su inteligencia, su vista, su oído; y que su pregunta, que hace veinte años espera la respuesta, la

[1] Cfr. vol. 4°, pág. 723, not. 9.
[2] Cfr. pág. 171, not. 1.

tendrá [3]. Vete. Dios sea contigo.»

El joven se inclina a besar nuevamente los pies del Maestro y se va.

Los siervos pueden cerrar ahora el cancel, y Jesús reunirse con sus amigos.

«Quise invitar a las discípulas a que viniesen aquí» dice Jesús poniéndose al lado de Lázaro sobre cuyas espaldas pone su brazo.

«Hiciste bien, Señor. Mi casa es la tuya, lo sabes. Tu Madre prefirió vivir en la casa de Simón, y yo respeté su deseo. Pero espero que te quedes bajo mi techo.»

«Sí. Aun cuando... la otra casa es también tuya. Una de tus primeras generosidades por Mí y por mis amigos. ¡Qué bueno has sido conmigo!»

«Y espero seguirlo siendo por mucho tiempo, aun cuando no esté bien dicho. Yo no soy generoso *para contigo, Tú lo eres*. Yo soy el deludor. Y si ante los tesores que me has dado, pongo por Ti una pequeñez, ¿qué puede valer? "Dad y se os dará" has dicho. " Una medida justa se os dará, y conseguiréis el cien por ciento de cuanto habéis dado" lo has prometido. Yo obtuve al cien por ciento aun cuando no te había dado nada. Recuerdo nuestro primer encuentro. Tú, Señor y Dios ante quien los serafines son indignos de acercarse, viniste a mí, que estaba solitario y afligido... encerrado en mis tristezas. Viniste a ver a este hombre llamado Lázaro, que todos esquivaban, fuera de José, Nicodemo y mi fiel amigo Simón que desde su tumba de vivo no dejaba de amarme... No quisiste que mi alegría se turbase al ver los desprecios que el mundo te lanzaba... ¡Nuestro primer encuentro! Podría repetirte tus palabras de aquel entonces... ¿Qué te había dado, si nunca te había visto, para que me dieses inmediatamente el cien por ciento?»

«Tus oraciones ante nuestro Padre Altísimo. *Nuestro*, Lázaro. Mío. Tuyo. Mío como Verbo y como Hombre. Tuyo como hombre. ¿Cuando orabas con tanta fe, no acaso te me entregabas? Ves, pues, que te dí el céntuplo, como es justo, de lo que me dabas.»

«Tu bondad es infinita, Maestro y Señor. Premias por anticipado, y con divina generosidad, a los que conoces que son tus siervos antes de que ellos caigan en la cuenta.»

«No mis siervos, sino mis amigos. Porque los que hacen la voluntad de mi Padre y siguen a la Verdad que envió, son mis amigos, y no mis siervos, más bien, mis hermanos [4], pues soy el primero en hacer la voluntad del Padre. Quien hace, pues, lo que hago es mi amigo porque sólo el amigo hace espontáneamente lo que hace el suyo.»

«Que siempre seamos amigos, Señor. ¿Cuándo vas a la ciudad?»

«La mañana siguiente al sábado.»

«También yo voy.»

«No. No vendrás conmigo. Tengo otras cosas que pedirte...»

[3] Cfr. pág. 55, not. 7.
[4] Cfr. vol. 4°, pág. 682, not. 14. El paso de siervos a amigos y de amigos a hermanos se encuentra en la Biblia. Cfr. Ex. 33, 7-11; Sab. 7, 27-28; Is. 41, 8; Lc. 12, 4-7; Ju. 15, 14-15; Rom. 8, 28-30; Sant. 2, 18-23.

«A tus órdenes, Maestro. También yo tengo algo que decirte...»

«Hablaremos.»

«¿Quieres que el sábado lo pasemos solos nosotros o puedo invitar a nuestros amigos?»

«Te rogaría que no lo hicieras. Tengo muchos deseos de pasar estas horas dentro vuestra amistad prudente y tranquila, sin hacer fuerza a nuestro modo de pensar y de hablar; dentro de la dulce libertad de quien está entre amigos, como si estuviese en casa.»

«Como desees, Señor. Aun más... yo lo deseaba. Pero me parecía ser egoísta para con mis amigos, que no pueden compararse con tu amistad, pero siempre no dejan de serlo. Pero si así quieres... Tal vez estés cansado, Señor, o preocupado...» Lázaro pregunta más con la mirada que con las palabras a su Amigo y Maestro que no le responde sino con la luz de sus ojos un poco tristes, un poco absortos y con una breve sonrisa en sus labios.

Se han quedado solos cerca del estanque que canta con su surtidor... Todos los demás han entrado dentro. Se oyen voces. Ruido de platos...

María Magdalena dos o tres veces asoma su rubia cabeza por la puerta, tras una pesada cortina que levemente se mueve con el viento que aumenta en fuerza, mientras el cielo se cubre de nubes cada vez más lóbregas.

Lázaro levanta su cabeza, mira el firmamento: «Tal vez habrá tempestad.» Luego añade: «Servirá para que broten las yemas... Tal vez se deba a los fríos que vinieron más tarde, que no hayan brotado. También mis almendros han sufrido y mucho fruto se ha perdido. Me decía José que un huerto suyo que está fuera de la Judiciaria [5], parece estéril este año. Los árboles, como si fuera por algún sortilegio, no quieren lanzar sus yemas, tanto es así, que nos ponemos a pensar si no sería mejor venderlos como leña. Nada. Ni siquiera una flor. Como en tebet, así todavía siguen. Se ven los remedos de yemas, cerrados, pero no se hinchan. Es verdad que el viento del norte golpea en aquel lugar, y sopló mucho en invierno. También mi huerto que tengo al otro lado del Cedrón no tiene nada de fruta. Lo que sucede en el huerto de José es tan raro que muchos van a ver aquel lugar que no quiere despertar a la primavera.»

Jesús sonríe...

«¿Sonriés? ¿Por qué?»

«Por lo pueril que son los eternos niños, llamados hombres. Todo lo que es extraño les llama la atención. El huerto florecerá a su hora.»

«Ya pasó su tiempo, Señor. ¿Cuàndo se ha visto que árboles y más árboles de un mismo lugar, cuando llega la luna de nisán, no dan señales de florear? ¿Cuándo será el momento preciso?»

«Cuando se dará gloria a Dios con su florecer.»

«¡Ah, entendido! ¡Irás allá a bendecir aquel lugar por amor a José, y

---

[5] Una de las Puertas de Jerusalén, cerca del Templo y de la Puerta de las Ovejas. Cfr. 2 Esdr. 3, 30.

florecerá dando nueva gloria a Dios y a su Mesías con un nuevo milagro! ¡Es así! Vas a ir allá. ¿Si veo a José se lo puedo decir?»

«Si crees que sea oportuno... Iré allá...»

«¿Qué día, Señor? Quisiera estar también yo.»

«¿También eres tú un eterno niño?» Jesús sonríe, moviendo plácidamente su cabeza ante la curiosidad de su amigo que exclama: «¡Oh, estoy feliz de verte contento, Señor! ¡Vuelvo a ver en tu rostro una risa que hacía tiempo no veía! Entonces... ¿voy?»

«No, Lázaro. Tengo necesidad de ti aquí para la parasceve.»

«¡Oh, pero para la Parasceve se piensa sólo a la Pascua! Tú, Maestro, ¿por qué quieres hacer algo que se te echará en cara? Ve otro día allá...»

«Seré obligado a ir allá dentro para la parasceve. Pero no seré el único en hacer cosas que no son preparación para la pascua antigua. También los más rigorosos de Israel, como Elquías, Doras, Simón, Sadoc, Ismael y hasta Caifás y Anás realizarán cosas completamente nuevas...»

«¿Acaso Israel enloquece?»

«Lo has dicho.»

«Pero Tú... Mira, ya empieza a llover. Vamos adentro, Maestro... Estoy preocupado... ¿No me dirás?...»

«Sí, antes de que me vaya te lo diré... Mira a tu hermana que al ver llover viene a encontrarnos con un paño... Marta, siempre eres previsora y diligente. No está lloviendo gran cosa.»

«Mi querida hermana. Mejor: mis hermanas. Ahora son ambas como dos tiernas pequeñuelas desconocedoras del mal. Cuando llegó María de Jericó, el otro día, parecía en realidad una moza, con las trenzas sueltas, pues había vendido sus horquillas para comprar las sandalias a un muchacho y las de hierro no podían sujetarle su tupida cabellera. Sonriente, al bajar del carruaje me dijo: "Hermano mío, no sabía lo que significa vender para comprar, y cómo para los pobres aun las cosas más sencillas parecen difíciles, por ejemplo querer sujetar mi caballera con horquillas de 20 por un didracma. Lo tendré presente para ser cada vez más misericordiosa con los pobres". ¡Cómo la has cambiado, Señor!»

Cuando entran, María está esperando a su Señor con aljofainas para que se lave. A nadie cede el honor de servirlo, y no descansa sino hasta que ve que su Maestro está satisfecho, y lo ve irse con sandalias limpias a la habitación que le está preparada, donde lo espera su Madre con un vestido limpio de lino, que todavía huele a sol...

43. El viernes antes del ingreso en Jerusalén. I. Jesús y Judas de Keriot
(Escrito el 19 de Marzo de 1947)

«Si queréis podéis ir a donde os plazca. Yo me quedo aquí y conmigo Judas y Santiago. Tienen que venir las discípulas» dice Jesús a sus apóstoles reunidos a su alrededor bajo el pórtico de la casa. Continúa: «Procurad regresar para el crepúsculo. Sed prudentes. Tratad de pasar inobservados para que no os vayan a hacer algo.»

«¡Yo me quedo aquí! No tengo nada que hacer en Jerusalén» dice Pedro.

«Yo sí voy. Mi padre me está esperando. Quiere ofrecer el vino. Antigua promesa, pero que mantiene, porque mi padre es un hombre honrado. Ya veréis qué vino en el banquete pascual. ¡Los viñedos de mi padre en Rama son famosos en la región!» exclama Tomás.

«También los vinos de Lázaro son muy buenos. Todavía me acuerdo del banquete de las Encenias...» dice con placer Mateo.

«Entonces mañana más que nunca volverás a acordarte, porque parece que Lázaro ha dado órdenes de que se celebre una gran cena. He visto ciertos preparativos...» sugiere Santiago de Zebedeo.

«¿De veras? ¿Vendrán invitados?» pregunta Andrés.

«No. Se lo pregunté a Maximino y me respondió que no.»

«¡Ah, de otro modo me pondría el vestido nuevo que mi mujer me ha enviado!» dice Felipe.

«Yo sí me lo pondré. Quería ponérmelo para la pascua. Ciertamente estaremos aquí mañana más tranquilos, que no después...» dice Bartolomé y se interrumpe pensativo.

«Yo me cambio para entrar en la ciudad. ¿Y Tú, Maestro?» le pregunta Juan.

«Yo también. Me pondré mi vestido de color púrpura.»

«¡Parecerás un rey!» dice admirado el predilecto que se lo imagina ya con su espléndida vestidura...

«¡Sino hubiera proveído yo! Esa púrpura la conseguí hace mucho tiempo...» dice orgullosamente Iscariote.

«¿En realidad? ¡Oh, no se había reparado en ello!... El Maestro es siempre tan humilde...»

«Demasiado. Ahora es el momento para que sea Rey. ¡Basta de esperas! Si no se sentará en un trono, que por lo menos vista como conviene a su dignidad. En todo ello he pensado.»

«Tienes razón, Judas. Tú eres de los del mundo. Nosotros... pobres pescadores...» responden humildemente los del lago... Y como sucede siempre a la luz del mundo, a la falsa luz crepuscular del mundo, el metal bajo de Judas parece mejor que el rústico, *pero puro, sincero, y honesto* oro de los corazones galileos...

Jesús, que estaba hablando con Zelote y con los hijos de Alfeo, se vuelve a mirar a Iscariote y a los mortificados pescadores... mueve su cabeza, sin hacer ningún comentario. Al ver que Iscariote se amarra las correas de sus sandalias y se acomoda el manto como si fuera a salir, le pregunta: «¿A dónde vas?»

«A la ciudad.»

«Te dije que te quedaras conmigo y con Santiago...»

«¡Ah! pensé que te habías referido a Judas, tu hermano... Entonces...

288

yo... soy como un prisionero... ¡Ah, ah!» Y ríe muy feo.

«Betania no tiene cadenas ni barras, como creo. Sólo tiene el deseo de tu Maestro. Estaría contento de ser su prisionero» observa Zelote.

«¡Oh, claro! Lo dije por chanza... Es que... quería tener noticias de mi madre. Y no cabe duda que habrán venido a Jerusalén peregrinos de Keriot y...»

«No. Dentro de dos días estaremos todos en Jerusalén. *Tú ahora te quedas aquí*» dice con autoridad Jesús.

Judas no insiste. Se quita el manto: «¿Y entonces? ¿Quién va ir a la ciudad? Estaría bueno informarse de lo que corre por ella... lo que hacen los discípulos... Quería ir también a casa de amigos... Se lo había prometido a Pedro...»

«No importa. Tú te quedas. No es necesario nada de lo que dices. No es muy necesario...»

«Pero Tomás sí va...»

«Maestro, yo quiero ir, porque lo prometí. Tengo amigos en casa de Anás y...»

«¿Vas a ir allá, hijo mío? ¿Y si te aprehenden?» pregunta Salomé que acaba de acercarse.

«¿Si me aprehenden? No he hecho ningún mal. Nada. No tengo por qué temer al Señor. Y si me aprehendieren, no temblaré de miedo.»

«¡El leoncillo valeroso! ¿No tendrás miedo? No sabes cuánto nos odian. Nos matarán si caemos en sus manos» dice Iscariote como para espantarlo.

«¿Y tú por qué quieres ir? ¿Acaso gozas de privilegios? ¿Cómo los conseguiste? Dímelo que lo haré.»

Se ve que el miedo y la ira se apoderan de Judas, pero la cara de Juan es franca y limpia. Se tranquiliza. Comprende que en esas palabras no hay nada de sospecha. Responde: «Nada de hecho. Pero tengo algunos amigos *buenos* que conocen muy bien al Procónsul, y por esto...»

«¡Bien! Quien quiera ir que vaya. Ya no llueve. Estamos perdiendo tiempo aquí, y tal vez a la hora de sexta vuelva a llover. Quien quiera venir que se de prisa» exhorta Tomás.

«¿Voy, Maestro?» pregunta Juan.

«Vete.»

«¡Bueno! ¡Siempre lo mismo! ¡El sí! ¡Los otros sí! Yo no. ¡Siempre no!»

«Procuraré informarme de tu madre» le promete Juan para calmarlo.

«También yo voy contigo y con Tomás» dice Zelote, y añade: «Mi edad frenará, Maestro, a los jóvenes. Conozco bien a los de Keriot. Si veo a alguien le preguntaré y te traeré noticias de tu madre, Judas. ¡Sé bueno! ¡Estáte tranquilo! Es pascua, Judas. Todos sentimos la paz de esta fiesta, la alegría de esta solemnidad. ¿Por qué quieres estar siempre tan inquieto, tan hosco, descontento? Pascua es el paso de Dios... Pascua es fiesta de liberación, para nosotros los hebreos, de un duro yugo, del que nos sacó el Dios Altísimo. Ahora, no pudiendo repetirse ese antiguo evento, ha quedado su símbolo, individual... Pascua: liberación de los corazones, purificación, bautismo, si quieres, con la sangre del cordero para que las fuerzas enemigas no hagan daño al que esté señalado con ella. Tan bello que es empezar el nuevo año con esta fiesta de purificación, liberación, adoración de nuestro Dios Salvador... ¡Oh, excusa, Maestro! He hablado cuando debía haber callado, porque Tú eres el que debes rectificar nuestros corazones...»

«Era lo que estaba yo pensando, Simón. Exactamente lo mismo: ahora tengo dos maestros en vez de uno, y me parecen demasiados» rezonga Iscariote rojo de ira.

Pedro... ¡oh! Pedro esta vez no se controla y grita: «Y si no te callas, tendrás un tercero, que soy yo. Te juro que tendré argumentos más persuasivos que las palabras.»

«¿Te atreverías a pegarle a un compañero? Después de tantos esfuerzos para tener sujeto con el fondo al viejo galileo, sale a flote tu verdadera naturaleza, ¿o no?»

«No sale a flote. Siempre ha estado en la superficie, clara. No finjo. Pero cuando se trata de asnos selvajes, como lo eres tú, no hay otro argumento para domarlos que los latigazos. ¡Avergüénzate de abusar de su bondad y de nuestra paciencia! ¡Ven, Simón! ¡Ven, Juan! ¡Ven, Tomás! Hasta pronto, Maestro. También yo me voy, porque si me quedo... vive Dios, que no me controlaré más» y Pedro coge su manto que estaba sobre una silla, se lo pone aprisa, pero con coraje se lo pone al revés. Juan se lo advierte. Le ayuda a ponérselo bien. Sale dando fuertes pisotadas como para descargar un poco de su rabia. Parece un becerro encabritado.

Los otros... ¡oh! los otros son como libros abiertos en los que se puede leer lo que está escrito. Bartolomé levanta su cara afilada de viejo al cielo todavía cubierto de nubes, y parece estudiar los vientos para no mirar el rostro de Jesús en quien está dibujado el dolor y la cara demasiado pérfida de Iscariote. Mateo y Felipe miran a Tadeo, en cuyos ojos la ira destella, ojos tan semejantes a los de Jesús, tienen un mismo pensamiento, lo ponen en medio, lo empujan hacia la vereda que lleva a la casa de Simón diciendo: «Tu madre nos necesitaba para aquel trabajo. Ven también tú, Santiago de Zebedeo» y se van con ellos el hijo de Salomé. Andrés mira a Santiago de Alfeo y éste a él: dos caras que reflejan la misma pena y que, no sabiendo qué decir, se toman de la mano como dos muchachos, y se van tristes. De las discípulas no está sino Salomé que no se atreve a moverse, ni a hablar, pero tampoco a irse, como si quisiera con su presencia frenar al discípulo indigno si quisiera hablar. Afortunadamente no está presente ni un miembro de la familia de Lázaro, ni tampoco la Virgen.

Se quedan solos Jesús, Judas y Salomé. Judas va al quiosco de jazmines. Jesús lo sigue con la mirada, lo vigila, ve que finge sentarse, que desaparece por la parte posterior y se mete entre los rosales, laureles y bojes que separan el verdadero jardín de los cuadros donde están las colmenas. Por aquella parte se puede salir por una de las puertas secundarias, que hay en los muros del extenso jardín, que es un verdadero parque que por dos lados termina en altísimas vallas dobles como una avenida, con canceles acá y allá que comunican con prados, campos, huertos, olivares, y también con la casa de Simón y por los otros dos tiene fuertes murallones, que dan a dos caminos: uno es secundario y el otro principal, en este desemboca el secundario que cortando Betania prosigue a Belén.

Jesús se pone de puntillas para ver mejor. Se hace a un lado para distinguir al apóstol. Sus ojos brillan.

María Salomé lo ve e intuye, y aunque no puede comprender lo que sucede murmura: «¡Misericordia de nosotros, Señor!»

Jesús siente esa ansia, se vuelve por un instante a mirar a la buena y sencilla discípula, que si por unos momentos cobijó pensamientos de orgullo al pedir el lugar de honra para sus hijos, y que podía hacerlo porque ambos son buenos apóstoles, que humildemente aceptó la corrección del Maestro, que no se dio por ofendida, ni se alejó de El, se ha hecho más humilde, más servicial, que lo sigue como su sombra cada vez que puede, que estudia sus más insignificantes expresiones para adelantarse a sus deseos y darle alegría. También ahora, trata la buena y humilde Salomé de consolar al Maestro, de aplacar la sospecha que lo hace sufrir, diciendo: «¿Lo ves? No va lejos. Allí puso su manto. No lo ha vuelto a tomado. Irá por los prados a desahogar su malhumor... Judas no se atreverá a ir sin permiso alguno...»

«Se iría aun desnudo. Mira... ¡Va allí!»

«¡Trata de abrir el cancel! ¡Si está cerrado! ¡Llama a un siervo de las colmenas!»

Jesús le grita: «¡Judas! ¡Espérame! Debo hablarte.» Se dirige a él.

«¡Por caridad, Señor! Voy a llamar a Lázaro... a tu Madre. ¡No vayas solo!»

Jesús, que va caminando aprisa, se vuelve y le dice: «Te mando que no lo hagas. No digas nada a *nadie*. Si te preguntan por Mí diles que he salido por unos instantes con Judas. Si vienen las discípulas que esperen. Regreso pronto.»

Salomé no protesta. Iscariote tampoco ha reaccionado. Ambos se han quedado allí donde la voluntad de Jesús les ordenó.

«Abre la puerta, Jonás. Salgo un poco con mi discípulo. Si te quedas aquí no es necesario la cierres detrás de nosotros. Pronto regresaré» ordena con suavidad al agricultor que se había quedado con la gruesa llave en la mano sin saber qué hacer.

Se oye el forcejeo de la llave por dentro, se oye chirriar la puerta al abrirse.

«Casi nunca abrimos esta puerta» dice el siervo sonriente. «¡Eh! está enmohecida. Cuando no se le usa, se va acabando... el moho, el polvo... Lo mismo nos sucede a nosotros si no trabajamos en nuestro corazón»

«¡Bravo Jonás! Has tenido una magnífica idea. Muchos rabinos te la envidiarían.»

«Son mis abejas las que me lo han sugerido... y tus palabras. En realidad que han sido tus palabras, y las abejas me hacen entenderlas. Porque nada hay que no hable, si se sabe escucharlo. Yo me digo: si las abejas obedecen la orden de quien las creó y son tan pequeñas que no sé dónde tengan su cerebro y corazón, yo, que los tengo y además alma, y que escucho al Maestro ¿no debo hacerlos trabajar, saber lo que hacen, hacer siempre lo que el Maestro dice que digamos, y embellecer mi espíritu para que no tenga moho, polvo, lodo, pajas, cosas que arrojan los enemigos infernales, así como piedras y trampas?»

«Has dicho muy bien. Imita tus abejas y tu alma se convertirá en una colmena de virtudes preciosas, con las que Dios se regocijará. Vuelvo pronto, Jonás. La paz sea contigo.»

Pone su mano sobre la cabeza gris de Jonás que está inclinado ante El, y sale por el camino que lleva a los prados de trébol rojo que son hermosos como alfombras con sus colores verdes y carmesí. Por ellos las abejas pasan veloces volando de flor en flor.

Cuando están ya separados, de modo que nadie pueda escucharlos, Jesús pregunta: «¿Oíste lo que dijo? Es un campesino. Sería mucho que supiese leer algo... Y con todo... sus palabras podían haber estado en mis labios, sin que nadie pudiera pensar que no tengo razón. El ve la necesidad de vigilar para que los enemigos del espíritu no destruyan su espíritu... Yo... por causa de ellos te tengo junto a Mí, y por eso me odias. Te quiero defender de ellos y de ti mismo, y tú me odias. Una vez más te lo digo: vete, vete, Judas. Vete lejos. No entres en Jerusalén. Estás enfermo. No es mentira que estás enfermo, que no puedes participar a la pascua. Celebrarás la suplementaria. Nos lo concede la ley, cuando alguna enfermedad u otra gravísima razón impiden cumplir con la pascua. Pediré a Lázaro — amigo prudente, que nada pedirá — que te lleve hoy mismo al otro lado del Jordán.»

«No. Muchas veces te he pedido que me arrojaras. No lo has querido. Ahora soy quien no lo quiere.»

«¿No lo quieres? ¿No quieres salvarte? ¿No tienes compasión de ti mismo? ¿Tampoco de tu madre?»

«Deberías decirme: "¿No tienes piedad de Mí?" Serías más sincero.»

«Judas, infeliz amigo mío, te lo pido no por Mí, sino por ti. Por ti, sólo por ti te lo pido. ¡Mira! Estamos solos Yo y tú. Tú sabes quién soy y Yo sé quién eres. Es el último momento de la gracia que se te ha concedido una vez más para impedir tu ruina... No te rías tan diabólicamente, amigo mío. No te burles de Mí como si fuera un loco, porque te digo "tu ruina", y no la mía. Estamos solos: Yo y tú, y sobre nosotros Dios [1]... Dios que todavía no te odia [2], Dios que asiste a esta lucha última entre el

---

[1] Expresión que debe entenderse a la luz de Mt. 19, 17; Mc. 10, 18; Lc. 18, 19. Hay que tener en cuenta también que en Jesús sobre su Humanidad está su Divinidad, que procede del Padre.

[2] Cfr. vol. 4°, pág. 596, not. 15.

bien y el mal que se disputan tu alma. Sobre nosotros está el empíreo[3] que nos contempla. Ese empíreo que pronto se llenará de santos, los cuales ya se sienten transportados de alegría donde están todavía ahora, porque la presienten... Judas, entre ellos está tu padre...»

«Fue un pecador. No está allí.»

«Fue un pecador, pero no es un condenado, por eso él siente que se acerca la alegría también para él. ¿Por qué quieres proporcionarle tristeza?»

«El no sufre. Está muerto.»

«No. Sufre al ver que eres culpable, que eres... ¡oh, no quieras arrancarme esa palabra!...»

«¡No temas, no temas! ¡Dila! Hace meses que me la digo a mí mismo. Estoy condenado. Lo sé. Nada puede cambiarse[4].»

«Todo, Judas. Yo lloro. ¿Quieres tú ser la causa de las últimas lágrimas mías?... Judas, te lo suplico. Piensa, amigo, que el cielo hace lo que le pida y tú, y tú... ¿vas a dejarme pedir en vano? Piensa que el que delante de ti lo suplica es el Mesías de Israel, el Hijo del Padre...¡Judas, escúchame!... ¡ Detente, ahora que lo puedes todavía!...»

«¡No!»

Jesús se cubre el rostro con las manos y se deja caer a la orilla del prado. Llora sin hacer ruido, pero llora mucho. Se ve que sus espaldas se sacuden con los profundos sollozos...

Judas lo mira, a sus pies, destruido, llorando, por el deseo de salvarlo... y siente compasión. Dice, dejando su tono amargo de antes: «No puedo menos de ir... He empeñado mi palabra.»

Jesús levanta su rostro despedazado y prorrumpe: «¿Con quién? ¿Con quién? ¡Con hombres miserables! ¿Te preocupas de sus honras? ¿No te habías entregado a Mí hace tres años? ¿Piensas en lo que diga un puñado de malhechores y no en el juicio de Dios? ¿Qué debo hacer, Padre, para que en él surja de nuevo la voluntad de no pecar?» Baja desconsolado la cabeza... Parece el Jesús doloroso de la agonía del Getsemaní.

Judas siente compasión y dice: «Me quedo. ¡No sufras de ese modo! Me quedo. ¡Ayúdame a continuar! ¡Defiéndeme!»

«¡Siempre! Con sólo que tú quieras. Ven. No hay culpa que no compadezca y no perdone. Di: "quiero", y te habré redimido...»

Lo toma de los brazos levantándose. Pero si las lágrimas de Jesús-Dios caen sobre los cabellos de Judas, la boca de éste queda cerrada. No pronuncia la palabra que se le ha pedido. No dice ni siquiera "perdón" cuando Jesús le murmura entre los cabellos: «¡Sabes que te amo! ¡Tenía que haberte reprehendido! Te doy el beso de paz. Podría haberte dicho: "Pide perdón a tu Dios" y te pido sólo que quieras ser perdonado. ¡Estás

---

[3] Cfr. 2 Cor. 12, 2-5.

[4] Con toda precisión esta Obra afirma a cada paso que el que no quiere, no se condenará, pues Dios quiere que todos se salven (cfr. 1 Tim. 2, 3-4) y por lo tanto no se salva sino *el que no quiere*. Cfr. también vol. 3°, pág. 621, not. 4.

tan enfermo! No se puede exigir mucho de uno muy enfermo. A todos los pecadores que han venido a Mí les he exigido un arrepentimiento absoluto para poder perdonarlos. A ti, amigo mío, sólo te pido que quieras arrepentirte y luego... Yo haré el resto.»

Judas no dice nada....

Jesús lo deja ir. Le dice: «Quédate por lo menos aquí hasta el día siguiente al sábado.»

«Me quedo... regresemos a casa. Notarán nuestra ausencia. Tal vez las mujeres te estén esperando. Son mejores que yo, y no debes descuidarlas.»

«¿No recuerdas la parábola de la oveja perdida? Tú eres... Las discípulas son las buenas ovejas encerradas en el redil. No corren ningún peligro, aun cuando todo el día ande en busca de tu alma, para llevarla al redil.»

«¡Bueno, sí! ¡Regreso al redil! Me encerraré en la biblioteca de Lázaro a leer. No quiero que me perturben. No quiere ver, no quiero saber nada. Así... no se sospechará de mí. Y si alguna cosa se dijere al Sanedrín, tendrás que convencerte que entre tus predilectos hay una sierpe. ¡Hasta pronto! Voy a entrar por el cancel principal. No tengas miedo. No voy a huir. Cuando quieras puedes ir a verme, que ahí estaré» y dándole las espaldas se va a largos pasos.

El vestido de blanco lino de Jesús resalta en el borde del prado verdeojizo. Jesús levanta sus brazos y su afligido rostro al cielo. Levanta su corazón al Padre llorando: «Oh, Padre mío, ¿podrás acaso acusarme de haber dejado algo sin mover para salvarlo? Sabes que lucho por su alma, no por la mi vida, para impedir su crimen... ¡Padre, Padre mío! ¡Te lo ruego! Apresura la hora de las tinieblas, la hora del Sacrificio, porque me es muy amargo vivir junto al amigo que no quiere ser redimido... ¡El más grande dolor!» Se sienta sobre el tupido trébol. Reclina su cabeza sobre sus rodillas las que estrecha con los brazos y llora...

¡No puedo ver estas lágrimas! Son muy semejantes a las del Getsemaní... porque sabe que el cielo no hará nada por consolarlo, que *debe padecer ese dolor*, y esto me aflige muchísimo.

Jesús llora mucho, silenciosamente. Testigos de sus lágrimas son las abejas, el trébol que respira su aroma, que se mueve ligeramente bajo el impulso del viento que amenaza tempestad, pues las nubes que antes habían desaparecido, ahora a montones corren por el firmamento amenazando lluvia.

Jesús deja de llorar. Levanta su rostro para escuchar... Un ruido de ruedas, de cascabeles viene del camino principal. El de ruedas cesa, pero no el de cascabeles. Jesús dice: «Las discípulas... Son fieles... ¡Padre mío, hágase como Tú quieres! Te ofrezco el sacrificio de este deseo mío de Salvador y de Amigo. ¡Escrita está! El lo ha querido. Es verdad. Pero permíteme, ¡Padre mío! que continúe Yo mi obra por él hasta que todo esté terminado. Desde ahora te digo: Padre, cuando oraré por los pecadores, cual víctima impotente [5] para cualquier acción directa, ¡Padre! toma mi sufrimiento, y fuerza con él el alma de Judas. Sé que te pido lo que la Justicia no puede conceder, pero de Ti vienen la Misericordia y el Amor y amar a estos que vienen de Ti y que son una sola cosa contigo, Dios Uno y Trino, Santo y Bendito. Yo mismo me daré a mis amados en alimento y bebida. Padre, que mi Sangre y mi Carne no sirvan de condenación para ningunos de ellos [6]. Padre, ayúdame. Que haya un germen de arrepentimiento en ese corazón!... Padre, ¿por qué te alejas [7]? ¿Te alejas ya de tu Verbo que te ruega? Padre, es la hora. Lo sé. Hágase tu voluntad bendita. Pero deja a tu Hijo, a tu Mesías, en quien por un inescrutable decreto tuyo disminuye en El la visión segura del futuro — y no digo que sea esto crueldad de tu parte sino piedad para conmigo — deja en Mí la esperanza de salvarlo. Oh, Padre mío, lo sé. Lo supe desde que soy. Lo he sabido desde que no sólo Verbo, sino Hombre, vivo en la tierra. Lo supe desde que lo encontré en el templo... siempre lo he sabido, pero ahora... ¡Oh, que me parece, Santísimo Padre, una gran piedad tuya! Me parece que no se trate sino de una horrible pesadilla, causada por su comportamiento, pero que no es lo último... que pueda esperar todavía, todavía, porque mi sufrimiento es infinito, e infinito será el sacrificio, y que sirva para él... ¡Ah, deliro! ¡Es el Hombre que quiere esperar esto! ¡El Dios que está en el Hombre, el Dios hecho Hombre no puede hacerse ilusiones! Que desaparezcan las ligeras nieblas que me escondían por un momento el abismo, el abismo ya abierto para tragarse al que prefirió las Tinieblas a la Luz... ¡Piedad tuya el ocultármelo! ¡Piedad de tu parte el mostrármelo ahora que me has consolado! Sí, Padre, también esto. Seré Misericordia hasta el fin, porque tal es mi Esencia.»

Sigue orando con los brazos abiertos en forma de cruz, su rostro destrozado del dolor se va revistiendo de una paz majestuosa. Como que se hace luminoso por una alegría interior, aun cuando en sus labios cerrados no se note ninguna sonrisa. Es la alegría de su espíritu, en comunión con el Padre que trasluce a través de los velos de la carne y borra las señales que el dolor ha dejado sobre su rostro enflaquecido y espiritualizado que cada vez se hace más claro cuanto más avanzan el dolor y el sacrificio. No es ya un rostro de la tierra el de Jesús en estos sus últimos días. Ningún artista será jamás capaz de pintarlo, aun cuando el Redentor se le mostrase; de dibujar ese rostro del Dios-Hombre cincelado en una belleza sobrenatural de amor y dolor perfectos y completos.

Jesús se encuentra de nuevo ante la puerta. Entra, cierra y se dirige a

[5] Del punta de vista físico, porque enclavado, inmóvil, agonizante, pero siempre debido a un sacrificio *voluntariamente* abrazado.

[6] Alusión a la divina Eucarestía. Cfr. 1 Cor. 11, 28-32.

[7] Este «alejamiento» más abajo es identificado a una «disminución de visión segura del futuro», con «ligeras nieblas», que misericordiosamente el Eterno Padre había dado a su Hijo, no en cuanto Dios («El Dios que está en el hombre, el Dios hecho Hombre no puede engañarse»), sino en cuanto Hombre («Es el hombre que quiere esperar esto»). Cfr. Sal. 21, 2; Mt. 27, 46; Mc. 15, 34; y para la «hora de Dios» cfr. vol. 4º, pág. 213, not. 7.

la casa. Jonás lo ve y corre a tomar de sus manos la pesada llave.

Jesús sigue. Encuentra a Lázaro: «Maestro, llegaron las mujeres. Les dije que entraran en la sala blanca porque en la biblioteca está Judas leyendo y como que sufre.»

«Lo sé. Gracias por lo que has hecho por las mujeres. ¿Son muchas?»

«Juana, Nique, Elisa, Valeria con Plautina y otra amiga suya o liberta, llamada Marcela, una vieja que dice conocerte: Ana de Merón y Analía con otra jovencilla de nombre Sara. Están con las discípulas, con tu Madre y mis hermanas.»

«¿Y esas voces infantiles?»

«Ana trajo los hijos de su hijo, Juana los suyos, Valeria su hijita. Las llevé al patio interior...»

44. El viernes antes del ingreso en Jerusalén. II. Jesús y las discípulas
(Escrito el 22 de marzo de 1947)

La suntuosa sala, que es una de las que se emplean para celebrar en ella banquetes, es blanca en sus paredes y techo, blanca en sus pesadas cortinas, en los tapices que cubren los asientos, en las láminas de mica o alabastro que hace de drio de ventanas y de lámparas, está llena de las charlas de las mujeres. Quince mujeres que hablan entre sí no es poca cosa, pero apenas Jesús se muestra en el umbral, al separar la pesada cortina, un silencio absoluto se impone. Todas se levantan y se inclinan con el mayor respeto.

«La paz sea con vosotras» dice Jesús con su amable sonrisa... No hay en su rostro ninguna señal del dolor poco antes experimentado. Está sereno, luminoso, tranquilo, como si nada le hubiera sucedido o fuere a sucederle, sabiendo El todo.

«La paz sea contigo, Maestro. Hemos venido. Nos mandaste a avisar "que vinieran también las mujeres que estaban con Juana", y yo te obedecí. Estaba conmigo Elisa. Hace días que vive conmigo. Conmigo estaba también esta que es seguidora. Había ido a buscarte porque todos saben que soy tu dichosa discípula. También Valeria está conmigo, desde que vivo en mi palacio. Plautina había llegado a visitar a Valeria. Esta hablará por sí. Más tarde llegó Analía, a quien le anunciaron de tu deseo de verla, y creo que esta jovenzuela sea parienta suya. Nos dimos trazas para venir y no dejamos a Nique. Es tan hermoso sentirnos hermanas al creer juntamente en Ti... esperar que también las que te aman de un modo humano, suban más arriba, como ha hecho Valeria» ha hablado Juana mirando de abajo a arriba a Plautina que... solamente se ha quedado en el amor humano...

«Los diamantes se forman lentamente, Juana. Son necesarios siglos de fuego en lo profundo de la Tierra... No es necesario tener prisa... No te desanimes jamás...»

«¿Y cuando un diamante se vuelve... ceniza?»

«Señal es de que todavía no era un diamante perfecto. Son necesarios paciencia y fuego. Comenzar de nuevo esperando en el Señor. Lo que parece por vez primera ser una desilusión, se convierte frecuentemente en triunfo la segunda vez.»

«O la tercera, o la cuarta, y más. Yo fui siempre una desilusión muchas veces, pero al fin triunfaste, ¡Raboni!» dice Magdalena con su armoniosa voz.

«María se siente feliz cada vez que puede humillarse recordando su pasado...» suspira Marta que quisiera que nadie lo recordase.

«En verdad, hermana, que así es. Me siento contenta de recordar el pasado, pero no para abatirme como dices, sino para subir más, empujada por el recuerdo del mal que hice y por agradecer al que me salvó. Y también para que quien duda de sí mismo o de algún ser querido, pueda cobrar ánimos y llegar a la fe que, según mi Maestro, sería capaz de mover las montañas.»

«Tú la posees. ¡Dichosa tú! No conoces el temor...» suspira Juana, suave, tímidamente.

«No lo conozco. No ha existido jamás. Ahora, desde que soy propiedad de mi Salvador, mucho menos y ni siquiera en mi alma. Todo ha servido para aumentar mi fe.¿Puede alguien como yo que fui resucitada, que vio resucitar a su hermano, dudar acaso de algo? No. Ninguna cosa me hará jamás dudar.»

«Mientras Dios esté contigo, esto es, mientras el Rabí lo esté...Pero El anda diciendo que presto nos abandonará. ¿Qué pasará a nuestra fe? Esto es a vuestra fe, porque yo no he logrado salir más allá de los confines humanos...» dice Plautina.

«Su presencia o ausencia material no afectarán mi fe. No tendré miedo. No es soberbia mía. Es que me conozco. Si las amenazas del Sanedrín se llevasen a cabo... no temeré...»

«¿Qué puedes temer? ¿Que el Justo no sea justo? Esto ni yo. Creemos en El como en muchos sabios cuya sabiduría gustamos, y añadiría que nos nutrimos con la vida de su pensamiento, aun siglos después de que han desaparecido de la tierra. Pero si tú...» insiste Plautina.

«Yo ni siquiera temeré su muerte. La Vida no puede morir. Resucitó Lázaro que es un pobre mortal.»

«No resucitó por sí, sino porque el Maestro llamó su espíritu de ultratumba. Y es el único que puede hacerlo. Pero, ¿quién llamará su espíritu si fuese muerto?»

«¿Que quién? El mismo. Esto es, Dios. Dios se hizo por Sí mismo. Dios por Sí mismo puede resucitarse.»

«Dios... sí... según vuestra fe Dios se hizo a Sí mismo. Algo difícil para nosotros de admitirlo, pues sabemos que los dioses vienen uno del otro, por amores divinos.»

«Por desvergüenzas, por amores irreales, deberías de decir» interrumpe Magdalena.

«Como quieras...» responde Plautina con calma. Quiere seguir, pero Magdalena se le adelanta: «Pero el Hombre, quieres decir, no puede por sí resucitarse. Como El por Sí mismo se hizo Hombre, porque nada es imposible al Santo de los Santos, así El mismo se dará la orden de resucitar. No puedes comprender esto. No conoces las figuras de nuestra historia de Israel. El y sus prodigios están escritos en ella [1]. Todas se cumplirán. De antemano creo, Señor. Creo todo. Que Tú eres el Hijo de Dios, el Hijo de la Virgen, que eres el Cordero de salvación, que eres el Mesías Santísimo, que eres el Libertador y Rey universal, que tu Reino no tendrá fin ni límites, en fin que la muerte no prevalecerá sobre Ti porque la vida y la muerte son cosas que Dios ha creado y le están sujetas como todas las demás. Creo. Y si será un gran dolor verte desconocido, desapreciado, mayor será mi fe en tu Ser eterno. Creo. Creo en que lo todo está predicho acerca de Ti. Creo en todo lo que dices. Supe también creer por Lázaro, la única que supo obedecer y creer, la única que supo reaccionar contra aquellos y contra aquellas cosas que querían persuadirme, para que no creyese. Sólo al fin, cuando ya la prueba iba a terminarse, cometí un error... Pero hacía tanto tiempo que duraba... y no pensé que Tú, Maestro bendito, te hubieras acercado al gulal después de cuatro días de muerto... Ahora no dudaría en creer, aun cuando el sepulcro haya conservado dentro su presa por meses. ¡Oh, Señor mío! ¡Yo sé quién eres! ¡El fango ha conocido a la Estrella [2]» María se ha acercado a sus pies, se le queda mirando con su actitud de adoradora, con su cara levantada hacia su rostro.

«¿Quién soy?»

«El que es [3]. Eso eres. Lo demás, la persona humana [4], es el vestido, el vestido necesario que llevas sobre tu luz, sobre tu santidad para que pudieras venir a salvarnos. Eres Dios, mi Dios.» Y se arroja a besar sus pies. Parece como si sus labios no quisieran desprenderse de los pies desnudos del Salvador que se ven bajo su vestidura.

«Levántate, María. Procura tener siempre esta fe robusta. Levántala como una estrella en las horas de la borrasca para que los corazones se afirmen y sepan esperar, por lo menos...»

Luego se dirige a todas y dice: «Os llamé porque en los días que están por venir, no vamos a poder vernos mucho y con calma. El mundo nos

---

[1] Alusión a los prodigios que Moisés realizó. Cfr. Ex., Núm., sobre Elías (3 Rey. 17-22), Eliseo (4 Rey. 2-13) y también vol. 1°, pág. 468, not. 1.

[2] Esto es Jesús. Cfr. Núm. 24, 17; 2 Pe. 1, 19; Ap. 2, 28; 22, 16.

[3] Cfr. Ex. 3, 13-15; Is. 42, 8.

[4] El término «persona humana» (de Jesús), en boca de María Magdalena, no tiene el sentido técnico, sino el popular. Significa, como se lee aun en el diccionaro italiano de Fanfani, «el cuerpo del hombre que vive», esto es, su «corporeidad», como cuando se dice que alguien es hermosa, o que es gallardo personaje. Para María Magdalena — según esta Obra — tal es el sentido, tanto que la llama «vestido», expresión que se adapta muy bien al «cuerpo» solo y no al cuerpo y alma, aun cuando el cuerpo vive por el alma. Magdalena no se expresa en un sentido verdaderamente teológico, sino como se lee en el contexto como una «adoradora».

rodeará. A los corazones les gusta guardar sus secretos como al cuerpo su pudor. Hoy, no soy el Maestro, sino el Amigo. No todas tenéis esperanzas ni temores que comunicarme, pero todas teníais deseos de verme una vez más. Os he llamado a vosotras, flores de Israel y del nuevo Reino, y a vosotras, flores de la gentilidad que abandonan las sombras para entrar en la Vida. Grabadlo en vuestro corazón para los días que están por venir: que vuestro honor que tributáis al perseguido Rey de Israel, al Inocente acusado, al Maestro a quien no se le escucha, mitigue mi dolor. Os pido a vosotras israelitas que estéis muy unidas, lo mismo que a vosotras que no lo sois. Socorreos mutuamente. Las más fuertas a las más débiles; las más entendidas, a las menos, pero que tienen deseos de llegar a la verdad sobrenatural. Compadeceos mutuamente. A las que la ley divina por tantos siglos ha educado, compadezcan a las de la gentilidad... Los hábitos morales no se cambian de la noche a la mañana fuera de casos excepcionales en que interviene una fuerza divina ayudando una voluntad muy buena [5]. No os sorprendáis si veis que algunas de las que vienen de otras religiones, no avanzan o hasta retroceden por sus antiguos caminos. Pensad que el mismo Israel lo ha hecho conmigo. No pretendáis de los gentiles la virtud y flexibilidad que Israel no ha sabido, ni ha querido usar conmigo.

Consideraos como hermanas, hermanas que el destino [6] ha traído a mi alrededor, en estos últimos días de mi vida mortal... ¡No lloréis! El destino que os ha reunido tomándoos de diversos lugares, con idioma y costumbres diversos que dificultan el entenderse bien. Pero el amor tiene un solo lenguaje, que consiste en hacer lo que el amado enseña y hacerlo para darle honra y alegría. En este punto podéis entenderos todas; y las que más entiendan, ayuden a las demás. Después... en un futuro no muy lejano, en circunstancias diversas, volveréis a dividiros por las regiones de la tierra, unas regresando a vuestros lugares nativos, otras yendo al destierro que no os pesará, porque las que lo sufrieren habrán llegado a comprender perfectamente la verdad de que no el estar aquí o allí forma la verdadera Patria, pues esta es el cielo. Porque quien está en la verdad está en Dios y tiene a Dios consigo. Está pues ya en el Reino de Dios y el Reino de Dios no conoce fronteras; ni sale del Reino quien, por ejemplo, fuere llevado de Jerusalén a Iberia, Pannonia, Galia, o Iliria. Estaréis siempre en el reino, si siempre estáis en Jesús, o si en Jésus vendréis. He venido a reunir todas las ovejas. Las del redil paterno, las de otros, y también las que no tienes pastor, que viven en la selva, tan sumergidas en las tinieblas que no son capaces distinguir ni la mínima señal, no sólo una iota de la ley divina, pero ni de la ley moral. Gente ignota que espera la hora de Dios para poder entrar a formar parte del redil de Jesús. ¿Cuándo? ¡Oh, los años son iguales que los siglos ante los ojos del Eterno [7]! Pero vosotras seréis las pioneras de las que irán, con los futu-

---

[5] Como sucedió con Saulo. Cfr. Hech. 9, 1-30; 22, 1-21; 26, 1-23; Gal. 1, 11-24.
[6] Cfr. vol. 3°, pág. 156, not. 3.
[7] Cfr. Sal. 89, 4; 2 Pe. 3, 8-10.

ros pastores, a reunir esas ovejas con el amor que he enseñado y traerlas a mi redil.

Que vuestros primeros campos de prueba sean éstos. La golondrina que mueve sus alitas para volar, no se arroja a grandes volidos. Intenta primero volar del nido al techo donde nació, luego regresa a él, y nuevamente se lanza *más allá*, para regresar, y así cada vez más lejos... hasta que siente que sus alas se robustecen, que puede orientarse, y entonces se echa a jugar en medio de los vientos, del cielo, y se va chillando, detrás de los insectos, apenas rozando la superficie de las aguas, volviendo a subir al sol, hasta cuando llega su tiempo con alas más robustas levanta su vuelo para regiones más cálidas y en las que encuentre su comida. No teme atravesar mares, aunque sea tan pequeñuela, un punto plomizo bruñido perdido en medio de las dos inmensidades azules la del mar y la del cielo, un puntito que sin temor avanza, cuando antes tenía miedo de echar un volido de su nido a la vid cercana. Pero ahora es un cuerpecito musculoso, perfecto, que rompe el aire cual flecha, y no se sabe si es el aire el que transporta con amor a este pequeño rey, o si es él quien lo hace por sus dominios. ¿Quién al verla atrevida, al ver que desafía todo, al ver que su vuelo apenas si deja traza alguna, podrá pensar que tenga miedo?

Así sucederá con vosotras y con todos los que os imitaren. De improviso nadie se hace capaz de algo. No vayáis a desanimaros con las primeras derrotas. Ni os ensoberbezcáis con las primeras victorias. Las derrotas servirán para que la segunda vez lo hagáis mejor. Las victorias serán estímulo para que obréis mucho mejor en lo porvenir y a convencernos de que Dios ayuda las buenas voluntades.

Sed siempre obedientes a los pastores cuando os aconsejen u os dieren órdenes. Sed para ellos hermanas en lo que podáis ayudarles en su misión y sostenerlos en sus fatigas. Decid esto también a quienes no están hoy presentes. Decidlo a quienes vendrán en el porvenir.

Comportaos como hijas para con mi Madre. Ella os guiará en todo. Puede guiar a las jóvenes como a las viudas, a las casadas [8], a las madres, pues Ella ha conocido todos estos estadios de la vida no sólo por experiencia, sino también por conocimiento sobrenatural. Amamos y amadme en María. Nunca os engañaréis porque Ella es el Arbol de la Vida [9], el arca viviente de Dios [10], la forma de Dios [11] en la que la Sabiduría se hizo un trono, y la Gracia se hizo Hombre.

Ahora que os he hablado en general, ahora que os he visto, quiero escuchar a mis discípulas y aquellas que son la esperanza de las discipulas

[8] María Santísima fue verdadera esposa de S. José, porque lo que constituye el matrimonio es la unión de los corazones, y no necesariamente, ni en primer lugar, la de los cuerpos. Cfr. también vol. 4°, pág. 653, not. 10.

[9] Cfr. Gén. 3, 24; Ap. 22, 2-19.

[10] Cfr. Gén. 6-8; Ex. 25, 10-22; 37, 1-9; Hebr. 9, 1-5, etc.

[11] *Forma de Dios* porque el Verbo se modeló en su seno al tomarla como a Madre. La *única* que le dio un cuerpo, y por lo tanto la única que le transmitió la semejanza humana. Ella fue, pues, «forma» para la Segunda Persona divina que se encarnó para hacerse Hombre.

futuras. Idos. Me quedo aquí. Las que tengan algo que decirme, que vengan, lo hagan porque después no habrá momentos tan tranquilos como los de ahora.»

Las mujeres se consultan entre sí. Elisa sale con María y María Cleofás. María Magdalena escucha a Plautina que quiere persuadirla a algo, pero que ella no acepta, pues se ve que lo niega con la cabeza y luego la deja sin más. Al pasar toma consigo a su hermana, y a Susana, diciendo: «Nosotros tendremos tiempo de hablarle. Dejemos a éstas que tienen que regresar.»

«Ven, Sara. Seremos las últimas en venir» dice Analia.

Lentamente salen todas, menos María Salomé que se queda dudosa en el umbral de la puerta.

«Ven aquí, María. Cierra y ven. ¿Qué te pasa?» le pregunta Jesús.

«Es que yo... yo siempre estoy contigo. Oíste lo que dijo Magdalena...»

«Sí, pero ven aquí. Eres la madre de mis primeros discípulos. ¿Qué quieres decirme?»

Salomé se acerca lentamente, como quien quiere pedir algo *grande* y no sabe cómo hacerlo.

Jesús la anima con su sonrisa, la incita: «¿Qué? ¿Quieres acaso pedirme el tercer lugar para Zebedeo [12]? El es un hombre prudente. Ciertamente que no te envió a comunicármelo. Habla...»

«¡Ah, Señor! Era de esto de lo que quería hablarte. Tú hablas en tal forma... Como si estuvieras para dejarnos. Y quisiera que me dijeses antes que me has perdonado. No puedo calmarme, pensando que te disgusté.»

«¿Todavía estás con esos pensamientos? ¿No te parece que te amo como antes, y más que antes?»

«¡Oh, sí, Señor! Pero dime la palabra que me perdonas. Para que pueda decirlo a mi esposo, que has sido muy bueno conmigo.»

«No es necesario que le vayas a referir que te he perdonado.»

«Sí que se lo contaré. Por que, ¿ves?, Zebedeo al ver cómo amas a sus hijos, podría caer en el mismo pecado y... si te vas, ¿quién va a perdonárselo? Quisiera que todos nosotros entrásemos en tu Reino. También mi marido. No creo que haga mal en querer esto. Soy una pobre mujer y no sé de libros. Cuando tu Madre nos lee o nos recita trozos de las Escrituras, a nosotras las mujeres, nos habla frecuentemente de las mujeres escogidas de Israel, o nos señala los lugares [13]. En los Proverbios que me gustan tanto está dicho que el corazón del esposo vive tranquilo cuando su mujer es valiente [14]. Me imagino que es justo que proporcione yo a mi marido esta confianza, aun en lo que se refiere a cosas del cielo. Si le consigo un lugar seguro allá, impidiéndole pecar, pienso que hago cosa buena.»

«Así es, Salomé. Verdaderamente que has abierto tu boca a la sabidu-

[12] Léase el cap. 38.
[13] Cfr. vol. 4°, pág. 653, not. 10.
[14] Cfr. Prov. 31, 10-11.

ría y la bondad está en tu lengua [15]. Vete en paz. Tienes más que mi perdón. Tus hijos, según el libro que tanto te gusta, te aclamarán bienaventurada, y tu marido te alabará en la patria de los justos [16]. Vete tranquila. Vete en paz. Sé feliz.» La bendice y la despide.

Salomé se va contenta.

Entra la vieja Ana de la casa que está cerca el lago Merón. Trae de la mano a dos niños y detrás ella viene una niña tímida y paliducha que camina con la cabeza bajo, y que conduce, cual una mamá pequeña, a un niño que apenas si puede caminar.

«¡Oh, Ana! ¿También tú quieres hablarme? ¿Y tu marido?»

«Enfermo, Señor, enfermo. Muy enfermo. Tal vez no lo encontraré vivo...» Le corren lágrimas por su arrugada cara.

«¿Y tú estás aquí?»

«Aquí estoy. El me dijo: "Yo no puedo. Ve tu a la pascua y mira que nuestros hijos...".» El llanto que aumenta le estorba hablar.

«¿Por qué lloras así, Ana? Tu marido ha dicho bien: "Mira que nuestros hijos por su bien eterno no se pongan en contra del Mesías". Judas es un justo. Se preocupa más de sus hijos que de su vida, y del consuelo que tus cuidados le brindarían. Se levantan los velos en las horas que preceden a la muerte de los justos, y los ojos del espíritu contemplan la verdad [17]. Pero tus hijos no te hacen caso. ¿Qué puedo hacer si ellos me rechazan?»

«¡No los odies, Señor!»

«¿Y por qué debería hacerlo? Rogaré por ellos, y sobre éstos impondré mis manos para que el odio asesino esté lejos de ellos. Acercaos. ¿Tú quién eres?»

«Judas, como mi abuelo» dice el mayorcito, y el pequeño de la mano de su hermana salta y grita: «¡Yo, yo, Judas!»

«Han hecho bien con ponerles el nombre de su padre, pero no en las otras cosas...» dice la anciana.

«Sus virtudes vivirán en éstos. Acércate, pequeñuela. Sé buena y prudente como la que te ha traído aquí.»

«María lo es. Para que no esté sola, la llevaré conmigo a Galilea.»

Jesús bendice a los niños, poniendo su mano sobre la cabeza de la pequeñuela buena. Luego pregunta: «Ana, ¿no pides nada para ti?»

«Que encuentre vivo a mi Judas y que tenga la fuerza de mentirle diciendo que sus hijos...»

«Mentir, no, jamás. Ni siquiera para hacer que un moribundo muera en paz. Dirás lo siguiente a Judas: "Ha dicho el Maestro que te bendice y contigo bendice tu sangre". Esta inocente pequeñuela es también sangre suya y Yo la he bendecido.»

«Pero si pregunta por nuestros hijos...»

«Le dirás: "El Maestro ha rogado por ellos". Judas se dormirá en la se-

---

[15] Cfr. Prov. 31, 26.
[16] Ib. 31, 28.
[17] Y por esto, algunas veces, profetizan.

guridad que mi oración vale mucho y sin intranquilizarlo le habrás dicho la verdad, porque Yo rogaré también por tus hijos. Vete en paz, Ana. ¿Cuándo dejas la ciudad?»

«Al día siguiente del sábado para que no me vea obligada a detenerme para observar el descanso sabático.»

«Está bien. Me alegro de que estés después del sábado aquí. Unete con Elisa y Nique. Vete. Sé valerosa y fiel.»

Ana esté ya casi en el umbral de la puerta y Jesús le dice: «Escucha, están mucho tiempo contigo tus pequeños hijos, ¿no es verdad?»

«Siempre, mientras estoy en la ciudad.»

«En estos días... déjalos en su casa, si me sigues.»

«¿Por qué, Señor? ¿Temes alguna persecución?»

«Sí. Y está bien que la inocencia no vea y no sienta...»

«Pero... ¿qué cosa piensas que sucederá?»

«Vete, Ana, vete.»

«Señor, si... si te fuesen a hacer lo que se dice, ciertamente que mis hijos... y entonces mi casa será peor que la calle...»

«No llores. Dios proveerá. La paz sea contigo.»

La vieja se va llorando.

Por unos cuantos minutos nadie entra. Luego juntas entran Juana y Valeria. Están preocupadas, sobre todo la primera. La otra está pálida, suspira, pero se le ve que tiene más valor.

«Maestro, Ana nos ha espantado. Le dijiste... ¡Oh, que no sea verdad! Cusa será una veleta... un calculador, pero mentiroso, ¡no! El me ha asegurado que Herodes no tiene ninguna intención de hacerte daño... De Poncio no sé nada...» y mira a Valeria que guarda silencio. Continúa: «Esperaba saber algo de Plautina, pero nada...»

«Así es. Ella no ha dado un paso más de donde estaba. Tampoco conmigo ha hablado. Si he comprendido bien, la indiferencia romana, que se nota mucho más cuando algún evento no puede tener ningún influjo en su Patria, o en su propia persona, ha embotado más a aquellas que parecían un tiempo querer salir de su aturdimiento. Esta indiferencia, esta holgazanería de su espíritu nos separa más que el haber ido yo a la sinagoga. Su corazón es tan diverso del mío. Pero se sienten felices... a su modo... Y la felicidad humana no les ayuda a tener despierto su pensamiento.»

«Y a despertar el espíritu, Valeria» añade Jesús.

«Así es, Maestro. Yo... es otra cosa... ¿Viste la mujer que estuvo con nosotros? Es de mi familia. Es viuda y sola. La enviaron mis familiares para que me convenza a regresar a Italia. ¡Muchas promesas de alegrías futuras! Alegrías que no estimo más, y como me parecen fútiles, las desprecio. No regresaré a Italia. Te tengo a Ti aquí y tengo a mi niña que me salvaste, a la que me has enseñado amar por el alma que tiene. No dejaré estos lugares... He traído conmigo a Marcela para que te viese y comprendiese que no me quedo aquí por un amor vergonzoso por un hebreo — para nosotros es deshonra — sino porque en Ti he encontrado

303

el consuelo de una mujer repudiada. Marcela no es mala. Ha sufrido y comprende, pero todavía no es capaz de comprender mi nueva religión. Me regaña un poco, pareciéndole que es una quimera... No importa. Si quiere, vendrá a donde estoy. Si no, me quedaré con Tusnilde. Soy libre, rica, puedo hacer lo que quiera. Y no obrando mal, realizaré lo que me agrade.»

«¿Y cuando el Maestro no esté ya más?»

«Quedarán sus discípulos. Plautina, Lidia, la misma Claudia, que después de mí es la que más te sigue por doctrina y que más te honra, todavía no han comprendido que no soy más la mujer que conocieron o creen todavía conocer. Pero yo sí estoy segura de conocerme. Tanto es así que te aseguro que si pierdo mucho en perderte, no perderé todo, porque quedará en mi la fe, y permaneceré donde ella me nació. No quiero llevar a Fausta a donde nada le hablará de Ti. Aquí... sí todo. Y ciertamente no vas a dejarnos sin guía a quienes hemos querido seguirte. ¿Por qué debo ser yo, la gentil, que piense en estas cosas, cuando muchas de vosotras, y tú misma, estáis como atolondradas pensando en el día en que el Maestro no estará más ya entre nosotras?»

«Porque ellas, Valeria, por muchos siglos se han acostumbrado a una inmovilidad, a pensar que el Altísimo está allá, en su Casa, sobre el altar invisible que sólo el Sumo Sacerdote ve en ocasiones solemnes [18]. Esto las ayudó a venir a Mí. Podían finalmente acercarse también ellas al Señor; pero ahora tiemblan de miedo por no tener al Altísimo en su gloria, ni al Verbo del Padre entre sí. Hay que saber compadecer... Levantar el corazón, Juana. Yo estaré en vosotros [19]. Recuérdalo. Me iré pero no os dejaré huérfanos. Os dejaré mi casa que es mi Iglesia. Mi palabra que es la Buena Nueva. Mi amor habitará en vuestros corazones. Y al final os dejaré un regalo mayor que os alimentará de Mí y hará que no sólo espiritualmente esté entre vosotros y en vosotros [20], sino que os dará consuelo y fuerzas. Ahora... Ana está muy afligida por los niños...»

«Nos habló de ellos angustiada...»

«Le he dicho que los tenga lejos de la gente. Esto mismo os digo a vostras dos.»

«Mandaré a Fausta con Tusnilde a Béter antes del tiempo determinado. Tenían que irse después de la fiesta.»

«Yo no me voy a separar de mis pequeños. Los tendré en casa, pero diré a Ana que deje que los suyos vayan conmigo. Aquella mujer tiene hijos de no buenos sentimientos, pero ellos serán honrados de mi invitación y no contradecirán a la madre. Y yo...»

«Yo quisiera...»

«¿Qué cosa, Maestro?»

«Que estuvieseis todas unidas en estos días. Retendré conmigo a la hermana de mi Madre, a Salomé, a Susana y a las hermanas de Lázaro.

[18] Cfr. Ex. 30, 1-10; Lev. 16; Hebr. 9, 1-14.
[19] Cfr. pág. 32, not. 5.
[20] Alusión a la divina Eucaristía.

Pero quisiera que estuvieseis unidas, muy unidas.»

«¿No podremos ir a donde estés?»

«Seré en estos días como relámpago que brilla veloz y desaparece. Subiré al Templo por la mañana y luego dejaré la ciudad. Sólo en el Templo y ahora temprana me podréis encontrar allí.»

«El año pasado estuviste en mi casa...»

«Este año no estaré en ninguna. Será un relámpago que pasa veloz...»

«Pero la pascua...»

«Deseo celebrarla con mis apóstoles, Juana. Si así lo quiero, razones tendré.»

«Es verdad... Estaré, pues, sola... porque mis hermanos me han dicho que quieren estar libres estos días, y Cusa...»

«Maestro, yo me retiro. Está lloviendo fuerte. Voy a ver a los niños que están bajo el pórtico» dice Valeria y se retira prudentemente.

«También en tu corazón llueve fuerte, Juana.»

«Cierto, Maestro. Cusa es... tan raro. No lo comprendo más. Una contradicción continua. Tal vez tenga amigos que influyan en él... o que haya sido amenazado... o que tema por el mañana.»

«No es el único, antes bien puedo afirmarte que son muy pocos, como un puñado, los que conmigo no temen el mañana, y cada vez serán menos. Sé paciente y cariñosa con él. No es más que un hombre...»

«Pero ha recibido tanto de Dios, de Ti, que debería...»

«Sí, debería. ¿Pero en Israel quién no ha recibido de Mí algo? He hecho bien a amigos y enemigos, he perdonado, curado, consolado, enseñado... Lo estás viendo y lo verás mejor cómo Dios es inmutable, cómo son diversas las reacciones de los hombres, y cómo frecuentemente el que más ha recibido es el que está más pronto a dañar a su bienhechor. En verdad que se podrá decir que el que ha comido conmigo, levantó su mano contra Mí [21].»

«Yo no lo haré, Maestro.»

«Tú, no; pero muchos, sí.»

«¿Se encuentra mi esposo entre éstos? Si así fuere, no regresaré a mi casa esta noche.»

«No, no está entre ellos esta noche, pero aun cuando estuviese, tu lugar está allí. Porque si él peca, tú no debes pecar. Si él vacila, debes sostenerlo; si te pisotea, debes perdonarlo.»

«¡Pisotear, no! Me ama. Pero lo quisiera más firme. Tiene mucho influjo en Herodes. Quisiera que arrancara del Tetrarca una promesa en favor tuyo, así como Claudia trata de arrancarla de Pilatos. Cusa sólo ha sabido referirme frases vagas de Herodes... me ha dicho que él no desea sino verte realizar algún milagro y que no te perseguirá... Con ello cree poder calmar los remordimientos de su conciencia que tiene por la muerte de Juan. Cusa me ha dicho: "Mi rey dice siempre: 'Aun cuando

---

[21] Cfr. Sal. 40, 10 (Ju. 13, 18). N.B. En lugar de la palabra: «pie» como se lee en el sagrado texto, hemos puesto "mano" por ser más inteligible para nosotros la idea. (N.T.).

me lo mandase el cielo, no levantará mi mano contra El. ¡Tengo mucho miedo'!"»

«Y dice la verdad. No levantará su mano contra Mí. Muchos en Israel no lo harán, porque tienen miedo de condenarme materialmente, pero pedirán que lo hagan otros, como si hubiera diferencia ante los ojos de Dios entre quien golpea, bajo la presión de un pueblo que así lo quiere, y el que lo hace golpear.»

«¡El pueblo te ama! Se están preparando grandes fiestas en tu honor. Pilatos no quiere tumultos. Ha reforzado las guardias en estos días. Espero tanto que... No sé qué espero, Señor. Sólo sé que espero y que también me desilusiono. Mi pensamiento es tan mudable como el tiempo de estos días que alterna con sol y lluvias...»

«Ruega, Juana, y está en paz. Piensa en que jamás has causado dolor alguno al Maestro y que El lo tiene presente. Vete.»

Juana, que en estos días ha enflaquecido, se va pensativa.

Ahora es la cara juvenil de Analia que aparece.

«Acércate. ¿Dónde está tu compañera?»

«Allí, Señor. Quiere regresar. Están por partir. Marta ha comprendido mi deseo y desea que me quede con ella hasta mañana después del crepúsculo. Sara regresa a casa para decir que me quedo. Quisiera que la bendijeras porque... Luego te lo diré.»

«Que venga y la bendeciré.»

La joven sale y regresa con su compañera que se postra ante el Señor.

«La paz sea contigo y la gracia del Señor te lleve por los senderos por donde te ha llevado Analia que te precedió. Ama a su madre y bendice al cielo que te ha librado de los lazos y dolores, para que fueses toda para El. Llegará un día en que, más que ahora, bendecirás al cielo por haber sido estéril por voluntad tuya. Vete.»

La joven se va conmovida.

«Le has dicho todo lo que quería. Soñaba en estas palabras. Siempre andaba diciendo: "Me agrada tu elección, aun cuando sea muy rara en Israel. También quisiera hacer lo mismo. No tengo padre, y mi madre es tan dulce como una paloma, que creo que pueda realizar lo mismo. Pero para estar segura que puedo hacerlo, y que será una cosa buena para mí, como lo es para ti, quisiera oirlo de su boca". Ahora se lo has dicho. También yo me siento tranquila, porque temía hacerme ilusiones...»

«¿Desde cuándo está contigo?»

«Desde... Cuando llegó la orden del Sanedrín. Me dije: "Ha llegado la hora del Señor y debo prepararme a morir". Porque yo te lo pedí, Señor... Hoy te lo recuerdo... Si vas al sacrificio, yo quiero ser hostia contigo.»

«¿Sigues queriéndolo?»

«Sí, Maestro. No podría vivir en un mundo donde no estuvieras... y no podría sobrevivir a tus tormentos. ¡Tengo tanto miedo por Ti! Muchas de entre nosotras se hacen ilusiones... ¡Yo no! Siento que ha llegado la hora. Es demasiado el odio... Espero que aceptarás mi ofrenda. No tengo otra cosa que darte más que mi vida, pues sabes que soy pobre. Mi vida y mi pureza. Por esto convencí a mamá a que llamase a su hermana para que viviera con ella, para que no estuviera sola... Sara hará mis veces de hija, y la madre de Sara la consolará. ¡No vayas a desilusionarme, Señor! El mundo no tiene ningún atractivo para mí. Me es como una cárcel donde siento repugnancia. Tal vez se deberá a que quien ha estado en los umbrales de la muerte comprende que lo que para muchos es alegría, para uno no es sino un vacío que no llena. Cierto es que no deseo si no el sacrificio... precederte,... para no ver que el odio del mundo se lance cual arma torturadora sobre Ti, Señor mío, y para ser semejante a Ti en el dolor...»

«Colocaremos, pues, el lirio cortado sobre el altar donde se inmola el Cordero, y se teñirá de rojo con su sangre redentora. Sólo los ángeles sabrán que el Amor fue el sacrificador de una cordera todo blanca, y marcarán el nombre de la primera víctima de amor, de la primera continuadora mía.»

«¿Cuándo, Señor?»

«Ten preparada la lámpara y vístete con vestiduras de bodas. El Esposo está a la puerta [22]. Verás su triunfo, pero no su muerte, pero entrarás triunfante en su Reino con El.»

«¡Ah, soy la mujer más feliz de Israel! Soy la reina coronada con tu guirnalda. ¿Puedo, como tal, pedirte una gracia?»

«¿Cuál?»

«Sabes que amé a un hombre. No lo he amado como a un esposo, porque entró en mí un amor mayor, y él no me correspondió porque... Pero no quiero recordar su pasado. Te pido que redimas ese corazón. ¿Puedo pedírtelo? ¿Verdad que no peco al acordarme de él para darle la vida, ahora que me encuentro en sus umbrales: a él a quien amé?»

«No es ningún pecado. Es llevar el amor al borde santo del sacrificio por el bien del ser amado.»

«Entonces, bendíceme, Maestro. Absuélveme de todos mis pecados. Haz que esté pronta a las bodas y a tu venida. Porque Tú, Dios mío, eres el que vienes a tomar a tu pobre sierva y a hacerla tu esposa.»

La jovencita, radiante de alegría y salud, se inclina a besar los pies del Maestro, mientras El la bendice, orando por ella. Y la sala, toda blanca, responde cual si estuviera tapizada de lirios a esta expresión de amor angelical, de amor divino.

Jesús deja allí a la joven, absorta en su alegría, y sale sin hacer ruido para ir a bendecir a los niños que con gritos alegres se dirigen al carruaje y alegres suben junto con las mujeres que parten. Se quedan Elisa y Nique para acompañar al día siguiente a Analía a la ciudad. Ha dejado de llover y el cielo despejado muestra una cara azul. El sol lanza sus rayos que encienden luces sobre las gotas de la lluvia. Un tenue arco-iris se ve entre Betania y Jerusalén. El carro se aleja crujiendo y sale del

---

[22] Expresiones que se entienden a la luz de Mt. 25, 1-13.

cancel. Desaparece.

Lázaro que está cerca de Jesús, en el umbral del pórtico, le pregunta: «¿Te han dado alegría las discípulas?» y mira su rostro.

«No, Lázaro. Todas, menos una, me han dado sus preocupaciones, y hasta desilusiones, si pudiese eludirme.»

«¿Te han desilusionado las romanas? ¿Te han hablado de Pilatos?»

«No.»

«Entonces lo haré yo. Esperaba que te hubiesen hablado de él. Entremos en esa habitación donde no hay nadie. Las mujeres se han ido a sus quehaceres con Marta. María está con tu Madre, en la otra casa. Tu Madre estuvo mucho tiempo con Judas, y se lo llevó consigo... Siéntate, Maestro... Estuve en casa del Procónsul... Lo había prometido y lo hice. Pero Simón de Jonás no estaría muy satisfecho de mi misión... Afortunadamente no piensa más en ella. El Procónsul me escuchó y me respondió con estas palabras:"¿Yo?¿Ocuparme yo de El? Pero ni por sueños. Sólo te digo esto: que no por ese Hombre — ese eres, Tú, Maestro — sino por los enojos que me dan por su causa, estoy decidido completamente a no pensar ni para bien, ni para mal. Me lavo las manos. Reforzaré las guardias porque no quiero desórdenes, y así daré contento a César, a mi mujer y a mí mismo: esto es, a los únicos por quienes tengo un respeto sagrado. Por lo demás no moveré ni siquiera un dedo. Riñas de estos eternos descontentadizos. Ellos se las buscan, que ellos se las vean. Yo ignoro a ese Hombre como malhechor, como virtuoso, como sabio. No quiero saber nada de El. Quiero seguir haciéndome de la vista gorda. Aunque realmente no lo logro bien, porque los jefes de Israel me lo recuerdan con sus quejas, Claudia con sus elogios, los seguidores suyos con sus quejas contra el Sanedrín. Si no fuera por Claudia lo mandaría aprehender, y lo entregaría a ellos para que se pusiesen de acuerdo y no oyese más hablar de El. Ese Hombre es el súbdito de quien menos se puede temer en todo el Imperio, pero no obstante me ha dado tantos enojos que quisiera llegar a una solución..." Con este humor, Maestro...»

«Quieres decir que no se puede estar seguro con él. Con los hombres es así...»

«Pero no sé lo que pasa, lo cierto es que el Sanedrín está más calmado. No se ha pensado en el bando. No se ha molestado a los discípulos. Dentro de poco regresarán los que fueron a la ciudad, y oiremos... que *siempre* tienes contrarios, pero ¿que se dé un paso en contra tuya?... Las multitudes te aman mucho para poder desafiarlas sin más ni más.»

«¿Quieres que vayamos por el camino, a su encuentro?» propone Jesús.

«Vamos.»

Salen al jardín y empiezan a caminar cuando Lázaro pregunta a Jesús: «Pero, ¿has comido ya? ¿Dónde?»

«Muy temprano.»

«Y ya casi está echarse la noche. Regresemos.»

«No. No tengo hambre. Prefiero caminar. Allá en el cancel veo a un pobre niño agarrado a él. Tal vez tenga hambre. Sus vestidos están rotos y se ve flaco. Hace algunos momentos que lo estoy observando. Estaba ya allí cuando salió el carruaje y huyó para que no lo viesen, y lo fuesen a arrojar. Luego regresó y ha seguido mirando con insistencia hacia la casa y en dirección nuestra.»

«Si tiene hambre, es mejor que vaya a traerle un poco de comer. Adelántate, Maestro, regreso pronto» y Lázaro corre, mientras Jesús apresura el paso hacia el cancel.

En la cara del niño, en que se dibuja el dolor, brillan sus hermosos ojos.

Jesús le sonríe y dulcemente le pregunta, mientras mueve el cerrojo: «¿A quién buscas, pequeñín?»

«¿Eres Tú el Señor Jesús?»

«Sí.»

«A Ti te busco.»

«¿Quién te ha enviado?»

«Nadie. Quiero hablarte. Muchos lo hacen. También yo. A muchos escuchas, a mí también.»

Jesús quiere abrir el cancel y pide al niño que suelte las barras que tiene asidas. El niño las suelta, y al hacerlo, bajo su pobre vestido se ve el esqueleto de un niño raquítico, con la cabeza sumida en los hombros, como principio de joroba, las piernas zambas. Un niño en realidad desgraciado. Tal vez tenga más años de lo que su estatura representa unos siete; pero su carita está un poco marchita, con el mentón pronunciado; una carita como de viejo.

Jesús se inclina a acariciarlo y le dice: «Dime, pues, lo que quieres. Soy tu amigo. Soy amigo de todos los niños.» Con estas dulces palabras Jesús toma la flacucha carita en sus manos y le besa en la frente.

«Lo sabía y por eso vine. ¿Ves cómo estoy? Quisiera morirme para no sufrir más, y para no ser de nadie... Tú que curas a muchos y resucitas a muertos, hazme morir, porque nadie me ama, y porque no podré nunca trabajar.»

«¿No tienes padres? ¿Eres huérfano?»

«Tengo padre, pero no me ama porque estoy así. Echó a la calle a mi madre, le dio el libelo de divorcio [23] y a mí también me echó afuera. Mi madre ha muerto, por culpa mía de que estoy contrahecho.»

«¿Con quién estás viviendo?»

«Cuando murió mi madre, los siervos me llevaron otra vez a mi padre, pero él, que se ha casado de nuevo, y tiene hijos hermosos, me arrojó. Me entregó a campesinos suyos, y ellos hacen lo que gusta a mi padre... hacerme sufrir.»

«¿Te pegan?»

«No. Pero tienen más cuidado de los animales que de mí, me befan, y

---

[23] Cfr. vol. 4°, pág. 656, not. 15.

como frecuentemente estoy enfermo, me molestan. Cada vez me hago más contrahecho y sus hijos se burlan de mí y me tiran al suelo. Nadie me ama. Este invierno en que tuve mucha tos y eran necesarias las medicinas, mi padre no quiso gastar nada y dijo que lo único que podría hacer sería morirme. Desde entonces te he estado esperando para decirte: "Hazme morir".»

Jesús lo toma del cuello, sin hacer caso a las protestas del niño: «Tengo los pies sucios de lodo, también mi vestido, porque estuve sentado en el camino. Te ensucias tu vestidura.»

«¿Has venido de lejos?»

«No de muy lejos. Vivo a las afueras de la ciudad. Vi pasar a tus discípulos. Supe que eran, porque los campesinos dijeron: "Ved ahí a los discípulos del Rabí galileo. Pero El no viene". Y me vine.»

«Estás mojado. ¡Pobrecito! Te vas a enfermar de nuevo.»

«Si Tú no me eschuchas, por lo menos hazme morir por la enfermedad. ¿A dónde me llevas?»

«Adentro. No puedes continuar sí.»

Jesús entra al jardín con el niño deforme entre los brazos y grita a Lázaro que está viniendo: «Cierra tú el cancel. Traigo a este pequeñuelo todo mojado en mis brazos.»

«¿Quién es, Maestro?»

«No lo sé. Ni siquiera su nombre.»

«Tampoco te lo diré. No quiere que me conozcan. Quiero sólo lo que te pedí. Mamá me decía: "Hijo mío, pobre hijo mío, yo me muero, pero quisiera que te murieras conmigo, porque allá no estarás más deforme, ni sufrirás en el cuerpo y en tu corazón. Allá nadie se burla de los que nacen infelices, porque Dios es bueno con los inocentes y con los desgraciados". ¿Me mandas a Dios?»

«El muchacho quiere morirse. Es una historia triste...»

Lázaro lo mira fijamente y luego prorrumpe: «¿Pero no eres tú el hijo del hijo de Nahúm? ¿No eres el que sueles estar sentado al sol cerca del sicómoro que está en los límites del olivar de Nahúm, y que tu padre te entregó a Yosía su campesino?»

«Lo soy. ¿Pero por qué lo has dicho?»

«¡Pobre niño! No lo dije por burlarme de ti. Créeme, Maestro, que es menos triste la suerte de un perro en Israel que la de él. Si no volviese a casa, nadie iría buscarlo. Los siervos son como los patrones: hienas en el corazón. José conoce bien lo ocurrido... Hizo gran rumor. En esos tiempos estaba yo muy afligido por María... Cuando murió su madre y lo entregaron a Yosía, lo veía al pasar... tirado al sol o expuesto al viento en la era, porque caminó después de años... y siempre poco. No comprendo cómo logró haber venido hasta acá. ¡Quién sabe cuánto tiempo hace que estuvo en camino!»

«Desde cuando Pedro pasó por aquel lugar.»

«¿Y ahora, que hacemos?»

«Yo no regreso a mi casa. Quiero morirme. Me quiero ir lejos. ¡Ayúdame y compadécete de mí, Señor!»

Entran en casa y Lázaro dice a un siervo que traiga una cobija y que diga a Noemí que venga a cuidar del niño que está lívido de frío con sus vestidos mojados.

«¡Es el hijo de uno de tus más encarnizados enemigos! Uno de los más duros en Israel. ¿Cuántos años tienes, niño?»

«Diez.»

«¡Diez! ¡Diez años de padecer!»

«¡Y son suficientes!» dice con voz fuerte Jesús poniéndolo en el suelo.

¡Está muy contrahecho! El hombro derecho más alto que el izquierdo, el pecho excesivamente fuera, el cuello delgado, sumido entre las clavículas, las piernas zambas...

Jesús lo mira con compasión, mientras Noemí lo viste y lo seca antes de envolverlo en una cobija caliente. Lázaro también lo mira con compasión.

«Le voy a dar leche caliente, Señor, y luego lo acuesto en mi cama» dice Noemí.

«¿Pero no me vas a hacer morir? ¡Ten piedad! ¿Para qué hacerme vivir para que sufra de este modo y tanto?» y añade: «He esperado en Ti, Señor.» Un reproche, una desilusión repercueten en la voz del niño.

«Sé bueno. Obedece, y el cielo te consolará» dice Jesús y se inclina a acariciarlo una vez más, poniendo su mano sobre los miembros contrahechos.

«Llévalo a la cama y cuídalo. Después... ya proveeré...»

Aunque llora, se le lleva a acostar.

«¡Y es de los que se creen santos!» exclama Lázaro pensando en Nahum.

Se oye la voz de Pedro que pregunta por el Maestro...

«Maestro, ¿estás aquí? Todo bien. Ninguna molestia. Antes bien, mucha calma. En el Templo nadie nos molestó. Juan tiene buenas noticias. A los discípulos los han dejado en paz. La gente te espera llena de alegría. Estoy contento. Y ¿Tú que has hecho, Maestro?»

Se alejan hablando entre sí, mientras que Lázaro va a donde lo llama Maximino.

45. El sábado anterior al ingreso en Jerusalén. I. El milagro hecho a Matusalem o Shalem

(Escrito el 26 de marzo de 1947)

Una vez que han cesado las lluvias, el cielo muestra una faz limpísima y brilla en lo alto un sol hermoso. La tierra, lavada, está tersa como el firmamento. Parece como si hace pocas horas hubiera sido creada por lo fresca y limpia que se ve. Todo resplandece, todo canta en esta serena mañana.

Jesús pasea lentamente por los senderos más alejados del jardín. Sólo alguno que otro jardinero mira esto paseo solitario en las primeras horas matinales, pero nadie lo perturba, más bien se retiran en silencio para dejarlo en paz.

Es sábado, día de descanso, y los jardineros no trabajan, pero dada su larga costumbre, han salido a ver sus plantas, sus colmenas, sus flores. Poco a poco el jardín se anima. Primero salen los siervos de la casa y las criadas, luego los apóstoles, las discípulas, y finalmente Lázaro. Jesús se les acerca y los saluda como de costumbre.

«¿Desde cuando estás aquí, Maestro?» pregunta Lázaro sacudiendo de su cabellera gotitas de agua.

«Desde el amanecer. Tus pajarillos me invitaron a alabar a Dios. Vine a contemplar a Dios en las bellezas de la creación y a honrarlo, a orar con corazón contento. Es hermosa la tierra, y a estas primeras horas del día, en un día como éste, parece tan fresca como lo fue en las primeras horas de su existencia.»

«Realmente es el tiempo de pascua. Se ha compuesto y durará porque empezó con la primera fase de la luna con viento propicio» dice calmadamente Pedro.

«Me alegro de ello. Una pascua lluviosa es triste.»

«Echa a perder hasta las mieses que necesitan del sol, ahora que se aproxima la cosecha» dice Bartolomé.

«Estoy feliz de estar aquí en paz. Hoy es sábado y no vendrá nadie. Ningún extraño entre nosotros» dice Andrés.

«Te equivocas. Hay un huésped y es un pequeño. Todavía está durmiendo, Maestro. La cama mullida y el estómago lleno lo han hecho dormir bien. Pasé a verlo. Noemí cuida de él» dice Lázaro.

«¿Quién es? ¿Cuándo vino? ¿Quién lo tajo?» preguntan hombres y mujeres.

«Es un niño. Un pobre niño. Su aflicción lo arrastró hasta aquí. Estaba allá, contra las barras del cancel a mirar en dirección de la casa, y el Maestro lo recogió.»

«No sabíamos nada... ¿Por qué?»

«Porque tiene necesidad de que no se le moleste» responde Jesús, y al terminar su frase: «Y en casa de Lázaro se sabe guardar secreto», se ve que su rostro oculta un pensamiento profundo.

Un siervo viene a decir algo a Marta; se va y regresa con otros que traen jarras de leche, tazas con pan, mantequilla y miel. Se sientan acá y allá en los asientos. Luego se reunen alrededor del Maestro y le piden que les diga una parábola, «una hermosa parábola, serena como este día de nisán.»

«No una, sino dos. Escuchad.

Un día hubo un hombre que encendió dos lámparas para honrar al Señor en una de sus fiestas. Las dos eran iguales de tamaño. Les echó igual cantidad de aceite, les puso su mecha, y las prendió al mismo tiempo, para que brindasen sus llamas mientras él trabajaba como estaba permitido. Después de un poco de tiempo regresó y vio que una lámpara ardía muy bien, mientras que la otra lanzaba una llamita tranquila, quieta, que apenas se movía, que parecía un puntito de luz en el rincón donde estaba. Pensó que era por la mecha. La vio. Estaba bien, pero no ardía tan alegremente como la otra que vibraba con su llama como lengüeta, y como que murmuraba palabras de alegría al moverse.

"¡Esta llama canta en realidad las alabanzas del Altísimo Señor!" dijo entre sí. "Mientras esta. Mírala, alma mía. Parece como que no quiere honrar al Señor, pues lo hace con poco ardor" y regresó a sus labores.

Volvió poco después. La llama que antes ardía bien, se había levantado un poco más, y la otra empequeñecido, pero seguía ardiendo de la misma manera esto es, firme pero suavemente. Volvió otra vez, y lo mismo. Pero al regresar a la cuarta vez encontró la habitación llena de humo, y vio sólo una llamita que a través de la espesa humareda seguía alumbrando. Fue a la mesa, vio que la que tanto había alumbrado, se había acabado completamente y con su lengüeta había ensuciado la pared blanca. La otra, por el contrario, continuaba con su constante brillo alabando al Señor.

Estaba a punto de poner nueva mecha cuando una voz se oyó: "No cambies nada. Medita en ello, que es un símbolo. Soy el Señor".

El hombre se echó en tierra adorándolo y con gran temor se atrevió a decir: "Soy un necio. Explícame, oh Sabiduría, el símbolo de las llamas, de las que la más grande y que parecía honrarte mejor no ha hecho más que daño y la otra continúa alumbrando".

"Lo haré. Lo mismo sucede con el corazón de los hombres. Hay unos que al principio arden, resplandecen, son admiración de los hombres por lo perfecta y constante que se ve su llama. Hay otros que brillan con suavidad que no llama la atención y que puede parecer tibieza en honrar al Señor. Pero pasado algún tiempo y algo más, se apagan causando daño porque su llama no era segura. Quisieron brillar más para los hombres que para el Señor, y la soberbia los ha consumido en poco tiempo, en medio de negro y pesado humo que ha oscurecido el aire. Los otros han conservado una voluntad única y constante: honrar sólo a Dios, sin preocuparse si el hombre los alaba, y así se consumen con una llama que dura mucho, una llama clara, sin humor ni mal olor. Aprende a imitar la llama constante porque es la única que agrada al Señor".

El hombre levantó su cabeza... El aire estaba limpio de humo y la llamita fiel resplandecía ahora sola, pura, constante, en honor de Dios, brillando como si fuese de oro. El hombre la miró siempre igual, por horas y horas, hasta que dulcemente, sin humo ni mal olor, sin ensuciar nada, se perdió en un rastro de luz, pareciendo subir al cielo a ponerse entre las estrellas, después de haber honrado al Señor hasta su último momento.

En verdad, en verdad os digo que muchos son los que al principio dan una llama grande, atraen la atención del mundo que no ve sino lo externo de las acciones humanas, pero en seguida parecen carbonizándose y llenando todo con su humo de mal olor. En verdad os digo que Dios no ve su llamear, porque El ve que es sólo por fines humanos.

Bienaventurados los que sepan imitar la segunda lámpara y no carbonizarse, sino subir al cielo con un constante palpitar de amor.»

«¡Qué extraña parábola! ¡Pero verdadera! ¡Me ha gustado! Quisiera saber si somos de las llamas que suben al cielo.» Los apóstoles se intercambian miradas.

Judas encuentra el modo de morder, y sus dientes se claven en María Magdalena y en Juan de Zebedeo: «Cuidado, María, y tú, Juan. Sois entre nosotros las llamas que brillan... ¡No os vaya a suceder lo mismo!»

María Magdalena está para responder, pero se muerde los labios. Mira a Judas y su mirada es tan dura que prefiere dejar de reirse y de mirarla.

Juan, humilde de corazón si bien ardiente de caridad, responde con dulzura: «Y por mi capacidad eso podría suceder. Pero confío que el Señor me ayudará a consumir hasta mi última gotica y mi última llama en su honor.»

«¿Y la otra parábola? Nos prometiste dos» dice Santiago de Alfeo.

«He aquí mi segunda parábola. Está para venir...» y señala la puerta de la casa, cubierta con una cortina que lentamente se mueve al viento, y que ahora separa la mano de un siervo para que pase la vieja Noemí que corre a echarse a los pies de Jesús diciendo: «¡El niño está curado! ¡No está ya deforme! Lo has curado en la noche. Se había despertado y yo preparaba el baño para lavarlo antes de ponerle la túnica y el vestido que le hice de uno que no necesitaba Lázaro. Pero cuando le dije: "Ven acá" y quitadas las cobijas, vi que su cuerpecito no estaba ya contrahecho como ayer. Grité. Acudieron Sara y Marcela, que no sabían que el niño hubiese dormido en mi cama, y las dejé allí para venir a decírtelo...»

La curiosidad se apodera de todos. Preguntas, ansias de ver. Jesús les hace señal de que se callen, y ordena a Noemí: «Vuelve a donde está el niño. Lávalo, vístelo y luego me lo traes aquí.»

Se vuelve a sus discípulos: «Esta es la segunda parábola que podría intitularse: "La verdadera justicia no comete venganzas ni hace distinciones".

Un hombre, mejor dicho, el Hombre, el Hijo del hombre, tiene amigos y enemigos. Aquellos son pocos, éstos muchos. No ignora el odio que le guardan sus enemigos, ni sus pensamientos, sabe que su voluntad no se arredrará ante ninguna acción por horrenda que sea. En este punto son más fuertes que sus amigos, en quienes el temor, la desilusión, o una excesiva confianza los convierte en arietes destructores de su propia fortaleza. Este Hijo del hombre, a quien se le reprochan tantas cosas que no son verdaderas, encontró ayer a un pobre niño, al más infeliz de los niños, hijo de un enemigo suyo. El niño estaba deforme y lisiado, pedía una gracia extraña: la de morir. Todos piden al Hijo del hombre honra y alegrías, salud y vida. Este pobre niño la muerte, para no sufrir más. Ha probado ya en su cuerpo y en su corazón toda clase de dolor, porque quien lo engendró, y que me odia sin motivo alguno, también lo odia. Lo curé para que no sufriera más, para que además de la salud física llegue a la salud de su espíritu. Su almita está enferma. El odio de su padre, las burlas de los demás la han herido profundamente y despojado de amor. Sólo le quedó la fe en el cielo y en el Hijo del hombre al que le pidió que lo hiciera morir. Vedlo allí. Ahora lo oiréis hablar.»

El niño, lavado y limpio, con su vestido de lana blanca que Noemí le coció rápida en la noche, viene de la mano de la anciana. Es pequeño, pero no jorobado ni derrengado. Un poco más alto que ayer. Tiene la carita malhecha, marchita del dolor que la ha dado aire de madurez. Pero no está ya deforme. Sus pies descalzos caminan seguros por el suelo, ya no se tropieza ni se cae como ayer. Camina derecho. Su cuello flaco ya no está sumergido entre las clavículas, y parece más largo.

«¡Pero si es el hijo de Anás de Nahum! ¡Qué milagro desperdiciado! ¿Crees que con él vas a hacerte amigos a su padre y a Nahum? Te odiarán más, porque no anhelaban sino que se muriera, fruto de un matrimonio infeliz» exclama Judas de Keriot.

«No obro milagros para hacerme de amigos, sino por piedad y para honrar a mi Padre. No hago distinciones, ni me pongo a hacer cálculos. *Nunca* lo hago cuando me inclino piadoso sobre una miseria humana. No me vengo de quien me persigue...»

«Nahum lo interpretará como una venganza...»

«No sabía nada de este niño. Todavía no sé ni su nombre.»

«Matusala o Matusalem, le llaman por desprecio.»

«Mi madre me llamaba Shalem. Mucho me quería. No era mala como tú eres y como son los que me odian» dice el niño con una luz de ira en los ojos como la que brilla en la de los hombres o animales por largo tiempo oprimidos.

«Ven aquí, Shalem. Aquí conmigo. ¿Estás contento de estar sano?»

«Sí... pero hubiera preferido morir. Nadie me amará. Si todavía viviese mi madre ¡qué bello sería! ¡Pero así!... Siempre infeliz.»

«Tiene razón. Ayer lo encontramos. Nos preguntó si estabas en Betania, en casa de Lázaro. Quisimos darle una limosna porque pensamos que era un mendigo, pero no la aceptó. Estaba al borde de un campo...» dice Zelote.

«¿Ni siquiera tú lo conociste? ¡Qué extraño!» se admira Judas de Keriot.

«Más extraño es que tú conozcas todas estas cosas. ¿Olvidas de que fui de los perseguidos, y que luego estuve entre leprosos, hasta que vine con el Maestro?»

«¿Y tú olvidas que soy amigo de Nahum, que es el de confianzas de Anás? Jamás lo he ocultado.»

«¡Bueno, bueno! Esto no tiene importancia. Lo que importe es saber qué vamos a hacer ahora de este niño. Su padre no lo quiere, y es verdad. Pero no por eso ha perdido sobre él sus derechos. No podemos quitarle el hijo sin decírselo. Hay que ser prudentes y no herirlos, ya que ahora parece que están mejor dispuestos para con nosotros» propone Natanael.

Judas suelta una carcajada sarcástica, pero no dice nada.

Jesús, que tiene entre sus rodillas al pequeño, dice lentamente: «Me enfrentaré con Nahum... No va a odiarme más de lo que ya lo hace. Su odio ha llegado al colmo.»

Analia que no ha dicho ni una palabra, absorta en su pensamiento que la hace feliz, abre su boca para decir: «Si me quedara, me habría gustado tomarlo conmigo. Soy joven, pero tengo corazón de madre...»

«¿Te vas a ir? ¿Cuándo?» le preguntan las mujeres.

«Pronto.»

«¿Para siempre? ¿A dónde? ¿Fuera de Judea?»

«Sí. Lejos. Muy lejos. Para siempre. Y me siento *muy* feliz.»

«Si el padre lo cede, otras podrán hacer lo que tú no.»

«Si queréis lo diré yo a Nahum. Puede más que el verdadero padre. Mañana se lo diré» promete Judas de Keriot.

«Si no fuera sábado... iría a ver a aquel Yosía a cuyo cuidado estaba» promete Andrés.

«¿Para ver si estaban afligidos de haberlo perdido?» pregunta Mateo.

«Me imagino que si se hubiese perdido una de sus ovejas se hubieran preocupado más...» murmura entre dientes Maximino que hace unos instantes se había acercado.

El niño no habla. Entre las rodillas de Jesús mira atentamente las caras de los que lo ven, con esa perspicacia que tienen frecuentemente los seres enfermizos y que han vivido en el dolor. Parece como si escrutase más los corazones que las caras, y cuando Pedro le pregunta: «¿Que te parece de nosotros?» el niño responde, poniéndole su manita en la suya: «Tú eres bueno», pero se corrige: «Todos sois buenos. Pero hubiera preferido que nadie me conociera. Tengo miedo...» y mira a Judas de Keriot.

«De mí, ¿no es verdad? Tienes miedo de que hable a tu padre? Tendré que hacerlo, si debo pedirle que te deje con nosotros. Pero no te quitará.»

«Lo sé. Pero hay otra cosa... Quisiera estar lejos, lejos, como esa mujer que se va... En el país de mi madre. Hay un mar azul entre los verdes montes. Se ve allá, con tantas velas blancas que vuelan en el aire y con bellas ciudades a su alrededor. Sus montes son tantas otras cuevas donde las abejas silvestres hacen su dulce miel. No he comido miel desde que se murió mi madre, y he estado con Yosía. Felipe, José, Elisa, y los otros niños, sí que la comían. Pero yo no. Si hubieran dejado el vaso de miel abajo, me lo hubiera robado, ¡tantas eran las ganas que sentía! Pero siempre lo ponían arriba y no podía subirme sobre las mesas como hacía Felipe. ¡Tengo muchas ganas de comer miel!»

«¡Pobre hijo! ¡Te voy a traer todo la que quieras!» dice conmovida Marta y ligera se va.

«¿De dónde era tu madre?» le pregunta Pedro.

«Tenía casas y posesiones cerca de Sefet. Era huérfana y heredera. Ya tenía su edad. Era fea y un poco malhecha, pero muy rica. El viejo Sadoc fue el padrino de bodas que celebraron ella y el hijo consentido de Anás... Fue un indigno contrato de mercado. Todo fue cosa de cálculo, pero nada de amor. Vendió todas las posesiones de su mujer, alegando que estaban muy lejos de aquí, excepto una casucha que pertenecía al administrador que la había adquirido en regalo del viejo dueño para toda su vida y para sus herederos hasta la cuarta generación. Acabó con todo en especulaciones que no tuvieron éxito. Mas... yo no creo en ello, porque tiene hermosas tierras al otro lado del Jordán... que antes no poseía... Luego, después de algunos años de matrimonio, la mujer, que estaba ya declinando, dio a luz a este niño... lo que fue pretexto para que la arrojasen y se casase con otra de la llanura de Sarón, mujer joven, rica y hermosa... La divorciada se refugió cerca del viejo administrador y murió allí. No sé por qué no se quedaron con el niño. Su padre lo tenía por muerto» explica Iscariote.

«Porque Juan y María se murieron y los hijos fueron a otra parte como siervos. ¿Y quién podía tenerme si no era yo hijo, y no podía trabajar? Miquel, Isaac, Ester y Judit eran buenos y lo son. Cuando vienen a las fiestas me traen cosas, pero Yosía me las quita para dárselas a sus hijos.»

«Pero no te quieren» le replica Judas.

«Ahora que estoy derecho y fuerte me querrán. ¡Son ellos siervos! No podían, como he dicho, decir al patrón: "Toma a este lisiado". Pero ahora pueden.»

«¿Pero si te has escapado de la casa de Yosía cómo pueden encontrarte?» le pregunta Bartolomé haciéndolo reflexionar.

El niño comprende la observación y piensa. Su estado enfermizo lo ha hecho precavido. Responde: «¡Es verdad! No había reparado en ello.»

«Vuelve allá. En estos días te verán...»

«¿Allá? No. Yo no regreso allá. No quiero. ¡Mejor me mato!» Su furia le brota por todas partes. Luego se deja caer llorando sobre las rodillas de Jesús: «¿Por qué no me has hecho morir?»

Marta, que está llegando con un vaso de miel, se queda sorprendida ante este cuadro. Bartolomé se excusa de haber sido la causa de ello: «Creí darle un buen consejo. Bueno para todos. Para él, para Ti, Maestro, para Lázaro... Ninguno de vosotros, ni de nosotros tiene necesidad de un nuevo odio...»

«¡Es verdad! ¡Una verdadera dificultad!» exclama Pedro y meditando el caso dentro de sí mismo, concluye con su característico silbido que es la señal de su estado de ánimo ante problemas difíciles de resolver.

Quién propone esto, quién aquello. Ir a ver a Nahúm. Ir a casa de Yosía y decirle que envíe aquí, a la casa de Lázaro a Miguel y a Isaac, o a otra parte, porque es prudente que no recaiga sobre Lázaro más odio del que ya acumulado por su amistad con Jesús. No decir nada a nadie y hacer desparecer al niño dándole a algún discípulo seguro.

Judas de Keriot no habla. Parece extraño a la discusión. Juguetea con los flecos de su vestidura, entrelazándolos y desenlazándolos con los dedos.

Tampoco Jesús habla. Acaricia al niño y lo calma. Le levanta la carita y le pone las manos sobre el vaso de miel.

Shalem es un niño, un pobre niño de diez años que siempre ha sufrido, pero no por eso ha dejado de serlo, aun cuando si el dolor lo ha hecho maduro; mas delante un tesoro tan grande de miel sus lágrimas cesan y pone cara de extático. Pregunta, levanta sus ojos castaños, grandes, inteligentes, lo único que tiene de bello. Mira a Jesús y a Marta alternativamente. Pregunta: «¿Cuánto puede tomar? ¿Una o dos cucharadas?» y señala la cuchara redonda de plata que mete lentamente en la rubia miel.

«Cuanta quieres, muchacho. Cuanto te guste. Lo que te sobre te lo guardas para mañana. ¡Es tuya!» dice Marta acariciándolo.

«¡Toda mía! ¡Oh, jamás había tenido yo tanta miel! ¡Toda mía! ¡Oh!» y se aprieta con reverencia el vaso contra el pecho, como si fuera un tesoro.

Luego comprende que más precioso que el vaso es el amor que se lo ha dado. Lo pone sobre las rodillas de Jesús, levanta sus brazos para asirse al cuello de Marta que se ha inclinado, y la besa. Es todo lo que puede hacer para mostrar su agradecimiento, todo lo que puede dar él, el abandonado.

Los otros demás dejan de hacer planes y miran la escena. Pedro dice: «Este todavía es más infeliz que Marziam, porque al menos tenía el amor de su abuelo y de los otros campesinos. Realmente es verdad que siempre hay dolores mayores de los que habíamos tomado por grandísimos.»

«Sí. Todavía no se ha llegado a sondear el abismo del dolor humano. Quién sabe cuántos secretos nos oculta todavía... y que ocultará en los siglos por venir» dice Bartolomé pensativo.

«Entonces tú no tienes fe en la Buena Nueva. ¿No crees que ella cambiará el mundo? Lo dijeron los profetas, y el Maestro lo repite. Eres un incrédulo, Bartolomé» grita Iscariote con una leve sonrisa irónica.

Zelote le responde: «No veo dónde esté la incredulidad de Bartolomé. La doctrina del Maestro consolará todas las desventuras, amansará aun la ferocidad de costumbres y prácticas, pero no eliminará el dolor. Lo hará soportable con sus promesas divinas de una alegría futura. Para que el dolor sea abolido, o por lo menos gran parte de él, se necesitaría que todos tuviesen el corazón que tiene Jesús, porque siempre habrá enfermedades, muertes, cataclismos naturales y...»

Iscariote lo interrumpe: «Así es como debe suceder. ¿De otro modo de que sirve que hubiese venido el Mesías a la tierra?»

«Así debería suceder, digámoslo. Pero dime, Judas, ¿ha sucedido acaso esto entre nosotros? Somos doce y por tres años hemos vivido con El, absorbido su doctrina como el aire que respiramos, ¿y qué? ¿Somos los doce unos santos? ¿Qué cosa distinta hacemos de lo que hacen Lázaro, Esteban, Nicolás, Isaac, Mannaén, José, Nicodemo, las mujeres y los niños? Me refiero a los justos de nuestra patria. Todos éstos, bien sean sabios y ricos, o pobres e ignorantes, hacen lo que nosotros: un poco bien, un poco mal, sin renovarse completamente. Aun te diría que muchos de ellos nos superan. Sí. Muchos que siguen a Jesús nos superan a nosotros: los apóstoles... ¿Pretenderías que todos tuviesen el corazón que tiene El, si nosotros, nosotros los apóstoles, no lo poseemos? Nos hemos hecho un poco más o menos mejores... al menos así esperamos, porque el hombre difícilmente se conoce y conoce al hermano que vive a su lado. El velo de la carne es demasiado opaco y grueso, y el hombre atentamente se cuida de que se le conozca. Siempre observandose, uno se queda en la superficie. Cuando nos examinamos, porque *no queremos conocernos para que no sufra nuestro orgullo o para que no nos veamos obligados a modificar nuestra conducta. Cuando examinamos a los demás porque nuestro orgullo de examinadores nos hace ser jueces injustos, y el orgullo del examinado cierra,* como una ostra, todo su interior» dice Zelote.

«¡Bien dicho, Simón!¡Verdaderamente que has tenido palabras de sabio!» lo alaba Judas Tadeo. Los demás le hacen coro.

«Entonces, ¿para qué vino, si nada debe cambiarse?» replica Iscariote.

Jesús toma la palabra: «Se cambiará mucho, no todo, porque contra *mi* doctrina habrá en lo futuro lo que ahora ya existe: el odio de los que no aman la Luz; porque contra la fuerza de mis seguidores se yerguerá la de los de Satanás. ¡Cuántos! ¡De cuántas formas! Muchas herejías y siempre nuevas se opondrán a mi doctrina inmutable, porque es perfecta. ¡Cuánto dolor proporcionarán! No conocéis lo futuro. Os parece que es mucho el dolor que hay en el mundo *ahora.* Pero El que sabe, ve horrores que no los comprenderíais aunque os los explicase... ¡Ay de todos si no hubiera Yo venido! Vine a dar los que vendrán, leyes que frenen los instintos en los mejores y a dar una promesa de futura paz. ¡Ay del hombre si no hubiera venido a proporcionarle elementos espirituales propios para mantenerlo *"vivo"* en su espíritu, para que esté seguro de un premio!... Si no hubiera venido, la tierra con el andar de los siglos se hubiera convertido en un infierno y la raza humana se hubiera despedazado y habría perecido maldiciendo al Creador...»

«El Altísimo ha prometido que no enviaría más castigos universales, como el diluvio. La promesa de Dios no falla» replica Judas.

«Tienes razón. El Altísimo no enviará más flagelos universales como el diluvio [1], pero los hombres se crearán flagelos cada vez más atroces, respecto a los cuales el diluvio y la lluvia de fuego que destruyó Sodoma y Gomorra [2] no serán sino castigos misericordiosos. ¡Oh...!»

---

[1] Cfr. Gén. 6, 5 - 9, 17; Sab. 14, 5-6; Bar. 3, 24-28; 1 Pe. 3, 18-22.
[2] Gén. 18, 1-19, 29.

Jesús se pone de pie con un gesto compasivo por los hombres del futuro.

«¡Está bien! Tú lo sabes... pero entre tanto ¿qué vamos a hacer de éste?» pregunta Iscariote señalando al niño que feliz paladea su miel.

«A cada día su preocupación [3]. Mañana se sabrá. Preocuparse del mañana es vano si ni siquiera sabemos si estará vivo.»

«Yo no soy de tu parecer. Digo que sería necesario saber dónde iremos a estar, y dónde celebraremos la Cena. Tantas cosas. Si esperamos y esperamos, la ciudad se llenará de gente, ¿y a dónde podremos ir? A Getsemaní, no. A casa de José de Séforis, tampoco. A la de Juana, tampoco. Ni a la de Nique, ni con Lázaro. ¿Entonces dónde?»

«Donde el Padre prepare un refugio para su Verbo.»

«¿Crees que quiero saberlo para ir a informar?»

«Tú lo has dicho, Yo no dije nada. Ven, Shalem. Mi Madre sabe de ti, pero todavía no te ha visto. Ven, te voy a llevar con Ella.»

«¿Es que está enferma tu Madre?» pregunta Tomás.

«No. Ora. Tiene mucha necesidad de oración.»

«Sí. Sufre mucho. Llora mucho. Y Maria no tiene más que la oración que la consuele. Siempre he visto que ora mucho. En los momentos de grandes aflicciones vive de la oración, podría afirmarlo...» explica María de Alfeo, mientras Jesús se aleja llevando de la mano al pequeñuelo y del otro lado a Analia a quien invitó que lo acompañara.

[3] Proverbio que aparece en Mt. 6, 34.

46. El sábado anterior al ingreso en Jerusalén.
II. Peregrinos y judíos en Betania
(Escrito el 27 de marzo de 1947)

Amor o rabia impulsan a muchos de los peregrinos reunidos en Jerusalén, y aun de los mismos jerosolimitanos a venir a Betania sin esperar a que se ponga completamente el sol. Mejor dicho, ni siquiera ha comenzado a ponerse, que ya los primeros llegan a la casa de Lázaro. Este, a quien un siervo llamó, se queda sorprendido de la violación sabática, porque los primeros llegados son de los más intransigentes de los judíos, que dan una respuesta verdaderamente farisea: «Desde la Puerta de las Ovejas no se veía ya el disco del sol y entonces nos pusimos en camino, pensando que sin duda no habríamos sobrepasado la medida prescrita antes que el sol se hubiese ocultado detrás de las cúpulas del Templo.»

En la cara seca de Lázaro se dibuja una sonrisa irónica. Está sano, de buen aspecto, pero delgado. Les responde educadamente pero con algo de sarcasmo: «¿Qué queréis ver? El Maestro respeta el sábado. Está descansado. No se limita a no ver el disco del sol para pensar que el descanso ha terminado, sino que espera a que se haya ocultado el último rayo solar para decir: "El sábado ha terminado".»

«Sabemos que es perfecto. ¡Lo sabemos! Pero si nos equivocamos, mayor razón tenemos para verlo. Sólo lo necesario, para que nos absuelva.»

«Me desagrada, pero no puedo. El Maestro está cansado y descansa. No voy a perturbarlo.»

Hay peregrinos de muchos lugares que ruegan, que insisten por ver a Jesús. Con los hebreos están mezclados los gentiles y con ellos los prosélitos. Observan, ven a Lázaro de reojo, como si fuese un ser irreal. Lázaro soporta la molestia de una fama que no quiso. Pacientemente responde a quien le pregunta, pero no da órdenes a los siervos de que abran el cancel.

«¿Eres el resucitado?» le pregunta uno, que por el aspecto debe tener sangre mezclada. De hebreo no tiene más que la nariz más bien gruesa y caída. Su voz y su modo de vestir dicen que es extranjero.

«Lo soy, para dar gloria a Dios que me sacó de la muerte para que fuera siervo de su Mesías.»

«¿Pero de veras moriste?» preguntan otros.

«Preguntadlo a aquellos judíos principales. Vinieron a mi entierro y muchos de ellos estuvieron presentes cuando resucité.»

«¿Qué sentiste? ¿Dónde estuviste? ¿Qué recuerdos tienes? ¿Cuándo regresaste vivo, qué te pasó? ¿Cómo te resucitó?... ¿No se puede ver el sepulcro donde estuviste? ¿De qué moriste? ¿Te encuentras bien ahora? ¿No tienes más las señales de las llagas?»

Lázaro pacientemente trata de responder a todos. Si puede decir que está bien, que aun las señales de las llagas se han borrado después de varios meses, no puede responder lo que experimentó, ni cómo resucitó. Responde: «No lo sé. Me encontré vivo en mi jardín entre los siervos y mis hermanas. Cuando me quitaron el sudario vi el sol, la luz, sentí el hambre, comí, sentí el placer de la vida y sentí el gran amor que el Rabí tuvo por mí. Lo demás lo saben, mejor que yo, los que estuvieron presentes. Ved a aquellos tres que están conversando, y a aquellos dos que están llegando.» (Estos últimos son Juan y Eleazar, sanedristas, mientras los otros tres que conversan, son dos escribas y un fariseo que vi en la resurrección de Lázaro, pero cuyo nombre no recuerdo).

«A nosotros los gentiles no nos hablan. Vosotros, que sois judíos, id a preguntarles... Tú déjanos ver el sepulcro donde estuviste.»

Insisten tanto que cansan. Lázaro se decide. Dice algo a sus siervos y luego se dirige a la gente: «Id a aquella vereda que está entre este camino y mi otra casa. Os saldré al encuentro para llevaros al sepulcro, aun cuando no haya otra cosa que ver más que un hueco abierto en la roca.»

«¡No importa! ¡Vamos, vamos!»

«¡Lázaro, detente! ¿Podemos ir también nosotros? ¿O nos está prohibido lo que se permite a los extranjeros?» pregunta un escriba.

«No, Arquelao. Ven también tú, si el acercarte a un sepulcro no te contamina.»

«No, porque dentro no hay ningún cadáver.»

«Pero dentro estuve por cuatro días. Por cosas mucho menores se ha pensado en Israel que hay contaminación. Vosotros decís que queda inmundo el que rozó con su vestido un cadáver. Mi sepulcro todavía despide tufos de cadáver, no obstante que desde hace mucho ha estado abierto.»

«No importa. Nos purificaremos.»

Lázaro mira a los dos fariseos: Juan y Eleazar y les pregunta: «¿También vosotros queréis venir?»

«Sí.»

Lázaro va ligero hacia el lado que limitan los altos y compactos vallados como muros, abre un cancel que hay en ellos, sale la vereda que lleva a la casa de Simón, y hace señal a quienes lo esperan a que se acerquen. Los lleva al sepulcro. Un rosal en flor rodea la entrada, pero que de nada sirve para borrar el horror que sale de una tumba abierta. En la roca bajo el arco adornado del rosal, se lee: «¡Lázaro, sal afuera!»

Los enemigos las ven al punto y gritan: «¿Por qué mandaste esculpir esas palabras? ¡No debías haberlo hecho!»

«¿Por qué no? En mi casa puedo hacer lo que me plazca y nadie puede acusarme de haber querido esculpir sobre la roca las palabras del grito divino que me devolvió a la vida para que jamás se borrasen. Cuando estaré allí dentro, y no podré celebrar más el poder misericordioso del Rabí, quiero que el sol las lea nuevamente, y que las aprendan de los vientos los árboles, las acaricien los pajarillos y las flores, bendiciendo en mi lugar el grito del Mesías que me arrancó de la muerte.»

«¡Eres un pagano! ¡Un sacrílego! Blasfemas contra nuestro Dios. Festejas el sortilegio del hijo de Belzebú. ¡Ten cuidado, Lázaro!»

«Os recuerdo que estoy en *mi* casa y que estáis en *ella,* que nadie os invitó a venir, y que vinisteis por fines indignos. Sois peores que estos paganos, los cuales, empero, ven en el que me resucitó a un Dios.»

«¡Anatema! ¡Cual el Maestro, tal el discípulo! ¡Horror! ¡Vámonos! Lejos de esta cloaca impura. Corruptor de Israel, el Sanedrín tendrá presentes tus palabras.»

«Y Roma vuestros complotes. ¡Largaos de aquí!»

Lázaro, siempre bueno, se acuerda que es hijo de Teófilo, y los arroja como a una jauría de perros. Se quedan los peregrinos venidos de muchas regiones. Le piden, le ruegan, le suplican que les permite ver a Jesús.

«Lo veréis en la ciudad. Ahora no. No puedo.»

«¡Ah! ¿Viene a la ciudad? ¿De veras? ¿No mientes? ¿Aunque lo odian?»

«Va. Idos, tranquilos. ¿No véis como todos descansan dentro? No se ve a nadie, ni se oye una sola voz. Habéis visto lo que queríais: a mí, el resucitado, y el lugar de la sepultura. Ahora idos. Pero no hagáis que vuestra curiosidad sea estéril. Que el haberme visto, vivo, y prueba del poder de

Jesús, el Cordero de Dios y el Mesías santísimo, os lleve a todos al Camino. Porque lo deseo y estoy contento de haber resucitado, pues espero que el milagro pueda sacudir a los que dudan y convertir a los paganos convenciéndo a todos de que uno sólo es el Dios verdadero y uno sólo el verdadero Mesías: Jesús de Nazaret, el Maestro santo.»

La gente se va de mala gana. Pero si se va uno, vienen diez, porque la gente continuá llegando. Lázaro logra con la ayuda de algunos criados a echar a fuera a todos y a cerrar los canceles.

Al irse a retirar, ordena: «Tened cuidado que no fuercen las chapas o de que salten por arriba. Pronto se echará encima la oscuridad y tendrán que regresar a sus lugares» y al mismo tiempo ve que salen de un matorral de mirtos Eleazar y Juan: «¿Qué? No os había visto y pensaba...»

«No nos eches afuera. Nos metimos entre la espesura para que no nos vieran. Debemos hablar con el Maestro. Hemos venido porque sospechan menos de nosotros que de José y Nicodemo. No quisiéramos que nos viera *alguien*, fuera de ti y del Maestro. ¿Son de fiarse tus siervos?»

«En casa de Lázaro se acostumbra a ver y oir lo que agrada a su dueño y a *no saber para los extra*ños. Venid. Por esta vereda, entre estas dos vallas de verdor más negras que un muro.» Los conduce por el vericueto que hay entre la doble barrera impenetrable de bojes y laureles. «Quedaos aquí. Os traeré a Jesús.»

«¡Que nadie se percate!...»

«No tengáis miedo.»

Muy poco tienen que esperar. Por la vereda semioscura a causa de las ramas entrelazadas, aparece Jesús con su vestido blanco de lino. Lázaro se queda en el límite de la verdad como de guardia, o por prudencia. Eleazar le dice, mejor dicho, le hace señal de: «Ven aquí.»

Lázaro se acerca, mientras Jesús saluda a los dos que ante El se inclinan profundamente.

«Maestro y tú, Lázaro, escuchad. No apenas se esparció la voz de que habías venido y de que estás aquí, el Sanedrín se reunió en casa de Caifás. Todo lo que se hace es un abuso... Ha decidido...¡No te hagas ilusiones, Maestro! ¡Sé prudente, Lázaro! No os engañe la calma fingida, la aparente somnolencia del Sanedrín. Es algo fingido, Maestro. Fingen para atraerte y aprehenderte sin que la multitud se agite y se prepare a defenderte. Tu suerte está sellada y el decreto no se cambia. Que sea mañana o dentro un año, se llevará a cabo. El Sanedrín *nunca* olvida sus venganzas. Espera, sabe aguardar la ocasión propicia, pero ¡después!... También a ti, Lázaro, quieren quitarte de en medio, aprehenderte, suprimirte porque por tu causa muchos los abandonan para seguir al Maestro. Tú has dicho con palabras muy exactas que eres el testimonio de *su* poder. Y quieren destruirlo. Ellos saben que las multitudes pronto olvidan. Desaparecidos tú y el Rabí muchos entusiasmos se apagarán.»

«¡No, Eleazar! ¡Echarán llamas!» dice Jesús.

«¡Oh, Maestro! ¿Qué pasará si mueres? ¿Qué cosa hara que nuestra fe en Ti eche llamas, y aun cuando así fuere, si Tú estás ya muerto? Esperaba darte una alegre noticia y al mismo tiempo hacerte una invitación. Mi esposa pronto dará a luz el hijo que tu justicia hizo que floreciera, al poner la paz entre dos corazones sacudidos por la tempestad. Nacerá para Pentecostés. Quisiera pedirte que fueras a bendecirlo. Si entras bajo mi techo, todos los males desparecerán de él» pide Juan el fariseo.

«Desde ahora te doy mi bendición...»

«¡Ah, quieres venir a mi casa! ¡No me crees leal! ¡Lo soy, Maestro! Dios me está viendo.»

«Lo sé. Pero... no estaré ya más entre vosotros para Pentecostés.»

«Pero el niño nacerá en mi casa de campo.»

«Lo sé. Pero ya no estaré. Sin embargo tú, tu esposa, el que va a nacer y los que ya han nacido, tenéis mi bendición. Gracias por haber venido. Tornad ahora. Llévalos por la vereda que da al otro lado de la casa de Simón. Que nadie los vea... Yo regreso allá dentro. La paz sea con vosotros...»

47. El sábado anterior al ingreso en Jerusalén.
III. La cena en Betania [1]

La cena ha sido preparada en la sala blanca donde Jesús habló a las discípulas. Es un resplandecer de blancura y de plata en que ponen una nota menos nívea y fría los manojos de ramitas de manzano y peral o de otros árboles frutales, blancos como la nieve, pero con un tinte ligero de rosa que hace pensar como si hubiese quedado impreso sobre ellos el beso de una aurora lejana. Sobre las mesas hay jarras delgadas o gruesas de plata, lo mismo que sobre los cofres y coperas que hay a lo largo de las paredes de la sala. Las flores derraman por la sala su característico aroma de árboles frutales, de frescura, de amarguillo, de primavera limpia...

Lázaro entra en la sala al lado de Jesús. Detrás, dos en dos, o en grupo, los apóstoles. Los últimos en entrar son las hermanas de Lázaro con Maximino.

No veo a las discípulas, ni siquiera a María. Tal vez han preferido estarse en la casa de Simón junto a la Madre afligida.

Llega el crepúsculo. Un último rayo de sol besa la copa de algunas palmeras que están a unos cuantos metros de la sala, y la de un gigantesco laurel en que los pajarillos antes de dormir traban furiosa batalla. Más allá de las palmeras y del laurel, más allá de los rosales, de los jazmines, de las convalarias, de otras flores y de plantas aromáticas, el manchón blanco, teñido de un verde ligero, de las primeras hojas de un grupo de manzanos o perales que se han tardado en florecer, parece una nubecilla

[1] Cfr. Ju. 12, 1-11; Mt. 26, 6-13; Mc. 14, 3-9.

que se haya quedado trataba entre las ramas.

Al pasar Jesús cerca de un jarrón con ramas en flor observa: «Ya habían despuntado los primeros frutos. ¡Mira! Arriba hay florecillas, pero las de abajo ya se cayeron y la frutilla en ciernes se hincha.»

«Fue María quien las cortó. Llevó también a tu Madre. Se levantó muy temprano, me parece, por temor que un día más de sol hiciese caer las florecillas. Hace poco me enteré de este destrozo, pero no me causó enojo como lo tuvieron mis siervos campesinos. Antes bien pensé que es justo ofrecerte todas las bellezas de la creación, a Ti, Rey de todas las cosas.»

Jesús se sienta sonriente en su lugar y mira a María que junto con su hermana se apresura a servir como si fuese una sierva, ofreciendo las palanganas para la ablución y las toallas; después echa vino en las copas, coloca las fuentes llenas de alimentos en la mesa conforme los siervos las traen de las cocinas, o después de haberlas colocado sobre las coperas.

Naturalmente, que si las hermanas sirven cortésmente a todos los comensales, su atención está fija sobre todo en los dos seres más queridos: Jesús y Lázaro.

En un cierto momento Pedro, que come con mucho gusto, observa: «¡Mira! ¡Ahora caigo en la cuenta! Todos los platillos son como si estuviéramos en Galilea. Me parece... ¡Sí! Me parece estar en un banquete de nupcias. Pero aquí no falta el vino como faltó en Caná.»

María sonríe y echa en su copa vino ambarado y purísimo, sin decir algo.

Nuevamente Lázaro da la explicación: «Esta fue idea de mis hermanas, sobre todo de María: presentar una cena en que el Maestro tuviese la impresión de estar en su Galilea, una cena lo mejor que se pudiese...»

«Pero para hacer pensar en esto, se hubiera necesitado la presencia de María a la mesa. En Caná estuvo. Por Ella se hizo el milagro» observa Santiago de Alfeo.

«¡Qué vino debió haber sido!»

«El vino es símbolo de alegría y debería serlo también de fecundidad, siendo el vino jugo de la vid fecunda. Pero no me parece que haya fecundado gran cosa. Susana no tiene hijos» dice Iscariote.

«¡Oh, que si era un vino! Nos fecundó el espíritu...» dice Juan, soñador un poco, como cada vez lo hace cuando contempla en su interior los milagros que Dios ha obrado. Y concluye: «Fue por obra de una virgen... y quien lo gustó descendió en él influjo de pureza.»

«¿Y crees que Susana sea virgen?» le pregunta riendo Iscariote.

«No he dicho esto. Virgen es la Madre del Señor. Virginidad mana de todo lo que Ella realiza. Siempre me pongo a pensar que las cosas que se hacen por María tienen esa fuerza de virginidad...» y de nuevo sueña en algo, como si sonriera a alguna visión.

«¡Feliz muchacho! Creo que ni siquiera se acuerda ahora del mundo. Miradlo» dice Pedro señalando Juan que recostado sobre su lecho hace pedazos de pan sin comérselos.

También Jesús se voltea un poco para mirar a Juan que está en un ángulo del lado de la mesa que tiene forma de «U», y por lo tanto un poco detrás de la espalda del Señor que está en el centro del lado central. A su izquiera está Santiago su primo y a su derecha Lázaro. Después de Lázaro, Zelote, Maximino. Al lado de Santiago está el otro Santiago, hijo del Zebedeo y Pedro. Juan está entre Andrés y Bartolomé, luego Tomás que tiene en frente a sí a Judas, Felipe y Mateo. Tadeo está en el ángulo donde empieza la mesa larga y central.

Magdalena sale mientras su hermana pone sobre la mesa bandejas con flores de higuera, verdes ramos de peucédano, almendras frescas, fresas, que parecen mucho más rojas junto al color esmeralda pálido de los peucédanos y al lácteo de las almendras, pone también pequeños melones o fruta semejante... se parecen a los melones verdes de Italia meridional, y naranjas de color dorado.

«¿Se cosecha ya esta clase de frutas? En ninguna otra parte he visto maduras» dice Pedro con tamaños ojos, señalando las fresas y melones.

«Parte la trajeron de la ribera de más allá de Gaza donde tengo un huerto, parte de las terrazas solares que tengo encima de la casa, viveros de las plantas más delicadas que hay que proteger contra las heladas. Me enseñó a hacerlo un romano amigo mío... No me enseñó otra cosa buena que esto...» Lázaro se pone serio. Marta suspira... Vuelve pronto a ser el anfitrión a quien no agrada dar fastidio a sus invitados. «En las ciudades de Baia y Siracusa, y a lo largo del arco de Sibaris se acostumbra cultivar estas deliciosas frutas con este método, para que maduren antes de tiempo. Comed de las últimas frutas de los naranjales libios, y los primeros melones de Egipto cultivados en los solares, comed de las almendras blancas de nuestra patria, y de las habas tiernas, y los digestivos tallos de sabor de anís... Marta, ¿y el niño?»

«Está bien. María se llenó de emoción al recordar el Egipto...»

«Teníamos alguna que otra planta en el pobre huerto. Cuando hacía mucho calor metíamos los melones en el pozo del vecino, que era profundo y frío, y era un delicia comérselos por la noche... Todavía recuerdo... Tenía yo una cabra golosa que había cuidar bien porque se despachaba plantas y frutas tiernas...» Jesús ha dicho estas palabras con la cabeza un poco inclinada. La levanta y mira las palmeras moverse al contacto del viento nocturno: «Cuando veo esas palmas... Siempre que veo palmas me acuerdo de Egipto, de su tierra amarillenta y arenosa que el viento levanta tan fácilmente y de sus pirámides que parecían moverse en medio del aire enrarecido... los altos troncos de las palmeras... la casa donde... Pero es inútil hablar de esto. A cada hora su preocupación... Y con ella su alegría... Lázaro, ¡me darías alguna de esas frutas? Le quisiera llevar a María y Matías. No creo que Juana tenga.»

«No tiene. Ayer me decía que piensa sembrar de estas en Béter, construyendo para ello solares apropiados. Por ahora no te las doy. Recogí cuanto había y por algunos días no habrá maduras. Te las mandaré, o mejor, mándalas traer para el jueves. Prepararemos un hermoso canasto para los niños. ¿No es verdad, Marta?»

«Sí, hermano. Y pondremos también lirios de los valles que tanto agradan a Juana.»

Vuelve a entrar María Magdalena. Trae una jarra de delgado cuello, que termina en una especie como de hermoso pico. El alabastro es de un color amarillo-rojizo, como la piel de ciertas personas rubias. Los apóstoles la miran, pensando que tal vez haya traído algún raro manjar. María no va al centro, en medio de la «U» donde está su hermana. Pasa detrás de los lechos, va a colocarse entre el de Jesús y Lázaro y el de los dos Santiagos.

Destapa la jarra de alabastro, pone la mano bajo su boca, y sobre ella caen algunas gotas de un líquido que apenas si sale. Un fuerte olor a tuberosas y otras esencias, un perfume intenso y riquísimo se esparce por la sala. María no se contenta con lo poco que sale. Se inclina y rompe de un golpe el cuello de la jarra contra el saliente del lecho de Jesús. El delgado cuello cae al suelo esparciendo sobre los mármoles gotas perfumadas. Ahora sí que sale bastante alabastro.

María se pone a la espalda de Jesús y echa sobre su cabeza el bálsamo denso, lo extiende con las peinetas que se ha quitado, peina la cabellera de Jesús. Su cabeza rubio-rojiza brilla como si fuera de oro bruñido. La luz de la araña que los siervos prendieron, se refleja sobre como sobre un casco de bronce publido. El perfume es inebriante. Penetra por las narices, sube a la cabeza, y por su intensidad es como polvos de estornudar, extendido así sin medida.

Lázaro, con su cabeza vuelta hacia su hermana, sonríe al ver con qué cuidado unge y compone la cabellera de Jesús, entre tanto que no se preocupa de sus trenzas sueltas y que le llegan más abajo del cuello, cayendo sobre su espalda. También Marta mira y sonríe. Los demás hablan en voz baja y con diversas expresiones en sus caras.

Pero María no se ha cansado. Todavía queda mucho perfume en la jarra, y la cabellera de Jesús aun cuando sea espesa, está empapada. Entonces María repite lo que llevada de amor hizo un lejano atardecer. Se arrodilla a los pies del lecho, desata las correas de las sandalias de Jesús, saca sus pies, y metiendo sus largos dedos dentro de la jarra, saca lo más que puede de perfume, lo extiende, lo esparce sobre los pies desnudos, dedo por dedo, luego la planta, el calcañal, el tobillo, que descubre haciendo a un lado el vestido de lino, finalmente sobre el empeine, y repite lo mismo hasta que no encuentra más bálsamo en la jarra. La rompe contra el suelo y con las manos libres se quita las gruesas horquillas, se deshace rápida las pesadas trenzas, y el resto del bálsamo lo echa sobre los pies de Jesús.

Judas — que hasta ahora había estado en silencio contemplando con mirada impura a la hermosísima mujer y envidiosa al Maestro a quien ungía en la cabeza y en los pies — levanta su voz, *la única voz clara de protesta;* algunos de los otros habían mostrado un cierto descontento, pero sin mayor consecuencia. Judas, que se ha puesto de pie para ver mejor la unción de los pies, dice de mal modo: «¡Que derroche inútil y pagano! ¿Con qué motivo? ¡Y luego no se quiere que los jefes del Sanedrín nos critiquen de pecado! Esas acciones son propias de una cortesana lasciva y no dicen bien de la nueva vida que llevas, María. ¡Demasiado recuerdan tu pasado!»

El insulto es tal que todos se quedan pasmadísimos, de modo que unos se sientan sobre sus lechos, otros se ponen de pie a mirar a Judas, como si de pronto se hubiera hecho loco.

Marta se pone colorada. Lázaro de un brinco se pone en pie dando un fuerte golpe sobre la mesa. Grita: «En mi casa...» pero luego mira a Jesús y se refrena.

«¿Me miráis? Todos habéis murmurado en vuestro corazón. Ahora porque me convertí en eco vuestro y dicho claramente lo que pensabais, no me dais razón. Repito lo que he dicho. No quiero afirmar que María sea la amante del Maestro, pero sí digo que ciertos actos no son apropiados, ni a El ni a ella. Es una acción imprudente, y hasta injusta. Sí. ¿Qué motivo tuvo este desperdicio? Si ella quería borrar los recuerdos de su pasado, podía haberme dado esa jarra y el unguento. ¡Por lo menos era una libra de nardo puro! Y de gran valor. Lo habría vendido al menos por trecientos denarios, que es lo que vale un nardo de tal calidad. Habría dado el dinero a los pobres que nos asedian. Nunca faltan. Y mañana muchísimos serán los que en Jerusalén pedirán una limosna.»

«¡Es verdad!» asienten los demás. «Podías haber empleado una parte para el Maestro y la otra...»

María Magdalena está como si estuviese sorda. Continúa secando los pies de Jesús con la punta de su cabellera suelta, que con el unguento se ha hecho más pesada y más oscura que en la parte superior. Los pies de Jesús de color de marfil viejo están lisos y blandos, como se hubiesen cubierto de una nueva piel. María pone nuevamente las sandalias a Jesús. Besa los pies, sorda a todo, menos a lo que no sea su amor por Jésus.

El qual la defiende poniendole la mano sobre la cabeza cuando por vez postrera le besa el pie y dice: «Dejadla en paz. ¿Por qué la afligís y molestáis? No sabéis lo que ha hecho. María ha realizado en Mí una acción de deber y de amor. Siempre habrá pobres entre vosotros. Estoy ya para irme. Siempre los tendréis, pero no más a Mí. A ellos podréis darles un óbolo. A Mí, al Hijo del Hombre entre los hombres, no será posible tributarle ninguna honra, porque así lo quieren y porque le ha llegado su hora. El amor ha sido para María luz. Presiente que voy a morir y ha querido ungir mi cuerpo de antemano para la sepultura. En verdad os digo que donde será predicada la Buena Nueva se hará mención de este acto profético. Sí, en todo el mundo, durante todos los siglos. Quiera Dios hacer de cada hijo suyo una otra María que no se pone a calcular en precios, que no fomenta ningún apego, que no guarda ningún recuerdo aun el mínimo del pasado, sino que destruye y aplasta todo lo carnal y mundanal, y se rompe y se esparce, como hizo con el nardo y el unguento, por amor a su Señor. No llores, María. Te repito ahora aquellas palabras que dije a Simón el fariseo y a Marta tu hermana: "Todo te ha sido perdonado por que has sabido amar *totalmente*". Has elegido la mejor parte y no se te quitará. Quédate en paz, mi hermosa oveja a quien encontré nuevamente. Quédate en paz. Que los pastizales del amor sean en la eternidad tu alimento. Levántate, besa también mis manos que te absolvieron y han bendecido... ¡A cuántos han absuelto, bendecido, curado, hecho bien! Y sin embargo Yo os aseguro que el pueblo a quien he hecho tantos bienes está preparándose para torturarlas...»

Un silencio pesado se cierne sobre el aire impregnado del fuerte perfume. María, con los cabellos sueltos por detrás y por delante, besa la mano derecha de Jesús que le había alargado y no sabe separar de ella sus labios...

Marta, conmovida, se acerca a su hermana, le recoge los cabellos, se los trenza acariciándola, y extendiéndole el llanto por sus mejillas, tratando de secárselo...

Nadie tiene ganas de seguir comiendo... Las palabras de Jesús hacen a todos pensar.

El primero que se levanta es Judas de Alfeo. Pide permiso de retirarse. Santiago su hermano lo sigue, y así hacen Andrés y Juan. Se quedan los demás, que se han puesto de pie, para lavarse las manos en las aljofainas de plata que los siervos les presentan. María y Marta hacen lo mismo con el Maestro y Lázaro.

Entra un siervo y se inclina a decir algo a Maximino. «Maestro, me ha dicho él que hay algunos que quisieran verte. Dicen que vienen de lejos. ¿Qué hacemos?»

Jesús llama a Felipe, a Santiago de Zebedeo, a Tomás y les ordena: «Id, anunciad la Buena Nueva. Curad. Hacedlo en mi nombre. Anunciad que mañana subiré al Templo.»

«¿Estará bien decir esto, Señor?» pregunta Simón Zelote.

«Es inútil tenerlo oculto porque más que mis amigos, mis enemigos lo han esparcido en la santa ciudad. Id.»

«¡Uhm! Mientras lo sepan los amigos... se comprende. Pero ellos no traicionan. No sé como lo hayan logrado saber los demás.»

«Entre los muchos amigos hay siempre alguno que otro enemigo, Simón de Jonás. Son ya demasiados... y con toda facilidad se les acoge por tales. ¡Cuando pienso en lo que tuve que insistir y esperar!... Eran los primeros días y se era prudente. Después vinieron los deslumbradores triunfos y la cautela se perdió. ¡Y mal hecho! Pero esto sucede a todos los vencedores. Las victorias ofuscan el modo de ver las cosas, enflaquecen la prudencia en el obrar. Hablo de nosotros los discípulos, naturalmente, no del Maestro. El es perfecto. Hubiéramos quedado los doce no se debería temblar por traición alguna» dice desvergonzadamente Judas de Keriot.

La mirada que Jesús echa sobre el apóstol traidor es indescriptible. Una mirada de llamada y de dolor infinito. Pero Judas no la acepta. Pasando delante de las mesas se dispone a salir... Jesús lo sigue con la mirada y cuando lo ve que está ya a punto de irse le pregunta: «¿A dónde vas?»

«Afuera...» le responde evasivamente.

«¿Fuera de la habitación, o fuera de casa?»

«Afuera... Así, así... a caminar un poco.»

«No vayas, Judas. Quédate conmigo, con nosotros...»

«Han salido tus hermanos y también Juan con Andrés. ¿Por qué no puedo salir?»

«Tú no vas a descansar como ellos...»

Judas no responde y obstinado sale. Nadie habla, los que se han quedado esto es, Pedro, Simón, Mateo y Bartolomé se miran entre sí.

Jesús se ha levantado e ido a una ventana para seguir a Judas con la mirada y cuando lo ve salir de la casa con el manto ya puesto y dirigirse al cancel, que desde aquí no se ve, lo llama con fuerte voz: «¡Judas, espérame! Debo decirte una cosa.» Aparta suavemente a Lázaro que presintiendo que su Maestro sufría le había puesto su brazo en la espalda. Sale de la sala, detrás de Judas que ha seguido caminando, pero despacio. Lo alcanza a un tercio de distancia entre la casa y la valla del jardín, cerca de un bosquecillo de plantas de hojas gruesas que parecen de cerámica color verde oscuro con florecillas, cada una de las cuales es una crucecilla de pétalos pesados como si hubieran sido hechos de cera apenas amarilla, de un intenso aroma. No sé su nombre.

Jesús lleva a Judas detrás del bosquecillo y tomándolo del antebrazo con la mano, vuelve a preguntarle: «¿A dónde vas, Judas? Te ruego que te quedes aquí.»

«Tú que sabes todo, ¿para qué me lo preguntas? ¿Qué necesidad tienes de preguntar, Tú que lees en el corazón de los hombres? Sabes que voy a ver a mis amigos. No me das permiso de ir con ellos. Me buscan. Voy.»

«¡Tus amigos! ¡Tu ruina, deberías decir! A ella vas. A tus verdaderos asesinos vas. ¡No vayas, Judas! ¡No vayas! Vas a cometer un crimen... Tú...»

«¡Ah, tienes miedo! ¡Finalmente lo tienes! ¡Finalmente sientes que eres humano! ¡Que eres un hombre! ¡No más que eso! Porque sólo el hombre tiene miedo de la muerte. Dios no, porque sabe que no puede morir. Si te sintieses Dios, sabrías que no podrías morir y no deberías tener miedo. Porque Tú, ahora, ahora que sientes próxima la muerte, la temas como cualquier mortal, y buscas por todos los medios evitarla, y en todas las cosas ves un peligro. ¿Dónde está tu antigua audacia? ¿Dónde tus protestas de estar contento, de estar sediento por realizar el sacrificio? ¡No hay ni un eco de ellos en tu corazón! Creías que nunca llegaría esta hora, y por eso te hacías el fuerte, el generoso, decías cosas pomposas. ¡No eres menos de los que tachas de hipócritas! ¡Nos deslumbraste, y nos has desilusionado! ¡A nosotros que por Ti habíamos dejado todas las cosas! ¡A nosotros que por tu causa seremos objeto de odio! Tú eres la causa de nuestra ruina...»

«Basta. ¡Ve, ve! ¡No han pasado muchas horas desde que tu me dijiste: "Ayúdame a quedarme. ¡Defiéndeme!" Lo he hecho. ¿Y de qué ha servido? Dime una sola cosa, pero antes de decírmela, reflexiona bien. ¿Realmente quieres ir con tus amigos, los prefieres a Mí? ¿Es esta tu voluntad?»

«Sí. Lo es. No tengo necesidad de reflexionar, *porque desde hace tiempo no tengo que esta voluntad.*»

«Entonces vete. Dios no hace fuerza a la voluntad del hombre» y Jesús le vuelve las espaldas volviendo despacio adentro. Cuando está cerca de la casa levanta su cabeza atraído por la mirada que Lázaro le dirige desde el lugar donde estuvo antes. El pálido rostro de Jesús se esfuerza en sonreir al amigo fiel.

Entra en la sala donde los cuatro apóstoles están hablando con Maximino, entre tanto que María y Marta dirigen el trabajo de los siervos que vuelven a poner en orden la sala, quitando todo lo que sirvió para el banquete.

Lázaro, que había ido a la entrada a esperarlo, pasa su mano por la cintura de Jesús y pasando cerca de un siervo le dice: «Tráeme el rollo que está sobre la mesa de mi cuarto de trabajo.»

Lleva a Jesús a uno de esos amplios sofás que hay cerca de las ventanas para que se siente, pero Jesús sigue de pie, esforzándose en poner atención a lo que Lázaro le dice... pero es claro que su pensamiento está en otra parte, que su corazón está muy afligido. Y cuando cae en la cuenta de que lo están observando trata de sonreir.

El siervo vuelve con el rollo y Pedro, al ver que en esos pergaminos hay cosas que su cabeza no puede entender, se retira diciendo: «Hay ciertos alimentos que los pescados no pueden comer. Prefiero hablar con Maximino de plantas y agricultura.»

Marta continúa su trabajo. María, callada, escucha a Lázaro que señala al Maestro algunos puntos escritos, diciendo: «¿No gozó este pagano de una singular previsión? Más que muchos de nosotros. Tal vez si hubiese estado aquí, contigo como Maestro, hubiera sido uno de tus discípulos y de los mejores. Te habría comprendido como muchos de nosotros no lo sabemos. ¡Qué poema de admiración por Ti le habría sugerido su genio! ¡Cómo habrían sonado tus palabras que en espíritu luminoso, aunque pagano, hubiera recogido! ¡Tu vida descrita por una inteligencia clara, brillante! Nosotros no tenemos más escritores ni poetas. Naciste tarde. Cuando el egoísmo de la vida y la corrupción religioso-social han apagado en nosotros toda poesía y todo ingenio. Lo que nuestros sabios y profetas han escrito sin conocerte, no tienen eco en la voz de ningún seguidor tuyo. Tus predilectos, tus fieles, en su mayoría, son gente sin instrucción. Y los demás... No. No tenemos ya más shoelet [2] (escribo como oigo pronunciar la palabra) para transmitir a las

---

[2] Los hebreos llamaban así a los que hablaban en las reuniones. Los libros sapienciales fueron compuestos con las palabras de los shoelet. Respecto a la diferente pronunciación y transcripción de «Qohelet» Cfr. *La Sainte Bible... de... Jérusalem,* París 1956, p. 848, a.

multitudes tu sabiduría y tu figura. No los tenemos más porque falta el espíritu y la voluntad más que la capacidad de hacerlo. La parte, humanamente hablando, más selecta de Israel está sorda como una trompeta acabada, y no sabe cantar más las glorias y maravillas de Dios. Mi temor es que todo se pierda o venga cambiado, parte por incapacidad, parte por mala voluntad...»

«No sucederá esto. El Espíritu del Señor, cuando tomaré posesión de los corazones repetirá mis palabras y explicará su significado. Es el Espíritu de Dios el que habla por los labios del Cristo. Después... Después hablará directamente a los espíritus y les recordará mis palabras [3].»

«¡Ojalá fuese presto! Presto porque a tus palabras se les da menor atención y se les entiende menos. Me imagino que cual violento fuego que abrasa, así será el rugir del Espíritu de Dios para grabar en las mentes con fuerza, lo que no quisieron acoger, porque era bondadoso y suave. Pienso que el Espíritu abrasador quemará con sus llamas las conciencias tibias o tardas, escribiendo en ellas tus palabras. El mundo tendrá que amarte. El Altísimo lo quiere. ¿Pero cuándo será?»

«Cuando me habré consumido en el Sacrificio del amor. Entonces vendrá el Amor [4]. Será como la bella llama que se levantará de la víctima inmolada. Y no se apagará, porque no cesará el Sacrificio. Una vez que haya sido establecido, durará mientras la tierra exista [5].»

«Pero entonces... ¿Debes ser en realidad inmolado para que esto se realice?»

«Así es.» Jesús tiene la postura habitual de aceptar su suerte. Extiende los brazos con las manos vueltas hacia afuera, baja su cabeza, luego la levanta para sonreir a Lázaro afligido, y le dice: «Pero no será violenta cual un rugido la voz inmaterial del Espíritu de Amor, sino dulce como el amor, que es suave como el viento de nisán y sin embargo fuerte como

---

[3] Cfr. nota siguiente.

[4] Alusión a la efusión del Espíritu Santo en Pentecostés. Cfr. Hech. 2. Cfr. también Lc. 24, 29; Ju. 14, 26; 15, 26; 16, 5-15; Hech. 1, 5-8; 4, 31.

[5] Cfr. Hebr. 7, 1 - 10, 18; y sobre todo: 7, 20-28; 9, 11-14; 10, 11-18. Cfr. también CONCILIUM TRIDENTINUM, Sessio XXII, *Doctrina de ss. Missae Sacrificio*, cap. 1. *De institutione sacrosancti Missae sacrificii:* Denzinger, *Enchiridion symbolorum...*, n. 938-939. Que el Sacrificio eucarístico tenga por efecto ser lleno del Espíritu Santo o sus dones, lo afirma el Canon Romano y Ambrosiano: «Supplices te rogamus, omnipotens Deus, ut quotquot ex hac altaris participatione sacrosanctum (Filii tui: Romano) Corpus et Sanguinem (Domini nostri Iesu Christi: Ambrosiano) sumpserimus, omni benedictione caelesti et gratia rempleamur.» Finalmente por bendición celestial y gracia se debe realmente entender el Espíritu Santo, lo cual se desprende claramente de las Liturgias Orientales, las cuales en la oración correspondiente a la anteriormente citada dicen así: «Espíritu Santo, plenitud de Espíritu Santo». En igual sentido se expresa la Liturgia Bizantina, llamada de S. Juan Crisóstomo: «Manda a tu Espíritu Santo sobre nosotros y sobre estos dones que están sobre el altar... Y haz de este pan el precioso Cuerpo de tu Cristo... Y de lo que está en este cáliz, la preciosa Sangre de tu Cristo... Bendice... ambas dos santas especies, transformándolas por la virtud de tu Santo Espíritu... para que los que comulguen de ellas... *participen* del Espíritu Santo...» La Liturgia Etiópica, llamada de los Apóstoles, en vez de «participen del Espíritu Santo», dice: «plenitud del Espíritu Santo.»

la muerte. ¡El inefable misterio del Amor! El complemento y el completamento de mi ministerio. La perfección de mi ministerio de Maestro... No tengo miedo, como tú, de que se pierda algo. Antes bien te digo en verdad que arrojarán rayos de luz sobre mis palabras, y comprenderéis su espíritu. Me voy serenamente porque confío mi doctrina al Espíritu Santo [6], y mi espíritu a mi Padre [7].»

Inclina su cabeza pensativo, y después de haber colocado el rollo que había originado la conversación sobre una especie de mesa alta de ébano o de otra madera oscura, con engastes de marfil amarillento, que cuatro siervos trajeron de la habitación vecina donde Marta está poniendo en orden la vajilla de mayor valor, dice: «Lázaro, ven conmigo afuera. Tengo algo que decirte.»

«Al punto, Señor.» Lázaro se levanta de su asiento, sigue a Jesús al jardín en donde la oscuridad todavía e mientras que en el cielo tímidamente se proyecta la claridad que empieza a sonreir.

---

[6] Cfr. not. 4. Entre los numerosos documentos conciliares o pontificios, los cuales afirman que la doctrina revelada ha sido confiada al Espíritu Santo, baste recordar los diversos prólogos de los decretos tridentinos y la Constitución Dogmática I *Pastor aeternus* del Concilio Ecuménico Vaticano I (1870), cap. 4: «Neque enim Petri successoribus Spiritus Sanctus promissus est, ut eo revelante novam doctrinam patefacerent, sed ut, eo assistente, traditam per Apostolos revelationem seu fidei depositum sancte custodirent et fideliter exponerent» (Denzinger, *Enchiridion symbolorum...*, n. 1836).

[7] Cfr. Lc. 23, 46. Las palabras que el Evangelista cita son del Sal. 30, 6.

LA PASIÓN

1. Introducciones diversas:
I. «El Hijo de Dios y de la Mujer sin mancha fue visto como un gusano»
(Escrito el 10 de febrero de 1944)

Dice Jesús:

«Y ahora ven. Aun cuando estés esta noche tan agotada como quien está próximo a expirar, ven, que te llevaré a que veas *mis* sufrimientos. El camino que haremos juntos, será largo, porque ningún dolor se me perdonó: ni en la carne, ni en la mente, ni en el corazón, ni en el espíritu [1]. Los probé *todos*, los gusté, de todos me abrevé, hasta morir.

Si pusieses tu boca sobre mi labio, sentirías que todavía conserva la amargura de tánto dolor [2]. Si pudieses ver ahora mi Humanidad con su refulgente vestido verías qué fulgor mana de los miles y miles de heridas que cubrieron con un vestido de verdadera púrpura mis miembros despadazados, sangrientos, golpeados, atravesados por amor vuestro.

Ahora mi Humanidad resplandece. Pero hubo un día en que fue semejante a un leproso por los golpes y la humillación que recibió. El Hombre-Dios, que en Sí tenía la perfección de la belleza física, como Hijo de Dios y de la Mujer sin mancha, apareció entonces a los ojos de quienes lo miraban con amor, con curiosidad o con desprecio, un ser feo, un ''gusano'' como dice David, el oprobio de los hombres, el desecho de la plebe [3].

El amor por mi Padre y por sus hijos me llevó a que entregase mi cuerpo a quien lo golpeaba, a presentar mi rostro a quien lo abofeteaba y escupía, a quien pensaba que hacía una obra meritoria arrancándome los cabellos de la cabeza, de la barba, traspasando mi cabeza con las espinas, haciendo cómplice aun a la tierra y a sus frutos de los tormentos infligidos a su Salvador, dislocándome los miembros, dejando al descubierto mis huesos, arrancándome mis vestidos y causando a mi pureza la mayor de las torturas, enclavándome en un madero, levantándome como cordero degollado en los garfios del carnicero, aullando, alrededor de mi agonía, cual una manada de lobos hambrientos que al olor de la sangre se hacen más furiosos.

Acusado, condenado, muerto. Traicionado, negado, vendido. Abando-

---

[1] Los términos aquí empleados son cuatro: «carne, mente, corazón, espíritu». Corresponden a la división tripartita del hombre como se ve en 1 Tes. 5, 23; Hebr. 4, 12, y en muchos Santos Padres y Doctores espirituales.

[2] Expresión que debe entenderse como las que se usan todavía al decir que Jesús o la Virgen lloran y sufren por las culpas del hombre.

[3] Cfr. Sal. 21, 7. Este salmo mesiánico tiene que tenerse en cuenta en estas introducciones, como en el resto del volumen.

nado también de Dios [4] porque sobre Mí estaban los crímenes que había tomado. Me vi más pobre que un mendigo a quien los bandidos hubieran robado. No se me dejó ni siquiera mi vestido con qué cubriera mi amoratada desnudez de mártir. Ni siquiera después de muerto dejaron de insultarme y de herirme. Sumergido bajo el fango de todos vuestros pecados, arrojado hasta el fondo tenebroso del dolor, sin más luz del Cielo que respondiese a mi mirada de agonizante, y sin más voz que contestase a mi última súplica.

Isaías da la razón de tanto dolor: "Verdaderamente El tomó sobre Sí nuestros males y cargó nuestros dolores" [5].

¡Nuestros dolores! Sí, por vosotros los llevé. Para aliviar los vuestros, para darles dulzura, para anularlos, si me hubierais sido fieles. Pero no quisisteis. ¿Y qué alcancé? Me "mirasteis como un leproso, como a uno a quien Dios ha castigado" [6]. Y así fue. Sobre Mí estaba la lepra de vuestros pecados innumerables, estaba sobre Mí como un vestido de penitencia, como un cilicio [7]. ¿Cómo no fuisteis capaces de ver brillar a Dios en su infinita caridad a través de ese vestido que sobre su santidad y por culpa vuestra se había puesto?

"Fue traspasado por nuestras iniquidades, y molido por nuestros pecados" [8] dice Isaías que con su mirada profética vio al Hijo del hombre hecho todo un cuerpo amoratado para sanar el de los hombres. ¡Si sólo hubiesen sido heridas en mi carne!

Lo que más me heristeis fue mis sentimientos y mi espíritu. De uno y de otro hicisteis el hazmerreír y el blanco. Me golpeasteis, a través de Judas, en la amistad depositada en vosotros; en la fidelidad que esperaba de vosotros, a través de las negaciones de Pedro; en la gratitud por los beneficios que os había hecho, por medio de los que gritaron: "¡Muera!" pese a que los había curado de tantas enfermedades. Mi sentimiento y mi espíritu fueron el hazmerreír y blanco a través del amor, por la angustia infligida a mi Madre; por medio de la religión, al haber sido declarado blasfemo de Dios, Yo, que por amor a la causa de Dios, me había puesto en las manos de los hombres al encarnarme, padeciendo durante toda mi vida y entregándome a la ferocidad humana sin protestar, sin lamentarme [9].

Hubiera bastado dirigir una mirada a mis acusadores, jueces y verdu-

[4] Cfr. pág. 342, not. 3.

[5] Cfr. Is. 53, 4. Léase Isaías 52, 13 - 53, 12 y téngase presente en todo este capítulo. Cfr. también vol. 1, pág 468, not. 1.

[6] Cfr. Is. 53, 4.

[7] El vestido de duelo y penitencia, o cilicio, según la Biblia era una especie de saco ceñido a la cintura. Con él algunas veces se cubrían hasta los animales y altares. Cfr. Gén. 37, 28-35; 3 Rey. 21, 17-29; 4 Rey. 6, 24-31; 1 Par. 21, 1-17; Jud. 4, 8-16; 8, 4-8; 9, 1-10, 7; Sal. 34, 11-14; 68, 11-13; Is. 3, 16-24; Jer. 4, 5-8; 6, 22-26; 48, 34-39; 49, 1-6; Lam. 3, 8-11; Ez. 7, 15-27; 1 Mac. 2, 1-14; 3, 46-54; 2 Mac. 3, 13-23; 10, 24-26; Mt. 11, 20-24; Lc. 10, 13-15. El cilicio aparece, pues, en pasajes en que se habla de penitencia, o en los que se describen golpes, flagelos, dolores, acusaciones.

[8] Cfr. Is. 53, 5.

[9] Cfr. Is. 53, 7.

gos para reducirlos a ceniza. No lo hice porque quise voluntariamente cumplir el sacrificio. Como cordero, pues *soy* el Cordero de Dios [10] para la eternidad, me dejé llevar para ser despojado y matado y para hacer de mi Carne, vuestra Vida.

Cuando fui levantado estaba ya consumado de sufrimientos inimaginables. Comencé a murir en Belén al ver la luz terrenal tan diversa para Mí de la que vivía en el cielo. Continué muriendo en medio de pobreza, en el destierro, en la huida, en el trabajo, en la incomprehensión, en la fatiga, en la traición, en los cariños arrebatados, en los tormentos, en las mentiras, en las blasfemias. ¡Con esto me recompensó el hombre a quien vine a unir nuevamente con Dios!

María, mira a tu Salvador. Su vestidura no es blanca, ni su cabeza rubia. No tiene la mirada de zafiro que conoces. Su vestidura está roja por la sangre [11], está despedazada, cubierta de suciedades y salivazos. Su rostro está amoratado, turbado. Su mirada está cubierta con sangre, lágrimas. Te mira a través de ellas, a través del polvo que cubre sus párpados. ¿Ves mis manos? Son toda una llaga y esperan ser heridas.

Mírame, pequeño Juan, como me miró tu hermano Juan. En el paso que doy quedan huellas de sangre. El sudor diluye la sangre que brota de los golpes de los flagelos, sangre que empezó a brotar en la agonía del Huerto. Mis palabras salen de labios requemados de la sed, golpeados. Salen con dificultad.

De hoy en adelante me verás así con frecuencia. Soy el Rey del dolor y vendré a hablarte de mi dolor con mi vestido real. Sígueme pese a tu agonía. Compasivo como soy, pondré delante de tus labios, atormentados por mi dolor, también la miel perfumada de contemplaciones más tranquilas. *Sin embargo debes preferir éstas que saben a sangre, porque por ellas posees la Vida y con ellas a otros llevarás a Ella.* Besa mi mano que sangra y medita en Mí, tu Redentor.»

[10] Cfr. Is. 53, 7. Además: Ex. 12; Lev. 14; vol. 2°, pág 180, not. 6. Jesús es llamado «Cordero» en: Is. 61, 1 (según la interpretación de S. Jerónimo), Ju. 1, 29, 36; el Apocalipsis por los menos 30 veces (caps. 5, 6, 7, 12-15, 17,19, 21-22). La imagen del «Cordero» es una de las principales en la cristología juanina.

[11] Cfr. Is. 63, 1-6; Ap. 19, 11-16.

2. Introducciones diversas:
II. «Basta decir la verdad para ser odiado»
(Escrito el 13 de febrero de 1944)

[1] Dice Jesús:

«Mis ojos habían leído en el corazón de Judas Iscariote. Nadie debe pensar que la Sabiduría de Dios no haya sido capaz de comprender aquel

[1] El trozo que sigue aparece también en el vol 1°, cap 67.

corazón. Pero, como dije a mi Madre, él era necesario. ¡Ay de él porque fue el traidor! Pero era necesario un traidor [2]. Judas era doble, astuto, ambicioso, lujurioso, ladrón, inteligente, más culto que los demás, y había logrado imponerse sobre todos. Audaz, me allanaba el camino aun más difícil. Le gustaba entre otras cosas sobresalir y hacer resaltar su lugar de confianza que tenía cerca de Mí. No fue servicial por instinto de caridad, sino porque era de esos que en la actualidad llamaríais "fachendoso". Esto le valió tener la bolsa y acercarse a las mujeras. Dos cosas que amaba desenfrenadamente, además de la tercera: los puestos humanos.

Mi Madre, pura, humilde, que no amaba las riquezas terrenas, no podía menos de sentir asco por esa sierpe [3]. También Yo lo tenía . Yo, el Padre y el Espíritu Santo sabemos cuántos esfuerzos hice para poderlo soportar junto a Mí. En otra ocasión te lo explicaré.

Igualmente no ignoraba la hostilidad de los sacerdotes, fariseos, escribas y saduceos. Eran viejas zorras que buscaban atraerme hacia su cueva para despedazarme. Tenían hambre de mi Sangre. Dondequiera trataban de ponerme trampas para capturarme, para tener con qué acusarme, para quitarme la vida. Por tres años duró la asechanza y no se calmaron sino hasta cuando me vieron muerto. Aquella noche durmieron felices. La voz del que los acusaba se había callado para siempre. Así lo creían. Pero no. No estaba apagada. *Jamás lo será. Truena, truena y maldice a sus semejantes de ahora.* ¡Cuánto dolor sufrió mi Madre por su colpa! Y esa dolor no lo olvido.

No era cosa nueva que la gente fuese voluble. Es la bestia que lame la mano del domador si en ella tiene el látigo o si le ofrece un pedazo de carne para calmar su hambre, pero basta con que el domador caiga y no pueda usar más el látigo, o no tenga más que darle, que ella se arroja y lo desgarra. Basta con decir la verdad y ser bueno para que la gente lo odie a uno después de pasado el entusiasmo. La verdad es reproche y consejo. La bondad arranca el látigo y hace que los no-buenos no teman más. De esto surgió el "crucifige" después de haber gritado los "hosannas". Mi vida de Maestro se vio llena de estos dos gritos. Y el último fue el de "crucíficalo". El hosanna fue como el aliento que toma el cantante para dar un agudo. A mi Madre en la noche del Viernes Santo le pareció volver a oir los hosannas mentirosos, convertidos en gritos de muerte para su Hijo, y su corazón sintió un dolor sin nombre. También esto no lo olvido.

¡La fragilidad de los apóstoles qué grande fue! Llevé en mis brazos piedras que tiraban hacia la tierra, y que quería elevar al cielo. Aun aquellos que no pensaban ser ministros de un rey terrenal, como Judas Iscariote, no dejaban con todo, si la ocasión se presentaba, de desear la

---

[2] En el sentido que aparece en los Evangelios. Cfr. Mt. 18, 7; 26, 20-25; Mc. 14, 17-21; Lc. 17,1; 22, 21-23; Ju. 13, 21-30; y también vol 2°, pág. 644, not. 3.
[3] Cfr. vol. 4°, pág. 419, not. 6 y las notas allí alegadas.

gloria. Llegó el día que aun mi Juan y su hermano ambicionaron esta gloria [4], que os ofusca como un espejismo aun en las cosas celestiales, y que no es un santo anhelo por el Paraíso, *que quiero que tengáis*. Es un deseo humano de que vuestra santidad sea conocida. No sólo esto, *sino una cosa detestable de cambistas, de usureros, porque por el poco amor que dais a quien se le debe dar todo el ser, pretendéis un lugar a su derecha en el cielo.*

No, hijos, no. Antes hay que beber *todo* el cáliz que Yo bebí. Todo: con su caridad en lugar del odio, con su castidad contra los gritos de los sentidos, con su heroicidad en las pruebas, con su holocausto por amor de Dios y de los hermanos. Y después que se haya cumplido propio trabajo decir: "Somos siervos inútiles" y esperar a que mi Padre y vuestro os conceda, por su bondad, un lugar en su Reino. Es necesario despojarse, como viste que me despojaron en el Pretorio, de todo lo que es humano, quedándose sólo con lo indispensable, que es el don de la vida, y recordando que podéis ser más útiles a vuestros hermanos desde el cielo que en la tierra, en el cielo donde Dios os revistirá de la estola inmortal, lavada en la Sangre del Cordero».

[4] Leer nuevamente el cap. 38, pág. 260.

3. Introducciones diversas:
III. «Sufrí al ver sufrir a mi Madre»
(Escrito el 14 de febrero de 1944)

Dice Jesús:
«No he olvidado tampoco los dolores de mi Madre. Ella sabía que tenía Yo que sufrir, y esto la atormentaba, la anegaba en llanto. Por esto no le niego cosa alguna. Le he entregado todo. Ella sufrió lo indecible. Yo le do todo gozo.

Quisiera que cuando penséis en María, no olvidaríais su agonía que duró treinta y tres años, para terminar al pie de la cruz. Sufrió por vosotros y por vosotros soportó las burlas de la gentuza que la llamaba madre de un demente. Por causa vuestra soportó los reproches de los parientes y de personajes importantes. Por vosotros soportó mi aparente desconocimiento, cuando dije: "Mi Madre y mis hermanos son los que hacen la voluntad de Dios".

¿Y quién otro mejor que Ella la hacía, que estaba consciente de que le imponía el tormento de tener que ver a su Hijo en el suplicio? [1].

Por vosotros soportó las fatigas de buscarme aquí y allí. Por vosotros los sacrificios que tuvo que hacer al dejar su casita y tener que mezclar-

[1] Interpretación de Mt. 12, 46-50; Mc. 3, 31-35; Lc. 8, 19-21.

se entre la multitud, que tuvo que dejar su pequeño poblado y verse envuelta entre las tumultuosas calles de Jerusalén. Por vosotros se vió obligada a estar en contacto con el discípulo que fraguaba en su corazón el traicionarme. Por vosotros soportó el dolor de saber que se me acusaba de poseído. Todo, todo por vosotros.

No sabéis cuánto he amado a mi Madre. No comprendéis cuánto mi corazón haya sido sensible a los afectos. Creéis que mi tortura fue solamente física, o a lo más, pensáis en el tormento espiritual del abandono final de mi Padre [2].

No, hijos. También supe lo que son las pasiones [3]. Sufrí al ver sufrir a mi Madre, al tener que llevarla, como mansa ovejita al suplicio, al tener que despedirme varias veces de Ella, en Nazaret cuando iba a dar principios a la evangelización, en otras ocasiones, cuando mi pasión estaba ya cercana, momentos antes de la cena.

Sufrí al verme befado, odiado, calumniado, rodeado de curiosidad malsana que no se convertía en bien, sino en mal. Padecí las mentiras que oía, las mentiras que decían personas que estaban a mi lado. Las de los hipócritas fariseos que me llamaban Maestro, que me hacían preguntas no porque aceptaban mi inteligencia, sino para tenderme trampas; las de los que curé y las de los que se convirtieron en enemigos míos en la sala del Sanedrín, ne el Pretorio [4]; las de Judas que culminaron cuando con un beso de amistad me señaló a los soldados. Sufrí al ver a Pedro que mentía por temor humano.

¡Cúantas mentiras que me herían a Mí que soy la Verdad! ¡Y cuántas hoy en día se me dirigen! Afirmáis amarme, pero no es así. Tenéis mi Nombre en los labios, pero en vuestro corazón adoráis a Satanás y seguís una ley contraria a la mía.

Sufrí al pensar que ante el valor infinito de mi sacrificio, sacrificio de un Dios, muy pocos [5] se salvarían. Digo *todos, todos los que en el correr de los siglos han preferido o preferirán la muerte a la vida eterna, y este modo convierten mi sacrificio en algo estéril. A éstos los tuve presentes.* Y a sabiendas de ello me dirigí a la muerte».

[2] Cfr. pág. 342, not. 3.
[3] Cfr. vol. 1°, pág 405, not. 4; vol. 4°, pág. 629, not. 5.
[4] Cfr. Mt. 27, 27; Mc. 15, 16; Ju. 18, 28-33; 19, 9; Hech. 23, 35.
[5] Esta «poquedad» debe de entenderse, según el contexto, en comparación con el valor *indinito* del sacrificio del Hijo de Dios. Cfr. en el vol. 4°, Apéndice, igualmente Lc. 12, 32.

4. Introducciones diversas:
IV. «Era, soy el Hijo de Dios. Pero también el Hijo del hombre»
(Escrito el 15 de febrero de 1944)

Dice Jesús:

«Contemplaste los mis sufrimientos de mi agonía espiritual en la noche del jueves. Contemplaste a tu Jesús abatido como un hombre que ha sido herido a muerte y que siente que la vida se le escapa o como alguien que está horriblemente oprimido por un trauma síquico superior a sus fuerzas. Fuiste testigo de cómo iba aumentando esta agonía hasta llegar el momento en que sudé sangre, por el esfuerzo de vencerme y de resistir el peso que sobre Mí se me había impuesto.

Era, *soy* el Hijo del Dios Altísimo, pero también era el Hijo del hombre. A través de estas páginas quiero que aparezca nítida mi doble naturaleza.

Mi palabra da fe de mi divinidad. Las necesidades naturales, las pasiones, los sufrimientos que padecí en Mí mismo dan testimonio de mi Humanidad.

Tanto mi divinidad como mi perfectísima humanidad en el correr de los siglos, debido a "vuestra" humanidad imperfecta, no han sido bien comprendidas. Algunas veces se ha pensado que no tuve un cuerpo real, se le desfiguró, como se hizo también con mi divinidad, y esto o porque se quería sacar alguna ventaja de ello, o porque no podían inteligencias débiles comprender el misterio, pues se hallaban envueltas en las tinieblas del ateísmo, humanismo o racionalismo.

En esta ora, anunciadora de desventuras sin igual, quiero daros a conocer la doble naturaleza mía: de Dios y de hombre, para que la *reconozcáis,* para que la améis para que *por ella os salvéis.* Quien la conozca y ame se salvará.

En estos días te di a conocer mis sufrimientos físicos, que soportó mi humanidad. Te he dado a conocer mis sufrimientos morales que estaban tan entrelazadas íntimamente con los de mi Madre, como se entrelazan, se cruzan, las enredaderas de las selvas tropicales. No se puede cortar una rama, sin cortar otra. Algo así como no se puede sacar sangre de una sola vena, porque la sangre corre por todo el cuerpo. O si se prefiere la comparación, no se puede hacer morir a una madre que tiene en su vientre su hijo, sin hacer morir a éste.

Mi Madre me llevó no sólo por nueve meses, sino durante toda la vida. Nuestros corazones estaban unidos por fibras espirituales, siempre palpitaron al unísono. No hubo lágrima de mi Madre que no me hubiera mojado, y no hubo lamento mío que no hubiera encontrado un fortisimo eco en su corazón.

Os causa dolor enteraros que una madre sabe que su hijo está irremediablemente enfermo, que tiene que morir, o bien que otra madre sabe que su hijo está condenado a pena de muerte. Pensad en lo que habrá

341

sufrido mi Madre que desde que me concibió, supo que tenía Yo que ser condenado a muerte, que cuando besaba mis tiernos miembros de pequeño sabía que llegaría el momento en que serían destrozados por el flagelo. Pensad en mi Madre que habría muerto diez, cien, mil veces con tal de impedir llegara la hora en que Yo fuera un hombre adulto, la hora de mi inmolación [1]. Sin embargo Ella *sabía* que *debía* desear esa hora para aceptar la voluntad de Dios, para gloria de El, para beneficio del linaje humano. No existió una agonía más duradera, y terminada en un dolor más grande, que la que padeció mi Madre.

No existió un dolor más grande, más absoluto que el mío. Era Yo una sola cosa con el Padre. Me amaba desde la eternidad como sólo Dios puede amar. Encontraba en Mí sus complacencias, su gozo. Yo a mi vez lo amaba como solo un Dios puede amar, y al estar unido con El encontraba mi alegría divina. Las inefables relaciones entre el Padre y el Hijo no pueden explicarse ni siquiera con mis palabras, porque si son perfectas, no lo son vuestras inteligencias para poder comprender el profundo misterio que existe entre nosotros dos.

Pues bien, así como una avenida aumenta al chocar contra un digue, de igual modo sentía que aumentaba hora tras hora la severidad de mi Padre. Para dar testimonio de mi Persona a los hombres, que cerraban sus corazones e inteligencias para no creer, tres veces mi Padre abrió el cielo: en el Jordán, en el Tabor, y en Jerusalén poco antes de mi pasión [2]. Lo hizo no para consolarme, sino para los hombres. Quería El que lo expiara.

Muchas veces Dios muestra a los hombres algún siervo suyo para que se sientan atraídos por sus ejemplos, *pero también por sus dolores. Con éstos paga este siervo, comiendo el pan amargo del rigor de Dios, los consuelos y la salvación de sus hermanos. ¿O no es verdad? Las víctimas expiatorias han probado el rigor de Dios. Después viene la gloria, pero sólo después de que la Justicia se ha aplacado.* Mi amor, al contrario, a sus víctimas suele prodigarles besos. Yo sufrí, y supe por experiencia personal *que significa el que Dios lo mire a uno con rigor, que lo abandone a uno.* Suelo consumir a mis víctimas en un incendio de amor, *y no soy jamás ni severo con ellas, ni las abandono.*

Cuanto más se acercaba la hora de la expiación, tanto más sentía que mi Padre se alejaba [3]. Mi Humanidad se sentía menos sostenida por la

---

[1] Palabras que deben entenderse, desde el punto de vista del instinto maternal.

[2] Cfr. Mt. 3, 13-17; 17, 1-8; Ju. 12, 20-30.

[3] Acerca del Alejamiento o abandono espiritual hay que tener en cuenta los siguientes puntos al referirse a Jesús: 1) El Padre jamás abandonó realmente a su Hijo; 2) La divinidad del Hijo jamás abandonó efectivamente su santísima Humanidad; 3) el Espíritu Santo jamás se separó realmente del Hijo de Dios hecho Hombre; pero: 1) al haber sido enviado el Hijo de Dios, al haberse hecho como uno de nosotros, al convertirse en nuestra Cabeza por su infinito Amor (cfr. Mt. 10, 40; 18, 5; Hech. 9, 31-46; 2) al haber tomado sobre Sí nuestros pecados como si hubieran sido los suyos (cfr. Is. 52, 13-53, 12; 1 Ped. 2, 21-25); 3) al haberse hecho «pecado» según la fuerte expresión paulina (cfr. 2 Cor. 5, 21; Gal. 3, 13-14), concentrando en Sí todos los sufrimientos espirituales, síquicos y físicos debidos a los pecados de todos los tiem-

Divinidad, al sentir que el Padre se alejaba de ella, y de este modo sufría lo indecible.

Cuando Dios se aleja se siente el terror, se siente un ansia por la vida, se experimenta languidez, cansancio, tedio, y cuanto más profundo, tanto mayores son las consecuencias. Cuando es total se siente la desesperación. Y cuando alguien, porque Dios así lo quiere, prueba este alejamiento sin haberlo merecido, sufre mucho más porque el alma siente esta separación, así como es doloroso cuando se arranca un miembro del cuerpo. Es algo horroroso que sólo quien lo experimenta puede entenderlo. Yo lo probé. Todo tuve que probar para poder interceder por vosotros ante el Padre, aun por los momentos en que os parece llegar a la desesperación. Sé lo que significa decir: "Me encuentro solo. Todos me han traicionado. Todos me han abandonado. El Padre, Dios, no viene en mi ayuda".

Por este motivo realizo prodigios misteriosos de gracia en los corazones oprimidos por la desesperación, y *por esto pido a mis predilectos que beban de mi cáliz amargo que bebí*, para que al sentirse naufragar en el mar de la desesperación, *no rechacen la cruz que les ofrezco como áncora de salvación, para que se asgan a ella, y así pueda llevarlos al puerto de la bienaventuranza.*

¡Solamente Yo sé cuánto necesitaba del Padre en la noche del jueves! Mi alma agonizaba por el doble esfuerzo que tenía hacer al tratar de vencer los dos más grandes dolores que pueda un hombre soportar: la despedida de una madre sin igual, y la proximidad del amigo infiel. Dos heridas que me taladraban el corazón. Una con su llanto, la otra con su odio.

Me vi obligado a partir el pan con mi Caín. Tuve que tratarlo como amigo para que los demás no cayesen en la cuenta y evitar de este modo un crimen, que por otra parte era inútil, porque estaba ya escrito en el libro de la vida: mi santa muerte, y el suicidio de Judas. Dios no quería otras muertes. *Tan sólo mi sangre debía ser derramada.* Judas se ahorcó y entregó su sangre impura a Satanás, *sangre que no debía mezclarse, al caer sobre la tierra, con la sangre purísima del Inocente.*

Estas dos heridas hubieran sido bastantes para hacerme agonizar. Pero era Yo el que tenía que expiar, la víctima, el cordero. Este antes de ser inmolado sabe lo que duele la marca del hierro candente, los golpes, el trasquilo, ser vendido al matancero, para sentir al fin el frío del hierro que le corta la garganta. Debe dejar antes *todo*: su pastizal, su madre que lo crió, que lo alimentó, le dió calor, sus compañeros con quienes convivió. *Todo lo conocí y experimenté, Yo, el Cordero de Dios.*

pos y de todos los hombres, Jesús, en cuanto hombre, experimentó en lo íntimo de su ser el abandono divino, se sintió abandonado como si realmente lo hubiera sido, probó la pena devida a quien quiere y merece el abandono divino; 4) en medio de estas tinieblas espirituales y sensibles, de las que las tinieblas cósmicas no fueron sino imagen y tal vez el efecto, satanás mantuvo su palabra de tentar una y otra vez al Salvador (cfr. Lc. 4, 13), y descargó sobre El, según esta Obra, la peor de las tentaciones: la de la desesperación, la que Jesús venció, como había ya vencido las del desierto y otras tantas.

Por esta razón, al alejarse el Padre, llegó Satanás. Había venido al principio de mi misión a tentarme para que no la realizase. Ahora regresaba. Era su hora. La hora del odio satánico.

Multitudes de demonios había sobre la tierra para seducir los corazones, para ayudarlos a decidir mi muerte. Cada sinedrista tenía el suyo, lo mismo que Herodes, Pilatos, y todos los judíos que pidieron mi Sangre. También lo tenían los apóstoles, que los adormencía, mientras yo me debilitaba, que los preparaba para ser cobardes. Sin embargo hay que tener en cuenta el poder de la pureza. Juan, que era puro, fue el *primero* que se librò del influjo satánico, no me dejó, y me llevó a mi Madre.

Judas tenía a Lucifer y Yo lo tenía cerca. El en el corazón, Yo a mi lado. Eramos los dos personajes principales de la tragedia y Satanás se ocupaba personalmente de nosotros. Después de que empujó a Judas hasta el punto de que no podía retroceder, se volvió contra Mí.

Con su perfecta astucia me presentó los tormentos corporales con un realismo inimaginable. Ya había hecho las pruebas en el desierto. Con la oración lo vencí. *El espiritu se sobrepuso al temor que sentía la carne.*

Me presentó la inutilidad de mi muerte, el gozo de la vida, sin tener que ocuparme de hombres ingratos. Vivir rico, feliz, amado. Vivir para mi Madre, para no hacerla sufrir. Vivir para llevar a Dios a través de un largo apostolado a muchísimos hombres, los cuales, una vez que hubiera muerto, me habrían olvidado, mientras que si era un Maestro que enseñara no por tres años, sino por lustros y lustros, habrían terminado por absorber completamente mi doctrina. Sus ángeles me hubieran ayudado a seducir a los hombres. ¿No estaba Yo viendo que los ángeles de Dios no venían en mi ayuda? Después, Dios me habría perdonado al ver las multitudes de creyentes que le llevaría. También en el desierto me había tentado a poner a Dios en prueba con la imprudencia. Lo vencí con la oración. *El espíritu se sobrepuso a la tentación moral.*

Me presentó el abandono de Dios. Que el Padre no me amaba más. Que cargaba con todos los pecados del mundo. Que le causaba asco. Que se había ausentado, y me dejaba solo. Que me entregaba al ludibrio de una plebe feroz. Que no me concedía ni siquiera su consolación divina. Que estaría Yo solo, solo y solo. Que él, Satanás, estaría cerca de Mí. Que Dios y los hombres estaban lejos de Mí porque ya no me amaban. O bien me odiaban, o bien indiferentes. Entre tanto Yo oraba para cubrir con mi oración las palabras satánicas. Pero mi plegaria no subía hasta donde está Dios. Volvia a caer sobre Mí, como piedras lanzadas para lapidar a alguien. La plegaria que había sido para Mí una caricia del Padre, voz que llegaba hasta El, y a la que respondía con amor y palabras paternales, ahora estaba muerta: era inutil enviarla a un cielo que había cerrado sus puertas.

Fue entonces cuando probé la amargura del cáliz. *El sabor de la desesperación.* Esto era lo que pretendía Satanás: *llevarme a la desesperación para convertirme en esclavo. Vencí la desesperación y la vencí con mis propias fuerzas, porque quise vencerla.* Con solas mis fuerzas de Hombre. *No era más que el Hombre. No era más que un hombre, a quien Dios no ayudaba.*

Cuando Dios ayuda es fácil soportar aun el mundo como si fuera un juguete de niños. Pero cuando no, aun el peso de una flor produce cansancio.

Vencí la desesperación y a Satanás que es su origen para servir a Dios y daros a vosotros la vida. Pero saboré la muerte. No la muerte física del crucificado — no fue tan dolorosa — sino la muerte total, consciente, del luchador que cae después de haber triunfado con un corazón destrozado, con una sangre que se perdía por la herida de un esfuerzo superior a las fuerzas humanas. Y sudé sangre. *La sudé, sí, para ser fiel a la voluntad de Dios.*

Esta es la razón por la cual el ángel que me acompañó en mi dolor me habló de la esperanza de todos los que se salvarían por medio de mi sacrificio, como un bálsamo para mi agonía. Vuestros nombres. Cada uno de ellos fue como una inyección en mis venas que me dió fuerzas. Cada uno de vuestros nombres fue luz, vigor. *Durante las horas dolorosísimas, para no mostrar el dolor que soportaba como Hombre, para no desesperar de Dios y no decir que era muy severo e injusto con su Víctima, me repetía vuestros nombres. Os ví. Desde aquella hora os bendije. Desde aquellos momentos los he llevado en mi corazón.* Y cuando sonó el momento de que vinieseis a la tierra, quise estar presente a vuestra llegada, regocijándome al pensar que una nueva flor de amor había brotado en el mundo y que viviría para Mí.

¡Oh, benditos míos! ¡Consuelo mío cuando agonizaba! Mi Madre, mi apóstol, las mujeres piadosas estuvieron presentes cuando moría, pero también vosotros. Mis ojos agonizantes os miraron junto con el rostro adolorido de mi Madre, y los cerré gozoso porque habían visto que os salvaríais, que erais dignos del sacrificio de un Dios».

5. Introducciones diversas:
V. «No meditáis nunca en lo que me costasteis»
(Escrito el 16 de febrero de 1944)

Dice Jesús:

«Conoces ya todos los dolores que precedieron a mi pasión. Ahora te daré a conocer los dolores como fueron. Los que más llaman vuestra atención, aun cuando, a decir verdad, muy poco meditáis en ellos. No reflexionáis en lo que habéis costado, y en las torturas que os dieron la salvación.

Vosotros que os quejáis de una picadura, de un golpecillo, de un dolor de cabeza, no pensáis que Yo era todo una llaga, que esas llagas estaban envenenadas de muchas cosas, que las mismas cosas eran empleadas como tormento por su Creador porque torturaban al Dios-Hijo ya torturado sin respeto a Aquel que, Padre de la creación, las había hecho.

Pero las cosas no tenían culpa alguna. La tenía sólo el hombre, que se hizo culpable el día en que dio oídos a Satanás, allá en el paraíso terrestre. No tenían ni espinas, ni veneno, ni dureza sino hasta ese momento. Dios había elegido al hombre como a rey, lo había hecho a su imagen y semejanza, y llevado de su amor paternal no había querido que las cosas le hiciesen daño. Satanás tendió la trampa, primero en el corazón humano, y después vinieron el castigo por el pecado, los cardos y las espinas [1].

Ahora bien, Yo, el Hombre, tuve que padecer por causa de las cosas además que por las personas. Los hombres me insultaron y atormentaron, la cosas fueron sus instrumentos.

La mano que Dios hizo al hombre para que se distinguiera de los animales, la mano que Dios enseñó usar al hombre, la que no era más que el instrumento de la inteligencia humana, la parte que es tan perfecta, la que debería haber dado tan sólo caricias al Hijo de Dios, de quien sólo se habían recibido beneficios y favores, se rebeló contra el Hijo de Dios, le dio de bofetadas, tomó el flagelo, se convirtió en tenazas para arrancar los cabellos de la cabeza, la barba del rostro, en martillo para enclavar.

Los pies del hombre que hubieran servido solo para correr a adorar al Hijo de Dios, se hicieron veloces para ir a capturarme, para arrastrarme por las calles, para darme de puntapiés.

La boca del hombre que debería haber pronunciado sólo alabanzas y bendiciones al Hijo de Dios, borbotó blasfemias y mentiras, injurias y baba contra mi persona.

La inteligencia del hombre, signo de su origen celestial, no dejó ningun resquicio suyo para buscar algo con qué podría atormentarme. El hombre empleó todo su ser para atormentar al Hijo de Dios.

No dudó de pedir auxilio a la tierra para torturarme. Empleó las piedras como proyectiles para herirme, las ramas de los árboles para azotarme, las sogas para arrastrarme sin mirar que me cortaban, las espinas para que fueran mi corona, el hierro para que fuera mi azote, una caña para que fuera mi cetro, y las piedras flojas del camino para que no encontrase Yo un apoyo seguro a mis pies que se doblaban, y que debían seguir el camino que los conduciría hasta la cruz.

A los elementos terrenales se unieron los del cielo. El frío del alba hirió mi cuerpo agotado ya desde el huerto, el aire golpeaba mis heridas, el sol las quemaba y las esparcía con polvo o les echaba moscas, y ofuscaba mis ojos con sus resplandores.

A los elementos del cielo se unió lo que el hombre emplea para cubrirse: el cuero se convirtió en flagelo, la lana que es suave y dulce se adhirió a mis heridas, de modo que cualquier movimiento me producía un nuevo dolor.

[1] Cfr. Gén. 3.

Todo, todo sirvió para atormentar al Hijo de Dios. Lo que fue creado por El [2], en los momentos en que se convirtió en Hostia de Dios, se convirtió en su enemigo. Tu Jesús, María, no encontró ningún consuelo. Todas las cosas se volvieron contra Mí como serpientes venenosas.

En esto deberíais pensar cuando sufrís, y comparando vuestras imperfecciones con mi perfección, mis dolores con los vuestros, veréis que el Padre os ama más que a Mí en aquella hora, y por lo tanto deberíais amarlo con todo vuestro ser, como Yo lo amé pese a su severidad.»

[2] Cfr. Ju. 1, 1-5; Col. 1, 15-20; Hebr. 1, 1-3.

6. El adiós a Lázaro
(Escrito el 2 de marzo de 1945)

Jesús está en Betania. Ya es tarde. Un plácido atardecer de abril. Desde las grandes ventanas de la sala del banquete se puede ver el jardín de Lázaro que está en flor, como también el huerto que parece una nubecilla de ligeros pétalos. Perfume del nuevo verdor, perfume agridulce de flores de árboles frutales, de rosas y de otras más se mezcla, y entra a las habitaciones con el suave vientecillo que suavemente mueve las cortinas de las puertas, que mueve las llamas de las lámparas. Allí se funden los perfumes de nardos, convalarias y jazmines; y forman una esencia rara con los restos del bálsamo con que María de Mágdala ungió a Jésus cuyos cabellos que están un poco más oscuros.

En la sala están aún Simon, Pedro, Mateo y Bartolomé. Los demás tal vez han ido a otras ocupaciones.

Jesús se levanta de la mesa y mira un rollo de pergamino que Lázaro le ha presentado. María de Mágdala de aquí allá en la sala... como mariposa que se sientiese atraída por la luz. No sabe más que volverse hacia Jesús. Marta tiene cuidado de los criados que recogen la preciosa vajilla, que hay sobre la mesa.

Jesús coloca el rollo sobre un aparador con cuñas de marfil en la brillante madera negra y dice: «Lázaro, ven. Tengo que decirte algo.»

«Voy, Señor.» Lázaro se levanta de su asiento que está cerca de la ventana, sigue a Jesús hacia el jardín en que los últimos rayos del día se mezclan con los clarísimos de la luna.

Jesús va más allá del jardín, donde está el sepulcro en que fue enterrado Lázaro, y sobre el que ahora hay un rosal. Sobre la roca, un poquitín inclinada, está esculpido: «¡Lázaro, sal fuera!» Jésus se detiene ahí. La casa no se ve ya. Está oculta entre árboles y cercados. Se siente un silencio completo. Se siente una soledad absoluta.

«Lázaro, amigo mío» pregunta Jésus de pie ante su amigo, a quien mira con un dejo de sonrisa en un rostro enflaquecido y pálido más de lo sólito. «Lázaro, amigo mío, ¿sabes quién soy?»

«Eres Jésus de Nazaret, mi amado Jesús, mi santo Jesús, mi poderoso Jesús.»

«Eso para ti. Pero para los demás ¿quién soy?»

«Eres el Mesías de Israel.»

«¿Y qué más?»

«El Prometido, el Esperado... ¿Por qué me lo preguntas? ¿Dudas de mi fe?»

«No, Lázaro, sino es que quiero confiarte algo. Nadie fuera de mi Madre y de uno de mis discípulos, lo sabe. Mi Madre porque no ignora nada. El discípulo mío porque es partícipe de esta cosa. Lo he dicho a los demás una otra vez, pero su amor no los ha hecho comprender y les ha servido de nepentes [1] y de valla... Y es mejor que no lo hayan comprendido para evitar un crimen. Por otra parte inútil, porque lo que debe suceder, deve serlo [2]. Yo quiero decirte ahora esto.»

«¿Dudas que te ame menos que ellos? ¿A qué crimen te refieres? ¿Qué crimen va a cometerse? En nombre de Dios ¡habla!» Lázaro está excitado.

«Voy a decírtelo, claro. No dudo que me ames. Tanto es así que te voy a depositar en ti mi última voluntad...»

«¡Oh, Jesús! Esto lo hace quien está próximo a la muerte. Yo lo hice quando conprendí que no vendrías, y que yo tenía que morir.»

«Lo mismo Yo.»

«¡Nooh!» Lázaro lanza un profundo gemido.

«No grites. Que nadie nos aiga. Quiero hablarte a solas. Lázaro, amigo mío, ¿tienes idea de lo que sucede en estos momentos en que estamos juntos, en esta intimidad de amigos, que nunca ha sido turbada? Un cierto tipo, con otros iguales a él, están contratando el precio con que comprarán o venderán al Cordero. ¿Sabes cómo se llama el Cordero? Se llama Jesús de Nazaret.»

«¡Nooh! Es verdad que tienes enemigos, pero nadie puede venderte. ¿Quién?... ¿Quién es?»

«Uno de los míos. Uno que ha pensado ser uno de los que engañé, y que cansado de esperar, ha querido librarse de quien para él no representa sino un peligro personal. Piensa que puede recobrar una antigua estimación ante los grandes del mundo. Sin embargo el mundo de los buenos lo despreciará, como él de los malos. Se ha cansado de Mí, se ha cansado de esperar la grandeza humana que primero buscó en el Templo, que pensó conseguir con el Rey de Israel por todos los medios, cosa que nuevamente buscó en el Templo y ante los romanos por todos los medios... Espera... Pero Roma, si sabe premiar a sus fieles servidores... sabe también aplastar bajo sus pies a los denunciantes cobardes. El traidor está cansado de Mí, cansado de su espera, de la carga que es ser bueno. Para

---

[1] Nepentes, medicina mitológica, que sumergida en vino, tendría la virtud de destruir cualquier tristeza.

[2] Cfr. pág. 338, not. 2.

quien es malo, ser, *deber fingirse* ser bueno, es un peso intolerable. Se puede soportar por algún tiempo... y luego... no se lo tolera... y se libra uno él para estar más libres. ¿Libres? Así lo piensan los malvados... También él lo cree. Pero no es libertad. *El ser de Dios es libertad* [3]. Estar contra Dios es prisión de cepos y cadenas, de argollas y latigazos, como ningún galeote condenado al remo, como ningún esclavo a trabajos forzados la soporta bajo el azote del carcelero.»

«¿Quién es? Dímelo. ¿Quién es?»

«De nada sirve.»

«Sí que sirve... ¡ah!... No pueda ser sino él, ese que siempre ha sido una mancha de tu grupo, el que hace poco ofendió a mi hermana. ¡Es Judas de Keriot!»

«No. Es Satanás. Dios se hizo hombre en Mí: Jesús. Satanás ha tomado carne en él, en Judas de Keriot [4]. Un día... hace mucho tiempo... en este jardín tuyo, consolé unas lágrimas y excusé a un alma sumida en el fango. Dije que la posesión es el contagio de Satanás que inocula su veneno en el ser y lo desnaturaliza. Dije que es la unión de un espíritu con Satanás y el instinto animal. Pero la posesión es poca cosa respecto a la encarnación. Mis santos [5] me llegarán a poseer, y Yo a ellos. *Pero sólo en Jesucristo está Dios como está en el Cielo porque Yo soy el Dios hecho carne.* Una sola es la Encarnación divina. De igual modo en *uno* solo estará Satanás, Lucifer, así como está en su reino, porque sólo en el asesino del Hijo de Dios Satanás se ha encarnado. En estos momentos en que te estoy hablando, él está ante al Sanedrín, y trata y se empeña en que me maten. Pero no es él, es Satanás. Lázaro, fiel amigo, escucha. Te voy a pedir algunos favores. Nunca me has negado ninguno. Tu amor ha sido tan grande que, sin faltar jamás al respeto, ha sido siempre diligente por lo que a mi respecta, y se ha manifestado de muchas maneras, con ayudas solícitas, con consejos prudentes, que siempre acepté porque vi en tu corazón un *verdadero* deseo por mi bien.»

«¡Oh, Señor mío, mi alegría era pensar en Ti! ¿Qué otra cosa puedo hacer sino preocuparme por mi Maestro y Señor? ¡Muy poco, muy poco me has permitido que hiciera yo por Ti! Te soy muy deudor pues devolviste a mi corazón y a la honra a María, y a mí a la vida... Oh, ¿por qué me mandaste llamar de la muerte para que viviese esta hora? El horror de la muerte, toda la angustia de mi alma, que tentó Satanás en el momento en que iba a presentarme ante el Juez eterno, ya lo había vencido... ¡fue una oscuridad!... ¿Qué te pasa, Jesús? ¿Por qué te estremeces? ¿Por qué

---

[3] Cfr. 2 Cor. 3, 17.

[4] Esta «encarnación» de Satanás en Judas se compara, en el contexto, con la Encarnación de Dios en Jesús. Pero el parangón no se basa en una estrecha igualdad, sino en una cierta y vaga *semejanza*. Que Satanás se haya apoderado en tal forma de Judas, que llegó a formar «una sola cosa» con el traidor, *explícitamente* se lee en Lc. 22, 3 y Ju. 6, 70-71 y 13, 27. Piénsese en lo que Jesús, según Ju. 6, 70, dijo: «Y con todo *uno de vosotros* (Apóstoles) *es un demonio*». Cfr. también vol 4°, pág. 419, not. 6, y las notas allí alegadas.

[5] Los santos, los justos tienen a Dios en sí al tener la caridad heroica, y al mismo tiempo, a Dios-Jesús los posee porque son de El.

palideces más de lo que estabas antes? Tu rostro está más pálido que esta blanca rosa que se marchita bajo los rayos de la luna. ¡Oh, Maestro! Parece como si la sangre y la vida se te fueran acabando...»

«En realidad me siento como uno que muere con las venas abiertas. Toda Jerusalén, esto es "todos mis enemigos entre los poderosos de Israel" se ha prendido de Mí con sus ansiosas bocas y me extrae la vida y la sangre. Quieren que deje de oirse la Voz que por tres años los ha castigado pero sin dejarlos de amar;... porque cada palabra mía, aun cuando era una palabra de amor, era una sacudida para que sus almas despertasen, y no quisieron hacer caso a su alma, porque la han amarrado con la triple sensualidad. ¡Y no sólo los grandes!... Sino que toda Jerusalén está para ensañarse contra el Inocente y pedir su muerte... y con Jerusalén la Judea... con esta, Perea, Idumea, Decápolis, Galilea, Sirofenicia; todo, todo Israel reunido en Sión para el "Paso" [6] del Mesías de esta vida a la muerte... Lázaro, tú que estuviste muerto y fuiste resucitado, dime ¿qué cosa es morir? ¿Qué sentiste? ¿De qué te acuerdas?»

«¿Morir?... No recuerdo exactamente qué fue. Después de los grandes sufrimientos, me sobrevino una fuerte languidez... Me parecía que no sufría más, y que tenía sólo un profundo sueño... La luz, los ruidos se hacían cada vez más débiles, más lejanos... Dicen mis hermanas y Maximino que daba muestras de que sufría mucho... Pero yo no me acuerdo...»

«Entiendo. *La compasión del Padre amortigua en los agonizantes su capacidad de comprender de modo que sufran sólo en el cuerpo, que debe purificarse con este prepurgatorio que es la agonía.* Pero Yo... ¿Y qué te acuerdes de la muerte?»

«Nada, Maestro. Tengo un vacío en el espíritu. Una oquedad en la mente. He experimentado en mi vida una interrupción que no sé cómo llenarla. No tengo recuerdos. Si mirase en el fondo de esa negra entrada donde estuve por cuatro días, aun cuando fuese de noche, y plena sombra [7], sentiría, aunque no viera, el frío húmedo que sale de sus entrañas y me daría en la cara. Lo cual es ya una sensación. Pero si recuerdo estos cuatro días, no tengo nada. *Nada.* Es la palabra propia.»

«Entiendo. Los que regresan no pueden decir... El misterio se revela poco a poco a quien entra ne él. Pero Yo, Lázaro, *sé* lo que voy a sufrir. Sé que sufriré con *pleno* conocimiento. No habrá bebidas ni languidez que suavicen mi agonía para que sea menos atroz. *Me sentiré morir.* Ya lo estoy sintiendo... Ya estoy muriendo, Lázaro. Como un enfermo que no tiene remedio, he estado muriendo en estos treinta y tres años. Y tanto más se ha acercado la muerte, cuanto más llegaba el momento de esta hora. Al principio era el morir de saber que había nacido para ser Re-

---

[6] Cfr. Ex. (según la Vulgata) 12, 11 y vol 2° pág. 180, not. 6.

[7] Los textos bíblicos que precedieron a la «luz completa» que trajo Jesús al haberse encarnado y sobre todo con haber vuelto a abrir las puertas del cielo, representan frecuentemente la muerte como tinieblas densas o como sombra. Cfr. Jb. 3, 1-10; 10, 18-22; 12, 11-25; 24, 13-17; 28, 1-12; 34, 10-26; Sal. 22, 4; 43, 18-20; 87, 7-8; 106, 10-14; Is. 9, 1-7; Jer. 13, 15-17; y también Mt. 4, 12-17; Lc. 1, 67-79.

dentor, después el de quien se ve combatido, acusado, befado, perseguido, obstaculizado... ¡Qué cansancio!... El morir por tener a mi lado, siempre más cerca, hasta tenerlo asido a Mí, como un pulpo ase a un náufrago, al traidor. ¡Qué náusea! Ahora voy a morir con la angustia de tener que decir "adiós" a los amigos más queridos, y a mi Madre...»

«Oh, Maestro, ¿estás llorando? Sé que lloraste aun delante de mi sepulcro porque me amabas. Pero ahora... Lloras de nuevo. Estás helado completamente. Tienes las manos frías como un cadáver. Sufres. Sufres demasiado...»

«Soy el Hombre, Lázaro. No sólo Dios. Del hombre poseo su sensibilidad y sus afectos. Mi alma se angustia al pensar en mi Madre... Y con todo, te lo aseguro, que esta tortura mía se ha hecho *monstruosa* al tener que soportar la cercanía del traidor, el odio satánico de todo un mundo, la sordera de aquellos que si no odian, tampoco aman valientemente, porque para hacerlo así es necesario llegar a ser como el amado quiere y enseña... Muchos me aman, es verdad, pero siguen siendo "ellos". No han cambiado *su modo de ser* por mi amor. ¿Sabes quién entre mis más íntimos ha sabido transformarse para llegar a ser mi posesión, como Yo anhelo? *Sólo* tu hermana María. Partió de una animalidad *completa* y pervertida para llegar a una espiritualidad angelical. Y esto por la única fuerza que es el amor.»

«Tú la redimiste.»

«*A todos* he redimido con mi palabra. Pero *sólo ella* se ha transformado totalmente, a causa de su gran amor. Bien te decía antes, que mi sufrimiento es monstruoso con todas estas circunstancias que anhelo se realicen. Mis fuerzas se van doblando... Será menos pesada la cruz que esta tortura de mi espíritu y de mi corazón...»

«¿La cruz? ¡Nooo! ¡Oh, no! ¡Es demasiado atroz! ¡Demasiado infamante! ¡No!» Lázaro que está parado y que tiene entre sus manos las heladas de Jesús, las suelta, se dobla sobre el asiento de piedra, se cubre la cara entre las manos y llora desconsoladamente.

Jesús se le acerca, le pone una mano sobre la espalda que se sacude con los sollozos: «¿Y qué? Yo que tengo que morir ¿debo consolarte a ti que seguirás viviendo? Amigo, tengo necesidad de fuerzas y de ayuda. Te lo pido. Nadie fuera de ti me puede hacer ese favor. Es mejor que los otros no lo sepan, porque si lo supiesen... correría sangre, y no quiero que los corderos se conviertan en lobos, ni siquiera por amor al Inocente. Mi Madre... ¡oh, que angustia hablar de Ella!... Está muy angustiada ya. También es una agonizante casi sin fuerzas... Hace treinta y tres años que también está muriendo; y ahora es toda una llaga como si hubiera sido víctima de un atroz suplicio. Te juro que han combatido entre sí mi mente y mi corazón, mi amor y mi razón para decidir si era justo alejarla, hacer que volviese a su casa donde siempre recuerda al Amor que la hizo Madre, donde percibe el sabor de su beso de fuego, donde se extasía con ese recuerdo, y con los ojos de su alma ve que el aire se mueve y resplandece al brillo angelical. En Galilea la noticia de mi muerte lle-

351

gará casi en el momento en que podría decirle: "¡Madre, soy el Vence-dor!" Pero no puedo, no puedo hacerlo. El pobre Jesús cargado con los pecados del mundo [8] tiene necesidad de un consuelo, y Ella me lo dará. El mundo, aún más pobre, tiene necesidad de *dos* víctimas. *Porque el hombre pecó junto con la mujer; y la Mujer debe redimir, como el Hombre redime* [9]. Pero mientras no suene la hora, a mi Madre le doy sonri-sas... Ella tiembla... lo sé. Siente que se acerca la tortura. Lo sé. Por natu-ral asco y por santo amor la rechaza, así como rechazo la muerte, por-que soy un ser que "vive" pero que debe morir. ¡Qué terrible sería, si su-piese que será dentro de cinco días!... No llegaría viva a esa hora, y Yo quiero que esté viva para sacar de sus labios fuerzas, como de su seno saqué la vida. Dios la quiere en mi calvario para mezclar su llanto virgi-nal con el vino de la Sangre divina y celebrar la primera Misa. ¿Sabes lo que será esto? No. No lo sabes. No puedes saberlo. Será mi muerte apli-cada para siempre al género humano viviente, o purgante [10]. No llores, Lázaro. Ella es fuerte. No llora. Ha llorado desde que se convirtió en Madre. Ahora no llora más. Ha enclavado sobre su rostro la sonrisa... ¿Has visto qué rostro presenta en estos últimos días? Se la ha enclavado para consolarme. Te ruego que imites a mi Madre. No pude guardar Yo solo al secreto. Volví mis ojos a mi alrededor en busca de un amigo sin-cero y seguro, y encontré tu mirada leal. Me dije: "A Lázaro se lo des-cubriré". Cuando tenías una pena en tu corazón, respeté tu secreto, y me abstuve de preguntártelo. Te pido igual respeto para el mío. Después... después de mi muerte, lo dirás. Dirás esta conversación. *Para que se se-pa que Jesús marchó consciente a la muerte, y al tormento que sabía que le esperaba, junto el de no haber ignorado nada, ni de las personas, ni de su destino. Para que se sepa que mientras aún podía salvarse no lo quiso, porque su amor infinito por los hombres ardía en comsumar el sacrificio por ellos.*»

«¡Oh, sálvate, Maestro, sálvate! Te puedo ayudar a que huyas. Esta misma noche. ¡Una vez huiste a Egipto! Huye de nuevo ahora. Partamos. Tomamos a tu Madre y a mis hermanas. Sabes que nada de mis riquezas me atrae. Mi riqueza, como la de Marta y María, eres Tú. Partamos.»

«Lázaro, en aquella ocasión huí porque no había llegado mi hora. Aho-ra está ya a la puerta. Y me quedo.»

«Entonces voy contigo. No te abandonaré.»

«No. Tú te quedarás aquí. Ya que hay permiso para que quien esté dentro de los límites de una caminata en día de sábado pueda consumar el cordero en *su casa*, entonces tú, como de costumbre, lo comerás

---

[8] Cfr. Is. 52, 13 - 53, 12; 2 Cor. 5, 21; Gal. 3, 13.

[9] Cfr. Lc. 2, 33-35.

[10] Estas palabras traen a la memoria algunos pasajes de los caps. 1 y 2 del Decreto sobre el Sacrificio eucarístico del Conc. Tridentino: «... *sacrificium, quo cruentum* illud semel *in cruce* peragendum repraesentaretur eiusque memoria in finem usque saeculi permaneret, atque illius salutaris virtus in remissionem eorum, quae a nobis quotidie committuntur, peccato-rum *applicaretur...* non solum pro fidelium *vivorum* peccatis... sed et pro *defunctis* in Christo...» (Denz. Enchiridion symbolorum..., n. 938 et 940, y en diversos lugares).

aquí [11]. Sin embargo, deja que vengan conmigo tus hermanas... para que estén con mi Madre... ¡Qué cosas te ocultaban, oh mártir, las rosas del amor divino! ¡El abismo! ¡El abismo! De éste salen ahora y se arrojan las llamas del Odio para morderte el corazón. Las hermanas, sí. Son fuertes y valorosas... mi Madre será un ser agonizante, doblegado sobre mi mortaja. No basta Juan. El ama. Pero todavía no es perfecto. Lo será al hacerse hombre adulto en medio de la angustia de los días que están por venir. Pero mi Madre tiene necesidad de mujeres para sus horribles heridas. ¿Las dejas ir?»

«Todo, todo te lo he dado con alegría. ¡Sólo me dolía que te conformaras con tan poco!»

«Lo ves. De ningún otro he aceptado cosa alguna más que de mis amigos de Betania. Esta fue una de las acusaciones que injustamente él me hizo más de una vez. Pero hallaba aquí, entre vosotros, tanto consuelo para consolar *todas* mis amarguras de hombre. En Nazaret era el Dios que se consolaba con la única Delicia de Dios. Aquí era Yo el hombre. Y antes de subir al patíbulo, te doy gracias, amigo fiel y cariñoso, amigo gentil, y diligente, reservado y docto, discreto y generoso. Te agradezco todo. Mi Padre te lo pagará después...»

«Todo lo he tenido al amarme Tú y con haber redimido a María.»

«¡Oh, no! ¡*Mucho* más tendrás! Escúchame. No te desesperes de este modo. Dame tu inteligencia para pedirte algo más. Te quedarás aquí a esperar...»

«No, eso no. ¿Por qué María y Marta, y yo no?»

«Porque no quiero que te vayas a corromper como serán corrompidos todos los del sexo varonil. En los días siguientes Jerusalén se corromperá como el aire que envuelve una carroña, que revienta al golpe que un viajero sin haberle visto le dio. Sus miasmas volverán locos aun a los menos crueles, aun a mis mismos discípulos. Huirán. Y en medio de su terror ¿a dónde irán? Vendrán a tu casa, Lazaro. ¡Cuántas veces, durante estos tres años, han venido en busca de pan, de hospedaje, de defensa, de descanso y del Maestro!... Volverán. Cual ovejas desbandadas por el lobo que ha matado al pastor correrán al redil. Júntalos. Dales valor. Diles que los perdoné. Confío mi perdón en tus manos. Se sentirán angustiados por haber huído. Les dirás que no caigan en un pecado mayor, que es el de perder la esperanza de mi perdón.»

«¿Huirán todos?»

«Todos, menos Juan.»

«Maestro, no vas a pedirme que acoja a Judas, ¿verdad?. Haz que muera en medio de tormentos, pero no me pidas eso. Muchas veces se estremeció mi mano al sentir la espada, deseosa de acabar con el oprobio de la familia, y nunca lo hice poque no soy un hombre sanguinario. Tan sólo sentí la tentación. Pero te juro que si vuelvo a ver a Judas, lo de-

---

[11] Respecto al sabado, cfr. vol. 1°, pág. 513, not. 1. Con respecto a la Pascua, cfr. vol. 2°, pág. 190, not 6.

guello como a un cabro.»

«No lo volverás a ver. Te lo prometo.»

«¿Huirá? No importa. He dicho: "Si lo vuelvo a ver". Ahora te digo: "Lo buscaré hasta los confines del mundo y lo mataré".»

«No debes desearlo.»

«Lo haré.»

«No podras, porque donde estaré él, no podrás ir.»

«¿Dentro del Sanedrín? ¿Dentro del Santo? Allí lo alcanzaré y lo mataré.»

«No estará allá.»

«¿En casa de Herodes? Me matarán, pero antes lo mataré.»

«Estará con Satanás, y tú *nunca* estarás con Satanás. Pero aparta de ti, *al punto*, este pensamiento homicida, de otro modo te abandono.»

«¡Oh, oh!... Sí. Por Ti. ¡Oh, Maestro, Maestro!»

«Dices bien, Maestro... Acogerás a mis discípulos, los consolarás. Los encaminarás hacia la paz. Yo soy la Paz. Y también después... Después los ayudarás. Betania será siempre Betania, hasta que el odio no indague en este hogar de amor esperando dispersar sus llamas, y al contrario las esparcirá por el mundo para encenderlo todo. Te bendigo, Lázaro, por todo lo que hiciste y por lo que harás...»

«Nada he hecho, nada. Me sacaste de la muerte, y no me permites que te defienda. ¿Qué he hecho entonces?»

«Me diste tus casas. ¿Ves? Era el destino [12]. El primer alojo en Sión, en una tierra que es tuya. El último en una de ellas. Estaba escrito que fuese Yo tu huésped. Pero no me podrás defender de la muerte. Al principio de esta conversación te pregunté: "¿Sabes quién soy?" Ahora respondo: "Soy el Redentor". El Redentor *debe* consumar el sacrificio hasta lo último. Por otra parte, cree que quien subirá a la cruz y será expuesto a las miradas y burlas del mundo no seré un ser vivo, sino un muerto. *Estoy ya muerto más por el amor y antes que por el tormento.* Todavía algo más. Mañana temprano iré a Jerusalén. A tus oídos llegará que Sión ha aclamado como a un vencedor a su Rey, que entrará montado sobre un asno. No te vayas hacer ilusiones por este triunfo y no vayas a juzgar que la Sabiduría que te está hablando, *no lo fue* en esta tranquila noche. Más veloz que la luz de un bólido que aparece en el firmamento y desaparece por espacios desconocidos, se disipará el entusiasmo del pueblo, y dentro de cinco noches, a esta hora, empezará la tortura con un beso mentiroso que abrirá las bocas, que mañana gritarán hosannas, en un coro de crueles blasfemias y de feroces gritos pidiendo la condenación.

¡Finalmente, ciudad de Sión, pueblo de Israel, tendrás al Cordero pascual! Lo tendrás en esta fiesta. Es la Víctima preparada desde hace siglos. El Amor la engendró [13] y se preparó por tálamo un seno en que

---

[12] Cfr. vol 1°, pág. 353, not. 2; vol. 2°, pág. 644, not. 3.

[13] Alusión a la concepción virginal de Jesús, hecha en María por obra del Espíritu Santo, Amor divino. Cfr. Mt. 1, 18-25; Lc. 1, 26-38.

no hubo mancha [14]. El Amor la consuma [15]. Aquí está la *Víctima consciente* de ser lo que [16]. No como el cordero que, mientras el carnicero afila el cuchillo para degollarlo, todavía come la hierbecilla del huerto, o ignorante mama todavía la leche materna. Yo soy el Cordero que consciente dice: "¡Adios!" a la vida, a la Madre, a los amigos. Que va al sacrificador y le dice: "¡Heme aquí!" Yo soy el alimento del hombre. Satanás ha suscitado un hambre que no se ha satisfecho, que jamás se satisface. Solo un alimento puede calmarla. Y ese alimento está aquí. Aquí está, ¡hombre!, tu pan. Aquí tu vino. Celebra tu pascua, ¡oh linaje humano! Atraviese tu mar, rojo con las llamas satánicas. Lo pasarás teñido con mi Sangre, ¡oh raza humana! preservada del fuego infernal. Puedes pasar. Los cielos, advertidos de mi deseo, ya entreabren las puertas eternas [17]. ¡Mirad, almas de los muertos! ¡Mirad, seres vivientes! ¡Mirad, almas que seréis incorporadas en los siglos que están por venir [18]! ¡Mirad, ángeles del Paraíso! ¡Mirad, demonios del infierno! ¡Mira, oh Padre! ¡Mira, oh Paráclito! La Víctima sonríe. No llora más...

Todo, está dicho. Adiós, amigo. No te veré más antes de mi muerte. Démonos el beso de despedida. Y no dudes. Te dirán: "¡Era un loco! ¡Era un demonio! ¡Un mentiroso! ¡Ha muerto el que se decía ser la Vida". A ellos y sobre todo a ti respóndete: *Era y es la Verdad y la Vida*. Es el Vencedor de la muerte. Lo sé. No puede ser l'eterno Muerto. Lo espero. *Y no se agotará todo el aceite de la lámpara que el amigo tiene preparada para alumbrar al mundo, invitado a las nupcias del Triunfador, cuando El, el Esposo, habrá ya regresado* [19]. Y esta vez la luz jamás será extinguida". Cree esto, Lázaro. Obedece a mi deseo. Oye cómo canta este ruiseñor después de que se calló al oir tu llanto. Haz tu también así. Tu alma, después de que hayas llorado por mi muerte, que cante el himno seguro de tu fe. Sé bendito por el Padre, por el Hijo y por el Espíritu Santo.»

[14] Alusión a la concepción inmaculada de María. Pío IX en el prólogo de su Bula «*Ineffabilis Deus*» dice así: «Ineffabilis Deus... Unigenito Filio suo matrem, ex qua caro factus... nasceretur, elegit atque ordinavit, tantoque... est prosequutus amore,... ut Ipsa ab omni prorsus peccati labe semper libera, ac tota pulchra et perfecta eam innocentiae et sanctitatis plenitudinem prae se ferret, qua maior sub Deo nullatenus intelligitur, et quam praeter Deum nemo assequi cogitando potest. Et quidem decebat omnino...» Cfr. también Lc. 1, 28, pasaje que cita la Bula misma en su lugar.

[15] El Espíritu Santo, Amor divino, es un fuego, es «El Fuego». Cfr. Hech. 2, 1-4; la Liturgia de Pentecostés, la *Secreta* romana de la feria VI de la octava de Pentecostés («Sacrificia, Domine, tuis oblata conspectibus, *ignis* ille divinus absumat, qui discipulorum Christi Filii tui per Spiritum Sanctum corda succendit») y la *oratio super populum* de la liturgia ambrosiana en la solemnidad de Pentecostés («Deus, qui discipulis tuis Spiritum Sanctum Paraclitum in *ignis* fervore tui *amoris* mittere dignatus es, da populis tuis in unitate fidei esse ferventes...»); además el famoso himno «Veni, Creator Spiritus» («Qui diceris... *ignis*, caritas...»). Ya en el Antiguo Testamento, figura y preparación del Nuevo (cfr. Mt. 5, 17; 1 Cor. 10, 1-13; 1 Pe. 3, 18-22), el fuego es la fuerza que consuma las víctimas de los sacrificios. Cfr. Lev. 9, 22-24; Jue. 6, 11-24; 3 Rey. 18, 20-40; 1 Par. 21, 18 - 22, 1; 2 Par. 7, 1-10.

[16] Cfr. Heb. 10, 1-10.

[17] Alusión al Sal. 23, 7-10. Cfr. también Hebr. 9.

[18] Esto es, almas que viven «ab eterno» en el pensamiento de Dios. Cfr. vol. 1°, cap. 17; vol. 2°, pág 964, not. 13.

[19] Para comprender la alusión, cfr. Mt. 25, 1-13.

¡Cuanto sufrí por la noche desde las once del jueves, 1° de marzo, hasta las 5 de la mañana del día viernes! He visto a Jesús en una angustia casi como la de Getsemaní, sobre todo cuando habla de su Madre, del traidor, y muestra el miedo que experimenta por la muerte. He obedecido a lo que me ordenó Jesús, de escribir esto en un cuaderno separado para formar una Pasión más pormenorizada [20]. Usted vio mi cara esta mañana... image pálida del sufrimiento tolerado... y no añado más porque hay cosas que el pudor no permite.

---

[20] Son muchos los episodios que se encuentran escritos dos veces, separados por un año más o menos. Los primeros forman una narración más compendiada y sencilla, y parece como si hubiera sido escrita a modo de comentario o de enseñanza; los segundos forman una narración más rica en pormenores y más viva. Este es la que aparece en la presente publicación.

7. Judas va a entrevistarse con los jefes del Sanedrín [1]
(Escrito el 29 de marzo de 1947)

Judas llega de noche a la casa de Caifás. La luna, cual cómplice, le alumbra el camino. Debe de estar seguro de encontrar en la casa que está fuera de los muros a los que busca, de otro modo pienso que hubiera entrado en la ciudad y hubiera ido al Templo. Pero no lo hace. Sube decidido entre los olivos de la colina. Más que la otra vez, porque es de noche, y la oscuridad y la hora lo protegen de que alguien pueda verlo. Los caminos de la campiña están desiertos y no se ven por ellos las multitudes de peregrinos que han venido a Jerusalén para la Pascua. Hasta los pobres leprosos están en sus cuevas y duermen, olvidándose por algunas horas, de su infortunio.

Judas ha llegado a la puerta de la blanca casa que brilla a la luz de la luna. Toca. Tres golpes, un golpe, tres golpes, dos golpes... ¡Sabe a maravilla la señal convenida!

Y debe serla porque la puerta se entreabre sin que el portero abra la ventanilla para ver quién es.

Judas entra y pregunta al portero que le presenta sus respectos: «¿Están reunidos? [2]»

«Sí, Judas de Keriot. Creo que están todos.»

«Llévame a donde están. Debo hablar de cosas importantes. ¡Pronto!»

El portero esegura con todas las pasadores la puerta. Camina delante por el corredor semioscuro, y se detiene ante una puerta a la que llama. El tumulto de las voces se calla por dentro. Se oye ahora el ruido de la cerradura y el crujido de la puerta que se abre, arrojando un haz de luz.

«¿Eres tú? ¡Entra!» dice el que abrió la puerta y que no se quién sea.

Judas entra en la sala mientras que el que le abrió cierra la puerta con llave.

Hay un momento de sorpresa, o, por lo menos de excitación, al ver

[1] Cfr. Mt. 24, 3-5; Mc. 14, 1-2; 10-11; Lc. 22, 1-6.
[2] Cfr. vol. 4°, pág. 620, not. 48.

entrar a Judas. Lo saludan en coro: «La paz sea contigo, Judas de Simón.»

«La paz sea con vosotros, miembros del santo Sanedrín» contesta.

«Acércate. ¿Qué se te ofrece?» le preguntan.

«Hablaros... hablaros del Mesías. No es posible que las cosas sigan así. No os puedo ayudar más si no os decidís a tomar las providencias extremas. El ya sospecha.»

«¿Te has dejado descubrir, necio?» le interrumpen.

«No. Sois vosotros los necios. Por una prisa irrazonable cometisteis errores y más errores. Sabíais bien que podíais disponer de mí. Y, sin embargo, no os fiasteis.»

«¡Tienes mala memoria, Judas de Simón! ¿No te acuerdas cómo nos dejaste la última vez? ¿Quién iba a pensar que nos eras fiel, *a nosotros*, cuando dijiste de ese modo que no podías traicionarlo?» apostrofa irónicamente Elquías, con su carácter más serpentino que nunca.

«¿Y creéis que sea fácil llegar a engañar a un amigo, al único que verdaderamente me ama, que es Inocente? ¿Creéis que sea cosa fácil llegar a decidirse por el crimen?» objeta el apóstol, excitado.

Tratan de calmarlo. Lo lisonjean, lo seducen, o por lo menos tratan de hacerlo, haciéndole ver que lo quiere hacer no es un crimen «*sino una obra santa para con la Patria, a la que evita represalias de los dominadores, que empiezan a dar señales de intolerancia por estas continuas agitaciones y divisiones de partidos y de la plebe en una provincia romana,* y para con el género humano, si es que en realidad El está convencido de su naturaleza divina de Mesías y de su misión espiritual.»

«Si es verdad lo que dice — ¡lejos de nosotros el creerlo! — ¿no eres acaso colaborador de la Redención? Tu nombre irá asociado al suyo por los siglos, y la patria te contará entre sus héroes, te honrará con los cargos más altos. Ya hay preparado un asiento para ti entre nosotros. Subirás, Judas. Dictarás leyes a Israel. ¡Oh, nunca olvidaremos lo que hiciste en bien del sagrado Templo, del sagrado sacerdocio, en defensa de la ley santísima, en bien de toda la nación! Trata sólo de ayudarnos y de juramos, te lo juro en nombre de mi poderoso padre, y de Caifás que tiene el efod [3], que serás el hombre más grande de Israel. Más que los tetrarcas [4], más que mi mismo padre, que es un pontífice depuesto. Se te servirá y se te obedecerá como a un rey, como a un profeta. En el caso de que Jesús de Nazaret no fuese sino un falso Mesías, aun cuando no fuese sentenciado a muerte, porque no ha cometido acciones que comete un ladrón, sino que son de un loco, ten en cuenta que te recordamos las palabras del pontífice Caifás — tú sabes que quien trae el efod y el racional habla por inspiración divina y profetiza el bien y lo que hacerse por él — Caifás dijo: "Bien está que un hombre muera por el pueblo y que no pe-

---

[3] Para el efod, vestido sacerdotal e instrumento de adivinación cfr. Ex. 28, 6-14; 39, 2-7; Lev. 8, 1-12; Dt. 33, 8-11; (Jue. 8, 22-27; 17-18); 1 Rey. 14; 23, 1-14; (Hech. 1, 15-26).

[4] De los tetrarcas que gobernaban diversas regiones hablan los Evangelios, cfr. Mt. 14, 1-12; Lc. 3, 1-20; 9, 7-9; Hech. 13, 1-3.

rezca toda la nación". Fue una profecía.»

«Así fue. El Altísimo habló por boca del Sumo Sacerdote. ¡Que se le obedezca!» gritan en coro, cual comediantes, como títeres necios del gran Consejo que es el Sanedrín. Judas ha quedado sugestionado, seducido... pero un rayo de sentido común, si no de bondad, hay todavía en él, y lo detiene para no pronunciar las palabras fatales.

Lo rodean con deferencia, con simulado cariño. Insisten: «¿No nos crees a nosotros? Mira: somos los jefes de las veinticuatro familias sacerdotales [5], los Ancianos del pueblo [6], los escribas [7], los más grandes fariseos [8] de Israel, los sabios rabíes [9], los magistrados del Templo [10]. Aquí, a tu alrededor, está la flor de Israel pronta a aclamarte y a una voz te ordena: "Hazlo, porque es cosa santa".»

«¿Dónde está Gamaliel? ¿Dónde José y Nicodemo? ¿Dónde Eléazar, el amigo de José, y dónde Juan de Gaas? No los veo.»

«Gamaliel está en gran penitencia, Juan junto a su mujer que está encinta y que está sufriendo esta tarde. Eleazar... no sabemos por qué no haya venido. Un mal rato puede tener cualquiera ¿no te parece? En cuanto a José y Nicodemo, no les avisamos de esta reunión secreta, y eso porque te amamos, porque nos preocupamos de tu honra... Porque si desgraciadamente todo fallase, no denunciarían tu nombre al Maestro... Velamos por tu fama. Te amamos, Judas, nuevo Macabeo, salvador de la patria [11].»

«El Macabeo peleó bravamente. Yo... cometo una traición.»

«No te detengas en las particularidades de tu acción, sino en la justicia del objetivo. Habla tú, Sadoc, escriba de oro. Tu boca vierta palabras preciosas. Si Gamaliel es docto, tú eres sabio, porque en tus labios está la sabiduría de Dios. Convence a este que titubea.»

El sinvergüenza de Sadoc se abre paso y con el decrépito Cananías: una enflaquecida y huesuda zorra al lado de un astuto y feroz chacal.

«¡Escucha, oh hombre de Dios!» empieza pomposamente como orador inspirado, a hablar. Extiende con majestad su brazo derecho. Con el izquierdo toma los pliegues múltiples de su vestido de escriba. Después levanta también el brazo izquierdo, dejando que su vestidura pierda sus

[5] Cfr. 1 Par. 24; Lc. 1, 5-10.

[6] Una de las tres clases que componían el Sanedrín (cfr. not. 2) bien el mismo Sanedrín (como en Lc. 22, 66).

[7] Doctores de la Ley (cfr. not. 2).

[8] Esto es, los miembros más eminentes de esta secta judía, que se distinguieron por su celo por la ley y sobre todo por obedecer ciegamente la tradición oral de sus doctores, y se enmarañaron en una casuística vana y ridícula. Cfr. Mt. 23, 13-32; Lc. 11, 39-54 (Is. 5, 8-25); Hech. 7, 55 - 8, 3;22, 30 - 23, 11; 26, 1-23; Fil. 3, 1-16.

[9] «Rabí» es una palabra aramea que significa «maestro mío» (Cfr. Ju. 1, 38; 20, 16). Así se llamaba habitualmente a los doctores de la Ley. Los discípulos así llamaron a Jesús, cfr. por ej. Mt. 23, 1-12; Ju. 13, 12-15 (en el solo ev. de Ju. aparece nueve veces, más que en los otros tres juntos).

[10] Los magistrados del Templo eran levitas a quienes se les encargaba su vigilancia. Cfr. Lc. 22, 4. 52; Hech. 4, 1.

[11] Cfr. 1 Mac. 3, 1 - 9, 22; 2 Mac. 8-15.

pliegues. Con la cara y los brazos en alto grita: «¡Yo te lo digo! ¡Te lo digo ante la altísima presencia de Dios!»

«¡Marán-Atá [12]!» hacen eco todos, inclinándose como si alguien los obligase a hacerlo, y luego vuelven a enderezarse con los brazos cruzados sobre el pecho.

«Yo te lo digo: ¡Está escrito en las páginas de nuestra historia y de nuestro destino! ¡Está escrito en las señales y en las figuras que los siglos dejaron! ¡Está escrito en el rito que no cesa desde la noche fatal para los egipcios! ¡Está escrito en la figura de Isaac [13]! ¡Está escrito en la figura de Abel [14]! Y lo que está escrito ¡que se cumpla!»

«¡Marán-Atá!» responden los otros con tono bajo, lúgubre, sugestionante, con las caras de nuevo en alto, que iluminan las lámparas encendidas en los ángulos de la sala, con su luz pálidamente violácea. Esta reunión de hombres, casi todos vestidos de blanco, de caras color pálido o aceituno como es su raza, parece al contacto de la luz de las lámparas una reunión de espectros.

«La palabra de Dios ha bajado sobre los labios de los profetas para confirmar este decreto. ¡El debe morir! ¡Está dicho!»

«¡Está dicho! ¡Marán-Atá!»

«¡Debe morir, su suerte está echada!»

«Debe morir. ¡Marán-Atá!»

«Está descrito hasta en sus pormenores su destino fatal, ¡y la fatalidad no tiene remedio!»

«¡Marán-Atá!»

«Hasta el precio simbólico, que se pagará [15] al que hace de instrumento de Dios para la realización de la promesa, está indicado.»

«¡Está señalado! ¡Marán-Atá!»

«Sea el Redentor o un falso profeta ¡debe morir!»

«¡Debe morir! ¡Marán-Atá!»

«La hora ha llegado. ¡Yeova lo quiere! ¡Oigo su voz! A fuertes gritos ordena: "¡Que se cumpla!"»

«¡El Altísimo ha hablado! ¡Que se cumpla! ¡Que se cumpla! ¡Marán-Atá!»

«Que el Cielo te de fuerzas como dio a Yael [16], Judit [17], que aunque mujeres se comportaron como heroínas; como las dio a Jefté [18], que sacrificó su misma hija en aras de la patria; como las dio a David contra Goliat, y realizó una hazaña que eternizará a Israel en el recuerdo de las naciones [19].»

«Que el Cielo te de fuerzas. ¡Marán-Atá!»

[12] Cfr. vol. 4°, pág. 294, not. 4.
[13] Cfr. Gén. 22, 1-19.
[14] Ib. 4, 1-16.
[15] Cfr. Jer. 32; Zac. 11, 12-13.
[16] Cfr. Jue. 4-5.
[17] Cfr. Jdt. 8-16.
[18] Cfr. Jue. 10, 6 - 12,7.
[19] Cfr. 1 Re. 17-18.

«¡Sé un vencedor!»

«¡Sé un vencedor! ¡Marán-Atá!»

La vieja voz de Cananías sube de tono: «¡El que titubea en cumplir la orden sagrada está condenado a la deshonra y a la muerte!»

«Está sentenciado. ¡Marán-Atá!»

«Si no escuchares la voz del Señor Dios tuyo, y no realizares sus órdenes, y lo que por nuestra boca te manda, ¡que todas las maldiciones vengan sobre ti!»

«¡Todas las maldiciones! ¡Marán-Atá!»

«¡Que te castigue el Señor con todas las maldiciones mosaicas! ¡Que te haga desaparecer de entre las gentes [20]!»

«¡Te castigue y te haga desaparecer! ¡Marán-Atá!»

Un silencio mortal envuelve a esta escena de sugestion... Parece que nada se moviera dentro de un miedo glacial.

Finalmente se oye la voz de Judas que resuena, y me cuesta trabajo reconocerla por lo cambiado que está: «Sí. Lo haré. *Debo* hacerlo. Lo haré. La última parte de las maldiciones mosaicas me toca a mí, y debo salir porque me he retrasado ya. Me siento enloquecer al no gozar tregua ni descanso. Mi corazón tiembla de miedo. Mis ojos se oscurecen, y mi alma se muere de tristeza. Tiemblo de que se me descubra y de que El me fulmine en este mi juego doble. No sé, no comprendo hasta qué detalle conoce mis intenciones. Veo que mi vida está colgada de un hilo. Mañana y noche suplico porque se acabe esta hora que sumerge mi corazón en el terror: por el crimen horrible que debo realizar. ¡Oh, daos prisa! ¡Arrancadme de esta angustia que sufro! Que todo se cumpla y ¡al punto! ¡Ahora! ¡Que me vea libre! ¡Vamos!»

Judas se calla. Su voz tomaba fuerzas a medida que hablaba. Sus movimientos, al principio automáticos e inseguros como de un sonámbulo, poco a poco se hicieron más reales. Se endereza, cual alto es, satánicamente bello y grita: «¡Que desaparezcan las artimañanas de un insensato terror! Me veo libre de una sujección que infunde miedo. ¡Mesías! ¡No te tengo miedo y te entrego a tus enemigos! ¡Vamos!» Es el grito de un demonio victorioso, y sin esperar a más se dirige hacia la puerta.

Lo detienen: «¡Despacio! Respóndenos: ¿dónde está Jesús de Nazaret?»

«En casa de Lázaro. En Betania.»

«No podemos entrar nosotros en esa casa que defienden siervos muy adictos a su dueño. Es la casa de un protegido de Roma. Nos toparíamos con dificultades.»

«Mañana al amanecer vendremos a la ciudad. Poned guardias en el camino de Betfagé. Armad confusión y prendedlo.»

«¿Cómo sabes que viene por ese camino? Podría seguir otro...»

«No. Ha dicho a sus seguidores que por ese entrará a la ciudad, por la puerta de Efraín, que lo esperasen cerca de En Roguel. Si lo detuvierais

[20] Cfr. Lev. 26, 14-46; Deut. 28, 15-68.

antes...»

«No podemos. Tendríamos que entrar con El entre las guardias. Y cada camino que trae a las puertas, y cada calle de la ciudad están llenas desde que amanece hasta que anochece de gente. Sucedería un tumulto. Y es lo que no queremos.»

«Subirá al Templo. Llamadlo para interrogarlo en una sala. Llamadlo en nombre del sumo sacerdote. Irá porque os respeta más que a su propia vida. Una vez que esté con vosotros... no os faltará el modo de llevarlo a un lugar seguro y condenarlo cuando llegue su hora.»

«No dejaría de haber tumulto. Deberías de tener en cuenta que la plebe es fanática. Y no sólo el pueblo, sino los grandes, lo mejor de Israel. Gamaliel va perdiendo discípulos. Lo mismo Yonatás ben Uziel y otros más de los nuestros. Todos nos abandonan al sentirse seducidos. Hasta los paganos lo veneran, o lo temen, lo que es ya venerar, y están dispuestos a volverse contra nosotros, si le hiciéramos algún mal. Además, algunos de los ladrones que habíamos asalariado para que se fingiesen discípulos suyos y provocasen revueltas, han sido arrestados y han hablado, esperando que al hacerlo así, alcancen clemencia. El Pretor lo sabe... Todo el mundo le sigue, y nosotros no logramos hacer nada. Es necesario, pues, obrar con precaución para que la plebe no caiga en la cuenta.»

«¡Tienes razón! ¡Hay que tomar precauciones! Anás también lo recomienda. Nos ha dicho: "Que no se haga durante la fiesta para que la gente fanática no vaya a provocar algún tumulto!" Estas son sus órdenes. Aun más ha ordenado que se le trate reverentemente en el Templo y dondequiera. Que no se le moleste para que se le pueda atrapar.»

«Entonces ¿qué queréis hacer? Yo estaba dispuesto para esta noche. Vosotros dudáis...» dice Judas.

«Bueno. Tú deberías llevarnos cuando El esté solo. Conoces su modo de obrar. Nos escribiste diciéndonos que te tiene cerca de Sí más que a los demás. Debes, pues, saber lo que quiere hacer. Estaremos siempre prontos. Cuando juzgues que ha llegado la hora oportuna y sabes el lugar, ven e iremos.»

«Contrato hecho. ¿Qué me daréis en recompensa?» Judas habla ya fríamente, como si estuviese haciendo una compra cualquiera.

«Lo que dijeron los profetas, para que seámos fieles a la palabra inspirada: treinta denarios [21]...»

«¿Treinta denarios para matar a un hombre y a *ese Hombre?* ¡Lo que cuesta un vulgar cordero en estos días de fiesta! ¡Estáis locos! No es que tenga necesidad de dinero. Tengo buenas provisiones. No vayáis a pensar que me convenceréis con el ansia de dinero. Es demasiado poco para compensar el dolor de traicionar al que siempre me ha amado.»

«Ya te dijimos antes lo que haríamos contigo. ¡Gloria, honores! Lo que esperabas de El y no has conseguido. Nosotros curaremos tu desilusión.

---

[21] Cfr. not. 15.

Pero el precio lo fijaron los profetas. ¡Oh, no es más que una formalidad! Un símbolo. ¡No más! Lo demás vendrá después...»

«Y el dinero ¿cuándo?...»

«En el momento que nos digas: "Venid". No antes. Nadie paga sino hasta que tiene la mercancía en las manos. ¿No te parece acaso justo?»

«Justo lo es, pero triplicad la suma...»

«No. Así dijeron los profetas. Así debe de hacerse. ¡Oh, que si sabemos obedecerlos! No dejaremos ni una tilde para que no se cumpla lo que acerca de El está escrito. ¡Je, je, je! ¡Somos fieles a la palabra inspirada! ¡Je, je, je!» se ríe ese asqueroso esqueleto de Cananías. Otros muchos le imitan con sus risotadas lúgubres, hipócritas. Son unos verdaderos perros diabólicos que no saben más que gruñir. La sonrisa es propia de un corazón sereno y amoroso. El gruñido de corazones perturbados y repletos de rabia.

«Hemos terminado. Puedes irte. Esperamos el alba para entrar nuevamente en la ciudad por diversos caminos. Adiós. La paz sea contigo, oveja extraviada que regresas al redil de Abraham. ¡La paz sea contigo! ¡La paz sea contigo, y con ella la gratitud de todo Israel! ¡Cuenta con nosotros! Cualquier deseo tuyo es ley para nosotros. ¡Que Dios esté contigo como lo ha estado con todos sus siervos más fieles! ¡Todas las bendiciones caigan sobre ti!»

Lo acompañan hasta la salida con abrazos y protestas de amor... lo ven alejarse por el corredor semioscuro... oyen el ruido de los aldabones que son levantados para abrir y cerrar...

Llenos de júbilo vuelven a entrar en la sala...

Dos o tres voces, las menos endemoniadas, se levantan en son de protesta: «¿Y ahora? ¿Qué haremos de Judas de Simón? Muy bien sabemos que fuera de esos miserables treinta denarios no podemos darle nada... ¿Qué dirá cuando se vea traicionado? ¿No habremos cometido un error mayor? ¿No irá a contar al pueblo lo que hicimos? Todos sabemos que es un hombre voluble.»

«¡Sois muy ingenuos y además necios al pensar en estas cosas y preocuparos de ellas! Ya hemos determinado lo que haremos a Judas. ¿No os acordáis? Y *no vamos a cambiar de plan*. Tan pronto acabemos con el Mesías, Judas morirá. Lo hemos decidido [22].»

«¿Y si lo revelase antes?»

«¿A quién? ¿A los discípulos, al pueblo, para que lo lapiden? El no hablará. Su horrible acción es una mordaza.»

«Podría arrepentirse más adelante, tener remordimientos, y hasta fingirse loco... Porque, al caer en la cuenta, el remordimiento lo puede enloquecer...»

«No tendrá tiempo para ello. Pensaremos antes. A cada cosa su hora. Primero el Nazareno, y luego el que lo traicionó» dice lenta, pero decididamente Elquías.

[22] Cfr. Sal. 68, 25-27; 109, 8; Hech. 1, 15-20.

«Oíd, ni una palabra a los que no vinieron. Conocen bastante nuestros planes. No me fío ni de José ni de Nicodemo. Y muy poco de los otros.»

«¿Tienes sospechas de Gamaliel?»

«Hace meses que no viene más con nosotros. Si el Pontífice no se lo manda expresamente no tomará parte en nuentras sesiones. Dice que está escribiendo una obra con la ayuda de su hijo. Pero me refiero a Eleazar y a Juan.»

«¡Esos nunca se han mostrado contrarios!» dice prontamente un sanedrista que varias veces he visto con José de Arimatea, pero cuyo nombre no me acuerdo.

«¡No es así! Se nos han opuesto *muy poco* y por eso conviene vigilarlos ¡je, je, je! Muchas sierpes se han metido en el Sanedrín... ¡Je, je, je! Pero se les echará afuera... ¡Je, je, je!» dice Cananías encorvado y tembloroso, apoyado en su bastón, buscando lugar en uno de los grandes y largos asientos cubiertos de gruesas alfombras que hay junto a las paredes de la sala. Contento se tira sobre uno de ellos y pronto se duerme con la boca abierta, que refleja la maldad que lleva en su corazón.

Lo ven los otros. Doras, hijo de Doras, dice: «El tiene la satisfacción de ver este día. Mi padre lo soñó, pero no pudo verlo. Pero en mi corazón llevaré este ideal para que mi padre esté también presente cuando nos venguemos del Nazareno, y también pueda alegrarse...»

«Recordad que tenemos que turnarnos, y que debemos estar siempre en el Templo.»

«Estaremos.»

«Debemos dar órdenes que a cualquier hora que viniere Judas de Simón, se le lleve al sumo sacerdote.»

«Así lo haremos.»

«Y ahora preparémonos para el golpe final.»

«¡Estamos preparados! ¡Estamos preparados!»

«¡Astutamente!»

«¡Astutamente!»

«¡Con perspicacia!»

«¡Con perspicacia!»

«¡Para apartar cualquier sospecha!»

«¡Para engañar a cualquiera!»

«Nadie reaccionará contra lo que dijere o hiciere. Nos vengaremos de una sola vez.»

«Así lo haremos. Y nuestra venganza será cruel.»

«¡Cabal!»

«¡Sin compasión!»

Se sientan para descansar mientras llega el alba.

8. De Betania a Jerusalén
(Escrito el 3 de marzo de 1945)

Jesús camina entre los huertos y olivares en flor. Hasta las mismas hojas de olivos, bañadas de rocío parecen flores, al brillar al contacto de los primeros rayos de la aurora que un viento perfumado suavemente mece. Cada rama es obra de un orfebre y los ojos admirados la contemplan. Los almendros, revestidos otra vez de su verde ropaje, sacan su cara por entre los otros árboles y bajo las vides enseñan los primeros y caprichudos recortes de sus tiernas hojas, tan limpias y sedosas que se antojan una rociada de esmeraldas pequeñísimas o un trocito de preciosa seda. Arriba, un cielo de color turquesa oscuro, sin mancha alguna, hermoso, bello. Por todas partes se oye el cantar de los pajarillos, y se siente el perfume de las flores. Un aire fresco da fuerzas y vigor. Sin duda alguna que es la alegría que abril trae con su sonrisa.

Jesús está en medio de sus apóstoles. Están los doce. Habla.

«Dije que se adelantasen las mujeres porque quiero hablaros a vosotros solos. En los primeros días cuando nos encontramos, dije a los que estaban conmigo: "No molestéis a mi Madre con lo que me pasó". En aquellos tiempos parecían cosas descomunales... Tres de vosotros, Juan, Simón, y tú, Judas de Keriot, fuisteis testigos de lo que no ha sido sino el empiezo de una cadena por la que será condenado el Hijo del hombre. Podéis ver que lo que pasó en aquella ocasión no es más que un grano de arena si se le compara con la roca, con el peñasco de lo que ahora sucede. Pero entonces, tantos vosotros como mi Madre y Yo no estábamos preparados para hacer frente a la maldad humana [1]. El hombre jamás de improviso se hace experto en el Bien como en el Mal. Sube o se hunde gradualmente. Lo mismo sucede respecto al dolor. Vosotros que sois buenos, que habéis subido hacia el Bien, podéis comprobar, sin escandalizaros como en aquel entonces lo hubierais hecho, a qué punto de perversión puede descender el hombre que se hace satanás, de igual modo como Yo y mi Madre podemos soportar, sin morir, todo el dolor que nos viene de los hombres. Hemos robustecido nuestro corazón. *Todos.* En el bien, en el mal, o en el dolor. Y sin embargo no hemos llegado a la cima. *Todavía no la hemos tocado...* ¡Oh, si supieseis cuán grande es la cima del bien, del mal, del dolor! Os repito las palabras que entonces os dije. No contéis a mi Madre lo que el Hijo del hombre va a deciros. Sufriría mucho. Al reo que va a ser ejecutado por compasión se le ofrece una bebida que lo aduerma para que pueda esperar, sin miedo, la hora del suplicio [2]. Vuestro silencio será la bebida piadosa para Ella, la Madre del Redentor. Quiero ahora que conozcáis el sentido de las profecías para que nada os quede oscuro. Os ruego que estéis conmigo lo más po-

[1] «No estábamos preparados» refiriéndose a Jesús: desde el punto de vista de la *experiencia* humana.
[2] Cfr. vol. 4°, pág. 526, not. 3.

364

sible. Durante el día estaré con todos; a la noche os suplico que no os alejéis de Mí. No quiero sentirme solo...»

Jesús está muy triste. Los apóstoles lo ven y se angustian. Se le acercan. También Judas lo hace como si fuera el más cariñoso de ellos.

Jesús los acaricia y continúa: «Quiero, en estas últimas horas de que dispongo, que conozcáis mejor al Mesías. Al principio di a conocer a Juan, Simón y Judas la verdad de las profecías relativas a mi nacimiento. Estas han dibujado mi amanecer y mi crepúsculo, mejor de lo que hubiera podido haber hecho un pintor [3]. El alba y el anochecer son las dos fases que los profetas mejor pintaron. El Mesías que bajó del cielo, el Justo que las nubes soltaron en forma de lluvia sobre la tierra, el Retoño hermoso, va a ser entregado a la muerte. Va a ser despedazado como lo es un cedro por el rayo. Hablemos de su muerte. No suspiréis. No movimos la cabeza. No murmuréis en vuestros corazones, no maldigáis a los hombres. De nada sirve. Subimos a Jerusalén. La Pascua está ya próxima.

"Este mes será para vosotros el primero del año". Este mes será para el mundo el principio de una nueva era. Jamás conocerá fin. Inútilmente el hombre, de cuando en cuando, tratará de poner otro mes en su lugar. Los que así lo intentaren, serán fulminados y muertos. *No hay más que un Dios en el Cielo y un Mesías en la tierra:* el Hijo de Dios: Jesús de Nazaret. Como por Sí da todo, puede querer todo, y pone su real sello no sobre lo que es fango y carne, sino sobre el tiempo y el espíritu.

"En el día diez de este mes cada familia tome un cordero. Si su número no pudiese acabárselo, invita a su vecino" [4]. Porque el sacrificio y la hostia deben ser realizados y consumados. No debe quedar nada. Y así será. Son muchos los que están a punto de alimentarse del cordero. Es una multitud que no puede contarse, que asiste a un banquete sin límite de tiempo, y no es necesario que haya fuego, porque no habrá sobras. Aquellas partes que serán ofrecidas o rechazadas por el odio serán consumadas por el fuego mismo de la víctima, por su amor [5]. Os amo, ¡oh hombres!. A vosotros, doce amigos míos que Yo mismo escogí, en quienes están las doce tribus de Israel [6] y las trece veces del linaje humano [7]. Todo lo he jutado en vosotros, y todo en vosotros lo veo reunido... Todo.»

«Pero en las venas del cuerpo de Adán están también las de Caín [8]. Ninguno de nosotros ha levantado su mano contra su compañero. ¿Dónde está, pues, Abel?» pregunta Iscariote.

«Tú lo has dicho. *En las venas del cuerpo están también las de Caín.* Yo

---

[3] Cfr. vol. 1°, pág. 468, not. 1.
[4] Cfr. Ex. 12, 3-4.
[5] Cfr. pág. 355, not. 15.
[6] Cfr. Gén. 49; Deut. 33; Jos. 13-21; Mt. 19, 27-29; Lc. 22, 28-30; Hech. 26, 1-8; Sant. 1, 1; Ap. 7, 1-8; 21, 9-14.
[7] Alusión no identificada, aun cuando se ha preguntado a especializados.
[8] Cfr. Gén. 4, 1-16.

soy Abel, el amable Abel, pastor, a quien el Señor amó porque ofrecía sus primicias y lo mejor de sus cosechas, y antes que esto, a sí mismo. Os amo, aunque vosotros no me améis. El amor apresura y realiza la obra de los sacrificadores.

"Que el cordero no tenga mancha, que sea macho y de un añ" [9]. No hay tiempo fijado para el Cordero de Dios. El es. Aparece en el último día, como lo estuvo en el primero de esta tierra. El que es [10] como el Padre no envejece en su divinidad. Hay una sola cosa que lo hace envejecer, cansarse: la desilusión [11] de haber venido en vano para muchos. Cuando sepáis cómo fue matado — y en los ojos que verán a su Señor transformado en un leproso, cubierto de llagas [12], brilan las lágrimas y no ven esta hermosa colina — decid: "De esto no murió, sino porque a los que más amaba lo desconocieron y rechazaron por su demasiada tendencia a lo humano". Si el Hijo de Dios desconoce el tiempo, y por esto es diverso del cordero ritual, es igual a él en que no hay mancha, y está consagrado al Señor [13]. Inútilmente los verdugos, los que me matarán con fierros, o con su deseo o con su traición, tratarán de excusarse a sí mismos diciendo: "Era culpable". Nadie que sea sincero puede acusarme de pecado. ¿Lo podéis vosotros?

Estamos frente a la muerte. Lo estoy Yo. También otros. ¿Quiénes? ¿Quieres saberlo, Pedro? Todos. La muerte avanza hora tras hora, y sigue adelante, aunque no se crea. Aun aquellos a quienes les queda todavía mucha vida, se van acercando hora tras hora a la muerte. El tiempo es como un relámpago en comparación de la eternidad. Cuando llega la muerte, aun la vida más larga se reduce a nada. Las acciones de decenas de años pasados, las acciones de la edad infantil, vuelven en tropel a decir: "Mira, ayer hiciste esto". ¡Ayer! ¡Siempre se trata de ayer cuando se muere [14]! Y sempre es polvo el honor y el oro para el hombre que tanto se fatigó. El sabor insensato que se tuvo por el fruto, se pierde. ¿Mujeres? ¿Dinero? ¿Poder? ¿Ciencia? ¿Qué queda de todo eso? Nada. Sólo la conciencia y el juicio de Dios ante el que se presenta la pobre conciencia sin protección humana alguna, pero sí cargada de sus acciones.

"Tomen su sangre y rocíen con ella los goznes y dinteles. El Angel no hará ningún mal, cuando pase, a las casas en que hubiera la señal de la sangre" [15]. Tomad mi sangre. Ponedla no sobre las piedras muertas, sino sobre el corazón muerto. Es la nueva circuncisión. Yo me circuncido por todo el mundo, no ofreciendo una sola parte de mi cuerpo, sino todo El. De mis venas abiertas tomo mi sangre y trazo sobre el linaje humano círculos salvadores, que son anillos de bodas con el Dios que está en los

[9] Cfr. Ex. 12, 5.
[10] Cfr. Ex. 3, 13-15; Is. 42, 8.
[11] Cfr. vol. 1°, pág. 356, not. 7 y pág 428, not. 15.
[12] Cfr. Is. 53, 2-5.
[13] Cfr. vol 3°, pág. 336, not. 2.
[14] Cfr. Sal. 89, 4; 2 Pe. 3, 8.
[15] Cfr. Ex. 12, 7. 13.

cielos, con el Padre que espera y a quien digo: "Mira. No los rechacez porque rechazarías *tu* sangre".

"Y Moisés dijo: '... meted un hisopo en la sangre y rociad los postes' " [16]. ¿No basta entonces la sangre? No basta. A mi sangre [17] debe unirse vuestro arrepentimiento, sin éste que es amargo pero saludable, inútilmente habré muerto por vosotros.

Este es el primer lugar de la Escritura en que se habla del Cordero Redentor. Sin embargo el Libro está lleno de ello. De igual modo que cada día estas ramas se cubren de flores, de igual modo conforme van pasando los años y se aproxima el tiempo de la Redención, el florecimiento es mayor.

Digo ahora no ya a Jerusalén sino a vosotros, en su lugar, con Zacarías: "Ved que el Rey viene lleno de mansedumbre montado sobre un asno, en un pollino hijo de asna. Es pobre". Pero destruirá a los poderosos que oprimen a su prójimo. Es manso, y sin embargo cuando se levante su brazo para bendecir, vencerá al demonio y a la muerte. "Anunciará la paz porque es el Rey de ella" [18]. El, pese a que estará enclavado, extenderá su dominio de los confines de un mar a otro... "El que no grita [19], que no despedaza, que no extingue lo que no es luz sino humo, lo que no es fortaleza sino debilidad, lo que merece todo reproche, juzgará con rectitud". Tu Mesías, ¡oh ciudad de Sión!; tu Mesías, oh pueblo del Señor!; tu Mesías, ¡oh pueblo de la tierra!

"Sin ser triste ni perturbador" [20]. Vosotros veis como en Mí no se da la tristeza del vencido, ni la vengativa del perverso, sino solo la ecuanimidad de quien ve a qué punto puede llegar la posesión de Satanás en el hombre. Vosotros estáis viendo cómo, pudiendo reducir a ceniza con sólo una chispa de mi voluntad, por tres años he extendido mis manos como invitación amorosa, a todos, sin descanso, y todavía estas manos mías se extenderán para ser heridas. "Sin tristeza, ni confusión llegaré a establecer mi Reino". El Reino del Mesías en donde está la salvación del mundo.

Me dice el Padre, el Señor eterno: [21] "Te he llamado, te he tomado de la mano, te he puesto cual pacto entre los pueblos, te he hecho luz de las naciones". Y lo he sido. He sido luz para abrir los ojos a los ciegos, he sido palabra para que hablasen los mundos, llave para abrir las cárceles de oscuridad de los que estaban en el error.

Y ahora que he sido todo esto, voy a la muerte. Penetro en las tinieblas de la muerte. La muerte ¿lo entendéis?...

Ved que se están cumpliendo las primeras profecías que se anunciaron, digo al igual que el profeta. Las demás os las diré antes de que el

[16] Cfr. Ex. 12, 22.
[17] Tener presente a Hebr. 9.
[18] Cfr. Zac. 9, 10.
[19] Cfr. Is. 42, 1-3.
[20] Cfr. Is. 42, 4.
[21] Cfr. Is. 42, 6-7.

demonio nos separe.

Ved a Sión allá en el fondo. Id a tomar la asna y el asno. Decid: "El Rabí Jesús los necesita". Decid a mi Madre que no tardo. Está con las Marías sobre aquel promontorio. Me espera. Es mi triunfo humano ¡Que sea también el suyo! Unidos siempre. ¡Oh, unidos!...

¿Qué corazón de hiena es el que con un solo zarpazo desgarra lo que más ama el corazón materno: a Mí, su Hijo? ¿Es de hombre? No. Todo hombre nace de una mujer. Por instinto y por reflejo moral no puede herir a una mujer que es madre, porque piensa en la "suya". No es pues, un hombre. ¿Qué es entonces? Un demonio. Pero ¿puede un demonio hacer mal a la Vencedora? Para hacerlo debe tocarla. Satanás no soporta la luz virginal de la Rosa de Dios. ¿Y entonces? ¿Quién decís que sea? ¿No habláis? Os lo diré.

El demonio más astuto se ha metido en el hombre más corrompido, y como el veneno está oculto en el diente del áspid, así está encerrado en él, que puede acercarse a la Mujer, y así morderla traidoramente. ¡Maldito sea este monstruo híbrido que es Satanás y hombre [22]! ¿Lo maldigo? No. El Redentor no pronuncia maldición alguna. Pero sí digo al alma de este monstruo híbrido lo mismo que dije a Jerusalén: "¡Oh, si en esta hora que se te ha concedido supieses venir al Salvador!" ¡No hay amor mayor que el mío! No hay poder mayor. El mismo Padre asiente si afirmo: "Quiero". No sé decir otras palabras que de piedad para aquellos que han caído y que del abismo me tienden sus brazos. ¡Oh alma del más grande pecador! Tu Salvador en los umbrales de la muerte se inclina sobre tu abismo y te invita a tomar su mano. No evitaré la muerte... pero tú... te salvarías [23]; tú a quien amo todavía. El alma de tu Amigo no se estremecería de horror al pensar que por causa tuya debe conocer el horror de la muerte y de esta muerte concreta...»

Jesús oprimido... se calla...

Los apóstoles hablan en voz baja y se preguntan: «¿Pero de quién está hablando? ¿Quién es?»

Judas desvergonzadamente miente: «Ciertamente ha de ser uno de los falsos fariseos... Me imagino que ha de ser José o Nicodemo, o bien Cusa y Mannaén. Tienen mucho qué perder y bienes... Sé que Herodes... Sé que el Sanedrín. ¡El se fió mucho de ellos! ¿No caisteis en la cuenta que ayer tampoco estuvieron presentes? No tienen el valor de estar con El...»

Jesús no le oye. Ha ido adelante y llegado a donde se halla su Madre que está con las Marías, con Marta y Susana. Del grupo de las mujeres piadosas no falta sino Juana de Cusa.

[22] Cfr. pág. 349, not. 4 y las notas allí alegadas.
[23] Cfr. pág. 293, not. 4; cfr. también vol 1°, pág. 672, not. 3; pág. 786, not. 9; pág. 789, not. 10; vol. 2°, pág. 310, not. 6; vol. 3°, pág. 621, not. 4.

9. La entrada de Jesús en Jerusalén [1]
(Escrito el 30 de julio de 1944 y el 30 de marzo de 1947)

Jesús apoya su brazo en la espalda de su Madre que se ha puesto de pie cuando Juan y Santiago de Alfeo le dijeron: «Tu Hijo llega pronto.» Luego se volvieron para unirse a sus compañeros que lentamente avanzan, hablando, entre tanto que Tomás y Andrés han ido corriendo a Betfagé a buscar la asna y el asnillo para llevarlos a Jesús.

En este intervalo Jesús habla a las mujeres. «Hemos llegado cerca de la ciudad. Os aconsejo que os vayáis. No tengáis miedo. Entrad a la ciudad antes que Yo. Cerca de En Rogel están todos los pastores y los discípulos de mayor confianza. Tienes órdenes de acompañaros y protegeros.»

«Sabes... Hemos hablado con Aser de Nazaret y Abel de Belén de Galilea y también con Salomón. Habían venido hasta aquí para cerciorarse de tu llegada. La multitud prepara una gran fiesta. Nosotros querríamos presenciarla... ¿Ves como se mueven las cimas de los olivos? El viento no puede moverlas así. Es la gente que corta ramas para tirarlas por el camino y para que cual abanico te protejan del sol. ¡Mira también! Mira allá. Están cortando palmas. Parece que fueran racimos, pero son hombres que han subido para cortarlas... Mira por las pendientes a niños que andan recogiendo flores. Las mujeres están cortando las de sus jardines para arrojártelas a tu paso. Nosotros querríamos ver esto... e imitar a María de Lázaro que recogió todas las flores que pisaste cuando entraste en el jardín de Lázaro» dice María Cleofás en nombre de todas.

Jesús acaricia la mejilla de su anciana pariente que parece una niña deseosa de presenciar un lúcido espectáculo. Le responde: «En medio de la multitud no veríais nada. Adelantaos. Id a la casa de Lázaro que custodia Matías. Pasaré allá y me veréis desde arriba.»

«¿Vas solo... Hijo mío? ¿No puedo estarte cerca?» pregunta María levantando su rostro afligido, fijando sus hermosos ojos en los apacibles de su Hijo.

«Mucho te agradecería que estuvieras escondida. Como la paloma entre las heriduras de la peña [2]. Tengo más necesidad, Madre mía, de tus oraciones que de tu presencia.»

«Si así es, Hijo mío, oraremos. Oraremos todas por Ti.»

«Sí. Después que lo hayáis visto pasar vendréis con nosotros a mi palacio de Sión. Mandaré criados al Templo tras el Maestro, para que nos traigan sus órdenes y sus noticias» dice Magdalena, que al punto comprende lo que ha de hacerse y realizarse sin ambages.

«Dices bien, hermana. Aunque me duela no poder seguirlo, comprendo que así está bien. Por otra parte, Lázaro nos ordenó que en nada se contradijese al Maestro, sino que se le obedeciese aun en lo más insigni-

---

[1] Cfr. Mt. 21, 1-17; Mc. 11, 1-11. 15-19; Lc. 19, 28-46; Ju. 12, 12-15.
[2] Alusión a Cant. 2, 14.

ficante. Y así lo haremos.»

«Id, entonces. ¿Veis? Los caminos se llenan de animación. Están llegando los apóstoles. Idos. La paz sea con vosotras. Cuando lo creo oportuno os mandaré llamar. Mamá, hasta pronto. Estate tranquila. Dios está con nosotros.» La besa y se despide. Las obedientes discípulas se van ligeras.

Llegan los diez discípulos. «¿Las enviaste antes?»

«Sí. Desde una casa verán mi entrada.»

«¿De qué casa?» pregunta Judas de Keriot.

«¿Acaso no hay muchas casas amigas?» le contesta Felipe.

«¿Desde la casa de Analia?» insiste Iscariote.

Jesús responde negativamente y se dirige hacia Betfagé que está un poco separada.

Está ya casi para llegar cuando regresan los dos a quienes habían enviado a que le trajesen la asna y el asnillo. Gritan: «Lo encontramos como dijiste, y te hubiéramos traído los animales, pero el dueño de ellos quiso aparejarlos y adornarlos para honrarte. Los discípulos, que se han unido a los que pasaron la noche en los caminos de Betania para honrarte, quisieron que se les permitiese que te los trajesen, y nosotros dijimos que sí. Creímos que su fidelidad merecía un premio.»

«Hicisteis bien. Sigamos.»

«¿Son muchos los discípulos?» pregunta Bartolomé.

«Toda una multitud. No se puede entrar por las calles de Betfagé. Por esto dije a Isaac que trajese el asno de Cleonte el quesero» responde Tomás.

«Hiciste bien. Vayamos hasta ese promontorio de la colina. Y esperemos allí bajo la sombra de los árboles.»

Van a donde Jesús ha señalado.

«¡Nos alejamos! Así ¿pasarás Betfagé dándole vuelta por detrás?» exclama Iscariote.

«Y si quiero hacerlo, ¿quién me lo prohibe? Acaso ¿ya me han aprehendido, para que no pueda hacer lo que quiera? ¿Acaso tienen prisa en hacerlo o temen de que me vaya a escapar? Si juzgase conveniente ir por lugar más seguro, ¿hay alguien que me lo pueda impedir?» Jesús atraviesa con sus ojos al traidor, que no responde, pero sí encoge los hombros como diciendo: «Haz lo que te plazca.»

En realidad da vuelta por detrás del poblado, diría yo más bien, del suburbio de la ciudad misma, porque no está muy lejos de la parte occidental, y forma parte de las pendientes del monte de los Olivos que domina la parte oriental de Jerusalén. Abajo, entre el declive y la ciudad, está el Cedrón que brilla al sol de abril.

Jesús se sienta en medio de ese silencio y se absorbe en sus pensamientos. Luego se levanta y se dirige a la parte alta del promontorio.

Dice Jesús: «Aquí pondréis la visión del 31 de julio de 1944: *Jesús que llora por Jerusalén*, desde la frase con la que empezó la vision.» Y luego vuelve a mostrarme las fases de su entrada triunfal.

30 de julio.

No sé cómo haré para describir lo que veo, porque me siento tan mal del corazón tanto que fatigosamente puedo estar sentada. Pero no hay remedio: debo escribir lo que veo.

Comprendo el significado del evangelio de hoy: dominica novena después de Pentecostés.

Desde un otero cercano a Jerusalén Jesús observa la ciudad.

No es un otero muy alto — lo más como la plazoleta de S. Miniato de Florencia — pero suficiente para que pueden verse casas y calles que suben y bajan. Si se toma el nivel más bajo de la ciudad, este otero es muy alto, pero no tanto como el Calvario, que no está muy cercano al muro. La colina donde se sitúa Jesús está casi a pico de la parte de la muralla, mientras que de la parte contraria se extiende blandamente hacia una verde campiña que da al oriente. Y digo oriente, teniendo en cuenta la posición del sol.

Jesús y los suyos están bajo una arboleda, sentados a su sombra. Descansan del camino. Después Jesús se levanta, se dirige a la parte alta de la colina.

Su alta estatura se dibuja, clara, en el vacío que le sirve de marco. Parece aún mucho más alto. Tiene sus manos cruzadas sobre su pecho, sobre su manto azul. Y mira severamente.

Los apóstoles lo ven; pero no lo interrumpen. Pensarán que se ha alejado para orar.

Pero no es así. Después de haber contemplado por un tiempo la ciudad en todos sus rincones, en todas sus elevaciones, deteniendo su mirada más acá que allá, se pone a llorar, sin estremecimiento alguno, sin hacer ruido. Las lágrimas le resbalan por las mejillas y caen... Lágrimas envueltas en un silencio y tristeza, como las del que sabe que *debe* llorar, solo, sin esperanza de consuelo o de comprensión. Como las de quien llora por un dolor que *no puede* ser evitado, y que *debe* sufrirse completamente.

Dado el lugar que ocupa, Santiago, el hermano de Juan, es el primero en notar ese llanto, y lo dice a los demás que se miran mutuamente sorprendidos.

«Nadie de nosotros ha hecho algo mal» se dicen. «Tampoco la gente lo ha insultado. No había ni un enemigo entre la multitud.»

«Entonces, ¿por qué llora?» pregunta el más anciano de todos.

Pedro y Juan se levantan y se le acercan. Se imaginan que lo único que pueden hacer es acercársele para mostrarle que lo aman, y para preguntarle qué le pasa.

«Maestro, ¿por qué estás llorando?» pregunta Juan apoyando su rubia cabeza sobre la espalda de Jesús, que destaca en altura del cuello arriba.

Pedro le pone la mano en su cintura, como si quisiera abrazarlo. Le pregunta: «¿Qué te hace sufrir? Dínoslo a nosotros que te amamos.»

Jesús apoya su rostro sobre la cabeza de Juan y, separando sus brazos, coloca uno sobre la espalda de Pedro. Tres amigos. Pero el llanto continúa. Juan que siente que le cae alguna lágrima, vuelve a preguntarle: «¿Por qué lloras, Maestro? ¿Te hemos causado algún dolor?»

371

Los otros apóstoles han venido y rodean a los tres. Esperan también la respuesta.

«No» dice Jesús. «No me habéis dado ningún dolor. Sois mis amigos; y la amistad, cuando es sincera, es bálsamo, es sonrisa, pero nunca lágrimas. Quisiera que siempre fueseis mis amigos. Aun ahora que entraremos en la corrupción que fermenta y que corrompe a quien no tiene voluntad firme de permanecer bueno.»

«¿A dónde vamos, Maestro? ¿Acaso a Jerusalén? La multitud te ha saludado con alegría. ¿Quieres defraudarla? ¿Vamos a Samaría por algún milagro? ¿Ahora que la Pascua está cercana?»

Las preguntas las hacen diversos.

Jesús levanta sus manos para imponer silencio, y con la derecha señala hacia la ciudad, algo así como cuando el campesino extiende su brazo para sembrar. Dice: «Allí está la corrupción. Entramos en Jerusalén, entramos allí. Y el Altísimo es el único que sabe cómo quisiera santificarla con la santidad del Cielo. *Volver a santificar*, a esta ciudad que debería ser la Ciudad santa. Pero no podré conseguir nada. Está corrompida y así continúa. Los ríos de santidad que salen del Templo vivo, y que por días seguirán corriendo hasta dejarlo henchidos de vida, no serán suficientes para redimirla. La Samaría y el mundo pagano vendrán al Santo. Sobre los templos ficticios se levantarán templos al Dios verdadero. Los corazones de los gentiles adorarán al Mesías, pero este pueblo, esta ciudad no lo aceptará, y su odio la empujará a cometer el mayor pecado. Lo cual debe suceder. Pero ¡ay de aquellos que sarán instrumento de tal delito! ¡Ay!...»

Jesús mira fijamente a Judas a quien tiene enfrente.

«Tal cosa no nos sucederá, porque somos tus apóstoles, creemos en Ti, y estamos dispuestos a morir por Ti.» Judas miente desvergonzadamente y no baja los ojos aunque siente los de Jesús encima.

Los demás se unen a Judas.

Jesús, sin responder directamente al apóstol traidor, dice: «Quiera el Cielo que así seáis. Pero hay todavía mucha debilidad en vosotros y la tentación os podría convertir en iguales a los que me odian. Orad mucho y tened cuidado de vosotros. Satanás sabe que está para ser vencido y quiere vengarse arrancándoos de Mí. Satanás nos rodea. A Mí para impedirme cumplir la voluntad del Padre y realizar mi misión. A vosotros para convertiros en sus esclavos. Estad atentos. Dentro de aquellos muros Satanás se apoderá de quien no supo ser fuerte, aquel para la maldición será el haber sido elegido porque hizo de su elección un fin humano. Os elegí para el reino de los cielos y no para el del mundo. Recordadlo.

Y tú, ciudad, que quieres tu ruina y por quien lloro, ten en cuenta que tu Mesías ruega por tu redención. ¡Oh, si al menos en esta hora que te queda quisieras venir a quien sería tu felicidad! ¡Si al menos comprendieses en esta hora el Amor que puse en medio de ti y te despojases del odio que te ciega y te hace loca, que hace que seas cruel para contigo y para tu bien! ¡Pero vendrá el día en que te acordarás de esta hora! ¡Será demasiado tarde para llorar y arrepentirte! Habrá pasado el Amor y desaparecido por entre tus calles, y sólo se quedará el Odio, que has preferido. Y el Odio te odiará a ti y a tus hijos. *Porque lo quisiste. El odio se paga con odio.* No se tratará del odio del fuerte contra el inerme, sino del odio contra el odio, y por lo tanto la guerra y la muerte. Rodeada de trincheras y de ejércitos, te irás debilitando antes de ser destruida y verás caer a tus hijos bajo la fuerza de las armas, bajo el hambre. Los que sobrevivieren serán tomados prisioneros y escarnecidos. Pedirás misericordia, pero no la encontrarás porque no has querido conocer tu Salvación.

Lloro, amigos, porque soy humano, y las ruinas de mi patria me producen las lágrimas. Pero es justo que se cumpla lo dicho, porque la corrupción avanza por sobre estos muros, sobre todo límite e invoca el castigo de Dios. ¡Ay de los ciudadanos que son causa de la desgracia de nuestra patria! ¡Ay de los jefes, principales causantes! ¡Ay de los que tendrían que ser santos para conseguir que los otros fuesen honrados; y, sin embargo, profanan la casa de su ministerio y a sí mismos! Venid. Mi intervención de nada servirá. Pero hagamos brillar la luz una vez más entre las tinieblas.»

Jesús desciende acompañado de los suyos. Camina ligero. Su rostro está serio, diría yo, hasta un poco enojado. No pronuncia ni una palabra. Entra en una casucha que está a los pies del collado y así se acaba la visión.

Dice Jesús:

«La escena que refiere Lucas parece no tener hilación, es casi ilógica. Compadezco las desventuras de una ciudad culpable ¿y no sabré compadecer sus costumbres?

No. *No sé, ni puedo* compadecerlas porque son propiamente estas costumbres las que producen desventuras; el verlas aumenta mi dolor. Mi ira contra los profanadores del Templo es lógica consecuencia de lo que sabía de las desventuras de Jerusalén.

Las profanaciones del culto divino, de la ley divina, provocan los castigos del cielo. Al convertir la Casa de Dios en cueva de ladrones, aquellos sacerdotes indignos e indignos creyentes atraían sobre todo el pueblo la maldición y la muerte. Es inútil dar éste o aquel nombre a los males que sufre un pueblo. Su nombre propio buscadlo en este: "Castigo por vivir cual animales". Dios se retira y el mal avanza. Este es el fruto de una vida nacional indigna del nombre de cristiana.

Entonces como ahora en esta última parte del siglo, no he dejado de llamar con prodigios repetidas veces. Como entonces no me atrajo sobre Mí y sobre mis instrumentos, más que la burla, la indiferencia, el odio. Los hombres como las naciones recuerden que *inútilmente lloran cuando antes no quisieron aceptar su salvación. Inútilmente me invocan, porque cuando estuve con ellos me echaron afuera con una guerra sacrílega, que, partiendo de cada conciencia, entregada al mal, se espareció por toda la nación. Los países no se salvan con las armas, sino con una forma de vida que atraiga la protección del cielo.*

Descansa, pequeño Juan. Procura seguir siendo siempre fiel a tu elección. La paz se quede contigo.»

¡Qué cansancio! ¡De veras que no aguanto más!...

No acaba Jesús de entrar bendiciendo a sus moradores, cuando se escuchan el alegre sonar de cascabeles y gritos de alegría. E, inmediatamente después, aparece la cara flaca y pálida de Isaac por la puerta. Entra y se postra ante su Señor Jesús.

Por entre la puerta se ven más y más caras... Se ve cómo se empujan, para poder pasar... Se oye el grito de alguna mujer, el lloro de algún niño, y los gritos de saludo, gritos que saben a fiesta: «¡Feliz este día que te trae de nuevo a nosotros! ¡La paz sea contigo, Señor! ¡Bienvenido, Maestro, a premiar nuestra fidelidad!»

Jesús se pone de pie y hace señal de que quiere hablar. Todos guardan silencio. Se oye clara la voz de Jesús.

«¡La paz sea con vosotros! No os amontonéis. Ahora subiremos juntos al templo. He venido para estar con vosotros. ¡Calma! ¡Calma! No os hagáis mal. ¡Dejadme pasar, amigos míos! Dejadme salir y seguidme, pues juntos entraremos en la Ciudad santa.»

De buena o de mala gana la gente obedece. Abre paso. Jesús sale y señala el asno, sobre el que nadie ha montado hasta ahora. Los peregrinos ricos, que están mezclados entre la gente, extienden sobre el lomo del animal sus ricos mantos, y uno dobla su rodilla para que se apoye el Señor y monte. Pedro camina al lado del Maestro e Isaac del otro, llevando las riendas del aun no domado animal; que, sin embargo, avanza calmadamente como si hubiera estado acostumbrado. No patea, ni se espanta con las flores que la gente lanza a Jesús, y que muchas de ellas lo golpean en sus ojos, en morro, ni con las ramas de olivo y palmas que se agitan a su alrededor, que se tiran al suelo como alfombra, ni con los gritos cada vez más fuertes de: «¡Hosanna, Hijo de David!» que, saliendo de una multitud cada vez más numerosa, suben hacia el firmamento azul.

Avanzar desde Betfagé, por entre las calles estrechas y torcidas no es fácil. Las madres toman en brazos a sus hijos. Los maridos procuran defender a sus mujeres de los golpes, y alguno que otro padre coloca sobre los hombros a su hijito y así lo lleva por entre la gente. Se oyen las voces de los niños, cual balidos de corderitos o piar de golondrinas, que arrojan flores y hojas de olivo, dadas por sus madres, al dulce Jesús...

Salidos del estrecho suburbio, el cortejo se ordena y se estira. Muchos, por propio gusto, corren a abrir paso, a despejar el camino. Otros los siguen arrojando al suelo ramas; y no falta quien sea el primero en arrojar su manto al suelo como de alfombra, y otro, qué digo, cuatro, diez, cien y muchos más, lo imitan. En su centro, la calle parece ser una cinta multicolor. Cuando ha pasado Jesús, se recogen y se les lleva más adelante y se les tira con otras y otras más, con ramas, flores, hojas de palma. Resuenan cada vez más los gritos en honor del Rey de Israel, del Hijo de David, de su Reino.

Los soldados de guardia en la puerta salen a contemplar lo que pasa. No es ninguna sedición. Se apoyan sobre sus lanzas. Se hacen a un lado, admirados o burlones, ante al extraño cortejo de este Rey que viene montado sobre un asno, un rey hermoso como un dios, humilde como el más pobre de los hombres, bueno, cariñoso... a quien rodean mujeres, niños, hombres desarmados que gritan: «¡Paz! ¡Paz!» Antes de entrar en la ciudad Jesús se detiene un momento al llegar a la altura de los sepulcros de los leprosos de Innón y Silóan (creo no equivocarme en los nombres, porque en estos lugares he visto varios milagros). Se apoya sobre el único estribo, pues viene sentado, se alza, abre sus brazos gritando en dirección de aquellas pendientes horribles, donde caras y cuerpos llenos se terror se asoman buscando a Jesús con sus ojos y que gritán: «Somos impuros» para hacer que ningún imprudente vaya a acercarse y subirse con el ansia de ver a Jesús, que grita: «¡Quien tenga fe en Mí, pronuncie mi Nombre y alcance por medio de él la salud!» Bendice, continúa su camino. Dice a Judas de Keriot: «Comprarás alimentos para los leprosos y, con Simón, los traerás antes de que anochezca.»

Cuando el cortejo pasa bajo la bóveda de la puerta de Silóan y como un torrente se desparrama dentro de la ciudad, pasando por el barrio de Ofel, en que cada terraza se ha convertido en una pequeña plaza llena de gente que grita hosannas, que arroja flores y perfumes hacia el Maestro, el grito de la multitud parece aumentar y tomar fuerzas como si saliese de una bocina, porque los numerosos arcos de que está llena Jerusalén lo amplifican.

Oigo gritar, y me imagino que es lo que dicen los evangelistas: «¡Scialem, scialem melchil!» (o melchit: procuro transcribir el sonido de las palabras, pero es difícil porque su lenguaje posee aspiraciones que no tenemos [3].) Es un grito continuo, como el del bramido del mar que va y viene contra las playas o arrecifes donde se rompe para venir al encuentro de otra onda que lo recoge y lo multiplica en un bramido major ¡Estoy aturdida!

Perfumes, olores, gritos, agitarse de ramos, vestidos, colores. Es algo que deja a uno atolondrado.

Veo que entre la gente aparecen y desaparecen caras conocidas, que son las de discípulos de todos los lugares de Palestina, de sus seguidores... Por un momento diviso a Jairo, al jovenzuelo Yais de Pela (según me parece) que era ciego como su madre y a quienes Jesús curó. Veo a Joaquín de Bozra, y al campesino de la llanura de Sarón con sus hermanos. Veo al viejo y solitario Matías de junto al Jordán (ribera oriental), en cuya casa Jesús se refugió cuando todo estaba inundado. Veo a Zaqueo con sus amigos convertidos. Veo al viejo Juan de Nobe con casi todos los de la población. Veo al marido de Sara de Yutta... ¿Pero quién puede acordarse de nombres y caras donde los conocidos se mezclan con los no conocidos?... Allí está la cara del pastorcillo de Enón. Junto a él la del discípulo de Corozaín que no fue a sepultar a su padre por seguir a Jesús; y cerca de él, por un instante, el padre y la madre de Benjamín, con su pequeño, que por poco cae bajo las pezuñas del asno por querer recibir una caricia de Jesús. Y ¡es una desgracia! están las caras llenas de ira de los fariseos que orgullosos rompen la muralla de amor que se

---

[3] Recuérdese que la Escritora no sabía hebreo o arameo y que «scialem, scialem melchil!» no significa: «Hosanna» o «Bendito», sino: «Paz, paz, oh rey». Téngase en cuenta esto para caer en la cuenta de la honradez de la Escritora en transcribir lo que oía.

estrecha alrededor de Jesús y le gritan: «¡Haz que se callen esos locos! ¡Vuélvelos al buen sentido! Sólo a Dios se le lanzan hosannas. ¡Diles que se callen!»

Jesús responde dulcemente: «Aunque Yo se los mandase, y me obedecieran, las piedras gritarían los prodigios del Verbo de Dios.»

Realmente, la gente además de gritar: «¡Hosanna, hosanna [4] al Hijo de David! ¡Bendito el que viene en el nombre del Señor! ¡Hosanna a El y a su Reino! ¡Dios está con nosotros! Ha llegado el Emmanuel [5]. ¡Ha llegado el Reino del Mesías del Señor! ¡Hosanna! ¡Lance la tierra hosanna hacia el cielo! ¡Paz paz, Rey mío! ¡Paz y bendición vengan sobre Ti, Rey santo! ¡Paz y gloria en los cielos y en la tierra! ¡Gloria se de a Dios por su Mesías! Paz a los hombres que lo acogen. Paz en la tierra a los hombres de buena voluntad y gloria en los cielos más altos porque ha llegado la hora del Señor [6]» (quien lanza este último grito es un grupo compacto de pastores que repiten el grito navideño). La gente de Palestina cuenta a los peregrinos de la Diáspora los milagros que han visto. Y a quien no sabe lo que sucede y pregunta: «¿Quién es El? ¿Qué sucede?»; le explican: «¡Es Jesús, Jesús el Maestro de Nazaret de Galilea! ¡El Profeta! ¡El Mesías del Señor! ¡El Prometido! ¡El Santo!»

De una casa, que apenas se acaba de doblar, sale un grupo de robustos jóvenes trayendo copas de cobre con carbones encendidos e incienso, de las que suben hacia arriba espirales de humo. Una y otra vez hacen lo mismo. Muchos corren adelante o regresan y entran a las casas para que les den fuego y resinas olorosas.

Se divisa ya la casa de Analía. La terraza está adornada con las hojas nuevas de la vid que flotan al contacto del acariciador viento de abril. Analía está en el centro de un grupo de jovencillas vestidas de blanco y con velos del mismo color. Tienen en sus manos pétalos de rosas y de convalarias que empiezan a arrojar al aire.

«Las vírgenes de Israel te saludan, Señor» dice Juan que se ha abierto paso y ha llegado al lado de Jesús, llamando su atención para que las vea cómo le arrojan rojos pétalos de rosas y blancas convalarias cual perlas.

Por un momento detiene Jesús al asno. Levanta su mano para bendecir ese grupo que lo ama hasta el punto de renunciar a cualquier otro amor terreno.

Analía se asoma sobre el pretil y grita: «He contemplado tu triunfo, Señor mío. Toma mi vida para tu glorificación universal», y con un grito altísimo, lo saluda gritando al pasar: «¡Jesús!»

Se oye otro grito que supera al clamor de la gente, que, aunque lo percibe, no se detiene. Es un río de entusiasmo, un río de un pueblo delirante que no puede detenerse. Y, mientras las últimas ondas de este río están todavía fuera de la puerta, las primeras están ya subiendo en direc-

---

[4] Es una exclamación hebraica que significa: «Salva, pues» y por lo tanto «Salve», Hijo de David. Cfr. Mt. 21, 1-17: Mc. 11, 1-11; Ju. 12, 12-19.

[5] Cfr. vol. 4°, pág. 698, not. 1.

[6] Cfr. vol. 4°, pág. 213, not. 7.

ción al Templo.

«¡Tu Madre!» grita Pedro señalando una casa que está en el ángulo de una calle que sube hacia el Moria, por la que va el cortejo. Jesús levanta su rostro para enviar una sonrisa a su Madre que está con las mujeres fieles.

El encuentro con una numerosa caravana hace que el cortejo se detenga unos cuantos metros más allá de la casa. Mientras Jesús espera con los demás y acaricia a los niños que las madres le presentan, se oye el grito de un hombre que trata por abrirse paso: «¡Dejadme pasar! Una jovencilla ha muerto de repente. Su madre quiere ver al Maestro. ¡Dejadme pasar! ¡El la había salvado antes!»

La gente lo deja pasar, y el hombre corre a donde está Jesús: «Maestro, la hija de Elisa ha muerto. Te saludó con aquel grito y luego se dobló hacia atrás diciendo: "Soy feliz!" y expiró. Su corazón se rompió de gozo al verte triunfante. Su madre me vio en la terraza que da a su casa y me dijo que viniera a llamarte. ¡Ven, Maestro!»

«¡Muerta! ¡Muerta Analía! Pero si ayer estaba lozana cual una flor.» Los apóstoles se apiñan, excitados. Los pastores los imitan. Todos la habían visto el día anterior en perfecta salud. Si la acaban de ver con la sonrisa en sus labios, con el carmín en sus mejillas... No pueden comprender la desgracia... Preguntan, quieren que se les den pormenores.

«No sé. Oisteis qué fuerza había en sus palabras. Luego vi que se plegaba más pálida que sus vestiduras y oí que su madre lanzaba un grito... No sé más.»

«No os conturbéis. No ha muerto. Ha caído una flor y los ángeles de Dios la han recogido para llevarla al seno de Abraham [7]. Pronto el lirio de la tierra se abrirá feliz en el Paraíso [8], olvidando para siempre el horror del mundo. Oye, di a Elisa que no llore por la suerte de su hija. Dile que es una *grande* gracia de Dios, y que dentro de seis días lo comprenderá. No lloréis. Su triunfo es todavía mayor que el mío porque a ella le cortejan los ángeles para llevarla a la paz de los justos. Es un triunfo eterno que subirá siempre. En verdad os digo que tenéis razón de llorar por vosotros, pero no por Analía. Continuemos.» Y repite a los apóstoles y a quienes lo rodean: «Ha caído una flor. Se ha ido en paz y los ángeles la han recogido. Bienaventurada ella, limpia de cuerpo y alma, porque pronto verá a Dios.»

«¿Pero cómo, de qué murió, Señor?» pregunta Pedro que no se da paz.

«De amor. De éxtasis [9]. De gozo infinito. ¡Dichosa muerte!»

Los que van adelante, como los que vienen atrás no caen en la cuenta

[7] Respecto a los ángeles cfr. vol. 4°, pág. 51, not. 3; respecto "al seno de Abraham" cfr. vol. 4°, pág. 613, not. 32.

[8] La muerte y resurrección del Salvador nos volvieron a abrir el Paraíso. Esto es artísticamente expreso en la «oración» de la liturgia romana y por la ambrosiana «super sindonem» en el domingo de Pascua: «Deus qui hodierna die per Unigenitum tuum aeternitatis nobis aditum devicta morte reserasti...»

[9] Este tránsito «de amor, de éxtasis» hace pensar en el de la Virgen, modelo de todas las vírgenes, del cual se hablará.

de lo sucedido. Y así el cortejo sigue, aunque alrededor de Jesús se ha formado un doloroso silencio.

Juan lo rompe, diciendo: «¡Oh, quisiera la misma suerte antes de las horas que están por venir!»

«También yo» dice Isaac. «Quisiera ver la cara de la jovencilla muerta de amor por Ti...»

«Os ruego que me sacrifiquéis vuestro deseo. Tengo necesidad de que estéis cerca de Mí.»

«No te abandonaremos, Señor, ¿pero no habrá para esa madre ningún consuelo?» pregunta Natanael.

«Ya lo pensaré...»

Están en las puertas de la muralla del Templo. Jesús baja del asno que uno de Betfagé toma bajo su cuidado.

Hay que tener presente que Jesús no se apeó en la primera puerta del Templo, sino que dio vuelta por la muralla, y se bajó solo cuando llegó a la parte norte cerca de la Antonia, para mostrar que no temía a los romanos, pues era inocente de toda acusación.

En el primer patio ruge el acostumbrado griterío de cambistas y vendedores de palomas, pájaros y corderos. Al ver a Jesús, todos corren a su encuentro quedándose sólo mercaderes.

Jesús con su vestido de color púrpura entra majestuoso, voltas hacia aquel mercado y hacia un grupo de fariseos y escribas que lo miran desde un portal.

En su rostro aparece la ira. Va al centro del patio. Como si diese un brinco, que parece una llama al herir el sol su vestido de púrpura, y con voz imponente grita: «¡Largo de la casa de mi Padre! Este lugar no es para la usura ni para mercado. Está escrito: "Mi casa será llamada casa de oración". ¿Por qué habéis convertido en cueva de ladrones la casa en que se invoca el nombre del Señor? [10] ¡Largo de aquí! Limpiad mi casa. No sea que en lugar de cuerdas castigue con rayos de la ira de lo alto. ¡Largo de aquí! ¡Fuera ladrones, estafadores, desvergonzados, homicidas, sacrílegos, los más grandes idólatras, porque sois unos soberbios, corruptores, falsos! ¡Largo, largo de aquí! ¡Os aseguro que el Altísimo purificará este lugar y tomará venganza de todo un pueblo.» No vuelve a hacer un látigo de cuerdas, pero al ver que los mercaderes y cambistas no quieren obedecerle, se acerca a la mesa más cercana, derriba derramando balanzas y monedas por el suelo.

Los vendedores y cambistas se apresuran a hacer lo que Jesús había mandado, tan pronto vieron que no se detenía en palabras. Jesús les grita: «¿Cuántas veces diré que este lugar no debe tratarse como un lugar de inmundicia sino de oración?» Mira a los del Templo, que obedientes a las ordenes del pontífice, no chistan.

Limpio ya el patio, Jesús va a los portales donde se han reunido ciegos, paralíticos, mudos, lisiados y otros enfermos que lo invocan a gritos.

[10] Alusión a la primera vez en que arrojó a los profanadores del Templo, cuando los echó a golpes de cuerdas. Cfr. Ju. 2, 13-22.

«¿Qué queréis de Mí?»

«¡La vista, Señor! ¡Los miembros! ¡Que mi hijo hable! ¡Que mi mujer se cure! ¡Creemos en Ti, Hijo de Dios!»

«Dios os escuche. Levantaos y dad gracias al Señor.»

No cura uno por uno de los enfermos, sino que extiende su mano. La salud brota de ella sobre los enfermos que, sanos, se levantan y prorrumpen en gritos de júbilo que se mezclan con los de los niños que se le acercan: «¡Gloria, gloria al Hijo de David! ¡Hosanna a Jesús Nazareno, Rey de reyes, y Señor de señores!» [11]

Algunos fariseos, con fingida deferencia, le gritan: «Maestro, ¿estás oyendo? Estos niños dicen lo que no debe decirse. ¡Repréndelos! ¡Diles que se callen!»

«¿Y por qué? ¿Acaso el rey profeta, el rey de mi estirpe no ha dicho: "De la boca de los niños y de los que están mamando has hecho que brotase una alabanza completa para llenar de confusión a tus enemigos" [12]? ¿No habéis leído estas expresiones del salmista? Dejad que los pequeñines canten mis alabanzas. Los ángeles que ven siempre a mi Padre se las han sugerido. Dejadme ahora, todos vosotros, para que vaya a adorar al Señor» y pasando delante de la gente, se dirige al atrio de los israelitas para orar...

Luego de haber terminado, sale por otra puerta, cerca de la piscina probática, y se dirige a las colinas del monte de los Olivos.

Los apóstoles no caben de gusto... El triunfo les ha dado confianza. Y han echado al olvido el miedo que les había causado las palabras de Jesús... Hablan de todo... Se mueren de ansias por saber lo que pasó a Analía. Con dificultad Jesús consigue que no se vayan, asegurándoles que tomará las mejores providencias... Están muy sordos al aviso divino... Humanos, que los gritos de hosanna borran de su memoria todo...

Jesús habla con los siervos de María Magdalena que han ido a verlo, y luego les manda que regresen...

«¿A dónde vamos ahora?» pregunta Felipe.

«¿A casa de Marcos de Jonás?» añade Juan.

«No. Al campamento de los galileos. Probablemente habrán venido mis hermanos [13] y quiero saludarlos» responde Jesús.

«Podrías hacerlo mañana» le sugiere Tadeo.

«Lo mejor es hacer pronto *lo que se puede.* Vamos a donde están los galileos. Se pondrán contentos si nos ven. Os darán noticias de la familia. Yo veré a los niños...»

«¿Y esta noche? ¿Dónde dormiremos? ¿En la ciudad? ¿En qué lugar? ¿Donde está tu Madre? ¿O en la casa de Juana?» pregunta Judas Iscariote.

«No sé. Ciertamente que no en la ciudad. Tal vez en una tienda galilea...»

---

[11] Cfr. Deut. 10, 17; 2 Mac. 13, 4; 1 Tim. 6, 13-16; Ap. 17, 8-18; 19, 11-16.
[12] Cfr. Sal. 8, 3.
[13] Cfr. vol 4°, pág. 733, not. 2.

«¿Por qué?»

«Porque soy galileo y amo a mi región. Vamos.»

Se ponen en camino. Suben a donde están los galileos, acampados sobre el monte de los Olivos en dirección a Betania. Sus tiendas brillan bajo los rayos de un tibio sol de abril.

10. En el anochecer del Domingo de Ramos
(Escrito el 4 de marzo de 1945)

Jesús está con los suyos en la quietud del huerto de los Olivos. Ha anochecido. No hace frío. Todos están sentados sobre el suelo y sobre los primeros salientes del terreno donde está situado el pequeño espacio. El Cedrón arrastra sus aguas que charlan entre sí. Alguno que otro canto de ruiseñor. Algún rumor de brisa. Nada más.

Jesús habla.

«Después del triunfo de esta mañana vuestro corazón ha cambiado. ¿Qué puedo decir? ¿Que ha cobrado fuerzas? ¡Oh, sí! A lo humano. Entrasteis en la ciudad llenos de miedo por las palabras que os había dicho. Se temía de que dentro de los muros saliesen los esbirros para atacaros y haceros prisioneros.

En cada hombre hay otro que se revela en las horas más duras. Está el héroe que en las horas de mayor peligro deja de ser el hombre manso que todos conocieron y a quien daban poca importancia, el héroe que afirma en la hora de la lucha: "Aquí estoy", que grita al enemigo, al gigante: "Mídete conmigo" [1]. Está el santo que, mientras todos huyen aterrorizados ante las fieras que quieren víctimas, dice: "Tomadme en rehén para morir. Pago por todos". Está el cínico que saca provecho de las desgracias generales, y que se ríe ante los cuerpos de las víctimas. Está el traidor que tiene un valor propio, el del mal. El traidor es la mezcla del cínico y del cobarde, que es también un tipo que se revela en las horas de peligro. Cínicamente saca provecho de una desgracia, cobardemente pasa al partido del más fuerte, atreviéndose aun a enfrentarse al desprecio de los enemigos y a las maldiciones de los traicionados. Está también el tipo del cobarde, que es el más común, que en la hora de peligro no hace más que quejarse de haber sido partidario de alguien que es ahora anatema... El cobarde no es tan delincuente como el cínico ni tan asqueroso como el traidor, pero muestra lo endeble de su formación espiritual.

Tales tipos sois vosotros. No digáis que no. Lo leo en vuestros corazones. Esta mañana pensabais dentro vosotros: "¿Qué nos irá a pasar? ¿Moriremos también nosotros? Y como que se oía el eco de la respuesta:

---

[1] Alusión al desafío que el joven David, con honda y unas cuantas piedras, lanzó al gigante Goliat, armado con espada, lanza y venablo. Cfr. 1 Rey. 17, 1 - 19, 7.

"Algo más..."

¿Os he engañado alguna vez? Desde el principio os hablé de persecución y de muerte. Y cuando alguno de vosotros, por exceso de admiración, *quiso* verme y presentarme como a rey, como uno de esos pobres reyes de la tierra, siempre pobre aun cuando sea el restaurador del reino de Israel, al punto corregí su error y le dije: "Yo soy rey del espíritu. Ofrezco privaciones, sacrificios, dolores. No otra cosa. Acá en la tierra no poseo otra cosa, pero después de mi muerte y de la vuestra, si permaneceréis en mi fe, os daré un Reino eterno, el de los cielos". ¿Os dije acaso algo diverso? No. Vosotros mismos lo afirmáis.

Entonces también decíais: "No queremos más que estar contigo, ser como Tú, y ser tratados mal por tu causa". Así prometíais. Y erais sinceros, pero porque no pensabais sino como niños. Os imaginabais que era fácil seguirme y estabais tan empapados de la triple sensualidad [2] que no podíais admitir que fuese verdad lo que os decía. Pensabais: "Es el Hijo de Dios. Lo dice para ver si lo amamos. El hombre nunca podrá tocarlo. Quien obra milagros podrá hacer otro en su favor". Y a éstos añadíais: "No puedo creer que sea traicionado, apresado, matado". Tan robusta era esta vuestra fe *humana* en mi poder que llegasteis *a no creer* en mis palabras, a no tener la fe verdadera, espiritual, santa y santificadora.

"Quien obra milagros podrá hacer otro en su favor" decíais. No uno, sino muchos haré todavía: entre los cuales dos [3] que sobrepasan todo imaginación humana. Serán en tal forma que sólo los que crean en el Señor podrán admitirlos. Los demás, en los siglos venideros, dirán: "¡Imposible!" También aun después de la muerte seré objeto de contradicción para muchos.

En una dulce mañana de primavera Yo he anunciado desde un monte las distintas bienaventuranzas. A éstas añado una: "Bienaventurados los que creen sin ver" [4]. Al ir por Palestina he dicho varias veces: "Bienaventurados los que escuchan la palabra de Dios y la observan" [5] y también: "Bienaventurados los que hacen la voluntad de Dios" [6], desgrané otras bienaventuranzas, porque en la casa de mi Padre son numerosas las alegrías que aguardan a los santos. También ésta: "¡Bienaventurados los que creerán sin haber visto con sus ojos corporales! Serán en tal forma santos, que estando aun en la tierra, verán ya a Dios, al Dios escondido en el misterio del amor".

Pero, después de tres años que estáis conmigo, no habéis llegado toda-

[2] Cfr. vol. 4°, pág. 493, not. 5.
[3] Alusión a la Eucaristía y a su resurrección.
[4] No se encuentra en el discurso llamado de las bienaventuranzas (cfr. Mt. 5, 1-12; Lc. 6, 20-23), sino que lo dijo a Tomás después de su resurrección. Cfr. Ju. 20, 24-29.
[5] Está contenida en las palabras de alabanza que una mujer dijo en honor de la Virgen María. Cfr. Luc. 11, 27-28.
[6] Esta bienaventuranza a la letra no se encuentra en los evangelios o en otros libros escriturísticos, pero sí en cuanto a su sustancia. Cfr. por ej. Mt. 7, 21; 12, 50; Mc. 3, 35; Lc. 8, 21; 1Ju. 2, 17.

vía a esta fe. Creéis solo en lo que veis. Así, esta mañana después del triunfo, dijisteis: "Es lo que decíamos. El sigue triunfando. Y nosotros con El". Y como pajarillos a quienes les volviesen a nacer las plumas caídas, habéis levantado el vuelo, ebrios de alegría, confiados, sin esa preocupación que mis palabras os habían creado en el corazón.

¿Os habéis robustecido también en el espíritu? No. Muy poco, porque no estáis bien preparados para la hora que se acerca. Habéis bebido los hosannas como vino fuerte y exquisito. Os embriagasteis. ¿Es un ebrio un hombre fuerte? La fuerza de un niño basta para hacerlo tambalear y que se caiga. Así sois vosotros. Bastará con que asomen sus cabezas los verdugos, para que os hagan huir como a tímidas gacelas ante la presencia del chacal, como hojarasca que el viento dispersa por el desierto.

¡Cuidad de morir de una horrible sed en medio de ese arenal ardiente que es el mundo que no conoce a Dios! No digáis, amigos míos, lo que afirma Isaías aludiendo a este vuestro estado falso y peligroso: [7] "Este no habla más que de conjuraciones. No hay por qué temer, ni de qué espantarse. No tengamos miedo de lo que El nos profetiza. Israel lo ama. Lo hemos visto". ¡Cuántas veces es mordido el piececito del niño que pisa la cabeza de una serpiente escondida bajo las flores que quería cortar para llevarlas a la madre, y muere!

También esta mañana... ha sucedido exactamente lo mismo. Yo soy el Condenado coronado de rosas. ¡La rosas!... ¿Cuánto duran? ¿Qué queda de ellas cuando se les han caído todos los perfumados pétalos? Espinas.

Yo — Isaías lo dijo [8] — seré santificación para vosotros, y con vosotros para el mundo, pero también seré piedra de escándalo, de tropiezo, de lazo y ruina para Israel y para la tierra. *Santificaré a los que tuvieren buena voluntad y haré caer y reduciré a pedazos a los que mala la tuvieren.*

Los ángeles no anuncian palabras falsas o para un poco de tiempo. Vienen de Dios que es Verdad, que es Eterno, por eso lo que anuncian es verdad y un mensaje inmutable. Dijeron: "Paz a los hombres de *buena voluntad*". Entonces apenas había nacido, ¡oh tierra! tu Salvador. Ahora va a la muerte tu Redentor. Pero para tener paz de Dios, esto es, santificación y gloria, hay que tener "buena voluntad". *Inútil es mi nacimiento, inútil mi muerte para los que no tienen esta buena voluntad.* Mi primer lloro sobre la tierra y mi último estertor, mi primer paso y el último, la herida de la circuncisión y la de la consumación, *serán en vano*, si en vosotros los hombres, no hubiese buena voluntad de redimiros y santificaros.

Os lo digo [9]. Muchísimos tropezarán contra Mí que ha sido puesto como columna de sostén y no como trampa. Caerán por estar ebrios de soberbia, de lujuria, de avaricia. Y serán atrapados en las redes de sus pecados, y entregados a Satanás. Grabad estas palabras en vuestros cora-

[7] Cfr. Is. 8, 12.
[8] Cfr. Is. 8, 14.
[9] Cfr. Is. 8, 15.

zones, conservadlas cuidadosamente para los futuros discípulos [10].

Vamos. La Piedra se levanta [11]. Otro paso hacia adelante, hacia el monte. Debe brillar sobre la cima porque El es Sol, Luz, Oriente. El sol brilla sobre las cimas. Debe estar sobre el monte para que el verdadero Templo sea contemplado por el mundo entero. Yo mismo lo edifico con la Piedra viva de mi carne inmolada [12]. Uno sus partes con mezcla hecha de sudor y sangre. Estaré en mi trono cubierto de una púrpura viva, coronado con una nueva corona. Los que estuviesen lejos, me verán, trabajarán en mi Templo y alrededor de él. Yo soy el cimiento y la cúspide. Pero todo alrededor será cada vez más grande. Yo mismo labraré mis piedras y elegiré mis albañiles, así como el Padre y el Amor, el hombre y el Odio me han desbastado [13]. Y cuando en un solo día haya sido quitada la iniquidad de la tierra [14], sobre la piedra del Sacerdote "in aeternum" [15] vendrán los siete ojos a ver a Dios [16] y las siete fuentes arrojarán agua [17] para apagar el fuego de Satanás.

Satanás... Judas, vámonos. Y acuérdate que no queda mucho tiempo y que en la noche del jueves debe ser entregado el Cordero.»

[10] Cfr. Is. 8, 16.
[11] Cfr. Zac. 3, 8-9 según el texto griego de los LXX, el de la Vulgata y la trad. italiana de Tentori (Pía Sociedad de S. Paolo, 1942), que usaba la Escritora.
[12] Cfr. Zac. 6, 12-13.
[13] Cfr. Zac. 3, 8-9. Se aconseja que se lea todo el cap. 3.
[14] Cfr. Is. 52, 13 - 53, 12; Dan. 9.
[15] Esto es, Jesús. Cfr. Heb. 3, 1 - 10, 18.
[16] Cfr. Zac. 4, 1-14; Ap. 4-5.
[17] Tal vez alude aquí a los siete sacramentos.

11. Lunes después de la entrada en Jerusalén:
I. Durante el día [1]

(Escrito el 31 de marzo de 1947)

Jesús sale rápido de la tienda de un galileo situada en la planicie del monte de los Olivos donde muchos de la misma región se han unido para la fiesta. Todos duermen. La luz de la luna que, poco a poco, avanza el horizonte, baña sus tiendas, como también los árboles y pendientes, y hasta la ciudad que allá abajo duerme...

Jesús, sin hacer ruido, pasa por entre las tiendas. Llegado a los límites de las tiendas, desciende veloz por los escabrosos senderos que llevan a Getsemaní, lo atraviesa, sale, pasa el puentecillo que hay sobre el Cedrón y que parece una cinta plateada que cantase a la luna, llega a la puerta custodida por legionarios. Tal vez sea una precaución del Procónsul el ordena que se vigilen las puertas cerradas. Los soldados son cua-

[1] Cfr. Mt. 21, 18-22; 21, 23-37; Mc. 11, 12-14; 12, 1-12; Lc. 20, 1-18.

tro. Hablan entre sí. Están sentados sobre grandes piedras, recostadas contra el fuerte muro. Se calientan junto una hoguera de ramas, de la que sale una luz rojiza que se proyecta en las corazas, en los yelmos, bajo los cuales se descubren fisonomías italianas, diversas de las hebreas.

«¿Quién va?» grita el primer soldado que descubre la figura alta de Jesús por detrás de la esquina de una casucha cercana a la puerta. Toma su lanza, que estaba apoyada contra el muro, toma su actitud militar. Los demás lo imitan. Sin dar tiempo a que responda Jesús, dice: «No se puede entrar. ¿No sabes que está para acabarse la segunda vigilia?»

«Soy Jesús de Nazaret. Mi Madre está en la ciudad y voy a verla.»

«¡Oh, el hombre que resucitó al muerto de Betania! ¡Por Júpiter! ¡Hasta que por fin lo veo!» Se le acerca. Da vueltas a su alrededor como para asegurarse de que es algo real, de que es un hombre como todos. Y prorrumpe: «¡Oh, dioses! ¡Es hermoso como Apolo, pero en lo demás como nosotros! ¡No trae bastón, ni birrete, ni cosa alguna que demuestre su poder!» Se queda perplejo. Jesús le mira dulcemente.

Los otros, que no son tan curiosos — tal vez han visto a Jesús otras veces — dicen: «¡Ojolá hubiera estado aquí a la mitad de la primera vigilia, cuando llevaron al sepulcro a la hermosa muchacha que murió esta mañana! La habríamos visto resucitar...»

Jesús repite dulcemente: «¿Puedo ir a ver a mi Madre?»

Los cuatro soldados vuelven en sí. El de mayor edad responde: «En verdad que la orden es de que no puedes pasar, pero de todo modo lo harías. Quien obliga a que se abran las puertas del Ades, puede abrir las puertas de una ciudad cerrada. Tú no eres un hombre que provoque sediciones. Por lo tanto no podemos prohibirte el paso. Sólo procura que no te sorprendan las rondas. Marco Grato, abre. Pasa sin hacer ruido. Somos soldados y debemos obedecer.»

«No te preocupes. Vuestro bello gesto no recibirá algun castigo.»

Un legionario abre cuidadosamente la puertecilla que hay en el gigantesco portón y dice: «Pasa pronto. Dentro de poco termina el turno y nos relevarán otros.»

«La paz sea con vosotros.»

«Somos hombres de guerra...»

«También en la guerra permanece la paz que Yo doy, porque es paz del alma.»

Jesús se adentra en la oscuridad del arco abierto a través del muro. Sin hacer ruido pasa ante el cuerpo de guardia, de donde sale una luz que arroja una lámpara de aceite, suspendida de un gancho. La luz permite ver los cuerpos de soldados que duermen sobre petates extendidos en el suelo, envueltos en sus mantos con las armas a su lado.

Jesús se encuentra ya en la ciudad... Lo pierdo de vista, mientras veo cuando vuelven a entrar dos soldados que lo habían visto alejarse, antes de que entrasen a despertar a los otros para el relevo.

«No se le ve más... ¿Qué habrá querido decir con esas palabras? Me hubiera gustado saberlo» dice el más joven.

«Se lo hubieras preguntado. No nos desprecia. Es el único hebreo que no nos hace el feo» le responde el otro, que se encuentra en la edad viril.

«No me atreví. Soy un campesino del Benevento, y ¿cómo iba a hablar a uno que dicen que es Dios?»

«¿Un dios montado en un asno? ¡Ah, si fuese un borracho como Baco lo haría, pero no lo es! Me imagino que ni siquiera bebe el mulsium [2]. ¿No ves qué pálido está?»

«Y con todo los hebreos...»

«Esos sí que beben, aunque finjan no hacerlo. Se embriagaron con los vinos de estas tierras, y con su cerveza [3], han visto a su dios dentro de un hombre. Créemelo. Los dioses son un cuento. En el Olimpo no hay nadie y la tierra no los conoce.»

«¡Si te oyesen!...»

«¿Eres tan niño para ser tan inocente? ¿No sabes que el mismo César no cree en los dioses, como tampoco creen los pontífices, los augures, los arúspices, los arvales, las vestales [4], ni nadia?»

«Y entonces ¿por qué?...»

«¿Por qué las ceremonias? Porque gustan al pueblo. Se sirven de ellas los sacerdotes, y el César para que se le obedezca como a dios terrenal, a quien los dioses del Olimpo sostienen de la mano. Pero los primeros que no creen son los que veneramos como ministros de los dioses. Yo soy pirroniano [5]. He dado vueltas a la tierra. Tengo mucha experiencia. Mis cabellos se van haciendo blancos, y mi inteligencia es cada vez madura. Como ley personal, tengo tres puntos: Amar a Roma, la única diosa y la única realidad hasta la muerte. No creer en nada, porque todo lo que nos rodea es ilusión, fuera de la patria que es sagrada e inmortal. También debemos dudar de nosotros, porque no sabemos si vivimos. El sentido y la razón no son suficientes para convencernos de poder conocer la verdad; y la vida y la muerte tienen el mismo valor porque no sabemos qué cosa sea el vivir, así como ignoramos qué es morir» dice con afectación filosófica y con ínfulas de superioridad...

El otro lo mira sin saber qué responder. Luego: «Por mi parte creo. Me gustaría saber... Saber de aquel Hombre que acaba de pasar. El ciertamente sabe la Verdad. Algo extraño emana de El. Algo así como una luz que te penetra.»

«¡Que Esculapio te salve! ¡Estás enfermo! Se comprende. Hace pocos días que subiste del valle a estas alturas, y suelen enfermarse de fiebre los recién venidos. Estás delirando. Ven. No hay más que vino caliente y aromas para quitar con el sudor el veneno de la fiebre jordánica...» y lo

---

[2] Según el latín, y los mejores diccionarios latinos, no es *mulsium*, sino *mulsum*. Era esta una bebida compuesta de vino en que se mezclaba miel. Era bebidas de ricos y tenida por deliciosa.

[3] Bebida inebriante, aunque no hecha de vino. Cfr. Deut. 14, 26; 29, 6; Jue 13 (Sansón); Prov. 31, 1-9; Lc. 1, 5-25 (San Juan Bautista). Cfr. también Núm. 6.

[4] Como se sabe, los augures y arúspices eran adivinos; los arvales y vestales eran sacerdotes y sacerdotisas paganos.

[5] Pirroniano, esto es, seguidor de Pirro, fundador de una escuela escéptica (360-270 a.C.).

empuja hacia donde está la guardia.

Pero el otro se hace a un lado. Replica: «No estoy enfermo. No quiero vino caliente y drogado. Quiero seguir vigilando, y esperar a ese hombre que se llama Jesús.»

«Si esperar no te disgusta... Voy a despertar a aquellos para el relevo. Nos estamos viendo...»

Haciendo ruido, entra donde está el cuerpo de guardia y despierta a sus compañeros diciendo: «Ya es hora. Arriba, flojos. Despertad. Estoy cansado...» Da un fuerte bostezo, maldice porque dejeron apagar el fuego, y se han bebido todo el vino caliente «tan necesario para secarse del rocío palestinense...»

El joven legionario, apoyado sobre la muralla que la luna baña con sus luces, espera a que Jesús regrese. Las estrellas le hacen compañía...

Entre tanto Jesús ha llegado a la casa de Lázaro que está en la colina de Sión y llama a la puerta. Leví sale a abrirle.

«Maestro, ¿Tú? Las dueñas están durmiendo. ¿Por qué no enviaste algún criado? ¿Y si te hubiera pasado algo?»

«No me hubieran dejado pasar.»

«¡Ah, es verdad! ¿Pero cómo pasaste?»

«Soy Jesús de Nazaret. Los legionarios me permitieron pasar. Pero no lo digas a otros, Leví.»

«No lo diré... ¡Son mejores que muchos de nosotros!»

«Llévame a donde está mi Madre. Y no despiertes a ninguno.»

«Como ordenes, Señor. Lázaro nos ha mandado obedecerte en todo sin discusión, ni tardanza. Nos lo mandó a decir por medio de un siervo, y también a las otras casas suyas. *Obedecer y callar.* Lo haremos. Nos devolviste a nuestro dueño...»

El criado se adelanta por los largos corredores, como galerías, del hermoso palacio de Lázaro situado en la colina de Sión. La luz que lleva en las manos dibuja espectrales figuras sobre cuanto alumbra. El criado se detiene ante una puerta cerrada: «Allí está tu Madre.»

«Puedes irte.»

«¿Y la luz? ¿No la quieres? Puedo regresar a oscuras. Conozco bien la casa. Nací aquí.»

«Déjala. No quites las llaves de la puerta. Saldo pronto.»

«Sabes dónde estoy. Cerraré por precaución, pero te abriré cuando te oiga llegar.»

Jesús se queda, llama suavemente, tan suave que sólo quien esté despierto puede oir.

De dentro se oye un ruido como de una silla que se hace a un lado, y se escuchan suaves pasos. En voz baja pregunta: «¿Quién es?»

«Yo, Mamá. Abreme.»

Al punto se abre la puerta. La luz de la luna ilumina la habitación tranquila y sus rayos bañan el lecho en que todavía no se ha acostado la Virgen. Se nota una silla junto a la ventana abierta.

«¿Aún no te dormías? ¡Es tarde!»

386

«Estaba orando... Ven, Hijo mío. Siéntate aquí» y señala la silla.

«No puedo quedarme. Vine para que fuéramos a la casa de Elisa en el Ofel. Analía ha muerto ¿No lo sabíais?»

«No. ¿Cuándo fue?»

«Después de que pasé.»

«¡Después de que *pasaste!* [6] ¡Fuiste para ella el Angel liberador! ¡Para ella la tierra era una prisión! ¡Dichosa! ¡Quisiera hallarme en su lugar! Murió... ¿naturalmente? Quiero decir: ¿no fue por alguna desgracia?»

«Murió por el gozo de amor. Lo supe cuando estaba cerca del Templo. Ven conmigo, Mamá. No tenemos miedo de profanarnos al consolar una madre que tuvo entre sus brazos su hija muerta por una alegría sobrenatural... *Nuestra* primera discípula virgen. La que fue a Nazaret a buscarme y pedirme esta alegría... ¡Días lejanos y tranquilos!»

«El otro día estuvo cantando como una curruca enamorada y me besó diciendo: "¡Soy muy feliz!" Y moría de ansias por saber algo de Ti. Cómo te formó Dios. Cómo me eligió. Mis recuerdos de cuando consagré la virginidad... Ahora comprendo... Estoy pronta, Hijo.»

Mientras María hablaba, ha vuelto a recoger sus trenzas, que le caían sobre la espalda y la hacían parecer más joven, y se ha puesto el velo y el manto.

Salen haciendo el menor ruido posible. Leví está cerca del portón. Dice: «Preferí hacer así... por mi mujer... Las mujeres son curiosas. Me hubiera hecho miles de preguntas... Así está mejor...»

Abre. Jesús le dice: «Dentro de esta misma vigilia traeré otra vez a mi Madre.»

«Estaré alerta. No te preocupes.»

«La paz sea contigo.»

Caminan por las calles silenciosas, vacías, de las que la luna poco a poco se va alejando y sólo ilumina las casas altas de la colina de Sión. Más bañado en luz está el suburbio de Ofel, de casas pobres y bajas.

Llegan a la casa de Analía. Está cerrada, oscura, silenciosa. Se ven flores tiradas sobre los escalones, tal vez que ella misma arrojó antes de morir, o que cayeron sobre su lecho fúnebre...

Jesús llama a la puerta. Toca otra vez...

Se oye el ruido del bastidor de una ventana. Una voz que pregunta: «¿Quién es?»

«Marías y Jesús de Nazaret» responde María.

«¡Oh, voy al punto!...»

Esperan muy poco. Se oye cómo corren los cerrojos. Se deja ver el rostro entristecido de Elisa que apenas logra sostenerse. Cuando María entra y le abre los brazos, se echa en ellos con sollozos, sin decir nada.

Jesús cierra, y espera que su Madre tranquilice aquella ansia. Hay una habitación cerca de la puerta. Entran. Jesús trae la lámpara que Eli-

---

[6] Esta y la siguiente frase recuerdan a la pascua, cuando los judíos salieron de Egipto (cfr. vol. 2°, pág. 180, not. 6).

sa había dejado sobre el pavimiento de la entrada antes de haber abierto la puerta.

Elisa sigue gimiendo. Entre sollozos roncos habla a María. Jesús de pie, calla... Elisa no puede comprender por qué murió su hija de este modo... Y en medio de su sufrimiento, hace a Samuel causante de la muerte, porque la engañó: «Le destrozó el corazón, ¡ese maldito! Ella no lo decía, pero no cabe duda que hace mucho tiempo que sufría. Su corazon se partió en la alegría cuando gritó. ¡Sea maldito para siempre!»

«No, querida. No. No maldigas. No es así. Dios la amó tánto que quiso fuera a gozar de la paz. Y aun cuando hubiera muerto por causa de Samuel — no es, pero supongámoslo — piensa que muerte alegre tuvo, y que una mala acción le alcanzó una muerte feliz.»

«No puedo. ¡Se me ha muerto! ¡Se me ha muerto! No sabes lo que significa haber perdido una hija. Dos veces lo he probado. La lloraba cuando tu Hijo me la curó. Pero ahora... ¡El no ha vuelto! No ha tenido compasión... La he perdido! Mi hija está en la tumba. ¿Sabes lo que significa ver agonizar a un hijo? ¿Saber que debe morir? ¿Verlo muerto cuando se le creía sano y fuerte? No lo sabes. No puedes hablar sobre esto... Era hermosa como una rosa que se abre al primer rayo del sol. Quiso ponerse el vestido que le había tejido para sus bodas. Quiso llevar su corona de flores como una novia. Luego deshizo la guirnalda para arrojar las flores a tu Hijo. ¡Cantaba, cantaba! Su voz llenaba la casa. Era linda como la primavera. La alegría puso en sus ojos estrellas resplandecientes. Sus labios parecían de granada sirviendo de marco a sus blanquísimos dientes. Tenía sus mejillas rosadas, frescas como las rosas después del roció. Y se quedó blanca como el lirio que apenas empieza a abrir su corola. Se dobló sobre mi pecho como un tallo cortado... ¡Ni una palabra! ¡Ni un suspiro! ¡No más color en su cara, no más mirada! Estaba hermosa, como un ángel de Dios, pero sin vida. Tú no sabes, tú que estás contenta por el triunfo de tu Hijo, que está sano y fuerte, ¡qué cosa es mi dolor! ¿Por qué no volvió? ¿Qué le hicimos ella y yo para que no hubiera tenido piedad de mi plegaria?»

«¡Elisa, Elisa, no hables así!... El dolor te ciega y te hace sorda... Elisa, no conoces mi sufrir. No conoces el mar profundo en que se convertirá mi sufrimiento. La viste plácida, bella... entre tus brazos. Yo... hace más de seis lustros que contemplo a mi Hijo, y más allá de su cuerpo que contemplo y acaricio, veo las llagas del Hombre de dolores [7] en que se convertirá. Dices que no sé que significa ver a un hijo llegar a la boca de la muerte dos veces y la segunda que quede en paz. ¿Pero sabes qué es para una madre tener ante sus ojos esta visión por tanto años? ¡Mi Hijo! Míralo. Está vestido de rojo [8] como si hubiese salido de un baño de sangre. Y dentro de poco, cuando todavía la cara de tu hija no se habrá afeado, lo veré bañado con su sangre inocente. Con la sangre que le di. Si tú tuviste

[7] Alusión a Is. 52, 13 - 53, 12. Cfr. también vol. 1°, pág. 468, not. 1.
[8] Alusión a Is. 63, 1-6. Cfr. también Ap. 19, 11-16.

a tu hija contra el pecho, ¿comprendes cuál será mi dolor cuando vea morir a mi Hijo como a un malhechor sobre la cruz? Míralo. Es el Salvador de todos, tanto del cuerpo como del alma. Porque los cuerpos salvados por El serán incorruptos y bienaventurados en su Reino. Mírame, mírame a mí que hora tras hora acompaño y conduzco — ¡oh, yo no lo detendría ni siquiera un paso! — al sacrificio! Puedo comprenderte. ¡Comprendes tú mi corazón! No te irrites contra mi Hijo. Analía no hubiera soportado ver la agonía de su Señor. El ha hecho que fuera feliz en una hora de regocijo.»

Al oir estas palabras, Elisa ha dejado de llorar. Mira a María, en cuyo rostro de mártir se ven lágrimas silenciosas. Mira a Jesús que la mira con piedad... Cae a los pies de El llorando: «¡Pero se me ha muerto, se me ha muerto, Señor! Como un lirio, como un lirio pisoteado. Nuestros poetas han dicho que eres el que te paseas entre los lirios [9]. ¡Oh, verdaderamente Tú, nacido del lirio-María, desciendas frecuentemente por los floridos prados, y las purpurinas rosas conviertes en niveos lirios, y los cortas arrebatándoselos al mundo. ¿Por qué, por qué, Señor? ¿No es justo que una madre se regocije con su rosa que nació de ella? ¿Por qué apagar el color purpurino en la fría palidez de muerte del lirio?»

«¡Los lirios! Serán el símbolo de las que amarán como mi Madre ha amado a Dios. El níveo prado del Rey divino.»

«Pero nosotras, las madres, lloraremos. Nosotras tenemos derecho a nuestras hijas. ¿Por qué arrebatarles la vida?»

«No quiero decir esto, Elisa. Las hijas quedarán, pero consagradas al Rey como las vírgenes en el palacio de Salomón. Recuerda el Cántico [10]... Y serán las esposas, las amadísimas en la tierra y en el cielo.»

«¡Pero mi hija ha muerto! ¡Está muerta!» Y el llanto se apodera de ella.

«Yo soy la Resurrección y la Vida. Quien cree en Mí, cuando llegue a morir, vive, y en verdad te digo que no muere para siempre. Tu hija vive. Vive para siempre porque creyó en la Vida. Mi muerte será para ella una vida completa. Ha conocido la gloria de vivir en Mí antes de conocer el dolor de verme muerto. Tu dolor te ciega y te hace sorda. Mi Madre ha dicho bien. Pero pronto dirás lo que te mandé decir esta mañana: "Realmente su muerte fue una gracia de Dios". Créelo, Elisa. El horror se va a apoderar de este lugar. Vendrá el día en que las madres que habrán sufrido una desgracia, como tú, dirán: "Gracias se den a Dios que libró a nuestros hijos para que no contemplasen estos días". Y las madres que no hubieran sufrido alguna desgracia, gritarán al cielo: "¿Por qué, ¡oh Dios!, no quitaste la vida a nuestros hijos para que no viesen esta hora?" Créelo, mujer. Cree en mis palabras. No levantes entre ti y Analía la verdadera valla que divide: la de no tener la misma fe. ¿Ves? Podía Yo no haber venido. Sabes cuánto me odian. ¡No te hagas ilusiones de este

[9] Cfr. Cant. 2, 1. 16; 6, 2. Se aconseja leer ambos capítulos.
[10] Cfr. Cant. 6, 4 - 8, 4.

triunfo momentáneo!... En cualquier rincón de la calle puede ocultarse una asechanza contra Mí. He venido, de noche, a consolarte y a decirte estas palabras. Compadezco a una madre que sufre. Pero por la paz de tu alma vine a decirte esto. Tranquilízate. Cálmate. Sé en paz.»

«Dame esa paz, Señor. ¡Yo no puedo! No puedo calmarme en medio de mi dolor. Tú que devuelves la vida a los muertos y la salud a los moribundos, da paz al corazón de una madre angustiada.»

«Así sea. Sea la paz contigo.» Le impone las manos bendiciéndola y orando en silencio. María se ha arrodillado a su vez cerca de Elisa rodeándola con su brazo.

«Adiós, Elisa. Me voy...»

«¿No nos veremos más, Señor? Por muchos días no saldré de casa. Tú te vas después que termine la pascua. Tú... eres una parte de mi hija... porque Analía... porque Analía vivía en Ti y por Ti.» Llora un poco más calmada.

Jesús la mira... Le acaricia la cabeza cana. Le dice: «Volverás a verme.»

«¿Cuándo?»

«Dentro de ocho días.»

«¿Y me consolarás? ¿Me bendecirás para darme fuerzas?»

«Mi corazón te bendecirá con toda la plenitud de amor con que amo a los que me aman. Vámonos, Madre.»

«Hijo mío, si me lo permites, me quedo un poco más con ella. El dolor es como una ola que regresa después que se alejó el que había dado paz... Entraré a la hora de prima. No tengo miedo de andar sola. Lo sabes también que sería capaz de atravesar un ejército enemigo para ir a consolar a un hermano en Dios.»

«Haz como quieras. Yo me voy. Dios esté con vosotras.»

Sale sin hacer ruido. Cierra detrás de Sí la puerta de la habitación y la de la casa. Se dirige a la muralla, a la puerta de Efraín o Estercolaria o de La Basura, porque muchas veces he oído que así llaman a estas dos puertas cercanas entre sí. Tal vez se deba a que una da al camino de Jericó que está más allá, y que lleva a Efraín; y la otra porque está cerca del valle de Innón donde se quema la basura de la ciudad. Son tan iguales que se confunden.

El cielo comienza a esclarecer, estando todavía lleno de estrellas. Las calles están envueltas en la penumbra. La luna ha desaparecido.

Pero el soldado romano tiene buenos ojos. Tan pronto como ve a Jesús que se acerca a la puerta, le sale al encuentro.

«Salve. Te estaba esperando...» Se detiene dudoso.

«Habla sin temor. ¿Qué se te ofrece?»

«Quisiera saber. Dijiste: "La paz que doy permanece aun en la guerra porque es paz del alma". Quisiera saber qué paz es y qué es el alma. ¿Cómo puede el hombre que está en guerra estar en paz? Cuando se abre el Templo de Jano se cierra el de la Paz. Ambas cosas no pueden coexistir en el mundo.» El soldado tiene a sus espaldas la pared verdosa de un huertecillo. El sendero húmedo, oscuro, corre entre casuchas. No se ve otra cosa fuera de Jesús, del soldado y de un débil resplandor que despide el bruñido yelmo.

La voz de Jesús se oye dulce, luminosa, confiada por arrojar una semilla de luz en el alma del pagano. «Tienes razón: en el mundo no pueden coexistir la paz y la guerra. Una excluye a la otra. Pero en el hombre de guerra puede haber paz aun cuando pelee. Puede existir *mi* paz. Porque *ella* viene del cielo, y no le hace ningún daño el fragor de la guerra y la ferocidad de la batalla. Siendo algo divino, penetra en lo divino que tiene el hombre, lo que se llama *alma*.»

«¿Es divina mi alma? Divino es César. Yo soy hijo de campesinos. Soy todavía un legionario sin grado. Si fuera valiente, llegaré a ser centurión. Pero divino, no.»

«Hay algo de divino en ti, el alma, que viene de Dios, del Dios verdadero. Por esto es divina. Es una joya preciosa que vive en el hombre, que se alimenta de cosas divinas, que vive de la fe, de la paz, de la verdad. La guerra no la turba. La persecución no le hace ningún daño. La muerte no la mata. Solo el mal, esto es, hacer lo que no está bien, la hiere o mata, y hasta la priva de la paz que Yo le doy; porque el mal separa al hombre de Dios.»

«¿Y qué es el mal?»

«Estar en el paganesimo y adorar los ídolos una vez que la bontad del Dios verdadero ha dado a conocer que El existe. No amar a los propios padres, a los hermanos, al prójimo. Robar, matar, ser rebelde, cometer acciones de lujuria, ser falso. He ahí el mal.»

«¡Ah, entonces yo no puedo tener tu paz! Soy soldado y se me han dado órdenes de matar. Entonces ¿no hay para nosotros salvación?»

«Sé justo en la paz como en la guerra. Cumple tu deber sin crueldad y sin ambición. Mientras combates y conquistas, recuerda que el enemigo es semejante a ti, que en cada ciudad hay madres e hijas como tu madre y tus hermanas. Sé valiente sin ser un hombre desenfrenado. No saldrás así de los límites de la justicia y de la paz. Y *mi* paz estará contigo.»

«¿Y luego?»

«¿Qué quieres decir con luego?»

«¿Después de la muerte? ¿Que pasa con el bien que hice y con mi alma que dices que no muere si no se hace el mal?»

«Seguirá viviendo. Seguirá viviendo del bien hecho, en medio de una paz gozosa, mayor que la que disfrutó en la tierra.»

«¡Entonces en Palestina uno sólo hizo el bien! Comprendido.»

«¿Quién?»

«Lázaro de Betania. ¡Su alma no murió!»

«Realmente él es un hombre justo, pero hay muchos semejantes a él que mueren sin resucitar, pero que su alma vive en el Dios verdadero, porque el alma tiene una mansión en el reino de Dios, y quien cree en Mí entrará en ese Reino.»

«¿También yo que soy romano?»

«También tú, si creyeres en la Verdad.»

«¿Qué es la verdad?»

«Yo soy la Verdad, el Camino para ir a Ella. Soy la Vida y la doy a quien acepta la Verdad.»

El joven soldado piensa... guarda silencio... Luego levanta su cara. Una cara muy joven, en que se dibuja una sonrisa límpida, serena. Dice: «Procuraré no olvidar nunca esto y de saber un poco más. Me gusta...»

«¿Cómo te llamas?»

«Vital. De Benevento. De la campiña de la ciudad.»

«Recordaré tu nombre. Haz que tu espíritu sea verdaderamente vital alimentándolo con la Verdad. Adiós. La puerta va a abrirse. Me voy.»

«¡Ave!»

Jesús atraviesa, ligero, la puerta y se va rápido por el camino que lleva al Cedrón, al Getsemaní, y de aquí al campo de los galileos.

Entre los olivos del monte alcanza a Judas de Keriot que, también rápido se dirige al campo que va despertándose.

Judas da un brinco de susto al encontrarse frente a Jesús. Lo ve fijamente, sin decirle nada.

«Fui a llevar la comida a los leprosos. Pero... encontré a dos en Innón, cinco en Siloán. Los demás están curados. Me rogaron que lo dijese al sacerdote. Vine apenas se veía algo a fin de estar libre después. Esto va a provocar una gran resonancia. ¡Un número tan grande de leprosos curados por Ti! ¡Y a la presencia de todos!»

Jesús no responde. Lo deja hablar... No dice ni siquiera: «Has hecho bien», ni nada referente a lo que Judas hizo, o al milagro. Pero deteniéndose de pronto y mirando fijamente al apóstol le pregunta: «¿Y bien? ¿Qué provecho se saca de haberte dejado libre y con la bolsa del dinero?»

«¿Qué quieres decir?»

«Que si te has hecho santo desde que te devolví la libertad y el dinero. Tú me comprendes... ¡Ah, Judas, recuérdalo! Recuérdalo siempre: tú has sido a quien más he amado; y tú has sido el que menos me ha amado. Antes bien me has odiado más que el más feroz fariseo. Y recuerda también que ni siquiera, pese a esto, te odio sino en lo que toca a Mí, Hijo del Hombre, te perdono. Vete ahora. No hay nada que añadir entre tú y Yo. Todo está terminado...»

Judas quisiera decir algo, pero Jesús con un gesto imperioso le hace señal de seguir adelante... Judas, con la cabeza inclinada, sigue el camino.

En el límite del campo de los galileos los apóstoles y dos siervos de Lázaro están ya preparados.

«¿Dónde estuviste, Maestro? ¿Y tú, Judas? ¿Habéis estado juntos?»

Jesús se adelanta a la respuesta de Judas: «Tenía que decir algunas palabras a alguien que sufre. Judas fue a los leprosos... Todos, fuera de siete, están curados.»

«Oh, ¿por qué fuiste? Quería ir también yo» dice Zelote.

«Para estar ahora libre de venir con nosotros. Vámonos. Entremos en la ciudad por la Puerta de los Peces. Démonos prisa» añade Jesús.

Es el primero en ponerse en camino, pasando por entre los olivos que llevan del campo, casi a la mitad del camino entre Betania y Jerusalén, al otro puentecillo del Cedrón, cerca de la Puerta de las Ovejas.

Hay casas esparcidas por las faldas. Y casi cerca de la planicie, cerca del río, se ve una higuera que se balancea sobre él. Jesús se dirige a ella, y busca entre sus espesas hojas si hay algún higo maduro. Pero ¡inútil!. No hay más que hojas: «Eres como muchos corazones en Israel. No tienes ninguna dulzura para el Hijo del Hombre, ni compasión. ¡Qué jamás vuelva a nacer en ti fruto alguno, ni de ti lo coma nadie!» dice Jesús.

Los apóstoles se miran. La ira de Jesús contra el árbol que no tiene frutos, que tal vez es selvático, los sorprende muchísimo. No objetan algo. Sólo más tarde, cuando han pasado el Cedrón, Pedro le pregunta: «¿Dónde has comido?»

«En ninguna parte.»

«¡Oh, entonces tienes hambre! Allí hay un pastor con algunas cabras. Voy a pedirle leche. Regreso pronto.» Se va y regresa cuidadoso con una vieja escudilla colmada de leche.

Jesús la bebe. Devuelve la escudilla al pastorcillo que había acompañado a Pedro...

Entran en la ciudad. Suben al Templo, y después de haber adorado al Señor, Jesús regresa al patio donde enseñan los rabinos.

La gente lo rodea. Una mujer que ha llegado de Cintium le presenta su hijito que una enfermedad ha cegado, según creo. Sus ojos están blancos como quien tiene una gran catarata en la pupila, o nube.

Jesús lo cura tocando con sus dedos sus párpados. Luego empieza a hablar:

«Un hombre compró un terreno y lo plantó de vides. Construyó una casa para los arrendatarios, una torre para los vigilantes, bodegas y lagares, y lo entregó para que trabajasen en él a los arrendatarios en quienes confiaba. Luego, se fue.

Cuando llegó el tiempo en que los viñedos podían fructificar, el dueño del viñedo envió criados suyos a los arrendatarios, para que le entregasen los intereses. Pero ellos los tomaron, y a unos los apalearon, a otros los arrojaron a pedradas, hiriendo a muchos; a otros mataron. Los que pudieron regresar vivos, contaron al dueño lo que había pasado. Este los curó y consoló; luego, envió otros siervos más numerosos. Los arrendatarios trataron a éstos como a los anteriores.

Entonces el dueño de la viña dijo: "Enviaré a mi hijo amado. Lo respetarán, pues es mi heredero".

Los arrendatarios, tan pronto como vieron que se acercaba y, sabedores que era el heredero, se dijeron entre sí: "Juntémonos todos. Echémoslo fuera, a un lugar retirado y matémoslo. Su herencia será nuestra". Lo acogieron con honores ficticios, lo rodearon como para festejarlo, le dieron el beso de amigo, y luego lo ataron. Le maltrataron, lo condujeron entre insultos al lugar del suplicio y lo mataron.

Decidme ahora vosotros. Cuando ese padre y dueño sepa que su hijo y heredero no regresa y descubra que sus siervos-arrendatarios, a quienes había prestado una tierra feraz para que la cultivasen en su nombre, y tomasen lo que era de ellos, y lo que era justo le diesen a él ¿qué les hará cuando sepa que mataron a su hijo?» Jesús trapasa con sus ojos de zafiro, encendidos como un sol, a los diversos grupos reunidos, sobre todo a los fariseos y escribas esparcidos entre la multitud. Nadie responde.

«¡Contestad! Por lo menos vosotros, rabínos de Israel. Pronunciad una palabra recta que persuada al pueblo a la justicia. Yo podría decir algo que según vosotros no estuviese bien. Hablad, pues, para que el pueblo no caiga en error.»

Los escribas, como obligados, responden: «Castigará a los criminales, y los hará perecer de un modo atroz. Entregará su viña a otros arrendatarios que, además de que se la cultiven, le daran lo que le pertenece.»

«Habéis respondido acertadamente. En la Escritura está dicho [11]: "La piedra que los constructores *hicieron a un lado*, se ha convertido en la piedra angular. Esta es obra que hace el Señor y es una maravilla ante nuestros ojos". Así pues está escrito, y vosotros lo sabéis. Habéis contestado rectamente al decir que los criminales serán castigados duramente porque mataron al hijo heredero, y al afirmar que la viña será entregada a otros arrendatarios que la cultiven como se debe. Por esto os digo: "El Reino de Dios os será quitado y será dado a gente que produzca sus frutos. Quien cayere *contra* esta piedra se despedazará, y sobre quien cayere quedará desmenuzado".»

Los jefes de los sacerdotes, los fariseos y escribas, con un gesto verdaderamente... heroico, no reaccionan. ¡Tanto puede la voluntad del hombre cuando se propone algo! Por cosas menores se le habían opuesto, antes, abiertamente. Pero hoy que Jesús les ha dicho que se les quitará el poder, no prorrumpen en improperios, no realizan ningún acto de violencia, no amenazan. ¡Falsos corderos, bajo una piel hipócrita de mansedumbre, en la que esconden un cruel corazón de lobo!

Se limitan a acercarse a El, que ha vuelto a caminar hacia adelante y hacia atrás, escuchando a muchos peregrinos que hay en el vasto patio, que le piden consejo para su alma o para casos de familia o de sociedad. Como es el caso de alguien que le pregunta sobre una cuestión difícil de herencia, que ha provocado divisiones y mala voluntad entre los diversos herederos debido a que un hermano de ellos nació de una esclava, aunque su padre lo adoptó. Los hijos legítimos no lo quieren admitir consigo, ni repartirle parte de las casas y terrenos. No quieren tener nada en común con el bastardo. No saben cómo resolver el caso, porque su padre los hizo jurar antes de morir, que así como siempre había tratado a todos de igual modo, así ellos debían repartir la herencia con el bastardo según justicia.

[11] Sal. 117, 22-23.

Jesús responde al que le había hecho la pregunta en nombre de los otros tres hermanos: «Privaos todos de un pedazo de tierra cuyo valor equivalga a la quinta parte de la suma total de todos los bienes y vendedlo. Tomad ese dinero y dadlo al ilegítimo diciéndole: "Esta es tu parte. No se te ha quitado nada de lo tuyo, ni tampoco hemos contrariado a la voluntad de nuestro padre. Vete y que Dios sea contigo". Sed generosos y dadle aun más del valor estricto que le corresponda. Llamad a hombres probos como testigos, y nadie en la tierra, o después, podrá reprocharos algo. Habrá paz entre vosotros y en vosotros, pues no tendréis el remordimiento de haber desobedecido a vuestro padre, y de que no estará con vosotros el que fue causa de intranquilidad, aunque inocente. Algo así como un ladrón que se hubiese metido en casa.»

El hombre responde: «El bastardo nos arrebató realmente la paz en la familia. Nuestra madre murió de dolor por su causa.»

«El no es culpable, sino el que lo engendró. El no pidió nacer para llevar sobre sí la marca de bastardo. Fue la pasión de vuestro padre que lo engendró para hacerlo y haceros sufrir. Sed, pues, rectos para con el inocente que paga tristemente una culpa que no es suya. No os irritéis contra el espíritu de vuestro padre pues Dios lo ha ya juzgado. No son necesarios los rayos de vuestras maldiciones. Honrad a vuestro padre, siempre, aun cuando sea culpable, no por tratarse de él, sino porque representó en la tierra a vuestro Dios, que os creó por su decreto, y fue el dueño de vuestra casa. Después de Dios vienen inmediatamente los padres. Recordad el Decálogo [12]. No pequéis. Idos en paz.»

Los sacerdotes y escribas se le acercan para hacerle una pregunta. Dicen: «Te hemos escuchado. Ha sido realmente justa tu sentencia. Un consejo tan sabio que ni siquiera lo hubiera dado el mismo Salomón. Pero respóndenos a nosotros ahora, que haces prodigios y pronuncias sentencias como el rey sabio podía haberlo hecho, ¿con qué autoridad haces estas cosas? ¿De dónde te viene este poder?»

Jesús los mira fijamente. No tiene aire agresivo, ni despectivo, pero sí majestuoso. Responde: «También Yo tengo una pregunta que haceros, y si me la respondéis os diré con qué autoridad Yo, hombre sin autoridad de cargo y pobre — porque esto es lo que insinuáis — hago estas cosas. Decid: ¿de dónde venía el bautismo de Juan? ¿Del cielo? ¿De quien lo impartía? Respondedme. ¿Con qué autoridad Juan lo administró como rito purificatorio para prepararos a la venida del Mesías, si él era más pobre, menos instruído que Yo, sin cargo de ninguna clase, y que había vivido desde su niñez en el desierto?»

Los escribas y los sacerdotes se consultan entre sí. La gente con tamaños ojos y con orejas bien paradas se agolpa, pronta a protestar, si los escribas atacan al Bautista e insultan al Maestro, o a aclamar si la pregunta del Rabí de Nazaret los derrota. El silencio de la gente es completo. Tan profundo que se escucha la respiración y los cuchicheos

---

[12] Cfr. Ex. 20, 1-17; Deut. 5, 1-22.

de los sacerdotes y escribas que hablan entre sí, apenas moviendo los labios, que no dejan de mirar de reojo al pueblo cuyos sentimientos intuyen. Finalmente se resuelven a responder. Se vuelven a Jesús que está apoyado contra una columna, con los brazos cruzados sobre el pecho, mirándolos fijamente. Contestan: «Maestro, nosotros no sabemos con qué autoridad obraba Juan, ni de dónde venía su bautismo. A nadie se le ocurrió preguntárselo cuando vivía, y él nunca lo dijo.»

«Tampoco Yo os diré con qué autoridad hago tales cosas.» Y les vuelve las espaldas, llama a los doce, se abre paso entre la multitud que lo aclama y sale del Templo.

Cuando están fuera, más allá de la Probática, pues por allí habían salido, Bartolomé le dice: «Tus adversarios se han hecho más prudentes. Tal vez se están convirtiendo al Señor que te envió y te reconocerán por el Mesías santo.»

«Es verdad. No discutieron ni tu pregunta, ni tu respuesta...» agrega Mateo.

«Ojalá sea así. Es hermoso que Jerusalén se convierta al Señor Dios suyo» torna a hablar Bartolomé.

«¡No os hagáis ilusiones! Esa parte de Jerusalén *jamás* se convertirá. No respondieron de otro modo porque tuvieron miedo de la gente. Leí sus pensamientos, aunque no oí nada de lo que entre sí cuchicheaban.»

«¿Y qué decían?» pregunta Pedro.

«Os lo diré para que los conozcáis a fondo y podáis ofrecer a los venideros una descripción exacta de los corazones de los hombres de mi tiempo. No me respondieron, no porque se hubieran convertido al Señor, sino porque entre sí decían: "Si respondemos: 'El bautismo de Juan vino del cielo' el Rabí nos replicará: 'Entonces ¿por qué no creísteis al que vino del cielo y amonestaba a que nos preparásemos para la era mesiánica?' Si contestamos: 'Del hombre'. Entonces la multitud se rebelará, diciendo: 'Entonces ¿por qué no habéis creído en lo que Juan, nuestro profeta, dijo de Jesús de Nazaret?' Lo más cómodo es decir: 'No sabemos' ". Esto es, pues, lo que entre sí decían. No porque se convirtiesen al Señor, sino por cálculo vil, a fin de no confesar abiertamente que Yo soy el Mesías y que hago estas cosas porque soy el Cordero de Dios, del cual habló el Precursor. Tampoco quise aclarar con qué autoridad hago lo que hago. Muchas veces lo he dicho dentro de esos muros y por toda Palestina. Mis milagros hablan más elocuentemente que todas mis palabras. Ya no hablaré más. Dejaré que hablen los profetas, mi Padre y las señales del cielo, porque ha sonado la hora que se cumplirán todas las señales. Las que dejaron los profetas, las que están representados como símbolos de nuestra historia, y las que Yo he dicho: la señal de Jonás [13] ¿Os acordáis de lo que sucedió aquel día en Cadés? Es la señal que espera Gamaliel. Vosotros, Esteban y Hermas y tú Bernabé que has dejado hoy a tus compañeros por seguirme, muchas veces habéis oido

[13] Cfr. Jon. 2.

hablar al rabí de esta señal. Pues bien: pronto se dará.»

Se interna por entre los olivares. Los suyos y muchos discípulos (de los setenta) y otros más, como José Bernabé, le siguen para oirlo hablar.

12. El lunes antes de la Pascua:
II. La noche
(Escrito el 6 de marzo de 1945)

Ya ha anochecido, y Jesús permanece aun en el olivar. Con El los apóstoles. De nuevo les habla.

«Y ha pasado ya un día. Mañana será otro. Después, pasado mañana; y luego, al siguiente día, la cena pascual.»

«¿Dónde la celebraremos, Señor mío? Este año están también las mujeres» pregunta Felipe.

«No hemos provisto a nada. La ciudad está a reventar de gente. Parece como si todo Israel, y hasta el más lejano prosélito, hubiera venido para la fiesta» dice Bartolomé.

Jesús le mira. Y como si recitase un salmo, dice [1]: «Juntaos, apresuraos, de todas partes venid a mi víctima que inmolo por vosotros. Llegaos a la *gran Víctima* inmolada sobre los montes de Israel, para que comáis su Carne y bebáis su Sangre.»

«¿Cuál es esa víctima? Parece como si tuvieras una idea fija. No hablas más que de muerte... y nos apesadumbras» replica Bartolomé, recalcando sus palabras.

Jesús lo vuelve a mirar, pero no mira a Simón que cuchichea algo a Santiago de Alfeo y a Pedro. Continua: «¿Cómo? ¿Me lo preguntas? Tú no eres uno de esos pequeñuelos, que deben recibir la septiforme luz para que se hagan doctos [2]. Tú ya eras docto en la Escritura antes de que te hubiese llamado por medio de Felipe, en aquella mañana de primavera. De *mi* primavera. ¿Me preguntas cual es la víctima inmolada sobre los montes, de la que todos vendrán a alimentarse? ¿Dices que tengo una idea fija, porque hablo solo de muerte? ¡Oh, Bartolomé! Yo lancé una, dos, tres veces, el grito de alerta en vuestras tinieblas que jamás se abrieron a la luz como si hubiera sido el grito del vigía. Y jamás quisisteis oirlo. Durante un instante sufristeis, y después... cual pequeñuelos olvidasteis las palabras referentes a mi muerte y regresasteis alegres a vuestro trabajo, seguros, confiados que mis palabras y las vuestras persuadirían cada vez más al mundo de que siguiesen y amasen a su Redentor.

No. Sólo después que la tierra [3] habrá pecado contra Mí, y recordad

---

[1] Cfr. Ez. 39,.17.
[2] Cfr. vol. 3°, pág. 549, not. 1.
[3] Cfr. Ez. 14, 12-13.

que son palabras que el Señor dice a su profeta, *sólo entonces*, el pueblo, y no sólo *éste*, único, sino *el gran pueblo de Adán* empezará a gemir [4] diciendo: "Vayamos al Señor. El que nos hirió, nos curará". El mundo de los redimidos dirá: "Después de dos días, esto es, *dos etapas* de la eternidad, durante los cuales nos habrá dejado a merced del Enemigo, que nos golpeará y matará con todo género de armas, así como golpeamos y matamos al Santo y lo golpeamos y lo matamos pues siempre existirá la raza de Caín que matará con la blasfemia y malas obras al Hijo de Dios, el Redentor, arrojando flechas mortales no contra su Persona eternamente glorificada, sino contra el alma propia que El rescató, matándola y *matando así a El a través de sus almas* — sólo después de estas etapas vendrá *el tercer día*, y resucitarán sobre la tierra ante la presencia del reino del Mesías y vivirán en el triunfo del espíritu. Aprenderemos a conocer al Señor para estar prontos para soportar, por medio de este *verdadero* conocimiento de Dios, la última batalla de Lucifer que trabará contra el hombre, antes de que se oiga el sonido de la trompeta del ángel [5] que abrirá para siempre el coro del número perfecto — al que no podrá más agregarse ni un infante, ni un anciano — que cantará: 'Se ha acabado el pobre reino de la tierra. El mundo ha pasado con todos sus habitantes ante la revista que ha hecho el Juez victorioso. Los elegidos están ahora en las manos de nuestro Señor y de su Mesías. El es para siempre nuestro Rey. Sea alabado el Dios Omnipotente que es, que era, que será, porque ha asumido todo su poder y ha entrado en posesión de su reino' ".

¡Oh, quién podrá recordar las palabras de esta profecía que resuenan veladamente en las expresiones de Daniel [6], y ahora que hace que vuelva a retumbar la voz del Sabio ante el mundo atónito, ante vosotros más sorprendidos que él!

El mundo continuará gimiendo con sus heridas, encerrado en su sepulcro, medio vivo, medio muerto, rodeado por su septiforme vicio y de sus innumerables herejías, muerto en medio de sus últimos esfuerzos como el cuerpo de un leproso. Y la venida del Rey [7] ha sido preparada como la de la aurora, y vendrá a nosotros como la lluvia de primavera y de otoño.

A la aurora precede la muerte, que es la noche, *y que es ahora.* ¿Qué debo hacerte, Efraín? ¿Qué debo hacerte, Judá?... Simón, Bartolomé, Judas, primos míos, que sois bastante doctos en la Escritura ¿reconocéis estas palabras? Proceden no de uno que esté loco, sino de quien posee la sabiduría y la ciencia. Como un rey que abre sus cofres porque sabe que allí está la piedra preciosa que busca, pues él mismo la había puesto antes, cito a los profetas. *Yo soy la Palabra. Durante los siglos he hablado a través de los labios humanos* [8], *y seguiré hablando* [9]. *Todo lo que de*

[4] Cfr. Os. 6, 1-6.
[5] Cfr. Ap. 11, 15-17.
[6] Leer Dan. 7.
[7] Cfr. Os. 6, 3-4.
[8] Cfr. Hebr. 1, 1-2.
[9] Cfr. vol. 4°, pág. 445.

sobrenatural se ha dicho es mío. Ningún hombre, aun el más docto y santo puede subir, como si fuese un águila, más allá de los límites del mundo ciego, para arrebatar y manifestar los misterios eternos.

El futuro no es *"presente"* sino en la Mente Divina. *La necedad existe en aquellos que, sin contar con nuestro querer, pretenden anunciar profecías y decir revelaciones. Dios los desmiente prontamente y los castiga porque sólo es El el que puede decir: "Yo soy", "Yo veo", "Yo sé". Pero, cuando la Voluntad que no se mide, que no se juzga, que se acepta con la cabeza inclinada diciendo: "Aquí estoy", sin discutir, invita: "Ven, sube, oye, ve, repite"; entonces, sumergida el alma en el presente eterno de su Dios, que la llama para ser "voz", ve y se estremece, ve y llora, ve y se regocija. Entonces el alma que el Señor llamó para que fuese "palabra" oye, y al llegar a un éxtasis o un sudor agónico, pronuncia las palabras terribles del Dios eterno. Porque cada palabra de Dios es tremenda, pues viene de quien su sentencia es inmutable, su justicia inexorable, que se dirige a los hombres, de entre los que pocos merecen amor y bendición, más bien que rayos y condenación.* Ahora bien, esta palabra que se le desprecia ¿no se convertirá en una culpa terrible, en castigo para los que después que la oyeron la rechazan? Lo será.

¿Qué debo hacer todavía [10], ¡oh Efraín! ¡oh Judá! ¡oh mundo! que no haya hecho? Vine, oh tierra mía, vine porque te amaba. Mis palabras se convirtieron en espada que te mata porque las aborreciste ¡Oh, mundo que matas a tu Salvador, creyendo obrar justamente! Estás tan poseído de Satanás que no eres ni siquiera capaz de comprender cual *sea el sacrificio que Dios exige, sacrificio del propio pecado y no de un animal que se le inmola y consume con el alma sucia* [11]! ¿Qué te he dicho en estos tres años? ¿Qué he predicado? Te he dicho: "Conoced a Dios en sus leyes, en su naturaleza". Me he secado como un jarro de barro poroso expuesto al sol para derramar el conocimiento necesario de la ley, y de Dios. Has seguido ofreciendo sacrificios, pero no el único necesario: *¡la inmolación de tu mala voluntad al Dios verdadero!*

Ahora, el Dios eterno te dice, ciudad pecadora, pueblo perjuro — y en la hora del Juicio se empleará contra ti el látigo que no será empleado contra Roma ni Atenas. Estas dos ciudades son necias: no conocen la palabra y el saber, pero cuando se vean libres de sus males, pasarán a los brazos santos de mi Iglesia, de mi única y sublime Esposa que me dará innumerables hijos dignos de Mí, crecerán y se harán adultas, me regalarán palacios y ejércitos, templos y santos con que pueble el cielo como de estrellas — ahora el Dios eterno te dice [12]: "No me agradáis más y no aceptaré ya más de vuestra mano don alguno, porque para Mí es como si fuese estiércol [13], que arrojaré contra vuestras caras, y se os quedará pegado. Vuestras solemnidades son toda exterioridad. Me producen asco.

[10] Cfr. Os. 6,4.
[11] Ib. 6, 6; 8, 11-13. Cfr. también Is. 1, 10-20; Am. 5, 21-27.
[12] Cfr. Mal. 1, 10.
[13] Cfr. Mal. 2, 3.

Cancelo mi pacto que hice con la estirpe de Aarón y lo paso a los hijos de Leví [14] porque: *este es mi Leví, y con El hice un pacto eterno de vida y de paz. El me ha sido fiel durante los siglos, hasta el sacrificio*. Temió santamente al Padre y tembló ante la ira que pudiera suscitar solo el sonido de haber ofendido mi nombre. La ley de la verdad estuvo en su boca, y en sus labios no hubo iniquidad. Caminó conmigo en la paz y equidad, y a muchos arrebató del pecado. Ha llegado el tiempo en que en todas partes, y no más sobre el único altar de Sión, pues se han hecho indignos [15], será sacrificada y ofrecida a mi nombre la Hostia pura, inmaculada, aceptable al Señor''.

¿Reconocéis las palabras eternas?»

«Las reconocemos, Señor nuestro. Créenos que nos sentimos cual si hubiéramos sido apaleados. ¿No es posible desviar el destino?»

«¿Lo llamas destino, Bartolomé?»

«No conozco otra palabra...»

«*Reparación*. Este es su nombre. Si se ofende al Señor, hay que reparar la ofensa. El primer hombre ofendió al Dios creador [16]. Desde aquel entonces la culpa ha seguido aumentando. Las aguas del diluvio no sirvieron para nada [17] como tampoco el fuego que llovió sobre Sodoma y Gomorra [18] para que el hombre fuera santo. Ni el agua, ni el fuego. La tierra es una Sodoma ilimitada, por donde se pasea libremente Lucifer su rey. Es necesaria una triple cosa para lavarla: el fuego del amor, el agua del dolor, la Sangre de la Víctima. Este es mi don, ¡oh tierra! Para eso vine. Para dártelo. ¡No puedo huir! Es pascua. No se puede huir.»

«¿Por qué no vas a casa de Lázaro? No significaría que huyes. Nadie te tocaría si estás allí.»

«Simón dice bien. ¡Te suplico, Señor, que lo hagas!» grita Judas Iscariote echándose a los pies de Jesús.

A su acto responde un gran llanto de Juan. Los demás apóstoles lloran, pero en silencio.

«¿Crees que sea Yo el "Señor"? ¡Mírame!» Jesús penetra con su mirada la cara angustiada de Iscariote, porque realmente está afligido, no finge. Tal vez sea la última batalla de su alma contra Satanás y no sabe vencerla. Jesús lo escudriña; sigue esa lucha como un médico sigue la crisis de su enfermo. Luego se levanta bruscamente, de modo que Judas que estaba apoyado sobre sus rodillas, es echado para atrás y cae sentado sobre tierra. Jesús se echa también para atrás con rostro agitado, y dice: «¿Para hacer también arrestar a Lázaro? Doble presa, y por lo tanto doble alegría. No. Lázaro servirá al Mesías futuro, *al Mesías triunfante*. Sólo uno sera arrojado fuera de la vida y *no regresará*. Yo regresaré. Pero él no regresará. Lázaro se queda. Tú, *tú que sabes tanto*, también sabes esto. Aquellos que esperan conseguir doble ganancia al cazar al

[14] Cfr. Mal. 2, 4-6.
[15] Cfr. Mal. 1, 11.
[16] Cfr. Gén. 3.
[17] Cfr. Gén. 6, 5 - 9, 17.
[18] Cfr. Gén. 18, 1 - 19, 29.

águila con su aguilucho en el nido y sin trabajo alguno, deben convencerse que *el águila tiene ojos para todos, y que por amor a su aguilucho, irá lejos de su nido, para que, al ser capturada ella, se salve él.* El odio me está matando y con todo sigo amando. Idos. Me quedo a orar. Nunca, como en estos momentos, siento el anhelo de llevar mi alma al cielo.»

«Permíteme que me quede contigo, Señor» suplica Juan.

«No. Todos tenéis necesidad de descansar. Vete.»

«¿Te quedas solo? Y ¿si te hacen algún daño? Parece como si también sufrieras... yo me quedo» dice Pedro.

«Tú te vas con los otros. ¡Déjame olvidar por una hora a los hombres! ¡Déjame estar en contacto con los ángeles de mi Padre! Harán las veces de mi Madre que se deshace en llanto y súplicas, y que no puedo causarle más dolor con el mío. Idos.»

«¿No nos da la paz?» pregunta su primo Judas.

«Tienes razón. La paz del Señor venga sobre cada uno de los que no son oprobio a sus ojos. Hasta pronto» y Jesús se interna, subiendo por una ladera llena de olivos.

«¡Es así!... ¡Es lo que dice la Escritura! ¡Al oirlo de sus labios se comprende por qué fue dicho y para quién» dice en voz baja Bartolomé.

«Ya se lo había dicho yo a Pedro en el otoño del primer año...» dice Simón.

«Así fue... No. Mientras yo viva no dejaré que lo aprendan. Mañana...» dice Pedro.

«¿Qué vas a hacer mañana?» pregunta Iscariote.

«¿Qué haré? Estoy hablando conmigo mismo. Es tiempo de conjuraciones. Ni siquiera al aire confiaré mi plan. Y tú, que has dicho tantas veces que eres tan poderoso, ¿por qué no buscas protección para Jesús?»

«Lo haré, Pedro. Lo haré. No os vayáis a sorprender que algunas veces no esté con vosotros. Trabajo para El. Pero no se lo digáis.»

«Pierde cuidado, y que seas bendito. Algunas veces he deconfiado de ti, pero te pido perdón. Veo que eres mejor que nosotros cuando llega la oportunidad. Tú obras... yo no sé más que hablar por hablar» dice Pedro, humilde y sinceramente.

Judas se ríe como si le hubiese gustado la alabanza. Salen de Getsemaní hacia el camino que lleva a Jerusalén.

13. El martes antes de la Pascua: I. En el día [1]
(Escrito el 1° de abril de 1947)

Están casi para entrar nuevamente en la ciudad por el mismo vericueto separado que siguieron el día anterior por la mañana, y parece como si Jesús no quisiera que le rodease la gente, antes de que no hubiese

---

[1] Cfr. Mt. 21, 21-22; 22, 15-33; Mc. 11, 20-26; 12, 13-27; Lc. 20, 19-39.

estado en el templo al que pronto se llega si uno entra en la ciudad por la Puerta de la Ovejas que está cercana a la Probática. Pero esta mañana muchos de los 72 lo están ya esperando al otro lado del Cedrón, antes del puente. Apenas le ven aparecer entre los olivos verde-grises, con su vestido púrpura, le vienen al encuentro.

Se juntan y continúan hacia la ciudad. Pedro, que está mirando hacia allá, por la pendiente, sospechoso siempre de que aparezca algún avieso, ve entre el verde frescor de la última parte de la pendiente un montón de hojas marchitas que se balancean sobre el Cedrón. Las hojas mustias y secas, como si la plaga las hubiese consumido, dan la impresión de una planta que la hubiesen secado las llamas del fuego. La brisa, de vez en vez, arranca una de ellas y la entierra en las aguas del arroyo.

«¡Esa era la higuera de ayer! La higuera que maldijiste!» grita Pedro, señalando con la planta seca, y volviendo su cabeza hacia atrás, hacia donde está el Maestro.

Corren todos, menos Jesús que camina como de costumbre.

Los apóstoles cuentan a los discípulos lo que había pasado el día anterior. Todos hacen comentarios, y de reojo miran a Jesús. Han sido testigos de miles de milagros obrados en hombres y en los elementos, pero éste los sacude como ningún otro.

Jesús, ha llegado a donde están, sonríe al ver esas caras espantadas y sorprendidas. Pregunta: «¿Y qué? ¿Tanto os extraña que mi palabra haya secado la higuera? ¿No me habéis visto acaso resucitar muertos, curar leprosos, dar vista a ciegos, multiplicar el pan, calmar tempestades, apagar el fuego? ¿Y os sorprende que una higuera se haya secado?»

«No es por ella. Es que ayer, cuando la maldijiste, estaba verde, y ahora está... ¡Mírala! Seca como la hojarasca. Sus ramas no tienen vida. Mira. Se hacen polvo» y Bartolomé, con sus dedos, reduce a polvo unas ramillas que con facilidad ha cortado.

«No tiene más vida. Lo dijiste. La muerte asoma cuando dentro no hay savia, se trate de una planta como de una nación, o de una religión. Cuando sólo hay una corteza dura, ramaje inútil, crueldad y exterioridad hipócrita. La savia que está dentro, llena de linfa, corresponde a la santidad, a la espiritualidad. La corteza dura y ramaje inútil se refieren a la humanidad privada de vida espiritual y justa. ¡Ay de aquellas religiones que se hacen humanas porque sus sacerdotes y fieles no tienen más un espíritu vital! ¡Ay de las naciones, cuyos jefes son brutalidad y un grito clamoroso sin ideas fructíferas! ¡Ay de los hombres en quienes falta la vida del espíritu!»

«Si dijeses esto a los grandes de Israel, aun cuando tus palabras son muy exactas, no serías prudente. No te hagas ilusiones de que te hayan dejado hablar. Tú mismo has dicho que no es que se hayan convertido sus corazones, sino que actuaron por cálculo. Procura también estimar el valor y las consecuencias de tus palabras. Porque, además de la sabiduría del espíritu [2], existe la del mundo. Y conviene echar mano de

[2] Cfr. Rom. 8, 5-11.

ella por interés propio. Porque en resumidas cuentas, estamos en el mundo todavía y no en el Reino de Dios» dice Iscariote sin acritud, pero con tono de maestro.

«El verdadero sabio es el que sabe ver la realidad sin que las sombras de su sensualidad y cálculo frío se la cambien. De mi parte diré siempre la verdad de lo que veo.»

«Bueno. Esta higuera está seca del todo porque la maldijiste. Se trata de alguna señal... de algo... no sé cómo explicarme» dice Felipe.

«Es como acabas de decir. Pero lo que hecho también vosotros podréis hacerlo, si llegáis a tener una fe perfecta. Tened en el Altísimo esa confianza ciega. Y cuando la tuviereis, Yo os digo que podréis hacer esto y hasta más. En verdad os aseguro que si alguien llegare a tener tan perfecta confianza nacida de la oración y de la bondad del Señor, podrá decir a este monte: "Quítate de aquí y arrójate al mar". Y, si al decirlo, no dudare en su corazón, sino que creyere que cuanto ordena puede realizarse, se verificará.»

«Y pareceremos magos y nos apedrearán, como se manda que se haga con quien practica la magia. ¡Sería un milagro bastante necio, que nos acarrearía daño!» objeta Iscariote moviendo la cabeza.

«¡El necio eres tú, que no has comprendido la parábola!» le refuta el otro Judas.

Jesús no se dirige a Judas. Habla a todos: «Yo os digo, y es una vieja lección que os repito ahora: cualquier cosa que pidiereis por medio de la oración, confiad en que la obtendréis. Si antes de orar tuviereis algo contra alguien, perdonad antes y haced las paces, para que vuestro Padre que está en los cielos os sea favorable, vuestro Padre que tanto os perdona, que con tantos bienes os colma, desde que nace el sol haste que se pone, desde la aurora hasta el anochecer.»

Entran en el Templo. Los soldados de la Antonia los ven pasar.

Se dirigen a adorar al Señor, luego regresan al patio donde enseñan los rabinos.

Antes de que la gente acuda y lo rodee, se acercan a Jesús los saforines, los doctores de Israel y algunos herodianos. Con hipócritas inclinaciones le dicen: «Maestro, sabemos que eres sabio y veraz, que enseñas el camino de Dios sin tener en cuenta cosas o personas, que sólo tienes ante tus ojos la verdad y la justicia. Que te preocupas poco de lo que piensen los otros de Ti, que solo tienes puestas tus miras en llevar a los hombres al Bien. Dinos, pues: ¿es lícito pagar el tributo al César, sí o no? ¿Qué piensas Tú?»

Jesús los taladra con una de esas miradas penetrantes y de suprema intuición. Responde: «¿Por qué queréis hacerme caer, hipócritas? ¡Aun entre vosotros hay alguien que sabe que no se me engaña con honores insinceros! Mostradme la moneda que empleáis para pagar el tributo.»

Le muestran una moneda.

La observa en el anverso y renverso. Y, teniéndola en la palma de la mano izquierda, pone sobre ella el dedo índice de la derecha diciendo:

«¿De quién es esta imagen y qué dice esta inscripción?»

«Es la imagen de César. La inscripción lleva su nombre, de Cayo Tiberio César, quien es actualmente el emperador de Roma.»

«Devolved entonces a César lo que es de César y dad a Dios lo que es de Dios.» Les vuelve las espaldas después de haberles devuelto la moneda.

Escucha ya a éste, ya a aquél peregrino, que le preguntan, a los que consuela, absuelve y cura.

Pasan las horas.

Sale del Templo tal vez para ir a tomar los alimentos que los criados de Lázaro le han traído.

Vuelve a entrar. La tarde ya ha empezado. No muestra señal de cansancio. La gracia y la sabiduría manan de sus manos que coloca sobre los enfermos, de sus labios en cada palabra que dedica a los que se le acercan. Parece como si quisiera consolar a todos, curar a todos, antes de que no lo pueda hacer más.

Pronto va a ponerse el sol. Los apóstoles, cansados, están sentados en el suelo bajo el pórtico, sorprendidos al ver el trajinar de la gente que hay en los patios del templo ahora que se acerca la pascua, cuando se aproximan al Incansable varios ricos, como puede notarse en sus vestiduras.

Mateo, que parece estar semi dormido, se levanta advirtiendo a los demás: «Algunos saduceos [3] se aproximan al Maestro. No lo dejamos solo, para que no lo insulten, ni le vayan a hacer mal alguno.»

Se levantan todos. Lo rodean al punto. Me parece intuir que ha habido represalias entre el ir y volver al Templo a la hora de sexta.

Los saduceos, con saludos extremados, le dicen: «Maestro, respondiste tan sabiamente a los herodianos que nos vinieron deseos de participar de un rayo de tu luz. Oye: Moisés ha dicho: "Si alguien muere sin hijos, suy hermano tome por esposa a la viuda para que le dé descendencia" [4]. Ahora bien, había siete hermanos. El primero tomó por mujer a una doncella, y murió sin dejar prole. La viuda se convirtió en esposa del hermano. También el segundo murió sin dejar prole, de igual modo el tercero. De este modo hasta el séptimo. Finalmente la mujer, que había sido esposa de los siete, murió. Respóndenos: cuando resuciten los cuerpos, si es verdad que así fuere, y que el alma sobreviva y se reúna al cuerpo en le último día, reconstruyendo los seres vivientes, ¿cuál de los siete hermanos tendrá por esposa a la mujer, ya que en la tierra fue de los siete?»

«Estáis equivocados. No sabéis comprender ni las Escrituras ni la potencia de Dios. La vida actual será muy diversa de la otra. En el Reino

[3] Cfr. Mt. 3, 1-12; 16, 1-12; 22, 23-34; Mc. 12, 18-27; Lc. 20, 27-40; Hech. 4, 1-4; 5, 17-18; 22, 30-23, 11. Los saduceos, elegidos sobre todo entre los miembros de las grandes familias sacerdotales, formaban el partido de la aristocracia sacerdotal. Se adherían fuertemente a la tradición *escrita*, contenida sobre todo en el Pentateuco (cfr. pág. 121, not. 3). Negaban la resurrección del cuerpo, negaban el alma y los ángeles. Sus adversarios fueron los fariseos, partido religioso y popular, que se adhería con todas sus fuerzas a la tradición oral de sus propios doctores. Un partido entregado a la casuística minuciosa.

[4] Cfr. Deut. 25, 5-10 y también Gen. 38; Rt. 4.

eterno no existirán las necesidades de la carne como acá en este suelo. Porque es verdad que después del Juicio final resucitarán los cuerpos y se reunirán cada uno con su alma inmortal reconstruyendo todo el ser que se encontrará en mejores condiciones de las que nos encontramos ahora Yo y vosotros, pero no estará sujeto a las leyes; y, sobre todo, a los estímulos y abusos que predominan ahora. Cuando llegue la resurrección, no se casarán más los hombres y los mujeres, sino que serán semejantes a los ángeles de Dios que están en el cielo, quienes no se casan, aun cuando viven en un ambiente de pleno amor espiritual y divino. Por lo que se refiere a la resurrección de los muertos, ¿no habéis leído cómo Dios habló a Moisés desde la zarza? ¿Qué le dijo el Altísimo? "Yo soy el Dios de Abraham, de Isaac, de Jacob" [5]. No dijo: "Yo fui", como si diese a entender que Abraham, Isaac y Jacob *habían sido, pero que ya no eran más.* Dijo: *"Yo soy".* Porque Abraham, Isaac y Jacob *existen.* Son inmortales como todos los demás hombres en su alma; y cuando resuciten lo serán también con su cuerpo por toda la eternidad. Existen como existen Moisés, los profetas, los justos, como desgraciadamente existen Caín [6] y los que perecieron en el diluvio [7], los sodomitas [8] y todos los muertos en culpa mortal. Dios no es Dios de los muertos, *sino de los vivos.*»

«¿También Tú morirás y seguirás viviendo?» le preguntan por tentarlo. Se han cansado ya de seguir siendo buenos. La rabia que sienten por dentro no pueden contenerla.

«Yo soy el Viviente y mi Carne no probará la destrucción [9]. El arca fue apresada, y la actual también lo será como símbolo [10]. El tabernáculo fue arrebatado y será destruido [11]. Pero el verdadero Templo de Dios no podrá jamás ser arrebatado y destruido. Cuando sus adversarios lo creyeren, entonces será la hora en que se establecerá en la verdadera Jerusalén, en toda su gloria. Adiós.»

Se va ligero al patio de los israelitas, porque las trompetas de plata han anunciado el sacrificio vespertino [12].

Me dice Jesús:
«... He dicho *contra* y *no sobre* [13]. Es una profecía contra los enemigos de mi Iglesia. Quien se arrojase contra ella, *será pulverizado,* porque ella es la piedra angular [14].

---

[5] Cfr. Ex. 3, 1-6.
[6] Gén. 4.
[7] Ib. 6, 5-12.
[8] Ib. 18-19.
[9] Cfr. Sal. 15, 10; Hech. 2, 22-36; 13, 32-37.
[10] Por lo que toca al arca y sus vicisitudes cfr. sobre todo: Ex. 25-26; 35-40; Deut. 10; 31; Jos. 3-6; 1 Rey. 4-7; 2 Rey. 6; 15; 3 Rey. 8; 1 Par. 13; 15-16; 2 Par. 5-6; 2 Mac. 2; Heb. 9.
[11] Por lo que toca al Tabernáculo del Testimonio y a sus vicisitudes, cfr. sobre todo: Ex. 26-40; gran parte del Levítico, del libro de los Núm., de los libros 1 y 2 Par.; Hebr. 8-9. Cfr. la nota anterior.
[12] Cfr. Núm. 10, 1-10.
[13] En las traducciones de Lengua españ aparece casi siempre la preposición «contra», lo que no sucede en las italianas. (N.T.) Cfr. Is. 8, 11-15 y 1 Pe. 2, 7-8 donde parece desprenderse que quien *pega* «contra» esta piedra, que es Dios y su Mesías, después caiga «sobre».
[14] Cfr. pág. 123, not. 10.

Pero también téngalo en cuenta quienes, pese a que sean de la Iglesia, creen estar a salvo de los castigos divinos. *Sobre quien cayere el peso de la condenación de la Cabeza y Esposo de esta Esposa mía, de este Cuerpo mío místico* [15], *será pulverizado.*

Y adelantándome a una objección de los eternos escribas y saduceos mal intencionados, que pudieran hacer a mis siervos, digo: Si en estas últimas visiones aparecen frases que no existen en los Evangelios, como la última de la visión de hoy, o como la que dije cuando hablé de la higuera y otras más, tengan presente que los evangelistas eran de *aquel* pueblo y vivían en tiempos en los que cualquier palabra podía causar repercusiones violentas y nocivas a los neófitos.

Que lean los hechos apostólicos y verán que no era muy agradable la mezcla de tantos pensamientos diversos; y que, si mutuamente se admiraban, reconociendo los méritos de cada uno, no faltaron disensiones entre sí, porque el pensamiento humano es vario y siempre imperfecto [16]. Para evitar profundas divisiones entre el uno y otro modo de pensar, los evangelistas, iluminados por el Espíritu Santo, omitieron *voluntariamente* de sus escritos alguna que otra frase que hubiera herido la susceptibilidad de los hebreos y escandalizado a los gentiles, que necesitaban creer *perfecto* el núcleo de hebreos de los que salió la Iglesia, para no alejarse diciendo: "Son iguales que nosotros".

Está bien que se conozca lo que padecí Yo. Pero conocer las enfermedades espirituales del pueblo israelita, que estaba ya corrompido, sobre todo en las clases altas, no. Y las ocultaron, lo mejor que pudieron. Cuanto más que los evangelios se escribieron después de mi Ascensión, tanto más son más explícitos, hasta el claro Evangelio de Juan mi predilecto. Sólo es Juan quien refiere *aun* las manchas más dolorosas del mismo núcleo apostólico, llamando con toda claridad "ladrón" a Judas [17] y la vulgaridad de los judíos (cap. 6° — voluntad fingida de hacerme rey, las disputas en el Templo, el abandono de muchos después del discurso sobre el Pan del cielo, la incredulidad de Tomás [18]). Habiendo él sobrevivido por mucho tiempo, cuando mi Iglesia se sentía ya fuerte, levanta los velos que otros no se habían atrevido a hacerlo.

Pero ahora el Espíritu de Dios quiere que conozcáis también estas palabras. Bendigan al Señor, porque para los justos de corazón hay muchas luces y muchas guías.»

[15] Cfr. vol. 4° al fin, pág. 653, not. 10.
[16] Cfr. por ej. Hech. 6, 1-6; 11, 1-18; 15; 17, 1-15; Gal. 2, 11-14.
[17] Cfr. Ju. 12, 1-8.
[18] Cfr. Ju. 20, 19-29.

14. El martes antes de la Pascua: II. La noche

(Escrito el 7 de marzo de 1945)

«Vosotros oísteis hablar a los gentiles y a los judíos. Y vísteis cómo aquellos se inclinaron, ante Mí, y éstos por poco me matan. Poco faltó para que tú, Pedro, te liases a golpes al ver que intencionadamente me habían echado encima los corderos, los cabros y los becerros para que cayera al suelo entre excrementos. Simón, aun cuando eres muy prudente, respondiste al insulto que me lanzaron los miembros más feroces del Sanedrín que me gritaban: "Hazte a un lado, demonio, mientras pasan los enviados de Dios". Tú, Judas, primo mío y tú, Juan, mi predilecto, gritasteis, y rápidos me librasteis del peligro. Tú, Judas, agarraste las riendas del caballo, y, tú, Juan, poniéndote delante de Mí, fuiste golpeado en mi lugar. Sadoc con su risa sarcástica quiso echarme encima su carro. Os agradezco las pruebas de amor que os hace levantaros en defensa del Inerme. Pero veréis otras cosas peores. Cuando esta luna vuelva a rielar por el firmamento otras dos veces más a partir de hoy, las ofensas de palabra se convertirán en acciones, más tupidas que las flores que hay ahora en los árboles frutales. Visteis — y os habéis quedado sorprendidos — una higuera seca, y un huerto sin flores. La higuera, como Israel, no dio nada al Hijo del Hombre, y ha muerto en su pecado. El huerto, como los gentiles, espera la hora de la que hablé hoy, para florecer y borrar el último recuerdo de la ferocidad humana con la dulzura de las flores derramadas sobre la cabeza y bajo los pies del Vencedor.»

«¿Cuál hora, Maestro?» pregunta Mateo. «Hoy hablaste de tantas cosas, que apenas puedo recordarlas. Quisiera siempre tener presente todo. ¿Se trata de la hora en que regrese el Mesías? También hablaste aquí de ramas que reblandecen y echan hojas.»

«¡No es así!» exclama Tomás. «El Maestro habla como si la conjuración que lo aguarda, esté ya cercana. ¿Cómo puede entonces suceder lo que ha dicho que debe preceder su regreso? Guerras, destrucciones, esclavitudes, persecuciones, Evangelio predicado a todo el mundo, abominación en la casa de Dios; y, luego, terremotos, pestes, falsos profetas, señales en el sol y en las estrellas [1]... ¡Eh, se necesitan siglos para todo esto! Se las vería buenas el dueño del huerto si estuviese que esperar hasta que floreciese.»

«No comería del fruto de sus árboles, porque estoy seguro que será el fin del mundo» comenta Bartolomé.

«Para que el mundo se acabe, no hace falta que Dios quiera, y todo regresa a la nada. Por esto el huerto no tendría que esperar tanto tiempo. Pero, como dije así sucederá. Y pasarán muchos siglos entre una y otra cosa. Esto es, hasta el definitivo triunfo y regreso mío» explica Jesús.

«¿Y entonces? ¿Cuál es la hora?»

«¡Oh, yo la sé!» responde Juan entre lágrimas. «Yo la sé. Y será después de tu muerte y resurrección...» Se estrecha a Jesús.

«¿Y te pones a llorar porque resucita?» lo provoca Judas Iscariote.

«Lloro porque antes tiene que morir. No te burles de mí, demonio. Yo sé. Y no puedo pensar en esa hora.»

«Maestro, me llamó demonio. Ha faltado contra el compañero.»

«Judas, ¿estás seguro de no merecerlo? Si es así, no te preocupes. También Yo he sido llamado "demonio" y lo repetirán.»

«Pero Tú has dicho que quien insulta a su hermano es culpable...»

«Silencio, ante la muerte que se acaben de una vez estas acusaciones odiosas, estas disputas y mentiras. No turbéis a quien muere.»

---

[1] En cuanto a éstas y otras señales precursoras del «Día de Yahvé», como son: desgracias, desastres, destrucciones de ciudades y regiones, o bien el acercamiento del fin del mundo, cfr. los siguientes contextos: Is. 2, 6-22; 13; 34; Jer. 4, 5-31; Ez. 32, 1-16; Dan. 9-12; Jl. 2, 1-11, 28-32; 3, 15-17; Am. 5, 18-20; 8, 4-10; Hab. 3, 1-6; Sof. 1, 12-18; 1 Mac. 1; Mt. 24; Mc. 13; Lc. 17, 20-37; 21, 5-36; Ap. 6, 12-17.

«Perdóname, Jesús» murmura Juan. «Algo sentí dentro de mí al ver que se reía... y no pude controlarme.» Juan se ha acercado mucho más a Jesús, y llora sobre su espalda.

«No llores. Te comprendo. Déjame hablar.»

Pero Juan no se separa de Jesús, ni siquiera cuando se sienta sobre una gran raíz saliente. Las lágrimas del discípulo caen sobre el vestido púrpura del Maestro y al tocarlas los rayos de luna parecen rubíes, parecen gotas de sangre diluida.

«Hoy escuchasteis a los judíos y gentiles lo que decían. No os debe extrañar si os digo: "De mi boca salió siempre la palabra recta. Y jamás será revocada". Siempre diré con Isaías [2], al hablar de los gentiles que vendrán a Mí, después que haya sido levantado de la tierra: "Delante de Mí todos doblarán su rodilla. Todos los hombres jurarán por Mí y en mi Nombre". Y al ver los modales de los judíos, no dudaréis ni un momento en afirmar, sin equívoco alguno, que serán llevados ante Mí avergonzados todos los que me fueron contrarios.

Mi Padre no sólo me ha hecho su siervo para hacer revivir las tribus de Jacob, para convertir lo que queda de Israel "*los restos* [3]" sino que me ha dado como luz de las naciones para que sea el "Salvador" de toda la tierra [4]. Por esto, durante estos treinta y tres años de destierro del cielo [5] y del seno del Padre [6], he continuado creciendo en gracia y sabiduría ante Dios y ante los hombres, llegando a la edad perfecta, y en estos últimos tres años, después de haber caldeado mi alma y mi mente en el fuego del amor y de haberlas templado con el hielo de la penitencia, he hecho [7] "que mi boca sea como una espada cortante".

El Padre santo, que es mío y vuestro, hasta ahora me ha custodiado bajo la sombra de su mano, porque todavía no había llegado la hora de la expiación. Ahora me deja ir. La flecha suelta, la flecha de su divina aljaba, después de que ha herido para curar, herido a los hombres para abrir brecha en sus corazones a la Palabra y a la Luz de Dios, ahora vuela rápida, derecha, a herir la Segunda Persona, al Expiador, al Obediente por el desobediente Adán... Y como un guerrero herido caigo, diciendo a muchos: [8] "En vano me he fatigado, en vano, para no alcanzar nada. Inútilmente he gastado mis fuerzas".

¡Pero no! Todo lo hice por el eterno Señor que no hace cosa alguna sin

[2] Cfr. Is. 45, 23-25; Rom. 14, 9-12.

[3] Respecto «al resto» o «restos», esto es, la porción del pueblo israelita que volvió a ser fiel a Dios, o bien refiriéndose al Mesías, el «Germen» santo del pueblo de Israel, cfr. los siguientes contextos: Deut. 29, 29 - 30, 5; 4 Rey. 19, 1-8; 1 Esd. 1, 1-4; 2 Esd. 1, 1-4; Is. 4, 2-3; 6, 9-13; 7, 3 (nombre profético del hijo mayor de Is.: «Un resto tornará a Dios»); 10, 20-23; 11, 1-16; 28, 1-6; 37, 1-4; 30-32; Jer. 3, 14-18; 5, 18-19; 23, 1-18; 31, 7-9; 50, 19-20; Bar. 2, 11-18; Ez. 5, 1-6; 6, 1-10; 9; 12, 8-16; 20, 33-38; Jl. 2, 28-32; Am. 3, 9-12; 5, 14-15; Ab. 16-18; Miq. 2, 12-13; 4, 6-7; 5, 1-6; Sof. 2, 4-11; 3, 11-13; Ag. 1; Zac. 1, 1-6; 8, 1-17; 13, 7-9; 14, 1-3; Rom. 9, 25-29.

[4] Cfr. Is. 49, 3-6; Hec. 13, 44-47.

[5] Cfr. vol. 3°, pág. 593, not. 5 y las notas allí alegadas.

[6] Idéntica expresión en Ju. 1, 18.

[7] Cfr. Is. 49, 2; Hebr. 4, 12; Ap. 1, 9-16; 19, 11-16.

[8] Cfr. Is. 49, 4.

motivo. ¡Atrás, Satanás, que quieres me entregue al desconsuelo y me tientas para que no obedezca! Desde el principio de mi ministerio y hasta el fin de él has venido y vienes. Pues bien, mira, me pongo (y realmente se levanta) en posición de lucha. Te desafío. Lo juro por Mí mismo [9] que te venceré. No es orgullo decirlo, es la verdad. El Hijo del Hombre será vencido en su cuerpo, por el hombre, por el miserable gusano que muerde y envenena con su fétido fango. Pero el Hijo de Dios, la Segunda Persona de la inefable Trinidad, no será vencido por Satanás. Tú eres el Odio, eres poderoso en medio de él y en tu malicia de tentador. Pero conmigo, seré para ti una fuerza que se te escapará de entre manos, porque no podrás ni apresarla, ni enclavar. El Amor está conmigo.

No ignoro el tormento que me espera. No del que os hablaré mañana, porque tened en cuenta que nada de lo que ha pasado a mi alrededor lo he ignorado, así como tampoco cuanto suceda. Hay otro tormento... que no causan la lanza ni los palos, las burlas y bofetadas que recibirá el Hijo del hombre, sino Dios mismo, tormento que muy pocos conocerán en su real atrocidad. En aquella tortura en que dos serán los principales verdugos: Dios con su ausencia [10] y tú, demonio, con tu presencia, la Víctima tendrá consigo al Amor, que vive en Mí, que es la primera fuerza de mi resistencia a la prueba, y al Amor que encontraré en el consolador espiritual [11] que bate ya sus alas de oro por el ansia de bajar a secar mis sudores y que recoge ya todas las lágrimas de los ángeles en celestial cáliz, que deslíe la miel de los nombres de mis redimidos y amantes para templar con esa bebida la sed del Torturado, y su ilimitada amargura.

Serás vencido, demonio. Un día, cuando saliste de un poseso, me dijiste: "Espero vencerte cuando seas una piltrafa de carne ensangrentada". Te respondo: "No te apoderás de Mí. Yo venzo. Mi fatiga ha sido santa, mi causa está ante mi Padre. El defiende lo que hizo su Hijo y no permitirá que mi espíritu se extenúe".

Padre, desde ahora antes de que llegue esa atroz hora, te digo: "En tus manos encomiendo mi espíritu" [12].

Juan no te vayas... Todos los demás podéis iros. La paz del Señor esté donde Satanás no se hospeda. Hasta pronto.»

Todo termina de este modo.

[9] Como Dios no tiene un superior por quien jurase (Heb. 6, 13) jura por Sí mismo. Cfr. Gén. 22, 16; Ex. 32, 13; Is. 45, 23; Jer. 22, 5; 44, 26 (por su gran Nombre); 49, 13; 51, 14; Am. 4, 2 (por su Santidad); 6, 8; Hebr. 6, 13-20.
[10] En el sentido de Mt. 27, 46; Mc. 15, 34. Cfr. también vol 4°. pág. 715, not. 19; y en este vol. pág. 295, not. 7, y pág. 342, not. 3.
[11] Cfr. vol. 4°. pág. 715, not. 19.
[12] Cfr. Sal. 30, 6, citado en Lc. 23, 46. S. Esteban repetirás estas palabras dirigiéndose a Jesús, cfr. Hech. 7, 59.

15. El miercoles anterior a la Pascua:
I. En el día [1]
(Escrito el 2 de abril de 1947 y el 19 de junio de 1944)

Jesús entra en el Templo, que está más lleno de gente que en los días anteriores. Su tunica es blanca, de lino purísimo. Hace bochorno.

Se llega hasta el atrio de los Israelitas para adorar. Le sigue mucha gente. Otros se quedan bajo los portales. La mayoría la constituyen gentiles, que no pudiendo adentrarse más allá de su pórtico llamado de los Paganos, han aprovechado la oportunidad de que los hebreos se han ido detrás de Jesús y de este modo toman lugar bajo el portal.

Pero los desaloja un buen grupo de fariseos que, siempre arrogantes, se abren paso para llegar a Jesús que en esos momentos se inclina sobre un enfermo. Esperan que lo haya curado, luego le mandan un escriba para que le interrogue.

Entre ellos hubo una breve discusión, porque Yoel, llamado Alamot, quería ir a preguntar al Maestro, pero un fariseo se le opuso y los otros fueron del mismo parecer diciendo: «No. Sabemos que eres favorable al Rabí, aunque lo seas ocultamente. Deja que baje Urías...»

«Urías no» objeta otro joven escriba que no conozco. «Urías es muy descuidado en su hablar. Excitaría a la gente. Voy yo.»

Y sin preocuparse de la opinion de los demás, se acerca al Maestro exactamente en el momento en que se despide del enfermo, diciéndole: «Ten fe. Estás curado. La fiebre y el dolor no volverán.»

«Maestro, ¿cuál es el mayor de los mandamientos de la ley?»

Jesús, que lo tiene a sus espaldas, se vuelve a mirarle. Un asomo de sonrisa le ilumina su rostro; levanta su cabeza, pues la tenía inclinada hacia abajo porque el escriba es de estatura pequeña y está doblado un poco en señal de respeto. Mira a la gente que lo rodea; sus ojos llegan hasta donde están los fariseos y doctores, los fija sobre la cara pálida de Yoel un poco escondido detrás de un grueso fariseo. La sonrisa de Jesús se hace más clara. Es como una luz que fuera a acariciar al escriba honesto. Luego torna a bajar su cabeza para ver a su interlocutor y le responde: «El primero de todos los mandamientos es: "Escucha, ¡oh Israel! [2]: el Señor nuestro Dios es el único Señor. Amarás al Señor Dios tuyo con todo tu corazón, con toda tu alma, con todas tus fuerzas". Este es el primero y principal mandamiento. El segundo es semejante a este: "Amarás a tu prójimo como a ti mismo" [3]. No hay otros mandamientos mayores que éste. Encierran en sí toda la ley y los profetas.»

«Maestro, has respondido sabia y justamente. Así es. Dios es Unico y no hay fuera de El otro dios. Amarlo con todo el corazón, con toda la inteligencia, con toda el alma, con todas las fuerzas, y amar al prójimo co-

---

[1] Cfr. Mt. 22, 34-45; 23-24; Mc. 12, 28-44; 13; Lc. 20, 41-47; 21.
[2] Cfr. Deut. 6, 4-5.
[3] Cfr. Lev. 19, 18.

mo a sí mismo vale más que cualquier holocausto y sacrificio. Pienso mucho en esto cuando recuerdo las palabras de David: "A Ti no te agradan los holocaustos. El sacrificio acepto ante Dios es el espíritu compungido" [4].»

«No estás lejos del Reino de Dios, pues has comprendido cuál es el holocausto que agrada a Dios.»

«¿Cuál es el más perfecto?» pregunta rápido, en voz baja, como si hablase en secreto.

En el rostro de Jesús brilla el amor que deja caer, cual perla, en el corazón de este escriba que lo abre a su doctrina, a la doctrina del Reino de Dios y responde: «El holocausto perfecto es amar como a nosotros mismos a los que nos persiguen y nos guardan rencor. Quien haga esto, poseerá la paz. Está dicho [5]: los mansos poseerán la tierra y gozarán de abundancia de paz. En verdad te digo que el que sabe amar a sus enemigos llega a la perfección y posee a Dios.»

El escriba se despide con deferencia, vuelve a su grupo, que en voz baja le reprocha el haber alabado al Maestro, y airadamente le preguntan: «¿Qué le dijiste en secreto? ¿Eres también tú uno de los engañados?»

«Me ha parecido oir que el Espíritu de Dios hablase por sus labios.»

«Estás loco. ¿Crees que sea el Mesías?»

«Lo creo.»

«Realmente dentro de poco veremos que nuestras clases se vacían de nuestros escribas y que éstos cual perros irán en pos de El. Pero, ¿en qué ves que sea El, el Mesías?»

«No lo sé, pero sí siento que lo es.»

«¡Loco!» Enojados le vuelven las espaldas.

Jesús ha estado observando, y cuando los fariseos le pasan delante en grupo compacto para alejarse, los llama diciendo: «Escuchadme. Quiero haceros una pregunta. ¿Qué pensáis vosotros del Mesías? ¿De quién es hijo?»

«*Será* hijo de David» le responden, haciendo hincapié en la palabra «será», para darle a entender que El *no* es el Mesías.

«Entonces, ¿por qué David, inspirado por Dios, lo llama: Señor, cuándo dijo [6]: "El Señor ha dicho a mi Señor: 'Siéntate a mi derecha hasta que ponga a tus enemigos como escabel de tus pies' "? Si pues David llama al Mesías: Señor, ¿cómo puede ser su hijo?»

No sabiendo qué responderle se alejan, masticando el odio que los mata.

Jesús se retira del lugar donde estaba, sobre el que sol fuertemente cae, y se va donde están los buzones del tesoro, junto al Gazofilacio [7]. En esta parte, todavía en sombra, están los rabinos que hablan con grandes gestos a los hebreos que los escuchan y que van aumentando cada vez

---

[4] Cfr. Sal. 50, 18-19.
[5] Cfr. Sal. 36, 11; Mt. 5, 1-12.
[6] Cfr. Sal. 109, 1.
[7] Cfr. vol. 3°, pág. 379, not. 1.

más en número.

Con altisonantes palabras se esfuerzan por destruir lo que ha enseñado Jesús horas antes o en días anteriores. Y cuanto más levantan la voz, tanto más se les acerca gente. Se ve que en el inmenso patio hay gente que va y viene por todas partes...

Me dice Jesús: «Pon aquí la visión del óbolo de la viuda (19 de junio de 1944) corregida como te indicaré» (como he corregido en las copias a máquina que he devuelto). Luego continúa la visión) [8].
19 de junio de 1944.
Sólo hoy, y con insistencia, veo la siguiente visión.

Al principio no veo sino patios y portales que reconozco pertenecer al Templo y a Jesús cual rey, por lo majestuoso de su vestido y manto de color rojo, apoyado sobre una enorme columna cuadrada que sostiene un arco del pórtico.

Me mira detenidamente. Me olvido de todo y me siento ser feliz. Hacía dos días que no veía ni oía nada. La visión dura por largo tiempo, y mientras dura no escribo, porque quiero gozar de mi alegría. Pero ahora que veo que se anima la escena comprendo que tengo que escribir.

El lugar se va llenando de gente que va y viene en todas direcciones. Hay sacerdotes, fieles de ambos sexos y niños. Algunos pasean, otros están parados y escuchan a los doctores, otros llevan jalando a corderitos o palomos tal vez al lugar de sacrificio.

Jesús apoyado sobre su columna mira. No habla. Aunque los apóstoles le han hecho ya dos preguntas, ha hecho señal de no. Está atentísimo mirando. Y por la expresión, parece como si estuviera juzgando a cada uno de los que ve. Sus ojos y su rostro me recuerdan el aspecto que le vi tener en la visión del Paraíso cuando juzgaba las almas en el juicio particular. Ahora, se comprende, es Jesús, el Hombre; allá arriba el Jesús glorioso, y, por consiguiente, más majestuoso. Pero la manera como cambia su rostro es la misma. Escudriña seriamente. Si algunas veces se le ve revestirse de tanta seguridad de hacer temblar al más desvergonzado, otras es tan dulce, que parece acariciar.

Parece como que no oyese cosa alguna. Pero debe escuchar todo porque cuando en un grupo, separado unos cuantos metros de El, un doctor con su voz nasal grita: «Más que cualquier otro mandamiento este es el que vale: cuanto es para el Templo, al Templo se dé. El Templo está por encima de los propios padres y, si alguien quiere dar la gloria al Señor, cualquier cosa que le reste, lo puede hacer, y será bendito porque no hay parentesco ni afecto, superior al Templo», vuelve lentamente su cabeza y mira con tales ojos que... no quisiera que con ellos me mirase.

Parece como si mirara en globo. Pero cuando un viejecillo tembloroso

[8] «La visión» que se intercala aquí, termina en el punto que señala la not. 12. Las «correcciones» consistieron en suprimir los trozos de carácter personal y aquellos pormenores descriptivos que se repiten.

se dispone a subir los cinco escaloncillos de una especie de terraza, próxima a Jesús, y que parece que lleva a otro patio interior, que apoya su bastoncito y que casi está a punto de caer porque pisa su vestido, Jesús extiende su largo brazo, lo ase y lo sostiene para que no caiga. El viejecillo levanta su encanecida cabeza, mira al que le ayudó y musita algunas palabras de agradecimiento. Jesús le sonríe y le pasa su mano sobre la cabeza semi-calva. Luego vuelve a su antigua posición, que abandona para levantar a un niño que, zafándose de la mano de su madre, se ha caído cerca, y, al pegarse contra el primer escaloncillo, se ha echado a llorar. Lo levanta, lo acaricia, lo consuela. La madre, un poco avergonzada, le da las gracias. Jesús le envía una sonrisa, y le entrega el niño.

No sonríe cuando pasa un altanero fariseo, como tampoco cuando pasa un grupo de escribas y de otros que no sé quiénes sean, pese a que le saludan con grandes inclinaciones. Se conforma con mirarlos con tales ojos como si los perforase. Les devuelve el saludo pero sin calor. Está enojado. Tampoco sonríe a un sacerdote que pasa, y que debe de ser un gran personaje porque la gente le abre paso. La mirada de Jesús hace que quien pasa como pavo real, incline su cabeza. No lo saluda, pero no resiste la mirada de Jesús, el cual pasa a mirar a una pobre viejecita vestida de color café oscuro, que apuradamente sube los escaloncillos y se dirige a una pared en que hay como una cabeza de león, o de animales semejantes con el hocico abierto [9]. Anteriormente muchos habían ido a ese lugar, pero Jesús no les había hecho caso. Ahora al contrario sigue los pasos de la mujer. Sus ojos la miran con compasión. Se encienden en dulzura cuando ve que alarga una mano para echar algo en uno de esos hocicos abiertos. Cuando la mujer regresa y le pasa cerca, le dice: «La paz sea contigo, mujer.»

Sorprendida, levanta su cabeza sin saber qué decir.

«La paz sea contigo» repite Jesús. «Vete. El Altísimo te bendice.»

La mujer se queda estática. Dibuja en sus labios una especie de saludo y se va.

«En medio de su infelicidad es feliz» dice Jesús saliendo de su silencio. «Ahora es feliz porque la bendición de Dios la acompaña. Escuchadme, amigos y todos vosotros que me rodeáis. ¿Veis a aquella mujer? No dio más que dos céntimos con los que no se puede comprar ni siquiera alimento para un pajarillo encerrado en la jaula; y, sin embargo, ha dado más que todos, desde que el Templo abrió sus puertas al amanecer.

Escuchad. He estado viendo a ricos que introducen en esos hocicos cantidades de dinero con las que se podría dar de comer por un año a estos pobres y darles vestidos con que cubran su honesta pobreza. He visto ricos que introducen con visible satisfacción sumas con las que se podría dar de comer a los pobres de la santa ciudad por uno o más días, y así bendijesen al Señor. Pero en verdad os digo que nadie ha dado más que ella. Su óbolo ha sido caridad. Las otras sumas, no. La suya ha sido

[9] Cfr. not. 7.

generosidad, la de los otros, no. Ha sido un sacrificio, que en los otros no ha existido. Hoy esa mujer no va a comer porque no tiene nada. Deberá primero trabajar para apagar su hambre. No tiene riquezas, ni familiares que trabajen por ella. Está sola. Dios se ha llevado sus parientes, marido e hijos. Le ha quitado los pocos bienes que le habían dejado, y más que Dios, han sido los hombres. Esos hombres que con grandes gestos, ¿los veis?, siguen echando lo que les sobra, mucho de lo cual lo han sacado con usura de las manos del pobre, del débil, del hambriento. Ellos afirman que no hay parentésco ni afecto superiores al templo, y de este modo enseñan a no amar al prójimo. *Yo os afirmo que sobre el Templo está el amor. La ley de Dios es amor y quien no compadece a su prójimo, no ama. El dinero superfluo, el dinero manchado con la usura, con la ira, dureza, hipocresía, no entona ninguna alabanza a Dios y no atrae sobre el dador la bendición celestial.* Dios no quiere ese dinero. Esas sumas llenan la caja, pero no es para el incienso, es fango que os sumerge, ¡oh ministros! que olvidáis de servir a Dios y buscáis vuestro interés. Es lazo que os ahoga, ¡oh doctores! que enseñáis *vuestra* doctrina; es veneno que os corroe, ¡oh fariseos! lo que os queda de alma. Dios no quiere las sobras. No seáis Caínes [10]. Dios no quiere lo que es fruto de un corazón duro. Dios no quiere lo que viene envuelto en lágrimas y que grita: "Debía de haber quitado el hambre a otros, pero no me dejaron porque querían gloriarse de mí. Debía haber ayudado a un padre viejo, a una madre débil, y no me dejaron porque el mundo no habría sabido nada de mí. Debo llamar la atención para que todos conozcan a quien me da". No, rabí, que enseñas que cuanto sobra hay que darlo a Dios y que es lícito negarlo a los padres propios. El primer mandamiento es: "Ama a Dios con todo tu corazón, con toda tu alma, con tu inteligencia, con tus fuerzas". Así pues, no hay que darle lo que es superfluo sino lo que es nuestro, nuestro sufrimiento por El. Sufrir. *No hacer sufrir.* Si despojarse de las riquezas desagrada porque cuesta mucho, por esta misma razón hay que dar. El tesoro es el corazón del hombre, viciado por naturaleza. Hay que dar *por justicia, porque cuanto se posee, se tiene por bondad de Dios. Hay que dar por amor, porque es prueba de amor el sacrificarse para alegrar a quien se ama.* Sufrir para ofrecer. Pero sufrir. No hacer sufrir, repito. Porque el segundo mandamiento dice: "Ama a tu prójimo como a ti mismo" [11]. La ley dice claro que después de Dios los padres son el prójimo a quien se debe honrar y ayudar. Por lo cual os afirmo que esa pobre mujer ha comprendido mejor la ley que los mismos sabios, justa más que cualquier otro, y bendita porque dentro de su pobreza ha dado a Dios *todo*, mientras que vosotros dais lo que os sobra y lo dais para que aumente vuestra estimación ante los ojos de los hombres. Sé que me odiáis porque hablo así, pero mientras esta boca pueda hablar, hablará así. Unid el odio que me tenéis al desprecio que

[10] Cfr. Gén. 4, 1-16.
[11] Cfr. Ex. 20, 12; Lev. 19, 3; Deut. 5, 16; también: Prv. 1, 8-9; 6, 20-22; Ecli. 3, 2-18; Ef. 6, 1-4; Col. 3, 20-21.

sentís por la pobrecita a quien he alabado. Pero no vayáis a pensar que podréis hacer de estas dos piedras un doble escalón para vuestra soberbia. Será la piedra de moler que os triturará. Vámonos. Dejemos que las víboras se muerdan aumentando su veneno. Quien sea limpio de corazón, bueno, humilde, contrito y quiera conocer el verdadero rostro de Dios, que me siga.»

Dice Jesús:
«Y tú, a quien nada sobra, porque me has dado todo, dame estos *dos* últimos céntimos. Ante *lo mucho* que has dado, parece a los extraños que no es nada. Para ti, que no tienes que éstos, son *todo*. Pon los céntimos en la mano de tu Señor. No llores. O por lo menos: no llores sola. Llora conmigo que soy el Unico que puede comprenderte y que te comprende sin sombra de lo que es el humano, que fácilmente no puede hacerlo.» [12]

Los apóstoles, los discípulos y un grupo de gente le siguen al regresar al lugar del primer patio que da a las murallas del Templo, donde se siente un poco de fresco porque el día es bochornoso. Allí como el piso está desigual por las pisadas de los animales, regado con piedras que los mercaderes y cambistas emplean para sostener sus tiendas, no vienen los rabinos de Israel, quienes sí permiten que en el Templo se hagan negocios, pero que no son capaces de pisar allí, donde se ven todavía restos de lo que dejaron los animales, que hasta hace pocos días estuvieron allí.

Jesús no repara en ello y se dirige a allí en medio de un grupo de personas que le escuchan. Antes de hablar, hace señal a sus apóstoles de que se acerquen. Les dice: «Escuchad bien. Ayer queríais saber muchas de las cosas que ahora diré, y que ayer sólo insinué vagamente cuando estábamos en el huerto de José. Estad, pues, atentos porque son grandes lecciones para todos, sobre todo para vosotros, mis ministros y continuadores.

Escuchad. Los escribas y fariseos se sentaron en la cátedra de Moisés a la hora propicia. Eran tristes para la patria aquellas horas. Terminado el destierro de Babilonia [13], reconstruida la nación gracias a la magnanimidad de Ciro, los jefes del pueblo sintieron la necesidad de reconstruir también el culto y el conocimiento de la ley [14]. *Porque, ¡ay de aquel pueblo que no dispone de ellos como de defensa, de guía y sostén contra los enemigos más poderosos de una nación, que son la inmoralidad de sus ciudadanos, el rebelarse contra las autoridades, las desunión entre las diversas clases y partidos, los pecados contra Dios y el prójimo, la irreligiosidad, elementos todos que disgregan por sí mismos, y que provocan castigos celestiales!*

Nacieron, pues, los escribas o doctores de la Ley, para poder enseñar al pueblo que, hablando el caldeo, herencia del duro destierro, no comprendían más el hebreo. Nacieron para ayudar a los sacerdotes, que no se daban abasto para cumplir con su deber de enseñar a la gente. Un

---

[12] Aquí termina la «visión» intercalada, como si dijo en la not. 8.
[13] Cfr. vol. 2°, pág. 961, not. 1.
[14] Se aconseja lear 1° y 2° libros de Esdras.

laicado docto y entregado a honrar al Señor, llevando a los hombres a que lo conociesen. Tuvo, pues, su razón de ser e hizo también el bien. Porque, tenedlo presente todos, *aun las cosas que por debilidad humana degeneran después, como ésta en el correr de los siglos, tienen siempre algo de bueno y de razón de existir, por lo menos al principio, por lo cual el Altísimo permite que nazcan y duren hasta que su degeneración llegue al colmo, y el Altísimo no las destruya.*

Surgió después la otra secta, la de los fariseos, la de los asideos. Esta había nacido para sostener con una moral más rígida, una obediencia más intransigente la ley de Moisés y el espíritu de independencia en nuestro pueblo, cuando el partido helenista que se había formado bajo la presión y seducción en tiempos de Antioco Epífanes, que pronto se convirtieron en persecución contra los que no cedían a la insistencia del astuto, que más que con las armas contaba con la falta de fe en los corazones, para poder reinar así en nuestra patria, y convertirnos en esclavos.

Recordad también esto: desconfiad más bien de las alianzas engañosas y de la promesas de un extranjero que de sus legiones. Porque, mientras seáis fieles a las leyes de Dios y de la patria, venceréis, aun cuando os cerquen poderosos ejércitos; pero, cuando el veneno sutil os haya corrompido, veneno como una miel embriagadora que os brinda el extranjero que tiene puestos sus ojos sobre vosotros cual presa, Dios os abandonará por vuestros pecados. Seréis vencidos, esclavizados, aunque el falso aliado no os ataque en batalla sangrienta. ¡Ay de quien no está alerta como vigía y no rechaza las asechanzas sutiles de un vecino falso y astuto, o de un aliado, o del dominador que empieza su conquista en los individuos, ablandando sus corazones, corrompiéndolos con sus costumbres que no son nuestras, que no son santas, y que por lo tanto hace que el hombre no sea acepto a los ojos del Señor! Recordad todas las consecuencias que acarrearon a la patria algunos de sus hijos que adoptaron costumbres del extranjero para hacerse gratos a él y poder gozar de *sus* comodidades. La caridad para con todos, aun para con los pueblos que no pertenecen a nuestra fe, que no tienen nuestras costumbres, que nos han hecho mal durante el correr de los siglos, es cosa buena. Pero el amarlos no quiere decir que reneguemos de la ley de Dios y de la patria por mezquinos intereses. No. Los extranjeros desprecian a los que son serviles hasta rechazar las cosas más sagradas a la Patria. El respeto y la libertad no se alcanzan con renegar del padre y de la madre, esto es, de Dios y de la Patria.

Fue, pues, muy oportuno que hubiesen nacido los fariseos para que levantasen un dique contra el fango de costumbres extranjeras. Lo repito: cada cosa que aparece y que dura, tiene su razón de ser. Hay que respetarla por lo que hizo. Si se ha hecho reprobable, no toca a los hombres insultarla, ni mucho menos hacerla desparecer. Hay quien lo hará: Dios y su Enviado, Yo, que tengo el derecho y el deber de abrir mi boca, de abrir vuestros ojos para que vosotros y ellos conozcáis el pensamiento del Altísimo y obréis justamente. Yo y ningún otro. Yo, porque hablo por mandato divino. Yo, porque puedo hablar, pues no tengo *ninguno* de los pecados que os escandalizan cuando veis que los cometen escribas y fariseos, y hasta vosotros mismos.»

Jesús, que había empezado a hablar con voz normal, la ha ido levantando cada vez más; sus últimas palabras parecen un toque de trompeta.

Tanto israelitas como gentiles lo escuchan con atención. Si aquéllos aplauden cuando Jesús recuerda a la patria y pronuncia claramente los nombres de los extranjeros que los han subyugado y hecho sufrir, éstos admiran la forma oratoria del discurso digna de un gran orador.

Jesús, con voz baja, continúa: «Esto os lo he dicho para que recordéis cuál fue la razón por la que nacieron escribas y fariseos, cómo y por qué se han sentado en la cátedra de Moisés, cómo y por qué hablan y sus palabras no son vanas. Haced, pues, lo que dicen, pero no los imitéis en sus acciones, porque enseñan de una manera, y luego obran al revés. Enseñan las leyes humanitarias del Pentateuco, pero luego cargan con grandes fardos, insoportables, inhumanos, a los demás; mientras que, de su parte, no sólo no extienden un solo dedo para quitarles el fardo, pero ni siquiera para tocarlo.

Su regla de vida es ser vistos, celebrados y aplaudidos en razón de sus obras, que las realizan de modo que todos las vean y las alaben. Contravienen a la ley del amor porque les gusta llamarse "separados" y desprecian a los que no son de su secta. Exigen de sus discípulos el título de maestro y un culto que no tributan a Dios. Se creen dioses en sabiduría y poder. Se creen superiores al padre y a la madre porque quieren estar en el corazón de sus discípulos, y pretenden que *su* doctrina sea superior a la de Dios. Exigen que todo se practique a la letra, aunque sea una mezcla de la verdadera Ley, que le es inferior como lo es este monte respecto al gran Hermón que domina toda la Palestina. Son unos herejes, creyendo como los paganos en la transmigración de las almas, y algunos de ellos en la fatalidad. Niegan a los demás lo que los primeros admiten, y de hecho, aunque no de palabra, lo que Dios ha dado para que se crea, al llamarse a Sí mismo único Dios a quien hay que rendir culto, y diciendo que el padre y la madre ocupan el segundo lugar después de El, y que por lo tanto hay que obedecerlos más que a cualquier maestro, que no sea el divino. Pues si os digo ahora: "Los que aman a su padre y a su madre más que a Mí, no son aptos para el reino de Dios", no es para inculcaros a que no améis, a quienes debéis respetar y ayudar, pues, no es lícito quitarles el socorro diciendo: "Es dinero del Templo", ni les neguéis hospedaje, alegando: "Mi cargo me lo impide", ni la vida, bajo pretexto de que: "Te mato porque amas al Maestro". Os lo digo para que améis como es debido a vuestros padres; esto es, con un amor paciente y firme que sabe sin llegar al odio aunque ellos o uno de ellos no quieren — y esto os adolora — seguiros por el camino de la Vida, que es el mío, con un amor que sabe escoger entre mi ley y el egoísmo y supercherías de familia. Amad a vuestros padres, obedecedlos en todo lo que es santo.

Pero estad prontos a morir, no a matar. Estad prontos, repito, a morir si no queréis traicionar el llamamiento que Dios ha puesto en vosotros de ser ciudadanos del reino de Dios que he venido a establecer.

No imitéis a los escribas y fariseos, que están divididos entre sí aunque aparenten no estarlo. Vosotros, discípulos del Mesías, estad verdaderamente unidos. Los jefes sean buenos para con sus súbditos y viceversa. Estad unidos en el amor y tened la misma razon de unión que es la de conquistar mi reino, y estar a mi derecha en el Juicio eterno. Recordad que un reino dividido no es ya más reino, y no puede subsistir. Estad, pues, unidos en el amor por Mí y por mi doctrina. La divisa del cristiano [15], que tal será el nombre que se dará a mis súbditos, sea el amor y la unión, la igualdad entre vosotros en el vestir, en la comunidad de bienes, en la fraternidad de corazones. Todos para uno, uno para todos.

Quien tenga, que dé sin ostentación. Quien no tiene, acepte con humildad su pobreza, sinceramente manifieste sus necesidades a los hermanos. Estos escuchen amorosamente al necesitado. Recordad que vuestro Maestro frecuentemente tuvo hambre, frío y otras mil necesidades y que humildemente las expuso a los hombres, El, el Verbo de Dios. Recordad que se dará una recompensa a quien es misericordioso, aun cuando dé un solo trago de agua. *Recordad que es mejor dar que recibir* [16]. Con este triple recuerdo, encuentre el pobre la fuerza de pedir sin sentirse humillado, pensando que Yo lo hice antes que él; que perdone si se le rechaza, no olvidando que muchas veces se negó al Hijo del hombre el lugar y el alimento que se da al perro que vigila el ganado. Encuentre por su parte el rico la generosidad de dar sus riquezas, pensando que el vil y odioso dinero que Satanás presenta, causa del noventa por ciento de las desgracias acaecidas en el mundo, si se da por amor, se cambia en joya inmortal del paraíso.

Vestíos de vuestras virtudes. Sean grandes, pero que solo Dios las conozca. No hagáis como los fariseos que llevan las filacterias más largas y las franjas más anchas, que les gustan los primeros lugares en las sinagogas y los honores en las plazas, que quieren que el pueblo los llame: "Rabí". Uno solo es el Maestro: Yo. Vosotros, que en lo futuro seréis los nuevos doctores, me refiero a vosotros, apóstoles y discípulos, recordad que Yo sólo soy vuestro Maestro. Y lo seguiré siendo, aun cuando no permanezca con vosotros, porque la Sabiduría es la única que enseña. No permitáis que os llamen maestros, porque sois discípulos.

No exijáis ni deis a nadie el nombre de padre acá en la tierra, porque el Padre de todos es el que está en los cielos. Esta verdad logre que podáis sentiros *todos* verdaderamente hermanos entre vosotros, bien se trate de los que dirigen, como de los inferiores, y por esto amaos como buenos hermanos [17]. Ninguno de los dirigentes quiera ser llamado

---

[15] Cfr. Hech. 11, 19-26; 26, 24-32; 1 Pe. 4, 12-19.
[16] Cfr. pág. 41, not. 2.
[17] Sin embargo en la misma Biblia aparece que la paternidad y el magisterio, por lo tanto

"guía", porque uno solo es vuestro guía común: Yo. El mayor entre vosotros que se haga vuestro esclavo. Ser siervo de los siervos de Dios [18] no es humillarse, sino imitarme a Mí que he sido bondadoso y humilde, siempre pronto a amar a mis hermanos en Adán y ayudarlos con el poder que tengo como Dios. No he rebajado lo divino, al servir a los hombres. *Porque el verdadero rey es el que sabe dominar no sólo los hombres cuanto las pasiones, entre las cuales, la primera está la soberbia necia. Recordad que quien se humilia será exaltado, y quien se exalta será humillado.*

La Mujer de la que en el Génesis habla el Señor [19], la Virgen a quien alude Isaías, la Madre-Virgen de Emanuel [20], profetizó esta verdad de la nueva época al haber dicho: "El Señor ha arrojado a los poderosos de su trono y ha puesto en alto a los humildes" [21]. La Sabiduría de Dios habló por los labios de la que ha sido Madre de la Gracia y trono de la Sabiduría. Repito las palabras inspiradas que me exaltaron en unión al Padre y al Espíritu Santo, en nuestras obras admirables, cuando, sin que la Virgen hubiera padecido detrimento alguno, Yo, el Hombre, me formaba en su seno sin dejar de ser Dios. Sirvan de modelo a los que quieran hacer que el Mesías nazca en sus corazones y que pretendan llegar a su reino. No habrá Jesús, esto es, Salvador; ni Mesías, esto es Señor, ni habrá reino de los cielos para los soberbios, para los fornicadores, idólatras, a para los que se adoran a sí mismos y su propia voluntad [22].

Por esto, ¡ay de vosotros, escribas y fariseos hipócritas, que creéis poder cerrar con vuestras afirmaciones imposibles de practicar — y realmente si las hubiese puesto Dios, serían una cerradura por la que la mayoría de los hombres no pasaría — que creéis poder cerrar el reino de los cielos a los hombres que levantan hacia él su espíritu para encontrar fuerza en su penosa jornada terrena! ¡Ay de vosotros que no entráis, que no queréis entrar, porque no aceptáis la ley del reino celestial, y no permitís que entren los demás que están a la puerta, que vosotros, intransigentes, reforzáis con cerrojos que Dios no ha puesto!

¡Ay de vosotros, escribas y fariseos hipócritas, que devoráis las propiedades de las viudas con el pretexto de que recitareis largas oracio-

---

los títulos de padre y maestro, los hombres los participan de Dios. Se lee que la Divina paternidad es la fuente de toda partenidad celestial y terrena, esto es, espiritual y física: Ef. 3, 14. Además, los mismos apóstoles se sintieron «padres» según el espíritu, como se desprende del hecho de que llamaban «hijos» o «hijitos» a los que habían bautizado o que eran sus seguidores. Cfr. 1 Cor. 4, 14-17; 2 Cor. 6, 11-18; Gal. 4, 12-20; 1 Tim. 1, 18-20; 2 Tim. 1, 1-2; 2, 1-2; Tit. 1, 1-4; Flm. 8-14; 1 Pe. 5, 12-14; 1 Ju. 2, 1. Finalmente que los apóstoles se sintieron también «maestros» se desprende del título mismo de «maestro» que a veces se dieron. Cfr. 1 Tim. 2, 1-8; 2 Tim. 1, 6-11.

[18] A partir del Papa S. Gregorio Magno (siglo VI) los Romanos Pontífices, sucesores de S. Pedro, han empleado este modo de llamarse «Siervo de los siervos de Dios».

[19] Cfr. Gén. 3, 15.

[20] Cfr. Is. 7, 10-25, sobre todo: 7, 14; y también Mt. 1, 18-25. Cfr. además vol. 4°, pág. 698, not. 1.

[21] Cfr. Lc. 1, 52.

[22] Cfr. Rom. 1, 18-32; 1 Cor. 6, 1-11; Ef. 4, 17 - 5, 20; Col. 3, 5-9; Heb. 13, 1-6.

nes! ¡Por esta razón vuestro juicio será duro!

¡Ay de vosotros, escribas y fariseos hipócritas, que andáis por mar y tierra, sin gastar por ello vuestros bienes, para hacer un solo prosélito; y una vez logrado, le hacéis dos veces más digno del infierno que vosotros!

¡Ay de vosotros, guías ciegos, que decís: "Si uno jura por el Templo su juramento no vale nada, pero si jura por el oro del Templo, entonces queda obligado a su juramento"! ¡Necios y ciegos! ¿Qué vale más: el oro, o el templo que santifica el oro? Vosotros que andáis diciendo: "Si uno jura por el altar, su juramento no tiene valor; pero si jura por la oferta depositada sobre el altar, entonces es válido su juramento y queda obligado a él" [23]. ¡Ciegos! ¿Qué es mayor: la oferta, o el altar que la santifica? Quien jura, pues, por el altar, por él jura y por cuanto hay sobre él. Quien jura por el Templo, por él jura y por quien habita en El. Y quien jura por el cielo, jura por el trono de Dios y por quien en él está sentado.

¡Ay de vosotros, escribas y fariseos hipócritas, que pagáis los diezmos de la menta y de la ruda, del anís y del comino, y luego os despreocupáis de los preceptos más graves de la ley: de la justicia, de la misericordia y de la fidelidad. Habría que tener estas virtudes sin dejar las otras. Guías ciegos, que filtráis las bebidas por temor de contaminaros tragándoos un mosquito que se haya ahogado en ellas, y luego, os tragáis un camello sin creeros inmundos por ello. ¡Ay de vosotros, escribas y fariseos hipócritas, que laváis lo exterior de la copa y del plato, pero por dentro estáis llenos de rapiña e inmundicia! Ciego fariseo, lava primero el interior de tu copa y de tu plato, de modo que también lo exterior de él quede limpio.

¡Ay de vosotros, escribas y fariseos hipócritas, que voláis como los murciélagos en la oscuridad, debido a vuestras obras pecaminosas y os codeáis con paganos, ladrones y traidores; y, al día siguiente por la mañana, borradas las señales de vuestros negocios ocultos, subís al Templo con hermoso ropaje!

¡Ay de vosotros que enseñais las leyes de la caridad y de la justicia contenidas en el Levítico [24], y luego no sois más que unos ambiciosos, ladrones, falsarios, calumniadores, opresores, injustos, vengativos, odiosos, que acabáis con el que os causa molestia, aun cuando sea de vuestra propia sangre; que rechazáis a la mujer que siendo doncella se casó con vosotros, y que repudiáis los hijos obtenidos de ella porque son desventurados, y acusáis de adulterio a vuestra mujer que no os agrada más, o de enfermedad inmunda para libraros de ella, vosotros que tenéis un corazón inmundo, un corazon libidinoso, aun cuando no lo demostréis ante los ojos de la gente que ignora vuestras acciones! Sois semejantes a los sepulcros blanqueados que por fuera parecen hermosos, pero por dentro están llenos de huesos de muertos y de podredumbre. Eso sois. ¡Y no más! Por fuera parecéis justos, pero por dentro estáis re-

---

[23] Cuatro ejemplos de sutileza rabínica.
[24] Cfr. Lev. 11-27 y en otros lugares.

ventando de hipocresía e iniquidad.

¡Ay de vosotros, escribas y fariseos hipócritas, que erigís suntuosos mausoleos a los profetas y embellecéis las tumbas de los justos, diciendo: "Si hubiéramos vivido en tiempos de nuestros padres, no habríamos sido cómplices y participantes de quienes derramaron la sangre de los profetas"! De este modo admitís claramente que sois descendientes de los que mataron a vuestros profetas. *Por otra parte* colmáis la medida de vuestros padres... Oh serpientes, oh raza de víboras, ¿cómo podréis escapar de la condenación del Gehenna?

Por esto, Yo, Palabra de Dios, os digo: "Yo, Dios, os *enviaré* profetas y sabios y nuevos escribas. A algunos de ellos mataréis, a otros crucificaréis; a algunos flagelaréis en vuestros tribunales, en vuestras sinagogas, fuera de vuestros muros; a otros perseguiréis de ciudad en ciudad, hasta que caiga sobre vosotros toda la sangre de hombres justos, derramada sobre la tierra, desde la sangre del justo Abel, hasta la de Zacarías hijo de Baraquías [25] a quien matasteis entre el atrio y el altar porque por amor a vosotros os había recordado vuestro pecado.

Así es. Odiáis a los que quieren vuestro bien y con amor os invitan a que volváis a los senderos de Dios.

En verdad os digo que todo está por caer: el crimen como sus consecuencias. En verdad os digo que todo se cumplira sobre esta generación.

¡Oh Jerusalén, Jerusalén! ¡Jerusalén, que lapidas a los que se te envían, y matas a tus profetas [26]! ¡Cuántas veces he querido reunir a tus hijos como la gallina junta a sus pollitos bajo sus alas, y no has querido!

Así pues, escucha, ¡oh Jerusalén! Escuchad, vosotros que me odiáis, y odiáis lo que viene de Dios. Escuchad, pues, los que me amáis y que os veréis envueltos en el castigo reservado a los perseguidores del Mesías. Escuchad también vosotros que no pertenecéis a este pueblo, pero que me estáis escuchando para saber quién es el que os habla y que predice sin necesidad de estudiar el vuelo y el canto de los pájaros, los fenómenos celestiales, las entrañas de animales sacrificados, la llama o el humo de los holocaustos, porque el futuro está presente ante el que os está hablando. "Esta casa vuestra quedará desierta. Yo os digo, dice el Señor, que no me veréis hasta que no digáis: 'Bendito el que viene en el nombre del Señor' " [27].»

Se nota que Jesús está realmente cansado y acalorado. Además de lo largo de su discurso, por el bochorno del día en que no sopla nada de viento. Estrechado contra el muro por una multitud, recibiendo las miradas de miles de ojos, sintiendo todo el odio que respiran los que le han estado escuchando bajo el Portal de los Paganos, y todo el amor o al menos la admiración que lo rodea, sin preocuparse del sol que se clava sobre sus espaldas y sobre sus rostros enrojecidos y sudorosos, parece verdaderamente cansado y deseoso de descanso. Lo dice a sus apóstoles

[25] Cfr. 2 Par. 24, 17-22. Se aconseja leer todo el capítulo.
[26] Cfr. vol. 1°, pág. 389, not. 2.
[27] Cfr. Sal. 117, 24. 26.

y a los setenta y dos, que como cuñas se han ido introduciendo poco a poco entre la multitud y están ahora en primera línea, cual barrera de amor fiel a su alrededor: «Salgamos del Templo y vayamos al campo, entre los árboles. Quiero sombra, silencio y frescura. En verdad que este lugar parece que arde bajo el fuego de la ira celestial.»

Difícilmente se abren paso, pero lo logran. Salen por la puerta más cercana. Jesús quiere que todos se vayan, pero muchos lo siguen a toda costa.

Los discípulos miran la cúpula del Templo que resplandece al sol casi en su zenit. Juan de Efeso hace notar al Maestro la robustez de construcción: «¡Mira qué piedras y qué construcción!»

«Aun así, de todo eso no quedará piedra sobre piedra» responde Jesús.

«¿No? ¿Cuándo? ¿Cómo?» preguntan muchos. Jesús no contesta.

Sube por el Moria. Ligero, sale de la ciudad pasando por Ofel y por la puerta de Efraín o de la Basura. Entra cuanto antes en lo tupido de los jardines del rey seguido de los apóstoles y discípulos, pero no de la gente que se había empeñado en hacerlo, porque Mannáen, que había mandado a abrir los pesados canceles, sale al frente, y dice a todos: «Podéis iros. Aquí entran sólo los que quiero dejar pasar.»

Sombra, silencio, perfume de flores, aromas de alcanfor y clavo, de canela, de espliego, y de otras tantas hierbas odoríferas. Se oye el ruido de los riachuelos, que vienen de manantiales y de cisternas cercanas, bajo galerías de follaje. Se oye el trinar de pajarillos. Es un lugar de descanso envidiable. Allá se ve la ciudad, lejos, muy lejos, con sus calles estrechas, ensombrecidas por los arquivoltas o quemadas hasta hacerse deslumbradoras, con sus olores y pestilencias de cloacas que no siempre están limpias, con sus caminos por los que van los animales, que habría que limpiar sobre todo las de segunda importancia.

El jardinero debe de conocer muy bien a Jesús porque le muestra respeto y confianza al mismo tiempo. Jesús le pregunta por sus hijos y por su mujer.

El hombre quiere que entre en su casa, pero Jesús prefiere la fresca tranquilidad, confortante, del vasto jardín del rey, un verdadero parque de delicias. Antes de que los dos incansables y fieles criados de Lázaro se vayan a traer el canasto de los alimentos, les dice: «Decid a vuestras dueñas que vengan. Estaremos aquí algunas horas con mi Madre y las discípulas fieles. Me gustará mucho...»

«¡Estás muy cansado, Maestro! Tu rostro lo dice» hace notar Mannáen.

«Sí, tanto que no tuve más fuerzas para ir más allá [28].»

«Más de una vez te he ofrecido estos jardines en estos días. Bien comprendes que me siento feliz en brindarte tranquilidad y descanso.»

«Lo sé, Mannáen.»

[28] Jesús, verdadero Dios, fue también verdadero Hombre, y, como tal, experimentó durante su peregrinación terrena lo que son el cansacio y la tristeza. Cfr. Mt. 26, 36-39; Mc. 14, 32-36; Lc. 22, 39-44; Ju. 4, 1-6.

«¡Y ayer quisiste ir a ese lugar tan triste! ¡Tan seco, tan extrañamente desnudo de verdor este año!»

«He querido dar gusto a mis apóstoles. Son unos niños en el corazón. Niños grandes. Míralos cómo buscan el descanso... y olvidan todo lo que se agita contra Mí fuera de estos muros...»

«Y olvidan que estás muy afligido... Mas no creo haya razón de alarmarse tanto. El lugar me pareció otras veces más peligroso.»

Jesús lo mira sin replicar. ¡Cuántas veces he contemplado a Jesús en estos días mirar de este modo y quedarse callado!

Mira a sus apóstoles y discípulos que se han quitado los capuchos, los mantos, las sandalias y se refrescan en los riachuelos. Los setenta, unidos por un mismo ideal, dan la impresión de ser más numerosos. Ambos grupos después de refrescarse, buscan descanso aquí y allí para dejar reposar al Maestro.

También Mannáen se retira, dejándole en paz. Todos procuran no turbar el reposo del Maestro, que, cansadísimo, se ha ido a un emparrado de jazmines en forma de quiosco, rodeado de un riachuelo circular que pasa corriendo y cantando entre hierbas y flores. Un verdadero refugio al que se llega atravesando un puentecillo en miniatura, cuya barandilla es una guirnalda de flores de jazmín.

Regresan los criados y con otros más, porque Marta quiso enviar comida para todos los siervos del Señor, y agregan que las mujeres llegarán en breve.

Jesús hace venir a Pedro y le dice: «Junto con mi hermano Santiago, bendice, ofrece y distribuye los alimentos como Yo lo hago.»

«Distribuir, sí; pero bendecir, no, Señor. A Ti te toca ofrecer y bendecir. No a mí.»

«Cuando no estuve Yo, y eras el jefe de tus compañeros ¿no lo hiciste?»

«Sí, pero entonces.... tenía que hacerlo. Ahora estás con nosotros, y Tú bendices. Cuando Tú ofreces por nosotros y distribuyes, me parece que es mejor...» El fiel Simón pone su brazo sobre Jesús, que está sentado en la sombra, reclina su cabeza sobre su espalda y besa a su Señor que en realidad está agotadísimo...

Jesús se incorpora para darle contento. Va a donde están los discípulos, ofrece, bendice, reparte el alimento, los mira comer contentos y les dice: «Después podéis dormir. Descansad mientras hay tiempo, para que después podáis velar y orar cuando sea necesario, y que la fatiga y el agotamiento no os quiten las fuerzas.»

«¿No te quedas con nosotros? ¿No comes?»

«Dejadme descansar. Es lo que necesito. ¡Comed, comed!» Acaricia al pasar a los que encuentra al regresar a su lugar.

La Virgen ha llegado. Mannáen que ha visto dónde está Jesús, se lo señala. Y ella, dulce y suavemente, va a donde está.

Las otras mujeres, esto es, todas las discípulas y de las romanas sólo Valeria, se quedan silenciosas para no despertar a los discípulos que, cual ovejas fatigadas, están descansado entre la hierba.

La Virgen llega al emparrado de jazmines, procurando no hacer ruido en el puentecillo, ni sobre la grava. Muy cautelosamente se acerca a donde está su Hijo, que, vencido del cansancio, se ha quedado dormido en la piedra que sirve de mesa, apoyando su rostro sobre el que caen sus largos cabellos sobre su brazo izquierdo. María se sienta junto a El. Lo contempla... una sonrisa de dolor y amor pasa por sus labios, mientras sobre su pecho caen lágrimas. Aun cuando no abre sus labios, seguramente debe de estar orando en su corazón, lo que se ve por la posición de sus manos juntas al pecho, entrelazadas para que no tiemblen. Y, sin embargo, se les ve estremecerse ligeramente. Tan sólo las desprende para espantar alguna mosca que viene a posarse sobre su Hijo.

Es el último sueño que ella, la Madre, vela. Si su rostro, en este miércoles anterior a la Pascua, es distinto del que tenía cuando nació Jesús, porque el dolor la hizo pálida, su dulce pureza llena de amor reflejada en su mirada, el cuidado exquisito es igual al que le daba cuando allá en Belén lo cuidaba mientras dormía.

Jesús se mueve y María se seca rápidamente los ojos para que su Hijo no vea las lágrimas. Pero Jesús no ha despertado, sólo ha cambiado de posición, y se ha volteado de la otra parte. María lo sigue velando.

Hay algo que hace estremecer el corazón de la Virgen, y es cuando oye que su Jesús llora en el sueño y que confusamente, porque su boca está sobre su brazo y vestido, murmura el nombre de Judas...

María se levanta, se inclina sobre su Hijo, sigue ese murmurar confuso, con las manos apretadas sobre el corazón, que se interrumpe, pero no en tal forma que no pueda comprender que Jesús en el sueño está viendo algo, el presente, el pasado y hasta el futuro. De pronto despierta, como para huir de algo horrible, y encuentra a su Madre, la sonrisa de su Madre, su dulce voz, sus besos, sus caricias, el toque ligero de su velo que pasa por su rostro, para secarle las lágrimas y el sudor, mientras le murmura: «Estabas incómodo y soñabas... Estás sudado y cansado, Hijo mío.» Le peina la caballera, le seca su rostro, lo besa, lo atrae hacia su pecho para que en él descanse.

Jesús le sonríe diciendo: «Eres siempre la Madre. La que consuela. La que me paga por todo. ¡Eres mi Madre!» Se acerca más a Ella, le pone la mano sobre sus rodillas. Y María toma esa mano larga, tan señoril y tan fuerte entre sus manos pequeñas. Le acaricia los dedos, el dorso, le alisa las venas que se habían hinchado mientras dormía. Trata de distraerlo...

«Vinimos todas. También Valeria. Las otras están en la Antonia. Así lo quiso Claudia "que está muy entristecida", según ha dicho la liberta. Dice que, no sabe por qué, presiente que habrá mucho llanto. ¡Supersticiones!... Sólo Dios conoce las cosas...»

«¿Dónde están las discípulas?»

«Allá, donde empieza el jardín. Marta quiso prepararte comida, bebidas frescas y pensando en lo cansado que estarías. Pero yo, mira: esto te ha gustado siempre y te lo traje. Mi parte. Está sabroso porque es de tu

Madre.» Le enseña miel y una torta de pan sobre la que la derrama, y se la da, diciendo: «Como en Nazaret, cuando descansabas en las horas más calurosas y luego te despertabas acalorado y venía yo de la gruta fresca con esto...» No añade más porque la voz le tiembla.

Jesús la mira y dice: «Y cuando vivía José, nos llevabas a los dos y el agua fresca de la jarra porosa, que habías puesto en el riachuelo para que estuviese fresca, y que la hacían más las ramitas de menta que le echabas dentro. ¡Cuánta menta, bajo los olivos! ¡Cuántas abejas sobre sus flores! Nuestra miel tenía siempre algo de ese perfume...» Piensa... recuerda...

«Hemos visto a Alfeo, ¿sabes? José se ha tardado porque uno de sus hijos está enfermo. Pero sin duda alguna que mañana llegará con Simón. Salomón de Simón cuida nuestra casa y la de María.»

«Mamá, cuando estés sola, ¿con quién estarás?»

«Con quien dispusieres, Hijo mío. Antes de tenerte, te he obedecido y continuaré haciéndolo después que me hayas dejado.» Le tiembla la voz, pero heroicamente sonríe.

«Sabes obedecer. ¡Cómo descanso cerca de ti! Porque... Mira, Madre, el mundo no puede comprender, pero Yo encuentro descanso en los obedientes... Sí. Dios descansa junto a los que obedecen. Dios no hubiera tenido que sufrir, que fatigarse, si no hubiese entrado la desobediencia en el mundo. Todo esto sucede porque no se obedeció [29]. Por esto el mundo sufre... por esto, *nuestro* dolor.»

«Pero también *nuestra* paz, Jesús, porque sabemos que nuestra obediencia consuela al Eterno. ¡Oh, sobre todo para mí es un gran pensamiento! A mí, que soy una criatura, se me ha concedido consolar a mi Creador.»

«¡Oh, alegría de Dios! ¡No sabes, oh gozo nuestro, qué cosa significan estas palabras para Nosotros! Sobrepujan las armonías de los coros celestiales... ¡Bendita! ¡Bendita que me enseñas la última obediencia, y haces que al cumplirla me sea tan agradable pensar en ello!»

«Tú no tienes necesidad de que te enseñe, Jesús mío. Todo lo he aprendido de Ti.»

«El Hombre, Jesús hijo de María de Nazaret, todo lo ha aprendido de ti.»

«Era tu luz que salía de mí. La Luz que Tú eres, y que llegaba a la Luz eterna aniquilada [30] bajo la forma de hombre... Me han referido los hermanos de Juana el discurso que pronunciaste. Estaban admiradísimos. Has sido fuerte contra los fariseos...»

«Es la hora de decir las verdades últimas, Madre, aunque para ellos no son más que *cosa muerta;* pero para otros no lo son. Con amor y con rigor debo desencadenar la última batalla para arrancarlos del Malo.»

«Tienes razón. Me han contado que Gamaliel, que estaba con los otros

[29] Cfr. Gén. 3; Rom. 5, 12-21.
[30] Expresión semejante en Flp. 2, 5-11.

en una de las salas de portal, dijo ya al fin, a los que estaban irritados: "Cuando no quiere uno que se le reproche algo, tiene que vivir rectamente" y se fue, dicho esto.»

«Me agrada que el rabí me haya escuchado. ¿Quién te lo contó?»

«Lázaro, a quien se lo dijo Eleazar que estaba también en la sala con los otros. Lázaro vino a la hora de sexta. Nos saludó y regresó inmediatamente sin dar a sus hermanas que querían que se estuviese hasta el atardecer. Dijo que fuese Juan, u otros, a tomar la fruta y las flores que están ya en su punto.»

«Mandaré mañana a Juan.»

«Todos los días va Lázaro, pero María se queda intranquila, porque dice que parece una aparición. Sube al Templo, llega, da órdenes y se vuelve.»

«También Lázaro sabe obedecer. Se lo ordené así, porque también él es perseguido. Pero no lo digas a sus hermanas. No le sucederá nada. Vamos ahora a donde están las discípulas.»

«No te muevas, yo las llamaré. Todos los discípulos están durmiendo...»

«Dejémoslos así. Durante la noche duermen poco, porque los instruyo en la tranquilidad del Getsemaní.»

María se va y regresa con las mujeres que pisan muy delicadamente.

Lo saludan con la mayor reverencia que sólo es familiar a María Cleofás. Marta saca de una bolsa grande una jarra que transpira. María Magdalena saca también otra que es porosa, fruta fresca, traída de Betania; la pone sobre la mesa junto a lo que ha colocado su hermana, esto es, un palomo asado al fuego, sabroso, y ruega a Jesús que lo coma, diciendo: «Come. Esto da fuerzas. Yo misma lo preparé.»

Juana ha traído, por su parte, vinagre rosado. Dice: «Refresca mucho en estos días calurosos. Mi esposo lo bebe cuando se cansa en sus largos viajes.»

«Nosotros no trajimos nada» se excusan María Salomé, María Cleofás, Susana y Elisa. Nique y Valeria dicen: «Tampoco nosotras. No sabíamos que vendríamos.»

«Me habéis entregado todo vuestro corazón. Y es suficiente. Todavía me daréis más...»

Come, pero más bien bebe el agua fresca con miel que Marta le da de la jara porosa, y fruta.

Las discípulas no hablan mucho. Lo miran comer. En sus ojos se refleja el amor y el ansia. De pronto Elisa se pone a llorar y se excusa diciendo: «No me explico, pero siento el corazón cargado de tristeza...»

«Todas sentimos lo mismo, hasta Claudia en su palacio...» dice Valeria.

«Yo quisiera que fuese ya pentecostés» dice en voz baja Salomé.

«Yo al revés, quisiera que no corriese el tiempo» dice María de Mágdala.

«Serías una egoísta» le replica Jesús.

«¿Por qué, Raboni [31]?»

«Porque querrías experimentar para ti sola la alegría de tu redención. Hay millares y millones de seres que esperan esta hora, o que por ella serán redimidos.»

«Es verdad. No había pensado en ello...» baja su cabeza mordiéndose los labios para que no vean que tiemblan al derramar lágrimas. Se controla inmediatamente. Dice: «Si vienes mañana, podrás ponerte otra vez el vestido que enviaste. Está limpio, y digno de la cena pascual.»

«Iré... ¿No tenéis nada que decirme? Estáis mudas y afligidas. ¿No soy más Jesús?...» y con una sonrisa les incita a que dejen su silencio.

«¡Oh, eres el mismo! ¡Pero en estos días has estado tan majestuoso que no puedo verte más como al pequeñín que cargué en mis brazos!» exclama María de Alfeo.

«Y yo como al sencillo rabí que entraba en mi cocina en busca de Juan y Santiago» dice Salomé.

«¡Yo siempre te he conocido así, como Rey de mi alma!» dice Magdalena con fuerza.

Juana, dulce y cariñosa: «También yo, siempre te he visto como divino, desde el sueño en que, estando ya para morir, te vi que me llamabas a la vida.»

«Todo nos has dado, Señor. ¡Todo!» suspira Elisa que se ha calmado.

«Todo me habéis dado.»

«¡Muy poco!» replican todas.

«Pero el dar, no cesa después de estos momentos. Cesará solo cuando estéis conmigo en mi reino. Vosotras, mis fieles discípulas, no os sentaréis a mi lado, sobre los doce tronos para juzgar a las doce tribus de Israel [32], pero cantaréis el hosanna junto con los ángeles formando coro en honor a mi Madre. Y, entonces como ahora, mi corazón encontrará su alegría al contemplaros.»

«Yo soy joven. Me falta mucho tiempo para que suba a tu reino. ¡Feliz Analía!» dice Susana.

«Yo ya estoy vieja y me alegro de serlo. Espero pronto la muerte» exclama Elisa.

«Yo tengo hijos... ¡Quisiera servir a estos siervos de Dios!» suspira María Cleofás.

«¡No te vayas a olvidar de nosotras, Señor!» pide con ansia Magdalena, diría yo, con un grito de su alma, pero en voz baja para no despertar a los que están durmiendo.

«No me olvidaré de vosotras. Regresaré. Tú, Juana, sabes que puedo venir aun cuando esté muy lejos... Vosotras lo tenéis que creer. Os dejaré una cosa... un misterio [33] que me tendrá en vosotras, y vosotras en Mí,

[31] Como en Mc. 10, 46-52; Ju. 20, 11-18. Es una palabra aramaica, de mayor énfasis que "rabí" que significa "Maestro mío" o "Maestro", y que se usaba con frecuencia cuando se dirigían a Dios. Cfr. también pág. 358, not. 9.

[32] Expresión semejante también en Mt. 19, 28; Lc. 22, 30, y parte en Ap. 20, 1-6.

[33] Alusión al Misterio eucarístico, cuyos efectos admirables para el tiempo y para la eternidad se describen.

hasta que nos hayamos reunido en el reino de Dios. Ahora podéis iros. Diréis que poco es lo que os dicho, y que no valía la pena haberos hecho venir. Pero deseaba tener junto a mí corazones que me han amado sin cálculo alguno. Que me han amado a Mí, y no por el futuro y soñado rey de Israel. Idos, y sed benditas una vez más. También las otras que no están aquí, pero que piensan con amor en Mí: Ana, Mirta, Anastásica, Noemí, la lejana Síntica, Fotinai, Aglae, Sara, Marcela, las hijas de Felipe, Miriam de Jairo, las vírgenes, las redimidas, las esposas, las madres que han venido a Mí, que fueron para Mí como hermanas y madres, mejores, mejores aun que muchos de los hombres mejores. Os bendigo a todas... a todas. La gracia empieza ya a descender, la gracia y el perdón sobre la mujer con esta bendición mía. Podéis iros...» Las despide, pero a su Madre la detiene un momento para decirle: «Antes de que anochezca iré al palacio de Lázaro. Tengo necesidad de verte una vez más. Conmigo irá Juan, pero no quiero que estéis presentes sino tú, las otras Marías, Marta y Susana. ¡Me siento muy cansado..!»

«Así lo haremos. Hasta pronto, Hijo...»

Se dan el beso. Se separan... María se va despacio. Se vuelve una, dos y más veces, mientras puede divisar a Jesús... Parece que no pudiera alejarse de El...

Jesús está nuevamente solo. Se levanta, sale del kiosco. Va a llamar a Juan que está dormido entre las flores como un niño y le da la jarra de vinagre rosado, que Juana le había traído, diciéndole: «Esta tarde iremos a ver a mi Madre. Nosotros dos solos.»

«He entendido. ¿Vinieron?»

«Sí, pero no quiso despertaros...»

«Hiciste bien. Tu alegría habrá sido muy grande. Saben amarte mejor que nosotros...» dice Juan desconsolado.

«Ven conmigo.»

Juan lo sigue.

«¿Qué te pasa?» le pregunta Jesús cuando están bajo la sombra del emparrado.

«Maestro, somos muy malos. Todos. No sabemos obedecer... no hay ganas de estar contigo. Pedro y Simón se han ido. No sé a dónde. Judas se ha aprovechado de esto para reñir.»

«¿Se ha ido también él?»

«No, Señor. No se ha ido. Dice que no tiene necesidad, que él no tiene cómplices en los intentos que hacemos por buscarte protección. Si yo fui a casa de Anás, si los demás han ido a ver los galileos que residen en la ciudad, no ha sido por hacer el mal... No creo que Simón de Jonás y Simón Zelote sean hombres capaces de intrigas...»

«No te preocupes. Judas dice bien que no tiene razón de ir, mientras descansáis. El sabe cuándo y a dónde ir para realizar lo que debe.»

«Entonces, ¿por qué habla así? ¡No está bien que lo haga ante los discípulos!»

«No está bién, pero así es. Tranquilízate, cordero mío.»

«¿Yo, cordero? ¡Tú eres solo el Cordero!»

«Sí. Yo soy el Cordero de Dios, y tú el mío.»

«¡Oh! En uno de los primeros días en que te conocí, me dijiste esta misma palabra. Estábamos solos, como ahora, entre el verdor como ahora, y en la hermosa estación.» Al recuerdo de aquellos días, Juan se alegra. En voz baja dice: «Siempre he sido y soy todavía el cordero del Cordero de Dios...»

Jesús lo acaricia, le ofrece parte del palomo tostado, que había quedado sobre la mesa envuelto en una hoja de pergamino. Abre unos higos jugosos y se los da, al ver que alegremente come. Jesús está sentado, de lado, a la orilla de la mesa y mira tan intensamente a Juan que este le pregunta: «¿Por qué me miras así? ¿Por que como igual a un glotón?»

«No, porque eres como un niño... ¡Predilecto mío! ¡Cuánto te quiero por tu corazón!» Jesús se inclina y besa sus cabellos rubios, luego agrega: «Permanece siempre así, con ese corazón en que no hay orgullo ni rencores. Así, aun en las horas en que se desencadenará la ferocidad. No imites, hijo, a quien peca.»

Juan siente dentro de sí algo que le desagrada y dice: «Pero yo no puedo creer que Simón y Pedro...»

«Y no cabe duda que te equivocarías si los creyeses pecadores. Bebe. Está fresca y sabrosa. La preparó Marta... Ahora estás mejor. Estoy cierto que no terminaste tu comida...»

«Así es, me puse a llorar, porque se comprende que el mundo nos odie y que uno de los nuestros insinúe...»

«No pienses más en ello. Yo y tú sabemos que Simón y Zelote son dos hombres honrados. Y basta. Desgraciadamente sabes que Judas es pecador. Pero no digas nada. Cuando hayan pasados muchos, muchos lustros, y sea justo que se diga toda la grandeza de mi dolor, dirás *entonces* [34], lo que sufrí también por las acciones de Judas como hombre y como apóstol. Vámonos. Es hora de que salgamos de este lugar y vayamos al campo de los galileos y...»

«¿Pasaremos también esta noche allá? ¿Iremos primero al Getsemaní? Judas querías saberlo. Dice que está cansado de dormir a la intemperie, donde no hay nada, que es incómodo.»

«Pronto terminará todo. Pero no revelaré a Judas mis intenciones...»

«No estás obligado a ello. Tú eres el que debes guiarnos, no nosotros a Ti.» Juan está tan lejos de imaginar la traición que no comprende el motivo de prudencia por el que Jesús desde hace días no anticipa sus planes.

Han llegado donde están durmiendo los demás, los llaman. Ellas se despiertan. Mannaén se excusa ante el Maestro por que no puede estar con El, y que al día siguiente no podrá ir al Templo y estar a su lado, porque tiene que hallarse en palacio. Y, al decirlo, mira fijamente a Pedro y a Simón, que han regresado entre tanto. Pedro hace una señal rápida con

---

[34] Alusión a la edad avanzada en que S. Juan redactó su Evangelio.

la cabeza como diciendo: «Comprendido.»

Salen del jardín. Todavía hace calor y sol. Pero la brisa de la tarde lo atenúa, y empuja una que otra nubecilla sobre el terso ciel.

Toman el camino por Siloán, evitando los lugares de los leprosos, a donde Simón Zelote lleva los restos de la comida a los pocos que han quedado y no han sabido creer en Jesús.

Matías, el ex pastor, se acerca a Jesús y le pregunta: «Señor y Maestro mío, mis compañeros y yo hemos meditado mucho en tus palabras hasta que el cansancio nos ganó y nos dormimos antes de habernos podido dar una respuesta. Ahora nos encontramos más torpes que antes. Si hemos entendido bien predices que muchas cosas cambiarán, aunque la ley quede inmutable; que se deberá edificar un nuevo Templo, con nuevos profetas, doctores y escribas, contra el que se trabarán batallas; que no morirá, mientras que éste, si es que entendimos bien, parece estar destinado a perecer.»

«Lo está. Recuerda la profecía de Daniel [35]...»

«Pero nosotros que somos pobres y pocos, ¿cómo podremos edificarlo de nuevo, cuando con tantos trabajos lo hicieron los reyes? ¿Dónde lo edificaremos? No aquí, porque afirmas que este lugar quedará abandonado hasta que ellos no te alaben como enviado de Dios.»

«Así es.»

«En tu Reino, no. Estamos convencidos que tu Reino es espiritual. ¿Entonces, dónde lo edificaremos? Dijiste ayer, que cuando crean haber destruído el verdadero Templo — ¿y no es ese el verdadero? — entonces subirá triunfante a la verdadera Jerusalén. ¿Dónde está? Hay mucha confusión entre nosotros.»

«Lo comprendo. Que los enemigos destruyan, si quieren, el verdadero Templo, y en tres días volveré a edificarlo, y no volverá a ser objeto de asechanzas porque subirá a donde el hombre no puede hacerle daño.

Respecto al Reino de Dios, él está en vosotros y donde hay hombres que crean en Mí. Se extenderá por la tierra en el correr de los siglos, pero después será eterno, unido, perfecto en el cielo. Allá, en el Reino de Dios, será edificado el nuevo Templo, esto es, donde haya espíritus que aceptan mi doctrina, la doctrina del Reino de Dios y pongan en práctica sus preceptos. Que ¿cómo será edificado si sois pobres y pocos? ¡Oh, no hay necesidad de dinero ni de poder, para edificar la casa de la nueva mansión de Dios, individual o colectiva! El Reino de Dios está en vosotros. La unión de todos los que lo tendrán en sí, de todos los que tendrán a Dios en sí, a Dios que es Gracia; a Dios que es Vida; a Dios que es Luz; a Dios que es Caridad, la unión de todos ellos constituirá el gran Reino de Dios sobre la tierra, la nueva Jerusalén que llegará a extenderse por todos los confines del mundo, y que, completa y perfecta, sin defectos, sin nada que la afecte, vivirá eternamente en el cielo.

Que ¿cómo haréis para edificar el Templo y la ciudad? ¡Oh, no sois vo-

[35] Cfr. Dan. 9.

sotros, sino Dios [36]! Vosotros sólo le tendréis que dar vuestra buena voluntad que consiste en permanecer en Mí. *Vivir* mi doctrina es buena voluntad. Estar unidos también lo es. Unidos a Mí hasta formar un solo cuerpo [37] que alimente, hasta en sus partes más pequeñas, una sola savia. Un solo edificio [38] que se apoya sobre un único fundamiento y que se mantiene unido por una mística cohesión. Pero así como sin la ayuda del Padre, a quien os he enseñado cómo orar, y a quien oraré por vosotros antes de morir, no podréis estar en la Caridad, en la Verdad, en la Vida, esto es, en Mí y conmigo en Dios Padre y en Dios Amor, porque somos una sola Divinidad, por esto os digo que tengáis a Dios en vosotros para que podáis ser el templo que no conocerá fin. Por vosotros mismos no lo podríais hacer. Si Dios no edifica, y no puede edificar donde no puede estar, inútilmente los hombres se mueven para edificar y reedificar [39]. El Templo nuevo, mi Iglesia, surgirá sólo cuando vuestro corazón hospede a Dios. El, con vosotros, piedras vivientes, edificará su Iglesia.»

«¿Pero no has dicho que Simón de Jonas es su Cabeza, la Piedra sobre la que se edificará tu Iglesia? Y no has dado también a entender que eres la piedra angular? ¿Quién es, pues, la cabeza [40]? ¿Existe o no esta iglesia [41]?» le interrumpe Iscariote.

[36] Para el Templo de Dios que es Jesús y que somos nosotros, cfr. Mt. 26, 57-68; 27, 39-44; Mc. 14, 53-65; 15, 29-32; Ju. 2, 13-22; 1 Cor. 3, 16-17; 6, 12-20; 2 Cor. 6, 14-18; Ef. 2, 11-22; 1 Pe. 2, 4-10; Ap. 21-22.

[37] Cfr. Rom. 12, 3-13; 1 Cor. 10, 14-22; 12, 12-30; Ef. 1, 15-23; 2, 11-22; 4, 1-16; 5, 21-33; Col. 1, 15-29; 2, 9-19; 3, 12-15. Jesús no empleó — según los Evangelios — la figura del «cuerpo», sino la de la «vid». Cfr. Ju. 15, 1-17, y también la nota 36; y en el vol. 4°, cfr. pág. 653, not. 10 a la fin.

[38] Cfr. Mt. 16, 13-20; 1 Cor. 3, 5-17; Ef. 2, 19-22; 4, 1-16; 1 Pe. 2, 4-10, y también not. 36.

[39] Cfr. Sal. 126, 1.

[40] Cfr. not. 36 y not. 38. Cfr. pág. 123, not. 10.

[41] La palabra «Iglesia» o la realidad que expresa, se encuentra muchas veces en el Antiguo, pero sobre todo en el Nuevo Testamento. Basta ver los textos para convencerse que Jesús no vino a destruir, sino a perfeccionar.

Por lo que se refiere a la antigua ley, cfr. Ex 19, 1 - 20, 21 (asamblea para la promulgación de los mandamientos); Núm. 20, 1-13 (asamblea de Dios, esto es, del pueblo elegido, que salió de Egipto, que peregrina por el desierto, en busca de la tierra prometida); Deut. 4, 9-20 (asamblea del pueblo, a quien Dios dirige su palabra); 23, 1-8 (condiciones para ser admitido alguien a la asamblea de Dios); Jue. 20, 1-11 (asamblea del pueblo de Dios, unida y formando un grupo, como si fuese un solo hombre); 3 Rey. 8 (asamblea litúrgica, en la casa de Dios); 1 Par. 29, 1-20 (asamblea litúrgica); 2 Par. 5-7 (asamblea litúrgica); 2 Esd. 8 (asamblea, como si fuese un solo hombre); Jdt. 6 (asamblea para orar y hacer penitencia, postrada durante toda la noche); 7, 12-25 (asamblea de oración, acompañada de lágrimas); Sal. 21. 25. 34. 39. 67. 106. 149 (asamblea del pueblo, con alabanzas, bendiciones, acciones de gracias, etc., a Dios); Sal. 88, 6 (asamblea de los Angeles); Ecli. 33, 19 (jefes del pueblo, presidentes de la asamblea); Lam. 1, 10 (santuario: lugar de la asamblea); Jl. 2, 12-19 (asamblea litúrgica de penitencia y de oración teniendo por jefes a los sacerdotes que oran, y respuesta de Dios); 1 Mac. 4, 52-59 (asamblea en el templo para celebrar la liturgia, y tomar decisión importante: en común, esto es, por parte de los jefes y del pueblo); 5, 9-20 (asamblea del jefe y del pueblo, para decidir sobre cosas de gran importancia); 14, 16-24 (asamblea durante la que se leen documentos importantes).

En el N.T., cfr. Mt. 16, 13-20; 18, 15-18; Hech. 5, 1-11; 7, 35-38; 8, 1-4; 9, 31; 11, 19-26; 12, 1-5; 13, 1-5; 14, 19-28; 15; 20, 17-38; Rom. 16; 1 Cor. 1, 1-3; 4, 14-17; 6, 1-8; 7, 17-24; 10, 31-33; 11, 13-22; 12, 12-30; 14; 15, 9-10; 16, 1. 19-20; 2 Cor. 1, 1-2; 8, 1. 16-24; 11, 1-29; 12, 11-15; Gal. 1, 1-2. 11-

«Yo soy la Cabeza mística. Pedro es su cabeza visible[42]. Porque Yo regreso al Padre y os dejo la vida, la luz, la gracia por medio de mi palabra, por medio de mis padecimientos, por medio del Paráclito que será amigo de los que me han sido fieles. Yo soy una sola cosa con mi Iglesia, mi cuerpo espiritual [43] de quien soy Cabeza. En la cabeza están el cerebro o la mente [44]. La mente es el asiento del saber, el cerebro es el que dirige los movimientos de los miembros con sus órdenes que no son materiales, que son más capaces de hacer mover los miembros que cualquier otro estímulo. Observad un cadáver en el que está el cerebro. ¿Tiene más movimiento que los miembros? Observad a un hombre idiota, ¿verdad que es en tal forma incapaz de no tener esos movimientos instintivos y rudimentarios que tiene un animal inferior, por ejemplo, el gusano que aplastamos al pasar? Ved al hombre al que la parálisis ha roto el contacto del cerebro con uno o varios miembros. Si la mente dirige con sus órdenes inmateriales, hay otros órganos: orejas, ojos, lengua, nariz, piel que comunican las sensaciones a la mente, y hay otras partes del cuerpo que ejecutan y hacen ejecutar lo que la mente, a la que han avisado los órganos, materiales y visibles, ordena. ¿Podría Yo hacer que os sentarais a la falda de este monte, si no os lo hubiera ordenado? Aun cuando quisiera que os sentaseis, no lo sabriais sino hasta que no manifieste mi pensamiento por medio de palabras. ¿Podría Yo sentarme con sólo pensar que mis piernas están muy cansadas, si éstas rehusan doblarse?

La mente tiene necesidad de los órganos y de los miembros para obrar lo que ella quiere. De igual modo en el cuerpo espiritual que es mi Iglesia Yo seré la Inteligencia, esto es, la cabeza, asiento suyo; Pedro y sus colaboradores [45] los que vean las reacciones, perciben las sensaciones,

24; Ef. 1, 15-23; 3; 5, 21-33; Flp. 3, 1-6; 4, 10-20; Col. 1, 15-29; 4, 15-17; 1 Tes. 1, 1; 2, 13-16; 2 Tes. 1, 1-5; 3, 1-5. 14-16; 5, 16; Flm. 1-3; Heb. 12, 18-24; Sant. 5, 13-20; 1 Pe. 5, 12-14; 3 Ju. 3-11; Ap. 1-3; 21-22.

Por Iglesia se entiende, pues, una comunidad particular, o varias, o todas. Algunas veces Iglesia significa la comunidad particular reunida fuera del lugar santo. En otras, la Iglesia universal, esparcida por el mundo, en cuanto es el Cuerpo místico de Cristo, esto es, una comunidad universal que es en tal forma amada que se le llama «esposa» y por lo tanto, cuerpo, que es completamente del Esposo, para el tiempo y para la eternidad.

[42] Cfr. Concilio ecumenico vaticano I, *Constitutio dogmatica I «Pastor aeternus» de Ecclesia Christi*, con las indicaciones de los documentos anteriores del Magisterio eclesiástico, de las fuentes bíblicas y patrísticas que allí se alegan: Denzinger, *Enchiridion Symbolorum...*, n. 1821-1840 (ed. nueva: n. 3050-3075).

[43] Cfr. vol. 4°, pág. 653 not. 10; además PIO XII, *Carta encíclica «Mystici Corporis Christi»*, 1943, en Acta Apostolicae Sedis, vol. 35 (1943) p. 193-248.

[44] En este punto hay una cierta identificación entre «cerebro» y «mente». De hecho dice: «La mente es el asiento del saber, el *cerebro* es el que dirige los movimientos de los miembros con sus órdenes *inmateriales*» y líneas más abajo escribe: «Si la *mente* dirige con sus órdenes *inmateriales*...» Tal modo de expresarse está consagrado por el uso, como se ve por el famoso *Totius latinitatis lexicon* de FORCELLINI, en la palabra Cerebrum: «Cerebrum *proprie* est substantia mollis in capite animalium, nervorum et sensus omnis principium... Alii in corde, alii in cerebro dixerunt animi esse sedem et locum... *Translate* ponitur interdum pro *mente*, animo intelligentia, sapientia...»

[45] Cfr. not. 42. Cfr. también Concilio ecumenico vaticano II, *Constitución dogmática sobre*

las transmiten a la mente para que ilumine y ordene lo que hay que practicar para el bien de todo el cuerpo, y luego, iluminados y dirigidos por orden mía, hablen y guíen las otras partes del cuerpo. La mano que mueve a un lado la flecha que puede herir el cuerpo, o arranca el tumor; el pie que aparta el obstáculo sin hacerse mal, sin caer ni herirse, recibieron la orden de la mente. El niño, y también el adulto que se libra de un peligro, o que alcanza una ganancia cualquiera, por ejemplo, enseñanza, buenos negocios, matrimonio, alianza ventajosa debido a un consejo recibido, a una palabra que le dijeron, es por este consejo y por esta palabra que evita el daño y obtiene el bien. De igual modo sucederá en la Iglesia. La cabeza, los jefes, guiados por el Pensamiento divino e iluminados con la Luz divina de la Palabra eterna, impartirán órdenes y consejos, y los miembros obedecerán, alcanzando un bien y una ganancia espirituales.

Mi Iglesia ya existe, porque tiene su Cabeza sobrenatural, su Cabeza divina y posee sus miembros: los discípulos. Es pequeña todavía [46], es una semilla que se forma, pero perfecta únicamente en su Cabeza que la dirige, imperfecta en el resto que aun tiene necesidad de que Dios la toque para ser perfecta, y necesita tiempo para crecer. En verdad os digo que la Iglesia ya existe y que ya es santa por su Cabeza y por la buena voluntad de los justos que la componen. Santa e invincible. Contra ella lanzará batalla una y mil veces todas las formas posibles el infierno [47] com-

la Iglesia, cap. 3; *Decreto sobre el Oficio pastoral de los Obispos en la Iglesia; Decreto sobre el ministerio y vida de los Presbíteros.* El insuperable Escritor eclesiástico del s. III, Orígenes, en su *Libellus de oratione,* cap. 28, asemeja el ministerio sacerdotal al profético, en cuanto que los sacerdotes deben ser los anunciadores y ejecutores de la voluntad de Dios. Cfr. MIGNE, *Patrologia Graeca,* 11, col. 527 (521-530).

[46] Semilla pequeña, pero que se convertirá en planta. Cfr. Mt. 13, 31-32; Mc. 4, 30-32; Lc. 13, 18-19.

[47] Para conocer la doctrina bíblica sobre el infierno, conviene leer en sus respectivos contextos, los trozos que se refieren a la morada de los muertos (scheol o Ades), a las grandes maldiciones, a los terribles castigos, sufrimientos: llanto, rechinar de dientes, gusanos, corrupción, laguna, azufre, fuego, humo, fuego que no se apaga, fuego eterno, etc... Por ej.: azufre y fuego: Gén. 19, 1-29; scheol: Gén. 37, 28-35; fuego: Lev. 10, 1-7; castigos terrenos: Lev. 26, 14-39; sheol, tierra que se abre y engulle, fuego: Núm. 16, 16-35; maldiciones: Deut. 28, 15-68; fuego, profundidad del scheol: Deut. 32, 1-44; bajada al scheol: 1 Rey. 2, 1-11; scheol: 1 Rey. 28, 15-19; 2 Rey. 12, 15-23; fuego del cielo, contra los malvados: 4 Rey. 1, 1-18; fuego, gusanos, llanto eterno: Jdt. 16, 17; Purgatorio: 2 Mac. 12, 38-46; scheol: Job. 7, 1-11; 10, 18-22; 14, 1-22; 16, 12-22; Sal. 6, 5-6; 15, 7-11; 29, 2-10; 48, 15-20; 87, 2-13; 88, 47-49; 89, 3-11; Eccl. 17, 21-27; scheol, abismo: Is. 14, 3-21; fuego, azufre, para siempre: Is. 34, 9-10; scheol: Is. 38, 9-20; fuego que no se apaga: Is. 66, 18-24; fuego: Jer. 15, 10-14; fuego eterno: Jer. 17, 1-4; scheol: Bar. 2, 11-18; scheol, lugar subterráneo: Ez. 32, 17-32; oprobio y horror eternos: Dan. 12, 1-4; scheol: Mt. 16, 13-28; gehenna del fuego eterno: Mt. 18, 5-10; maldición, fuego eterno, pena eterna: Mt. 25, 31-46; gehenna, gusano que no muere, fuego que no se apaga: Mc. 9, 42-50; fuego del cielo que castigue a los malos: Lc. 9, 51-56; condenación: Ju. 5, 25-29; tinieblas: Ju. 8, 12; scheol: Hech. 2, 22-27. 54-57; tinieblas: Col. 1, 9-14; descendimiento de Jesús a los infiernos: 1. Pe. 3, 18 - 4, 6; scheol: Ap. 1, 17-20; segunda muerte, esto es, eterna: Ap. 2, 8-11; scheol: Ap. 6, 7-8; fuego, azufre: 14, 6-13; humo: Ap. 19, 1-4; scheol: estanque o laguna de fuego para los condenados: Ap. 20, 11-15; laguna de fuego, de azufre, segunda muerte: Ap. 21, 1-8.

El scheol (o Ades) es, pues, la morada de los muertos, bien sean infantes o adultos, buenos o malos. Por lo que toca a la morada de los malos, los trozos bíblicos, que se refieren a ella, conpuesto de demonios y de hombres-demonios, pero no prevalecerán. El edificio no se derrumbará.

Sin embargo éste no está hecho de una sola piedra. Observad aquel Templo. Es grande, hermoso bajo los rayos del sol vespertino. ¿Está hecho, acaso, de una sola piedra? No, sino de muchas que forman un conjunto armónico. Se le llama Templo, esto es, *una* unidad, que se compone de muchas piedras que la han compuesto y formado. Inútil hubiera sido haber echado los fundamentos, si sobre ellos no se levantasen los muros y el techo. Y hubiera sido imposible levantar los muros y sostener el techo, si no se hubieran colocado solidos fundamentos, proporcionados a la mole.

De igual modo, y con esta dependencia de partes, una de la otra, se levantará también el Templo nuevo. En los siglos lo edificaréis poniéndolo sobre los fundamentos que le he dado, que son proporcionados a su mole. Lo edificaréis bajo la dirección de Dios, sirviéndoos de lo bueno de la cosas que emplearéis para levantarlo, esto es, de los espíritus en que Dios habita. Dios que hace de vuestros corazones una piedra pulida y sin rasgaduras para el Templo nuevo, que establece su Reino con sus leyes en ellos. De otra manera serían tabiques mal cocidos, madera carcomida, piedras semipartidas e inútiles que no sirven, y que el constructor hábil tira, o piedras que se quiebran, que ceden, que hacen que se caiga una parte, si el constructor, los constructores que el Padre ha puesto al frente de la construcción del Templo, son constructores-ídolos, patrocinadores-ídolos, custodios-ídolos, ladrones. Ladrones de la confianza de Dios, de la estimación de los hombres, ladrones y orgullosos que se complacen en poder sumar ganancias, y en disponer de muchos materiales, pero que no tienen en cuenta si son buenos, o malos, y causa de ruina.

Vosotros, nuevos sacerdotes y escribas del Templo nuevo, escuchad. ¡Ay de vosotros!, y ¡ay de quien después de vosotros! se hará ídolo y no vigilará sobre sí mismo y sobre los otros, los fieles, para observar, comprobar la utilidad de las piedras y de la madera, sin confiarse de las apariencias, y será causa de la ruina, al permitir que se usen para el Templo materiales malos, dando escándalo y provocando la desgracia. ¡Ay de vosotros si dejáis que haya grietas y paredes inclinadas, que pueden caerse de un momento a otro, porque no están unidas al cimiento, a Dios, fundador de la Iglesia! No será, pues, El la causa de la ruina, sino vosotros, y ante El y ante los hombres seréis los responsables. ¡Diligencia, cuidado, discernimiento, prudencia! La piedra, el tabique, la viga débil, que

tienen elementos útiles para comprender qué cosa sea el infierno de los condenados. Teniendo en cuenta todos los anteriores textos del A. y N. Testamento, tal vez el infierno se podría describir del modo siguiente: Es un lugar subterráneo, profundo. Es un abismo. Es, al mismo tiempo, una laguna y un horno, donde hay corrupción y gusanos eternos. Es un lugar con fuego y humo, eternos, destinado a los malditos, a los condenados: esto es, para el demonio y sus ángeles, y para los hombres que han muerto dos veces, muertos a la vida terrena y muertos voluntariamente a la caridad divina. Con toda razón la S. Iglesia en sus letanías de los Santos, se dirige al Padre clementísimo y, con gemidos, dice: «Líbranos, Señor, de la muerte eterna».

en el muro principal serían la ruina, pueden servir en partes de menor importancia, y ser en realidad útiles. *De este modo debéis saber escoger. Con caridad para no desagradar a las partes débiles, con firmeza para no desagradar a Dios y destruir su Edificio. Si cayereis en la cuenta de que una piedra, puesta para servir de punto de apoyo de un ángulo importante, no es buena o no está bien labrada, tened valor, sed audaces y quitadla de ese lugar, labradla con el marro de un santo celo. Si grita de dolor, no hagáis caso. Os bendecirá por los siglos, porque le habéis salvado. Quitadla, ponedla en otro lugar. No tengáis ni siquiera miedo de retirarla, si viereis que es objeto de escándalo y ruina, que se opone a vuestro trabajo. Es mejor tener pocas piedras que mucha lastre. No tengáis prisa. Dios nunca la tiene. Lo que crea es eterno, porque está bien pensado antes de ponerlo en ejecución.* Y, si no es eterno, por lo menos es para muchos siglos. Contemplad el universo. Hace siglos, millares de siglos que Dios lo hizo con estratos sucesivos. Imitad al Señor. Sed perfectos como lo es vuestro Padre. Conservad su ley, su reino en vosotros, y no caréis.

Si así no fuere, caería el edificio, y en vano os habríais cansado para levantarlo. Caería todo quedando de ello unicamente la piedra angular, la base... [48]. Lo mismo que sucederá con ese templo... Es la verdad. Y lo mismo sucederá con el vuestro si en él ponéis de lo vuestro, esto es, partes contagiadas del orgullo, de la ambición, del pecado, de la lujuria. Así como el viento ha hecho desaparecer esos jirones de nubes, que parecían posarse sobre la cima de aquel monte, de igual modo al soplo de un viento de castigo sobrenatural y humano caerán los edificios que no tenían más que el nombre de santos...»

Jesús pensativo, calla. Cuando vuelve a hablar, ordena: «Sentémonos aquí a descansar un poco.»

Se sientan sobre una pendiente del monte de los Olivos, frente al Templo que besa el sol poniente. Jesús mira fijamente ese lugar, con tristeza. Los demás se enorgullecen de su belleza, pero su orgullo siente cubrirse de un cierto velo de inquietud que dejaron las palabras del Maestro. ¿Y si esa belleza tuviese que parecer?...

Pedro y Juan hablan entre sí y luego dicen algo en voz baja a Santiago de Alfeo y a Andrés, que están cerca, los cuales asienten con la cabeza. Pedro se dirige entonces al Maestro y le dice: «Ven aparte y explícanos cuándo se realizará tu profecía de la destrucción del Templo. Daniel habla de ella [49], pero si fuese como él y Tú decís, pocas horas le quedan al Templo. Nosotros no vemos ejércitos, ni preparativos de guerra. ¿Cuándo, pues, sucederá? ¿Cuál será la señal? Tú ya has venido. Tú afirmas que estás para irte. Y, con todo, se sabe que no acaecerá si no estás con los hombres. ¿Regresarás, pues? ¿Cuándo, cuándo será tu regreso? Explícanoslo, para que podamos saberlo...»

«No hay necesidad de que nos vayamos a otra parte. ¿Lo ves? Se han

[48] Cfr. Mt. 7, 24-27; 16, 13-20; Lc, 6, 46-49; 1 Cor. 3, 5-17; Ef. 2, 19-22.
[49] Cfr. Dan. 9-12, y en particular: 9, 27; 11, 31; 12, 11.

quedado ahí los discípulos más fieles, los que os ayudarán mucho a vosotros los doce. Ellos pueden oir las palabras que os diré. ¡Acercaos todos!» ordena en voz alta.

Los discípulos, que se habían esparcido por la falda, forman un grupo compacto en torno a Jesús y a los apóstoles.

«Tened cuidado que nadie en los años que están por venir os engañe. Yo soy el Mesías y no hay otro. Por esto, cuando muchos os dijieren: "Yo soy el Mesías" y hubieren seducido a muchos, no creáis a sus palabras, ni aun cuando las acompañaren prodigios. Satanás, padre de la mentira y protector de los mentirosos, ayuda a sus siervos y secuaces con falsos prodigios, que pueden comprobarse que no son buenos, porque llevan consigo el miedo, la turbación, la mentira. Vosotros conocéis los prodigios de Dios: *dan una santa paz, alegría, salud, fe; producen buenos deseos de hacer obras santas. Los otros, no. Por lo tanto reflexionad sobre la forma y las consecuencias de los prodigios que es posible que veréis en años venideros por obra de falsos Mesías, y de los que se cubrirán con vestidos de salvadores de pueblos, pero que no serán sino fieras que los destruyan.*

Sabréis que habrá guerras, rumores de guerra y os dirán: "Son las señales de que se acerca el fin". No os turbéis. No es el fin. Todo esto debe suceder antes de que llegue el fin, pero no lo será todavía. Un pueblo hará guerra contra el otro, un reino contra el otro, una nación contra la otra, un continente contra el otro; vendrán la peste, la carestía, y habrá terremotos en muchos lugares. Todo esto no es más que el principio de los sufrimientos. Entonces os fustigarán y os matarán, acusándoos de ser los culpables de sus padecimientos, y al perseguiros y destruiros, a vosotros mis siervos, creerán librarse de ellos. *Los hombres acusan siempre a los inocentes de ser los causantes de sus males, que por sus pecados han provocado. Acusan a Dios mismo, la perfecta Inocencia y Bondad suprema, de ser la causa de sus sufrimientos, y esto mismo harán con vosotros.* Os odiarán por causa de mi Nombre. Es Satanás quien los instiga. Muchos se harán mal mutuamente, se traicionarán y se odiarán. Es también Satanás quien los instiga a ello. Surgirán falsos profetas que enseñarán a muchos el error. Es nuevamente Satanás el verdadero autor de tantos males. Y como la maldad aumentará, en muchos se resfriará la caridad. Pero quien hubiere perseverado hasta el fin, será salvo. Primero hay que predicar este Evangelio del reino de Dios a todo el mundo, dando testimonio a todas las naciones. Entonces vendrá el fin. Israel regresará al Mesías y mi doctrina habrá sido predicada en todo el mundo.

Hay otra señal: tanto para el fin del Templo, como para el del mundo. Cuando veáis la horrible desolación que Daniel predijo — quien me está escuchando, procura estar atento; y quien lee al Profeta sepa comprender su significado — entonces quien estuviere en Judea huya a los montes; quien sobre la terraza, no baja a tomar lo que tiene en casa; y quien en el campo, no regrese a su hogar a tomar su manto, sino huya sin regresar; para que lo suceda que no tenga tiempo de escapar; y ni siquiera se vuelva en su huída a mirar atrás, para que en su corazón no entre el espectáculo horrible, y no enloquezca por haberlo visto. ¡Ay de las mujeres en cinta! y ¡ay de las que amamantarán a sus hijos en esos días! ¡Ay si la fuga tuviese lugar en sábado! No se podría escapar entonces, sin cometer pecado. Rogad, pues, para que no tengáis que huir en invierno o en día de sábado, porque la tribulación que vendrá será tan grande como nunca la ha habido desde el principio del mundo hasta ahora, ni habrá otra semejante. Si esos días no se acortaren en favor de los elegidos, nadie se salvaría, porque los hombres-satanases se aliarán con el infierno para atormentar a los hombres.

Y también en esos días habrá quienes, para corromper y sacar fuera del recto camino a los fieles del Señor, dirán: "El Mesías está aquí", o "El Mesías está allá, en ese lugar. ¡Vedlo!" No los creáis, porque serán falsos Mesías y falsos profetas que harán prodigios y milagros tan grandes que serán capaces de atraer hacia el error, si fuera posible, aun a los elegidos, y enseñarán cosas aparentemente consoladoras y buenas, capaces aun de seducir a los mejores, si con ellos no estuviese el Espíritu de Dios que los iluminará en la verdad, y les dará a conocer el origen satánico de tales milagros y doctrinas. Yo os lo anuncio y os lo predigo para que podáis tomar vuestras providencias. Pero no tengáis miedo de caer. Si permanecéis firmes en el Señor, no seréis arrastrados a la tentación y a la ruina. Recordad lo que os he dicho: "Os he dado el poder de pisar serpientes y escorpiones; toda la fuerza del Enemigo no os hará ningún daño, porque todo os estará sujeto". Mas os recuerdo que para obtener todo esto, debéis tener a Dios en vosotros, y debéis alegraros no tanto porque soyugaréis las fuerzas del Malo y los venenos, cuanto porque vuestro nombre está escrito en el cielo.

Permaneced firmes en el Señor y en su verdad. Yo soy la Verdad y la enseño. Por esto vuelvo a repetiros: cualquier cosa que os dijeren de Mí, no la creáis. Yo soy el único que os he dicho la verdad. Yo soy el que os digo que el Mesías vendrá, pero cuando llegue el fin. Por esto si se os dice: "Está en el desierto", no vayáis. Si os dijeren: "Está en aquella casa" no deis oído. Porque la segunda venida del Hijo del hombre será semejante al relámpago que se ve en el oriente, y en un instante, en que apenas hay tiempo de parpadear, llega al occidente. Y pasará rápidamente sobre el gran Cuerpo, convertido de pronto en cadáver [50], seguido de sus relucientes ángeles, y juzgará. Donde hay un cadáver, allí se reunen las águilas.

Inmediatamente después de la tribulación de aquellos últimos días, de la que os he hablado — me refiero al fin de los tiempos y del mundo, a la resurrección de los cuerpos, de lo que hablan los profetas [51] — se oscu-

[50] «...Cuerpo... cadáver... cuerpo...» (Mt. 24, 28 tiene «cadáver»; Lc. tiene «cuerpo». Esta Obra une armoniosamente las dos expresiones, haciendo que el pensamiento sea más claro: en el fin del mundo, el gran cuerpo de la humanidad dejará de vivir y de perpetuarse sobre la tierra muerta, y sobre esto Cadáver, como sucede siempre cuando, un cuerpo muerto queda insepulto, se precipitarán y se reunirán las aves de rapiña (cfr. Lev. 11, 13-16).
[51] Cfr. Ez. 37, 1-14; cfr. pág. 249, not. 3.

recerá el sol, la luna no dará más luz, las estrellas del cielo caerán como uvas de un racimo muy maduro que un viento tempestuoso sacude, y las potencias de los cielos temblarán. Entonces, en el firmamento oscurecido aparecerá resplandeciente la señal del Hijo del hombre, todas las naciones de la tierra lanzarán gritos de dolor, y los hombres verán al Hijo del hombre que llega sobre nubes celestiales con mucho poder y gloria. Mandará a sus ángeles a que sieguen y vendimien, a que separen la cizaña del trigo, a que echen la uva en la tinaja, porque llegó el tiempo de la gran cosecha de la descendencia de Adán, y no habrá más necesidad de guardar racimos o semillas, porque la raza humana no se perpetuará más sobre la tierra muerta. Y mandará a sus ángeles que, al sonido de roncas trompetas, junten a los elegidos de los cuatro vientos; desde una punta del cielo hasta la otra, para que se pongan al lado del Juez divino y con El juzguen a los últimos vivientes [52] y a los que resucitaron.

Podéis comprender esto si veis una higuera: cuando empieza a reverdecer sabéis que se acerca el verano. De igual modo cuando veáis todo esto, tened en cuenta que el Mesías está por venir. Os aseguro que no pasará *esta generación que no me ha amado*, antes de que suceda todo. Mi palabra no se pierde. Lo que digo, sucederá. El corazón y el pensamiento humanos pueden cambiar, pero mi palabra no. El cielo y la tierra dejarán de existir, pero mis palabras no.

Por lo que toca al día y a la hora exacta nadie los sabe, ni siquiera los ángeles del Señor, sino el Padre. La venida del Hijo del hombre se parecerá a los tiempos de Noé. En los días que precedieron al diluvio los hombres comían y bebían, se casaban, sin parar mientes en la señal, sino hasta el día en que Noé entró en el arca y se abrieron las cataratas de los cielos y el diluvio acabó con todos los vivientes, con todo. Así sucederá en la venida del Hijo del hombre. Entonces dos hombres estarán juntos en un campo, uno será tomado y el otro se quedará; dos mujeres estarán moliendo, una será tomada y la otra dejada. Esto lo harán los enemigos en la patria, y mucho más los ángeles que separarán el buen trigo de la cizaña, y no tendrán tiempo de prepararse al juicio del Mesías.

Vigilad, pues, porque ignoráis cuándo vendrá vuestro Señor. Reflexionad en esto: si el jefe de familia supiese a qué hora llegare el ladrón, estaría alerta y no permitiría que su casa fuese robada. Así pues vigilad y orad; estad siempre preparados a la venida; que vuestros corazones no se sumerjan en la tibieza por abusos e intemperancias, que vuestros espíritus no se distraigan y pierdan el gusto por las realidades celestiales, debido al excesivo cuidado por las de la tierra; y que el lazo de la muerte no os sorprenda cuando estéis menos preparados. Porque tened en cuenta que todos tenéis que morir. Todos los hombres deben morir, y esta muerte es una sola venida del Mesías y que el siguiente juicio [53]

---

[52] Cfr. 1 Tes. 4, 13 - 5, 11; y también 1 Cor. 15, 20-28.

[53] La doctrina del juicio particular, inmediatamente después de la muerte, y que no puede confundirse con el juicio universal al fin del mundo, más o menos se encuentra en la Biblia.

tendrá que repetirse cuando venga el Hijo del hombre con toda solemnidad.

¿Cuál será el siervo fiel y prudente, que recibió encargo de su patrón de alimentar a los demás de su casa, cuando esté ausente? Suerte feliz le cabrá si su patrón, al regresar de improviso, lo encuentra cumpliendo su deber con diligencia, justicia y amor. En verdad os digo que le dirá: "Ven, siervo y fiel. Te has hecho merecedor de mi recompensa. Administra todos mis bienes". Pero si el siervo en su interior es realmente malo, y sólo aparentemente bueno, cuando se vaya su patrón, dirá dentro de sí: "Mi patrón va a tardar. ¡Entreguémonos a la buena vida!" Y empieza a golpear, a maltratar a sus compañeros de servicio, haciéndose usurero con ellos, con la comida y con todas las cosas para sacar más dinero que pueda gastarlo con los sibaritas y borrachos, ¿qué sucederá? Que el dueño regresará de improviso, y el mal siervo será descubierto, se le quitará el puesto, el dinero, se le arrojará a donde la justicia ordene, y allí se quedará.

Lo mismo sucede con el pecador impenitente que no piensa que la muerte pueda estar tan cercana, tan próximo al juicio, se entrega a los placeres, diciendo: "Luego me arrepentiré". En verdad os digo que no tendrá tiempo de hacerlo y será condenado a que vaya y se quede para siempre en el lugar de inimaginable horror, donde sólo resuenan la blasfemia, el llanto, la tortura, y no saldrá de allí sino hasta el juicio final, cuando volverá a vestirse con su cuerpo resucitado para presentarse completo al juicio final como completo pecó, cuando vivió sobre la tierra. Y con cuerpo y alma se presentará ante el Juez Jesús, a quien no quiso por Salvador.

Todos estarán de pie ante el Hijo del hombre. Una inmensa multitud de cuerpos que la tierra y el mar restituyeron; cuerpos que fueron reducidos a ceniza por tanto tiempo, volverá a tomar su forma. Y los espíritus permaneceran en sus cuerpos, en los cuerpos que un tiempo tuvieron, que animaron. Estarán derechos ante el Hijo del hombre, resplandeciente en su Majestad divina, sentado en el trono de su gloria, rodeado de sus ángeles.

Separará a los hombres. De un lado pondrá a los buenos, del otro a los malos. Igual que un pastor que separa las ovejas de los cabros. Pondrá a su derecha a las ovejas, y los cabros a la izquierda. Con voz dulce, cariñoso aspecto, dirá a los que, tranquilos y hermosos con una belleza de gloria por el resplandor de su cuerpo santo, lo mirarán con todo el amor de sus corazones: "Venid, benditos de mi Padre, a tomar posesión del Reino que desde la creación del mundo se os tiene preparado. Porque tuve hambre y me disteis de comer; tuve sed, y me disteis de beber; fui peregrino y me hospedasteis, estuve desnudo y me vestisteis; enfermo y me visitasteis; prisionero y fuisteis a llevarme consuelo". Los justos le pre-

He aquí algunos lugares selectos: Lc. 23, 43; 2 Cor. 5, 1-10; Flp. 1, 21-26; Heb. 9, 27-28; Ap. 14, 13.

guntarán: "Pero, ¿cuándo, Señor, te vimos con hambre y te dimos de comer; con sed y te dimos de beber? ¿Cuando fue que te vimos que eras un peregrino y te acogimos, desnudo y te vestimos? ¿Cuándo te vimos enfermo, encarcelado y fuimos a visitarte?" El Rey de reyes les responderá: "En verdad os digo que cuando lo hicisteis a uno de estos los más pequeñuelos de entre mis hermanos, me lo hicisteis a Mí". Luego se volverá a los que tendrá a su izquierda, les dirá con un rostro de severidad y con ojos tan fijos que parecerán que de ellos salieren saetas, con una voz en que tronará la ira de Dios: "¡Fuera de aquí! ¡Apartaos de Mí, malditos! Idos al fuego eterno que la ira de Dios preparó para el demonio, sus ángeles tenebrosos y para los que les dieron oídos, dejándose guiar de la triple libídine. Tuve hambre y no me la quitasteis; tuve sed y no me la apagasteis; estuve desnudo y no me disteis vestido; fui peregrino y me arrojasteis; estuve enfermo, encarcelado y no me visitasteis. Porque no teníais más una ley, la de agradaros a *vosotros mismos"*. Ellos le contestarán: "¿Cuando te vimos hambriento, sediento, desnudo, peregrino, enfermo, encarcelado? Nosotros, en realidad, no te conocimos. No vivimos cuando tu viviste en la tierra". El les replicará: "Es verdad. No me conocisteis, porque cuando viví en la tierra, no estabais, pero conocisteis mi palabra. Hubo pobres entre vosotros, hambrientos, sedientos, desnudos, enfermos, encarcelados. ¿Por qué no hicisteis lo que *tal vez* me hubierais hecho a Mí? Pues nadie puede asegurar que con quienes conviví, fueron compasivos conmigo, el Hijo del Hombre. ¿No sabíais que estoy en mis hermanos, y que donde esté uno de ellos que sufra allí estoy? ¿No sabíais que lo que no hicisteis a uno de estos hermanos míos pequeños, me lo negasteis a Mí, Primogénito de los hombres? Idos y quemaos en vuestro egoísmo. Idos y que os envuelvan las tinieblas y el hielo porque eso fuisteis, pese a que sabíais dónde estaban la Luz y el Fuego del Amor". Se irán éstos al suplicio eterno, mientras los justos entrarán en la vida inmortal.

Esto es lo que sucederá. Ahora idos. Que no haya divisiones entre vosotros. Me llevo a Juan. Estará con vosotros a la mitad de la primera vigilia para la cena y para ir después a nuestras instrucciones.»

«¿También esta noche? ¿Vamos a hacer lo mismo cada día? Me siento mal con la intemperie. ¿No sería mejor ir a alguna casa amiga? ¡Estar siempre bajo las tiendas! Siempre en vela en las noches, que son frías y húmedas...» se lamenta Judas.

«Es la última noche. Mañana... será diverso.»

«¡Ah! Pensaba que querías ir al Getsemaní todas las noches. Pero si es la última...»

«No he insinuado esto, Judas. He dicho que será la última noche que pasemos juntos en el campo de los galileos. Mañana prepararemos la pascua y comeremos el cordero. Después Yo solo iré a orar al Getsemaní. Podréis hacer lo que mejor os plugiere.»

«Vendremos contigo, Señor. ¡Nunca tenemos ganas de dejarte!» dice Pedro.

«Tú callate, que no tienes derecho hablar. Tu y Zelote no hacéis más que revolotear aquí y allá apenas no os ve el Maestro. No os pierdo de vista. En el Templo... durante el día... en las tiendas allá arriba...» dice Iscariote, contento de acusarlos.

«¡Basta! Si lo hacen, hacen bien. Pero no me dejéis solo... os lo ruego...»

«Señor, no hicimos nada malo. Créelo. Dios conoce nuestras acciones, y sus ojos no se apartan de ellas con disgusto» protesta Zelote.

«Lo sé. Pero es inútil. Lo que es inútil puede ser siempre dañoso. Estad unidos lo más posible.» Luego se vuelve a Mateo: «Tú, mi buen cronista, repíteles a éstos la parábola de las diez vírgenes sabias y de las diez necias; la del señor que dio talentos a sus tres siervos para que los hiciesen fructificar, lo que hicieron dos de ellos, y uno que era un perezoso, lo enterró. ¿Te acuerdas?»

«Sí, Señor mío. Las recuerdo con exactitud.»

«Entonces, repíteselas. No todos las oyeron, y los que las saben tendrán gusto en volverlas a oir. De este modo pasad así el tiempo hasta que regrese. ¡Velad! ¡Velad! Tened listo vuestro espíritu. Tales parábolas son apropiadas también para lo que os dije. Hasta pronto. La paz se quede con vosotros.»

Toma a Juan de la mano y se aleja con él a la ciudad...

Los otros se dirigen al campo de los galileos.

16. El miercoles anterior a la Pascua:
II. La noche
(Escrito el 8 de marzo de 1945)

«Os dije: "Estad atentos, velad y orad para que el sueño no os gane". Pero veo que vuestros cansados ojos se cierran y vuestros cuerpos, aun sin querer, pretenden descansar. Tenéis razón, ¡pobres amigos míos! En estos días os exigí mucho, y estáis cansados. Pero dentro de pocos, en realidad, dentro de pocas horas, estaréis contentos de no haber perdido ni siquiera un momento de haber estado conmigo. Os sentiréis felices de no haberme negado nada. Por otra parte, es la última vez que os hablo de cosas tristes. Mañana os hablaré de amor y os haré un milagro que es todo amor. Preparaos por medio de una gran purificación a recibirlo. ¡Oh, qué bien se aviene a mi modo de ser hablar más de amor que de castigo! ¡Cuán dulce me es decir: "Os amo. Venid. Durante toda mi vida he soñado en esta hora"! Pero hablar de muerte también es amor, porque esta es la prueba de su supremo amor para los que aman. Es también amor preparar a los amigos amados para el infortunio, como es una muestra previdente de cariño que estén prontos, y que no se acobarden a la hora. Confiar un secreto es pruebar de amor, de la estima que se tiene en quien se confía. Sé que habéis hecho llover preguntas y más preguntas sobre Juan para saber qué le dije cuando estuvimos solos. Y no habéis creído cuando afirmé que nada le dije, sino que tan sólo estuvo conmigo. Tiene razón. Fue suficiente que tuviese a alguien cerca de Mí [1]...»

«¿Por qué entonces él y no otro?» pregunta Iscariote. Y con una cierta altanería.

Pedro, Tomás y Felipe dicen también: «Tiene razón. ¿Por qué escogiste a él y no a otros?»

Jesús responde a Iscariote: «¿Hubieras querido ser tú? ¿Te atreves a pedirlo?

Era una mañana fresca y serena de Adar... Yo era un desconocido que caminaba por el camino cercano al río... Cansado, polvoriento, pálido por el ayuno, la barba crecida, las sandalias rotas. Parecía Yo un mendigo por los caminos del mundo... El me vio... me reconoció como aquél sobre quien había bajado la Paloma de fuego eterno [2]. En aquella forma mía, ciertamente que un átomo de mi divino resplandor debió de haber brillado. Los ojos que había abierto la penitencia del Bautista y que la pureza había conservado angelicales vieron lo que los otros no [3]. Los ojos puros llevaron aquella visión en lo profundo del corazón, la conservaron cual perla en un joyel... Cuando dos meses después esos ojos se abrieron para ver al caminante empolvado, su alma me reconoció... Me amaba. No amaba a nadie otro. El amor primero y único nunca se olvida. El alma siente que viene, aun cuando esté lejos; siente que llega de la lejanía; y se llena de gozo, abre su mente que despierta a su cuerpo para que todos participen del banquete de la alegría de volverse a encontrar y de amarse. Una boca que temblaba de emoción me dijo: "Te saludo, Cordero de Dios". ¡Oh, fe de los puros que eres tan grande! ¡Cómo vences todos los obstáculos! No conocía mi Nombre. No sabía quién era Yo, de dónde venía, qué hacía; ni si era Yo rico, pobre, sabio, ignorante. ¿Qué es la que hace saber todo esto por medio de la fe? ¿Aumenta o disminuye si sabe? El creía en todo lo que le había dicho el Precursor. Por ley impuesta como estrella que transmigra de una a otra parte del cielo, él se había separado de su cielo: el Bautista, de su constelación, y había venido a otro nuevo cielo: al Mesías, en la constelación del Cordero [4]. No es la estrella mayor, pero sí la más hermosa y pura de la constelación de amor.

Desde aquella fecha han pasado tres años. Estrellas y estrellitas se

[1] Cfr. vol. 3°, pág. 543, not. 2 y las notas allí alegadas.

[2] Alusión a lo sucedido en el bautismo de Jesús en el Jordán. Cfr. Mt. 3, 13-17; Mc. 1, 9-10; Lc. 3, 21-22; Ju. 1, 19-34.

[3] En la Biblia se encuentra la alabanza tributada a los de corazón y ojos puros. Cfr. Sal. 23, 3-6; Mt. 5, 8.

[4] No es inútil decir que Aries, o Cordero, es la señal y la constelación zodiacal de la primavera. Según el zodíaco aparente (según los antiguos) el sol entra en el signo zodiacal de Aries el 21 de marzo; según el zodiaco real (el más moderno, desde 1600), el sol entra en la constelación de Aries el 17 de abril. Cfr. *Enciclopedia italiana (*Treccani), vol. 35, Rom. 1937, pág. 971. Por esto, la señal y la constelación de Aries, o Cordero, coinciden de hecho con el tiempo pascual, en el que el Cordero de Dios, Jesús, se inmoló sobre la cruz.

han juntado a mi constelación y separado de ella. Algunas se precipitaron y murieron. Otras se convirtieron en pesados vapores. Pero él se ha quedado fijo con su luz pura, junto a su Polar. Dejadme que mire su luz. Dos serán las luces durante las tinieblas del Mesías: María y Juan. Pero tanto será el dolor que apenas si las podré ver. Dejad que imprima en mi pupila esos cuatros ojos que son pedazos de cielo entre pestañas rubias, para llevar conmigo, a donde nadie podrá ir, un recuerdo de pureza. ¡Todo el pecado! Todo sobre las espaldas del Hombre. ¡Oh, gota de pureza!... ¡Mi Madre! ¡Juan! ¡Y Yo!... Tres náufragos que salen del naufragio de una humanidad en el mar del pecado.

Será la hora en que Yo, el retoño de la estirpe davídica, entre lágrimas volveré a recitar el llanto de David [5]: "Dios mío, vuélvete a Mí. ¿Porqué me has abandonado? Los gritos de los crímenes que por todos he tomado sobre Mí, me alejan de Ti... Soy un gusano, no un hombre, la vergüenza humana, lo más sucio de la plebe". Oíd a Isaías [6]: "He entregado mi cuerpo a los que golpean, mis mejillas a quien me arrancaba la barba. No retiré la cara de quien me ultrajaba y me la cubría de salivazos". Oíd de nuevo a David [7]: "Muchos becerros me han rodeado, muchos toros se han lanzado contra Mí. Cual leones han abierto su hocico para desgarrarme y han rugido [8]. He desparecido como el agua". Isaías termina la figura: "Por Mí mismo me he teñido los vestidos" [9]. ¡Oh, por Mí mismo tiño mis vestiduras, no porque me deje llevar del furor, sino con mi dolor y amor que siento por vosotros. Como dos piedras de un molino, me aprietan y me exprimen la sangre. No soy distinto del racimo de uvas prensado; ¡que hermoso era cuando entró, y luego es un pellejo sin jugo, ni hermosura!

Mi corazón, digo con David [10], "se hace como cera y se derrite dentro de mi pecho". Corazón perfecto del Hijo del hombre, ¿en qué te conviertes? Semejante al que habiendo llevado una vida de orgías, se queda flaco y sin fuerzas. Toda mi robustez se ha agotado [11]. La lengua la tengo pegada al paladar por la fiebre y por la agonia. La muerte se acerca en medio de su ceniza que asfixia y ciega.

¡Y todavía no hay compasión! [12] "Una jauría de perros me ataca y me muerde. En mis heridas se clavan sus mordidas, y sobre estas los golpes. No queda de Mí un solo lugar en que no haya mordeduras [13]. Mis huesos suenan porque cruelmente se les ha estirado. No sé dónde apoyar mi cuerpo. La dolorosa corona es un círculo de fuego que penetra los huesos de mi cabeza. Estoy colgando de las manos, y mis pies están

[5] Cfr. Sal. 21, 1.
[6] Cfr. Is. 50, 6.
[7] Cfr. Sal. 21, 13-14.
[8] Ib. 15.
[9] Cfr. Is. 63, 3.
[10] Cfr. Sal. 21, 15.
[11] Ib. 16.
[12] Ib. 17.
[13] Ib. 15.

atravesados [14]. Elevado, muestro mi cuerpo al mundo y todos pueden contar mis huesos"...»

«¡Cállate, cállate!» dice entre sollozos Juan.

«¡No digas más! ¡Nos haces morir!» suplican los primos de Jesús.

Andrés no habla, pero tiene la cabeza entre las rodillas y llora sin hacer ruido. Simón está pálido. Pedro y Santiago de Zebedeo parece que fueran torturados. Felipe, Tomás y Bartolomé parecen tres estatuas de piedra que enseñan lo que es angustia.

Judas Iscariote es una máscara macabra, demoníaca. Semeja un condenado que finalmente cae en la cuenta de lo que hizo. Con la boca abierta, que quiere lanzar un aullido que sale espontáneo, pero que no deja escapar; con los ojos dilatados, espantados como los de un loco; con las mejillas cenizas bajo el velo negro de su barba rasurada; con los cabellos despeinados, porque se los descompuso con la mano, sudando frío, parece estar próximo a perder el sentido.

Mateo, que ha levantado su cara aterrorizada en busca de ayuda, lo ve y grita: «¡Judas! ¿Te sientes mal?... Maestro, Judas está mal.»

«También Yo» responde Jesús. «Pero Yo sufro en paz. Haceos espíritus para soportar la hora. Uno que sea "carne" no podrá vivirla sin enloquecer...

David, que vio las torturas del Mesías, añade[15]: "Ni con esto se han contentado. Me miran y se ríen. Se dividen mis despojos y echan suertes sobre mí túnica. Soy el Malhechor. Es su derecho".

¡Oh tierra, mira a tu Mesías! Trata de reconocerlo, aunque esté tan estropeado. Escucha, recuerda las palabras de Isaías y comprende el por qué, *el gran por qué* de que se ha reducido a este estado, porqué el hombre pudo matarlo, reduciéndo a tales trazas al Verbo del Padre [16]. "No tiene nada de bello, ni de atractivo. Lo vimos. No era hermoso, y no lo amamos. Despreciado como el último de los hombres, El, el Hombre de dolores acostumbrado a padecer, escondió su rostro. Se le insultaba y no nos importó nada su suerte". Su belleza de Redentor fue la máscara de un torturado. ¡Pero tú, tierra necia, preferiste su rostro sereno! "Verdaderamente que El ha tomado sobre Sí nuestros males, se ha cargado nuestros dolores. Lo vimos cual si fuera un leproso, a quien Dios ha maldecido, cual un despreciado. Sin embargo, sus heridas se deben a nuestros crímenes. Ha recibido el castigo que merecíamos nosotros, el castigo que nos devuelve la paz con Dios. Sus cardenales nos han sanado. Eramos como ovejas errantes. Cada uno había extraviado el recto camino, y el Señor puso sobre El la iniquidad de todos". Aquél o aquéllos que piensan haber hecho algún bien a sí mismos y a Israel, se engañan. Lo mismo que los que piensan haber sido más fuertes que Dios. Los que imaginan que no tendrán que dar cuenta de este pecado, solo porque libremente me dejo matar. Cumplo con mi santa obligación, que es obe-

---

[14] Ib. 17-18.
[15] Cfr. Sal. 21, 18-19.
[16] Cfr. Is. 52, 13 - 53, 12.

decer perfectamente al Padre. Lo que no excluye que ellos obedezcan a Satanás y realicen su nefanda empresa. Sí. Tu Redentor, ¡oh tierra!, ha sido sacrificado porque lo quiso. "No abrió su boca para decir una sola súplica por la que se le librase de la muerte, ni una palabra para maldecir a sus asesinos. Se dejó llevar al matadero para que lo matasen como una ovejita, como un cordero que no bala, fue llevado para que lo trasquilasen".

"Después que fue capturado y condenado, se le levantó en alto. No tendrá posteridad. Como una planta, ha sido cortado de la tierra de los vivientes. Dios lo ha castigado por los pecados de su pueblo. ¿Ninguno de sus contemporáneos de la tierra en que vivió lo llorará? El que ha sido arrancado de la tierra, ¿no tendrá hijos?"

Te respondo, profeta de tu Mesías. Si mi pueblo no llorará por el que fue muerto sin culpa, los ángeles del pueblo celestial lo llorarán. Si no engendró hijos, porque dada su Naturaleza no podía hacerlo [17], tendrá hijos e hijos, siguiendo otro modo de engendrar que no es el carnal, sino que procede del amor y de la Sangre divina, un engendrar espiritual por el cual su prole será eterna [18].

Ahora, ¡oh mundo!, te explico quiénes son los impíos enviados a su sepultura y el rico a su muerte. Mira, ¡oh mundo!, si uno sólo de los que lo mataron tuvo paz y larga vida. El, el Viviente, pronto dejará la muerte. Pero, como hojas que el viento de otoño junta una a una entre los surcos, después de haberlas arrancado con repetidas sacudidas, uno a uno serán pronto juntados en la infame sepultura que para El había sido dispuesta y quien vivió para el oro, podría, si fuese lícito poner algo inmundo donde estuvo el Santo, podría ser arrojado en el lugar todavía húmedo por las innumerables heridas de la Víctima que fue inmolada sobre el monte [19].

Porque fue acusado sin haber cometido culpa alguna; en su boca jamás hubo engaño, ni en su corazón iniquidad. Dios lo vengará. Fue torturado. Pero terminado esto, una vez que su vida fue tronchada para ser sacrificio expiatorio, comenzará su gloria ante los que han de venir. Todos los deseos y determinaciones santas de Dios se realizarán por medio de El. Por las angustias que sufrió, su alma verá la gloria del verdadero pueblo de Dios y será feliz. Su doctrina celestial, que sellará con su Sangre, será la justificación de muchos que hay entre los mejores, y arrancará la iniquidad de los pecadores. Por esto, ¡oh tierra!, una gran multitud de gente se llegará a este Rey desconocido de quien los pérfidos se burlaron y a quien los mejores no comprendieron. Dividirá con los suyos los despojos propios de los robustos, El, el único Juez de los tres reinos y del Reino.

---

[17] *La razón suprema*, según esta Obra, por la que Jesús, verdadero Dios y verdadero Hombre, no contrajo matrimonio — unión íntima de espíritus, de almas y de cuerpos — se basa exactamente en su Divinidad.

[18] Cfr. Ju. 1, 12-13.

[19] Tal vez alusión también al sacrificio de Isaac, figura y tipo de Jesús. Cfr. Gén. 22, 1-19.

Todo ha merecido, porque todo lo dio. Todo se le entregará porque entregó su vida a la muerte y fue contado entre los malhechores. El que no había cometido ningún pecado, El que no hizo más que amar perfectamente, con una bondad infinita. Dos culpas que el mundo no perdona: su amor y su bondad, dos motivos que lo impelieron a tomar sobre Sí los pecados de todos, de todo el mundo, y a rogar por los pecadores. Por *todos* los pecadores, aun por aquellos que lo condenaron a muerte [20].

He terminado. No tengo más que agregar. Todo cuanto tenía que deciros sobre las profecías mesiánicas os lo he dicho. Todo lo que habla desde mi nacimiento hasta mi muerte os lo he ilustrado para que me conozcáis y no tengáis dudas. Y para que no aleguéis excusa de vuestro pecado.

Ahora oremos juntos. En esta última noche podemos hacerlo así, unidos cual granos de uva en el racimo. Venid. Oremos. "Padre nuestro que estás en los cielos, sanctificado sea tu Nombre, venga a nosotros tu reino. Hágase tu voluntad en la tierra como en los cielos. Danos hoy nuestro pan. Perdónanos nuestras ofensas como perdonamos a los que nos han ofendido. No nos dejes que entremos en la tentación, y líbranos del mal. Así sea."

"Sea santificado tu Nombre". Padre, Yo lo he santificado. Ten piedad de tu Retoño.

"Venga tu Reino". Muero para fundarlo. Ten piedad de Mí [21].

"Hágase tu voluntad". Ayuda mi debilidad, Tú que creaste el cuerpo del hombre y con él revestiste a tu Verbo para que aquí abajo te obedeciera así como siempre te he obedecido en el cielo [22]. Ten piedad del Hijo del hombre.

"Danos el pan"... Un pan para el alma. Un pan que no es de esta tierra. No lo pido para Mí. No tengo necesidad sino de tu consuelo espiritual. Yo, cual mendigo, extiendo mi mano por ellos. Dentro de poco será atravesada y enclavada y no podrá dar muestras de amor. Padre, concédeme darles el Pan que diariamente fortifique la debilidad de los pobres hijos de Adán. Son débiles, ¡oh Padre!, no pueden hacer nada porque no tienen el Pan que es fuerza, el pan angelical que espiritualiza al hombre y hace que en nosotros se divinice.

"Perdónanos nuestras ofensas"...»

Jesús, que ha hablado estando de pie y con los brazos abiertos, se arrodilla, levanta al cielo un rostro pálido por el esfuerzo de la súplica, porque los rayos de la luna lo besan; por él corren lágrimas.

«Perdona a tu Hijo, ¡oh Padre!, si en algo te faltó. A tu perfección puede aparecer todavía imperfecto, Yo, tu Mesías sobre quien pesa la carne [23]. A los hombres... no parecerá. Mi inteligencia me asegura que hice todo por ellos. Perdona a tu Jesús... Yo también perdono, para que me perdones como Yo perdono [24]. ¡Cuánto debo perdonar! ¡Cuánto!... Y con

[20] Tener presente Is. 52, 13 - 53, 12.
[21] Cfr. la siguiente not. 27.
[22] Cfr. Flp. 2, 5-11.
[23] Puede ser una alusión a Sab. 9, 14-15 (se aconseja leer todo el cap. 9).
[24] Cfr. la siguiente not. 27.

todo, lo hago. Perdono a éstos que están aquí presentes, a los discípulos ausentes, a los sordos de corazón, a mis enemigos, a los que se burlarán de Mí, a los traidores, asesinos, deicidas... En una palabra, perdono a todo el linaje humano. Por lo que toca a Mí, Padre, perdono toda ofensa que el hombre haya cometido contra Mí. Muero para dar a todos tu Reino. No quiero que se tenga en cuenta como señal de condenación, que se haya ofendido al Verbo encarnado. ¿No? ¿Dices que no? ¡Oh, me duele! Este *"no"* derrama en mi corazón las primeras gotas del amargo cáliz. Padre, a quien siempre he obedecido, te digo: "Hágase como Tú quieres".

"No nos dejes que entremos en la tentación". ¡Si quieres, puedes alejar de nosotros al demonio! El es la tentación que incita la carne, la mente, el corazón. Es él el Seductor [25]. ¡Aléjalo, Padre! ¡Que esté a nuestro lado tu Arcángel [26] que aparte lo que nos pueda hacer mal desde el momento en que se nace hasta el de la muerte!... ¡Oh Padre santo, ten piedad de tus hijos!

"¡Líbranos, líbranos del mal!" Tú lo puedes. Nosotros lloramos aquí... Es muy hermoso el cielo y tenemos miedo de perderlo. Tú dices: "Mi Sangre no puede perderlo". Pero Yo quiero que veas en Mí al Hombre, al Primogénito de los hombres. Soy su hermano. Ruego por ellos y con ellos. ¡Padre, ten piedad! Sí, ¡piedad!...» [27].

Jesús se inclina hasta la tierra. Luego se levanta: «Vámonos. Despídamos esta noche. Mañana, a esta hora, no lo podremos hacer. Estaremos muy aturdidos. Y no hay amor donde hay turbación. Démonos el osculo de paz. Mañana... mañana cada uno dependerá de sí mismo... Esta noche todavía podemos ser uno para todos y todos para uno.»

Besa a uno por uno, comenzando por Pedro, luego Mateo, Simón, Tomás, Felipe, Bartolomé, Iscariote, sus dos primos, Santiago de Zebedeo, Andrés y Juan, sobre el que se apoya, mientras salen del Getsemaní.

[25] Cfr. Gén. 3, 13; 2Cor. 11, 1-3; 1Tim. 2, 9-15 (2Ju. 7-11); Ap. 12, 7-12; 13, 11-18; 20, 1-10.

[26] Esto es, S. Miguel. Cfr. Dan. 10, 9-19; 12, 1-4; Zac. 3; Jds. 8-10; Ap. 12, 7-12.

[27] La humanidad de Jesús, cosa creada, es imperfecta y débil en comparación de la Divinidad. Es la humanidad del Primogénito de los hombres, quien ruega por ellos y *con* ellos. Por estos dos motivos Jesús *pudo* pedir piedad y perdón a su Padre; no en el sentido, excluído aquí expresamente («Mi inteligencia me esegura que hice todo por ellos», esto es, por los hombres pecadores), que Jesús haya en alguna forma pecado. Por esto, para interpretar bien los textos, es necesario considerarlos en su contexto cabal. Aquí, el contexto consta de cerca de dos páginas, y es un comentario al «Padre nuestro», oración en la que aparece la petición: «Perdónanos nuestras ofensas». Jesús no tenía ningún pecado, ni había ofendido al Padre, pero como cabeza y salvador del linaje humano, había sido enviado y había venido para cargar sobre Sí los pecados del mundo. Cfr. Is. 52, 13 - 53, 12; 2Cor. 5, 16-21; Gal. 3, 10-14.

Índice

Preparación a la Pasión

La Pasión
(primera parte)

Printed in Italy, 1996

GRAFICHE DIPRO
Via Cima Da Conegliano, 17
31056 RONCADE (TV)